国家出版基金项目
NATIONAL PUBLICATION FOUNDATION

『十四五』时期国家重点图书出版专项规划

中国考古发掘报告提要

夏商西周卷（上册）

刘庆柱 ◎ 总主编

丁晓山 ◎ 主编

中国文史出版社

序

记得是在 2013 年初夏的一天，首都师范大学丁晓山先生因公事到六里桥中华书局来找我。办完公事后我们就坐在中华书局一楼大厅里聊了会儿天，晓山先生告诉我，他想编《中国考古发掘报告提要》。我深表赞同，但又觉得兹事体大，任务繁重，恐怕会和许多听上去不错的想法一样，最终也只能停留在策划阶段，无疾自终。没有想到时隔不到两年，晓山先生竟抱着十几册书稿来找我写序了。按说考古方面的著述本不该由我来写序的，但我首先是被晓山先生的实干精神所感动，感到没有理由拒绝如此埋头苦干的后辈学者；其次从考古与文献的结合角度，也还确实有些话想说，便欣然答应了下来。

夜深人静，我翻阅着堆满了小半个书桌的书稿，当然最先翻看的是我比较感兴趣的隋唐五代卷。真的是如入宝库，目不暇接。记得曾有学者讲过，考古是坐在前排看戏。的确如此，考古是跟古人直接对话，你会看到古人穿着什么样的盛装出现在社交场合，你会触摸到古人曾经喝过酒的酒盏，你会站立在当年宫女们居住的寝室，你甚至会行走在一千年前古人曾经走过的街道上……借用时下流行的词语讲，真的是让人有"穿越"之感了。这是阅读古代文献很难获得的一种体验。

正是因为考古资料如此无可替代，20 世纪 20 年代王国维先生就提出了"二重证据法"，以考古资料与传世文献相印证，并将此提高到了方法论的高度。20 世纪 60 年代，沈从文先生甚至说过要想做好学问，最好"老老实实去故宫各库房学三五年文物"[①]的话。然而，结果又如何呢？约 30 年前，张光直先生就指出："考古学与历史学不能打成两截，那种考古归考古，历史归历史，搞考古的不懂历史，搞历史的不懂考古的现象，是一种不应有的奇怪现象，说明了认识观的落后。"[②]李学勤先

---

① 沈从文：《花花朵朵坛坛罐罐——沈从文文物与艺术研究文集》，外文出版社，1994 年版，第 76 页。
② 见《中国社会科学》杂志社编《未定稿》，1988 年第 4 期。

生在约 20 年前讲："我们学术界的习惯，是把历史学和考古学截然分开。""学历史的专搞文献，学考古的专做田野，井水不犯河水，大多不相往来。我看这对历史学、考古学双方都没有好处。"[1] 10 年前，石兴邦先生还引用张光直先生的话讲："中国古史研究与考古学的发现成果的间距，比海峡两岸的距离还远。"[2] 时至今日，这一状况应该说，有所改观，但恐怕还不好说已有了实质性的改观。

那么，怎么才能让历史学、考古学双方都有好处呢？这就需要沟通。而考古发掘报告，恰恰是双方有望沟通的一个很好的现实选择。从考古学来说，考古发掘报告是发现、发掘、整理、研究这一系列考古活动的最后结晶，是考古发掘过程中必不可少的关键一环。从历史学的角度看，考古发掘报告几乎是认识考古发掘的唯一文字凭证，历史学者不可能老是如同考古学者一样坐在前排看戏，他们在绝大多数情况下，只能通过发掘报告，来了解他们关心的考古事实（或许以后还可以通过网播、专题片等视频来了解）。应该说，考古界、史学界双方都很重视考古发掘报告。

然而，考古发掘报告似乎并不是准备给考古圈以外的人看的，专业词汇触目皆是，叙述过程长篇大论。不用说厚度令人生畏的考古详报，就是所谓考古发掘简报，也是动辄几十页，简报不"简"，难以卒读。李学勤先生曾谈到，早在 1955 年《考古》杂志开第一次编委会时，夏鼐先生就郑重其事地提出办刊的四项任务。头一条任务居然是"普及"[3]。我理解这个"普及"，不仅仅是向群众普及考古知识，提高文物意识，也理应包括向非考古专业的其他学科学者，介绍考古成果，传播相关信息。也早有学者呼吁，考古发掘报告专业性太强，必须加以改进，"使学科内、学科外的读者都可以直接阅读和使用可靠资料"[4]。也曾有学者强调"考古界应该更快地从迷恋于资料信息的占有，转入对资料信息的共享、共商、共研"[5]，而《中国考古发掘报告提要》所做的，不正是这样一种"普及"和改进工作吗？不正是这样一种"共享、共商、共研"吗？

说实话，如果说考古学和中国传统的金石学还勉强沾上点边的话，那么考古发掘报告，可就是完完全全、百分之百的舶来品了。中国传统文献里没有这种写法，也难怪国人读起来不太熟悉。而提要，则是我们十分熟悉的写法了，姚名达先生甚至说中国古代目录"优于西洋目录者，仅恃解题一宗"[6]。打个比方，如果说考古发

---

① 李学勤：《走出疑古时代》，辽宁大学出版社，1994 年版，第 62 页。
② 张得水：《"文明探源：考古与历史的整合"学术研讨会综述》，《中原文物》2006 年第 1 期。
③ 《〈考古〉50 年笔谈》，《考古》2005 年第 4 期。
④ 谢尧亭：《从〈天马——曲村〉谈考古资料的整理和报告的编写》，《考古》2005 年第 3 期。
⑤ 张忠培：《中国考古学：九十年代的思考》，文物出版社，2005 年版，第 5 页。
⑥ 《中国目录学史》，上海古籍出版社，2002 年版，第 346 页。

掘报告是道洋味扑鼻的"西餐",而"提要"则有如"西餐中做"。《中国考古发掘报告提要》煌煌十卷本,收录自1928年至2015年80多年间出版和专业刊物上的考古发掘报告13000多种,超过《四库全书总目》收书10000出头的规模了。而每种发掘报告,又力求用最简洁的语言,讲清楚发现、发掘的时间、地点,发现的过程,发掘出什么,属于什么时代或年代,墓主身份,遗址的性质,遗物的价值等。其实非专业学者,也许只需要了解这些基本信息就够了。其写法,又像是《四库全书简明目录》的路数。考古发掘报告这道"西餐",经过中国传统目录学的改造,终于比较适合国人的胃口,能够满足读者的初步诉求了。

翻阅一过,却又感到《中国考古发掘报告提要》所包含的信息十分丰富。如编者比较注重趣味,一般人感兴趣的信息会予以收录。编者比较注重考证,凡有通过与文献对读并由此得出结论的部分,大多予以保留。编者还比较注重信息,尽可能多地提供了一些相关学术信息。在细节上,有些地方也做得很好。如某篇发掘报告是否有照片(彩照还是黑白照片)、拓片,如出土有墓志等是否转录全文,都一一予以交代。这些都是做得不错的地方,是为本书加分的地方。

说完为本书加分的地方,也应说说为本书减分的地方。主要是工程浩大,书出众手,各人取舍标准有宽严之别,难免会出现漏收、误收现象;对内容的把握有高下之分,也会有该"提"的"要"而未"提"或错"提"的情况。至于录校方面的漏网之鱼、分卷方面的可议之处等等,还在其次。但扪心自问,不论是谁来编纂这样一部大书,上述问题几乎可以说是在所难免。

当然,学术型工具书也如同学术专著一样,最大的"加分"还在创新。如《中国丛书综录》(上海古籍出版社1959年版、1982年版),收录丛书2797种,遗漏错讹甚多,以至有阳海清先生的《中国丛书综录补正》(广陵书社1984年版)问世。日后又扩充成《中国丛书广录》(湖北人民出版社1999年版)上、下两册,声称收录《综录》未收或与《综录》有所不同的丛书3279种。施廷镛先生的《中国丛书知见录》(北京图书馆出版社2005年版)6册,共收丛书近2000种,据称其中700种是《综录》失收的。当然这几部书是"知见"性质,与《综录》是依托图书馆藏书的"目睹"性质有所不同。尽管《中国丛书综录》有着种种不足和缺憾,甚至被人讥笑为"大跃进"的产物。但效果如何呢?公道自在人心。可以说,《中国丛书综录》的问世,极大改变了丛书的利用状况。以往即便是学问大家,都很少利用丛书;而此后哪怕是一篇普普通通的毕业论文,都会用到丛书。因为要用什么丛书,一查便知,十分方便。晓山先生和我讲过一个观点,我很赞同。他说学术积累到一定程度,会促使相关工具书的出现;而一部优秀的学术工具书,反过来又会促进学术的发展。

丛书的利用是如此，考古发掘报告呢？我们期待也是如此。

《中国考古发掘报告提要》的创新之处，在我看来，主要就在为中国考古发掘报告算了次总账。台湾"中央研究院"院士周法高先生讲，他研究学问，用的是"结账式的研究方法"。周先生所编《金文诂林》《金文诂林补》和《金文诂林附录》计22册，500万字，就是将容庚《金文编》所收18000多个例字原来的出处一一查出，并登录原出处的句子、器名和器号。这是非常费时劳神的工作，等于是替金文研究贡献了一部"算总账"式的著述，且已成为研究金文不可或缺的工具书。据悉已有数位博士、硕士生以此为题来作学位论文。一部工具书居然有人来写学位论文，可见内涵十分丰富。事实上，各个学科、各个门类都应有这种"算总账"的著述才好。而《中国考古发掘报告提要》，不正是在这一领域的一部"算总账"式的工具书吗？

在开学术会议时，我私下曾请教过考古界的朋友：已发表的考古发掘报告到底有多少？结果说法不一，相差甚远，从几千到上万个都有。而《中国考古发掘报告提要》却首次给出了一个数字，这个答案当然还不能说是标准答案，但至少是向最终答案"逼近"和"靠拢"了一大步。在这一点上，编者是有首创之功的。季羡林先生曾讲过："专就学术界而言，编纂目录或者索引，就是积累功德。"① 在我看来，这种花了大力气的"算总账"式的工具书，可真是积了大功德了。

对于这部功惠学界的书应如何利用呢？除了通常的查阅和翻阅外，我想至少还有以下几种读法。

其一，通读。即老老实实、认认真真地一本一本、一篇一篇地把《中国考古发掘报告提要》通读一过，这当然要费上一番功夫，花上一点时间。但这么读下来，对全国从史前到明清的主要考古发掘成果都会大致有个印象，这不也算是前辈学者提到的"遇到问题会冒出来"的底子吗？晓山先生有一比，他说《中国考古发掘报告提要》，就好比是地下的《四库全书总目》提要。我倒是很欣赏这个提法。其实，不要说《四库全书总目》提要，如果能够认认真真地把《四库全书简明目录》通读一过，脑子里不就有了3000多种书的信息吗？如果再把《中国考古发掘报告提要》通读一过，脑子里不就又有了13000多条考古信息了吗？二者相加，差不多是小20000条信息了，"存储量"不可谓不大。遇到什么问题，"数据库"里总会调出几条相关信息。这也应算是一种学术功底吧。

其二，对读。所谓的"对读"，当然是指传世文献与考古材料的对读。但以往似乎是以传世文献为本的成果多一些，王国维先生的大作、陈直先生的《汉书新证》，

---

① 季羡林：《西文中国学研究图书目录·序》，王树英编。《季羡林序跋集》，新世界出版社，2008年版，第757页。

都是如此。如果把考古材料比作"六经"，把传世文献比作"我"，以往大多是"六经注我"。我们在这里提倡的"对读"，是"我注六经"，即用文献来诠释、印证考古材料。或许还可以借用陈佩斯、朱时茂的小品《主角与配角》来打比方：以往我们一般是以传世文献来充当主角，以考古资料来当配角；而今应该倒过来，让考古资料来当主角，以传世文献来当配角，以传世文献来诠注考古资料。而欲这么做，考古资料总得有个文字凭证才行，而这个文字的凭证，只能是考古发掘报告。

其三，核读。"核"是核校的意思。我们可以拿考古发掘报告原文，甚至用出土遗物原件来核校，我们还可以用其他考古研究成果来核校。攻其过，补其阙。最终也形成如同余嘉锡先生的《四库提要辨证》，胡玉缙、王大隆先生的《四库全书总目提要补正》那样的成果，使《中国考古发掘报告提要》更趋完善。当然在这个过程中，自己的学术水平也终会得到提高。

其四，译读。现在不少青年学子都很重视英语。眼下考古发掘报告，往往都有英文书名或刊名，甚至还有英文的内容简介。这样我们不妨通过译读，一方面学习考古知识，一方面提高英语水平。即一边读一边将书名、篇名和内容译成英语，再与专家译的进行比较，在比较中看到自己的不足，达到学习考古、英文的双重目的。据说英国考古学家格林·丹尼尔（Glyn Daniel）讲过"未来的世界考古学要看中国"①一类的话，中国青年学子要向世界介绍中国考古学成果，当然免不了要谈到考古发掘报告。

其五，解读。《中国考古发掘报告提要》已尽量少用隐晦难懂的专业词汇，但仍然难免有一些词语非专业读者难辨其意。如青铜器名称、墓葬形制等，这就需要解读。可以上网搜一搜图片；还不清楚，有条件的话可以上博物馆看一看实物；如果有点绘画基础的话，可以试着自己画一画复原图、示意图。一个难点一个难点地去克服，一个词语一个词语地去弄懂。学问也会在这个过程中一点一滴地积累起来了。

其六，走读。这个"走读"，不是指改革开放之初"走读大学"那个"走读"，而是指依照《中国考古发掘报告提要》的方位指引，实地去踏察一番。考古仅仅坐在家里是不行的，一定要走出书斋。何况有些事情真的是只可意会无法言传，写得再好的报告，也无从传达。只有去实地看一看，才能更多地理解先民传递给我们的信息。

其七，群读。可以通过兴趣小组、QQ、微信群等方式组织起来，一起来攻读某一类、

---

① 转引自对俞伟超先生的访谈，见《考古与文化续编》，曹兵武编著，中华书局，2012年版，第348页。

某一地甚至某一篇考古发掘报告。这也可以说是一种集体研读。好处是可以互相学习，相互激励。

行文至此，我想到了一个词：落地。考古与文献相结合说得很不少了，历史与文物相对应也喊了很多年了，大方向当然是没有问题的，但为什么一直效果不是那么明显呢？原因之一，恐怕就在于缺少一个"抓手"，而《中国考古发掘报告提要》，不正是这样一个"抓手"吗？它有助于将考古与文献相结合，扎扎实实地落到实处。当然，这还仅是第一步，甚盼日后有《中国考古发掘报告提要补正》《中国考古发掘报告提要·补编》《中国考古发掘报告提要·续编》等陆续推出，如同《四库提要》一样形成一个系列。这就需要众人拾遗补阙，共襄盛举。

最后想到的一个词，在文章开始时已提到过，那就是：感动。这部书的篇幅不小，隐藏在其后的工作量更大。听晓山先生介绍，每篇考古发掘报告，要经过初选、确认、撰写、审定、分卷和汇总共 6 道程序。一篇报告，要翻来覆去地看好几遍，阅读量之大，可以想见。更难能可贵的是，晓山先生没有申报任何一级课题，而是不等不靠，先干起来再说。近日偶然读到兰州大学历史系赵俪生先生的集子，赵先生说："我们这些干了一辈子的人的眼睛是比较清楚的，知道谁在搞腐败，谁在规规矩矩地干活计。"[1]的确，我们这些人是知道的。

拉杂写来，暂且就说这些，是以为序。

傅璇琮[2]

2015 年 1 月于北京

---

[1] 赵俪生：《赵俪生文集》第一卷，兰州大学出版社，2002 年版，第 119 页。
[2] 傅璇琮（1933－2016），浙江宁波人，历任中华书局总编辑、国务院古籍整理出版规划小组秘书长、副组长，清华大学古典文献研究中心主任等职，博士生导师。

本书说明

一、编纂《中国考古发掘报告提要》的目的，在于为读者提供了解中国考古成果的简便途径。从这一意义上讲，或可视其为"地下的《四库全书总目》提要"（见本书"序"）。

二、《中国考古发掘报告提要》，收录20世纪20年代至2015年1月在中国大陆正式出版的考古详报和考古专业核心期刊登载的考古简报，共计收书1008部、文12242篇，合计13250种。

三、考古发掘报告，包括以书籍形式出版的考古详报，以文章形式发表的考古简报。仅限中文报告，外文报告不收；仅限中国境内，涉及外国不收；仅限出土文物，征集、捐献等无明确出土地点的不收。

四、每一报告，给出作者、出处（出版社及出版年、刊物名称、期数），述其所在地点、发现经过、发掘时间、主要发现、重大价值等。

五、《中国考古发掘报告提要》共计10卷：

史前卷

夏商西周卷

春秋战国卷

汉代卷

魏晋南北朝卷

隋唐五代卷

宋·西夏卷

辽金元卷

明清卷

综合卷

六、涉及两个或两个以上时代内容的报告，收入"综合卷"。

七、另有《总目》一册，包括目录汇总、参考文献和后记等内容。

八、详情请参阅各卷前的"本卷说明"。

本卷说明

一、此卷为《中国考古发掘报告提要》中的夏商西周卷，共收录以书籍形式出版的考古详报 86 部，以文章形式发表的考古简报 1276 篇，二者合计 1362 种。

二、本卷分为上、下编，上编收录考古详报，下编收录考古简报。

三、上编下依 34 个省级行政区排列，省级行政区下依出版年为序。同一出版年的，依文物出版社、科学出版社、中国大百科全书出版社及其他出版社的顺序排列。涉及两个或两个以上省市自治区的考古详报，列于 34 个省级行政区之前。

四、下编下依 34 个省级行政区排列，每一省、自治区下再列地级市（州、盟）及省、自治区直管市。涉及两个或两个以上地级市（州、盟）的考古简报，列于该省、自治区之首。

五、其他相关事宜，请参阅"本书说明"。

目录

上编　考古详报

北京市

天津市

河北省

山西省

内蒙古自治区

辽宁省

吉林省

黑龙江省

上海市

江苏省

浙江省

安徽省

福建省

江西省

湖北省

湖南省

广东省

广西壮族自治区

海南省

重庆市

四川省

贵州省

云南省

西藏自治区

陕西省

甘肃省

青海省

宁夏回族自治区

新疆维吾尔自治区

香港特别行政区、澳门特别行政区、台湾省

下编　考古简报

北京市

天津市

河北省

石家庄市

山西省

吉林省

黑龙江省

哈尔滨市

齐齐哈尔市

鸡西市

鹤岗市

双鸭山市

大庆市

伊春市

佳木斯市

七台河市

牡丹江市

黑河市

绥化市

大兴安岭地区

上海市

江苏省

扬州市

镇江市

泰州市

宿迁市

浙江省

杭州市

宁波市

温州市

嘉兴市

湖州市

安徽省

马鞍山市

淮北市

铜陵市

安庆市

黄山市

滁州市

阜阳市

宿州市

巢湖市

六安市

亳州市

池州市

宣城市

福建省

福州市

厦门市

莆田市

三明市

泉州市

漳州市

南平市

龙岩市

宁德市

江西省

南昌市

河南省

湖北省

湖南省

广东省

广西壮族自治区

海南省

重庆市

四川省

贵州省

云南省

西安市

宝鸡市

甘肃省

青海省

海北州

黄南州

海南州

果洛州

玉树州

海西州

宁夏回族自治区

银川市

石嘴山市

吴忠市

固原市

中卫市

新疆维吾尔自治区

乌鲁木齐市

克拉玛依市

吐鲁番地区

哈密地区

香港特别行政区、澳门特别行政区、台湾省

参考文献

后记

上编 考古详报

北京市

1.琉璃河西周燕国墓地：1973～1977

作　者：北京市文物研究所　编著

出　处：文物出版社 1995 年版

该书 16 开精装一册，是 1973～1977 年考古人员对北京市房山区琉璃河遗址西周时期燕国墓地的考古发掘详报。计发掘墓葬 64 座（其中西汉墓 3 座）、车马坑 5 座。该书简目如下：

第一章　琉璃河遗址及西周燕国墓地

第二章　墓葬

第三章　随葬遗物

第四章　墓葬时代的推断及几点认识

附有周建勋先生《商周青铜器铸造工艺的若干探讨》一文。

琉璃河遗址已探明埋有一座城址和大片墓地。学界认为此处的古城，应为西周时期的燕国都邑，墓地则应为燕侯宗族的坟地。有学者指出："琉璃河燕国遗址，实际上是商人与周人的联盟。"（张忠培《中国考古学：走近历史真实之道》，科学出版社 1999 年版，第 274 页）

2.昌平张营——燕山南麓地区早期青铜文化遗址发掘报告

作　者：北京市文物研究所、北京市昌平区文化委员会　编著

出　处：文物出版社 2007 年版

本书为 16 开精装一册，有正文 275 页，文后有彩色图版 16 版，黑白图版 24 版。

本书计分六章：

第一章是绪言；第二章和第三章是本书的重点，运用大量篇幅集中、客观、有序地报道了张营遗址最重要的大沱头文化的地层关系、遗迹和遗物，除了对遗迹、遗物的综述和对陶器等的类型学研究，还特地分灰坑、房址、灶、墓葬、陶窑、灰沟六类遗迹按照单位进行分述。这种对资料全部发表的方式，既为他人提供了再研

究的可能，也成为作者做出各种论断的依据；第四章和第五章是对早于和晚于张营早期青铜时代的遗存的介绍；第六章是结语，对遗址的年代、文化属性、文化关系等问题进行了分析。

张营遗址的发掘，为燕山南麓特别是北京地区早期青铜文化的类型与谱系的研究提供了翔实的资料，对进一步研究中原与北方古老文化的关系具有重要的意义，为探索这一时期中国北方长城地带考古学文化的布局及互动关系提供了新的线索。本书还对数座历史时期砖室墓及瓮棺葬的发掘情况进行了介绍，文后还附有人骨、动物骨骼、青铜器、炭样和玉石等材料的测定报告。

天津市

河北省

3.藁城台西商代遗址

作　者：河北省文物研究所　编著

出　处：文物出版社 1985 年版

该书 16 开精装一册。河北省藁城台西商代遗址，是继殷墟、郑州商城及邢台等发现之后有关商代遗存的又一重大发现。简目如下：

一、发现和发掘经过

二、文化堆积和年代分期

三、遗址

四、墓葬

五、结语

前有苏秉琦、邹衡先生序，后附有关兽骨龟甲、植物鉴定报告及相关文章。

王迅先生有书评，见《考古》1987 年第 11 期。

4.邢台粮库遗址

作　者：河北省邢台市文物管理处　编著

出　处：科学出版社 2005 年版

本书 16 开精装一册，为河北邢台商代粮库遗址的考古详报。还附带介绍了发现的汉、唐、宋、元至明清的墓葬。该书简目如下：

第一章　概述

第二章　地层堆积与年代分期

第三章　先商时期遗存

第四章　中商时期遗存

第五章　晚商时期遗存

第六章　商以后的历代遗存

第七章　结语

附有 6 种表格。

5.邢台商周遗址

作　者：河北省文物研究所　编著

出　处：文物出版社 2011 年版

该书 16 开精装一册，前有李伯谦先生序。系邢台及相邻地区从史前到东周诸遗址的考古发掘综合研究报告。简目如下：

前言

第一章　自然环境

第二章　考古发现回顾

第三章　商周遗址群

第四章　东先贤

第五章　南小汪

第六章　古鲁营

第七章　总论

附有登记表、统计表计 17 种。

李伯谦先生在序言中称赞此书说"是从田野考古报告、田野考古学研究过渡和上升到历史学研究整个研究逻辑链条中的一个创造。和现在流行的田野考古发掘报告相比，它有报告要求的自然地理环境、历史沿革、考古简史、地层、分期、遗迹、遗物及结语等基本内容，也可以看作是田野考古报告，但又有较大篇幅的综合研究，独立出来就是一篇考古学论文。而与现在流行的考古学论文相比，最大的特点是（既）有分量很大的田野考古报告的内容，更有大篇幅的相关文献记载的征引和分析。"

山西省

6.夏县东下冯

作　者：中国社会科学院考古研究所、中国历史博物馆、山西省考古研究所　编著

出　处：文物出版社 1988 年版

该书 16 开一册，分精装、平装两种，是 1974 ～ 1979 年在山西省夏县东下冯村进行考古工作的详报。根据文化遗存的地层情况共分为六期，每期按遗迹、遗物分别作了详细的叙述，结语中关于东下冯类型的年代作了推定。文后附有大量的遗迹、遗物表格和铜器鉴定，还讨论了东下冯遗址和传说中"夏墟"与夏年相关的问题，对以后的研究工作提供了参考资料。该书简目如下：

第一章　绪言

第二章　地层与分期

第三章　文化遗存

第四章　结语

学界认为，东下冯夏文化与二里头夏文化在地理上以黄河为界而相连，在时间上则先后相续。东夏冯一期要晚于二里头一期。东夏冯二至三期基本上应与二里头二至四期相当。从文化因素上看，东下冯的主要文化因素来自二里头文化，应是二里头文化发展到一定阶段后向晋南传播并与当地原住民文化逐渐融合而成的。

7.垣曲商城：1985 ～ 1986 年度勘察报告

作　者：中国历史博物馆考古部、山西省考古研究所、垣曲县博物馆　编著

出　处：科学出版社 1996 年版

该书 16 开精装一册，汇集了 1985 ～ 1986 年山西省垣曲县商代前期城址的勘察、试掘成果。简目如下：

一、商城的地理位置与地貌

二、城垣形状及建筑结构

三、城内布局

四、城址内涵的文化遗存

五、城址的年代、性质、文化面貌与特征

有附录 4 种。

8.灵石旌介商墓

作　　者：山西省考古研究所　编著

出　　处：科学出版社 2006 年版

该书 16 开精装一册，系山西省晋中市灵石县旌介村商墓的考古发掘详报，共计 3 座商墓。该书简目如下：

上编

第一章　地理环境

第二章　历史文化背景

第三章　发现、发掘与研究概况

第四章　墓葬概况及随葬情况

下编

第一章　出土青铜器的综合考察

第二章　墓葬的时代与性质

前有李伯谦先生序。

此 3 座大墓含有殷墟未见的 3 棺或 2 棺 1 椁、男女合葬等葬俗，墓主人当为未完全被商文化同化的当地贵族。

9.垣曲商城：1987 ~ 2003 年度考古发掘报告

作　　者：中国国家博物馆、山西省考古研究所、垣曲县博物馆　编著

出　　处：科学出版社 2015 年版

该书为 16 开精装上、下册，收录了 1987 年至 2003 年对垣曲商城的考古发掘成果。时代涉及仰韶文化晚期、二里头文化晚期、商代、汉、金、宋等，但以商代城址的发现与发掘为主，也最为重要。简目如下：

第一章　城址概况

第二章　城址地层堆积

第三章　城址兴起前的文化遗存

第四章　城址使用时期的文化遗存

垣曲商城是 1 座商代早期城址，外有夯土城墙和护城壕，内有宫殿区。有学者认为垣曲商城是 1 支追击夏人余部的商人所建。

内蒙古自治区

10. 大甸子——夏家店下层文化遗址与墓地发掘报告

作　者：中国社会科学院考古研究所　编著
出　处：科学出版社 1996 年版

该书 16 开精装一册，是 1974 ～ 1983 年在内蒙古赤峰大甸子发掘的夏家店下层文化聚落遗址和墓葬的发掘报告。这是 1 处有夯土围墙和壕沟围绕的居住遗址以及有 804 座墓葬的完整墓地。该墓地反映了多个家族的同茔域中不同墓葬之间存在的等级差别。在出土的陶器中有 200 多件彩绘纹饰，其中有与"饕餮"纹相似的花纹，说明青铜器上的花纹"母体"在商代之前已经形成。

本报告对于研究该文化的埋葬制度及其所反映的社会组织结构、中国古代"礼制"的发生过程，以及中国商周青铜器某些特有纹饰的渊源，都具有重要的参考价值。一般认为，夏家店下层文化的年代，相当于夏商时期。有考古学家指出：夏家店下层遗址总数当在 30000 处左右，在一些地区的分布密度，甚至超过了近代村落的分布密度。

11. 朱开沟：青铜时代早期遗址发掘报告

作　者：内蒙古自治区文物考古研究所　编著
出　处：文物出版社 2000 年版

该书 16 开精装一册，系内蒙古伊克昭盟伊金霍洛旗纳林塔乡朱开沟村的考古发掘详报。1977 年、1980 年、1983 年、1984 年进行了四次发掘。共发现房址 83 座、灰坑（或窖穴）207 个、墓葬 329 座、瓮棺葬 19 座，出土可复原陶器 510 件、石器 270 余件、骨器 420 余件、铜器 50 余件等。该书简目如下：

第一章　概述
第二章　遗址分区与地层堆积
第三章　居住遗址
第四章　墓葬

第五章　结语

附有表格 7 种，人骨、兽骨、铜器研究文章 3 篇。

学界一般认为，朱开沟遗存包含有龙山晚期和夏、商代早期的文化因素。有学者推测：有夏人从晋南、晋中地区来到这里，商人又随后追至此地。夏人只好又一次向西北或西南方迁移。据《史记 . 匈奴列传》："匈奴，其先夏后氏之苗裔也。"来到朱开沟后又迁走的夏人，有可能就是匈奴人的祖先。

辽宁省

12.马城子——太子河上游洞穴遗存

作　者：辽宁省文物考古研究所、本溪市博物馆　编著

出　处：文物出版社 1994 年版

该书 16 开精装一册，汇集了辽宁省东部山区太子河上游马山城子 B、C 二洞、马城子 A、B、C 三洞、北甸 A 洞、张家堡 A 洞 4 个地点 7 座洞穴的考古发掘资料。该书简目如下：

第一章　地理环境与洞穴分析

第二章　新石器时代文化遗存

第三章　青铜时代洞穴墓葬

第四章　马城子文化有关问题研究

据介绍，马城子文化的年代，为距今 3500 年左右，大致相当于中原地区的商代。

13.大嘴子：青铜时代遗址 1987 年发掘报告

作　者：大连市文物考古研究所　编著

出　处：大连出版社 2000 年版

该书 16 开精装一册，系 1987 年辽宁省大连市大嘴子遗址的考古发掘详报。该遗址遗迹有房址、石墙、炭化稻米等。时代为石砣子文化一、二、三期，以第三期遗存最为丰富。附有鉴定报告 10 种。

一般认为，大嘴子青铜时代遗址已进入青铜时代，时代约相当于中原地区的商周时期。

14.代海墓地

作　者：辽宁省文物考古研究所　编著

出　处：文物出版社 2013 年版

该书 16 开精装一册，系辽宁省阜蒙县旧庙镇代海村古代墓地的发掘详报。该墓

地是 2006 年初修路时发现，2009 年发掘。主要遗存为夏末商初的墓葬 62 座，另外，附近还发现有青铜时代、战国、辽代遗存。该书简目如下：

第一章　概述
第二章　墓地研究
第三章　墓葬资料
第四章　灰坑与灰坑资料
第五章　墓地综合分析

附有表格 4 种及《代海墓地出土人骨的人类学研究》一文。

吉林省

15.西团山文化考古报告集

作　者：王铁侠、刘玉勤、董学增　主编
出　处：《江城文博丛刊·第二辑》1992 年 11 月

　　西团山坐落在吉林市船营区黄旗屯街道，海拔 236.2 米，是 1 处距今 3000 年前原始社会的文化遗址，大致相当于中原地区的商代晚期。1950 年发掘，为"西团山文化"的命名遗址。遗址包括生活居址和墓地两部分，总面积 4 万余平方米。遗址发现房址、灰坑等遗迹，房址均半地穴式，依山而建，后高前低。墓葬为石棺墓，大多呈长方形，有板石立砌和块石叠筑两种。地表不见封堆。墓葬结构分为三种。即长方形石棺墓、长方形有副棺的石棺墓和近方形小石棺墓。葬式多仰身直肢，头朝山顶。西团山文化是中华人民共和国成立后东北地区第一个命名的考古学文化，遗迹遗物具有常有的地方特点。

　　该书系以刊物专刊形式出版的一部相关文集，共收入 28 篇考古报告，几乎涉及已发表的所有有关西团山文化的调查报告和发掘报告。

黑龙江省

16.肇源白金宝：嫩江下游一处青铜时代遗址的揭示

作　者：黑龙江省文物考古研究所、吉林大学考古系　编著

出　处：科学出版社 2009 年版

该书正文 282 页，插图 181 页、彩版 10 页、黑白版 106 页。

该书是吉林大学考古系和黑龙江省文物考古研究所 1986 年在肇源白金宝遗址第 3 次发掘的考古报告。这是迄今嫩江下游最大规模的考古发掘。该遗址堆积厚，文化内涵丰富，依据地层关系及出土遗物的分析比较，遗址可以划分为四个不同时期的文化遗存：第一期为夏至早商时期的小拉哈文化，第二期年代相当于晚商时期的白金宝二期文化，第三期属于白金宝文化，第四期是晚于白金宝文化的汉书二期文化。其中第一、二期文化遗存为首次发现，这一发现填补了以往考古工作的空白。

上海市

17.马桥：1993～1997 年发掘报告

作　者：上海市文物管理委员会　编著
出　处：上海书画出版社 2002 年版

该书 16 开精装一册，系上海市闵行区马桥镇马桥遗址的发掘详报。遗址发现于 1959 年，20 世纪 60 年代进行过 2 次发掘，1993～1997 年又进行了 4 次发掘。简目如下：

第一章　概述
第二章　地层堆积
第三章　文化遗存（一）——良渚文化
第四章　文化遗存（二）——马桥文化
第五章　文化遗存（三）——春秋战国、唐代、宋元时期
第六章　自然遗存（一）——微体古生物、植物和古土壤
第七章　自然遗存（二）——动物
第八章　关于马桥文化的专题讨论

江苏省

18.淹城：1958 ～ 2000 年考古发掘报告

作　者：南京市博物院等　编著

出　处：科学出版社 2014 年版

该书 16 开精装一册，是对江苏省常州市武进区淹城遗址的考古发掘详报。自 1958 ～ 2000 年共进行了 6 次发掘，认定该处是商周之间 1 处重要的城市遗址。有三道城墙，三道城河。这种"三城三河"的城市，在中国古代城市中是独一无二的。出土有独木舟、青铜器、陶器等。现原址已建成遗址公园。简目如下：

第一章　绪言

第二章　遗址

第三章　遗物

第四章　结语

浙江省

19.独仓山与南王山——土墩墓发掘报告

作　　者：浙江省文物考古研究所、德清县博物馆　编著
出　　处：科学出版社 2007 年版

该书为 16 开精装一册，正文共 144 页，约 19.3 万字，文后附有彩色图版 12 页、黑白图版 32 页。

本书全面介绍了在浙江省德清县独仓山与南王山两地点发掘的 11 座土墩墓的发掘成果。所发现的墓葬均属商周时期，墓葬形制包括平地堆土掩埋型、石框型及石室土墩等，基本涵盖了浙江地区已经发现的各种类型的土墩墓。报告在进行墓葬分期的基础上，对土墩墓的形制结构及主要出土遗物如原始瓷器和印纹硬陶器进行了细致的分析，对于土墩墓的防水、防潮设施及葬制、葬俗等问题也进行了较为深入的探讨，是欲了解当地土墩墓时不可或缺的学术成果。

20.浙南石棚墓调查发掘报告

作　　者：浙江省文物考古研究所　编著
出　　处：文物出版社 2014 年版

该书 16 开精装一册。

浙南石棚墓，主要分布在温州地区瑞安岱石山、平阳龙头山、苍南桐桥等 13 处，是我国南方唯一的巨石文化遗存。时代当在商周时期。1993 年发掘，发现有两类墓：一类较大，1 米高的支石上盖巨型整石，出土有印纹硬陶罐、原始黑瓷、原始青瓷、青铜礼器等。墓主人推断应为奴隶主。另一类墓十分低矮，墓主人地位应当较低。
简目如下：
第一章　浙南石棚墓调查
第二章　瑞安岱石山石棚墓发掘
第三章　浙南石棚墓的分布、类型、内涵和时代
第四章　研究与探讨

21.东苕溪流域夏商时期原始瓷窑址

作　　者：浙江省文物考古研究所、湖州市博物馆、德清县博物馆　编著
出　　处：文物出版社 2015 年版

该书为 16 开精装一册，系对浙江省临安市天目山南麓东苕溪流域夏商时期原始瓷窑址的考古发掘详报。目前已发现的原始瓷窑址数量已超过 160 处，主要分布在以德清县为中心的东苕溪流域。

安徽省

22.霍邱堰台——淮河流域周代聚落发掘报告

作　者：安徽省文物考古研究所　编著
出　处：科学出版社 2010 年版

本书为 16 开一册，共 494 页，彩色图版 28 页，黑白图版 60 页。

本书是关于安徽霍邱县堰台遗址的考古发掘报告。书中发表了 2004 年对堰台遗址发掘的全部考古资料，重点考察了该遗址的聚落布局及地层堆积的特点与成因，对出土的各类遗物进行了全面的介绍，并以陶器为核心对该遗址进行了分期。书后还附录了关于堰台遗址的古环境及出土动物、植物、人骨等方面的专题研究文章。

本书简目如下：

第一章　概述
　第一节　自然环境与历史背景
　第二节　遗址概况与发掘经过
　第三节　资料整理与报告编写
第二章　地层堆积
　第一节　地层堆积及整理概况
　第二节　地层堆积举例
　第三节　地层堆积特点及成因
第三章　遗迹
　第一节　环壕
　第二节　建筑遗迹
　第三节　墓葬
　第四节　其他遗迹
　第五节　小结
第四章　遗物
　第一节　陶器
　第二节　铜器

福建省

23.虎林山遗址

作　　者：福建博物院、漳州市文管办、漳州市博物馆　编著
出　　处：海潮摄影艺术出版社 2003 年版

该书 16 开一册，系福建省漳州市郊虎林山商代遗址的考古发掘详报。2001 年、2002 年 2 次发掘，共清理商代墓葬 7 座，出土有青铜、陶器、石器、玉器等。

24.鸟仑尾与狗头山：福建省商周遗址考古发掘报告

作　　者：福建博物院文物考古研究所、漳州市文物管理委员会办公室　编著
出　　处：科学出版社 2004 年版

本书为 16 开精装一册，正文共 155 页，约 23 万字，文后附彩色图版 16 页、黑白图版 24 页。

本书是关于福建漳州市鸟仑尾与狗头山商周遗址的考古发掘报告，对 2 处遗址的地层堆积状况及所出墓葬、器物等进行了详细报道。其中，鸟仑尾遗址的规模较大，出土遗物丰富，考古人员共发掘清理了土坑墓葬 23 座，年代经测定为距今 3550 年左右，相当于中原地区的商代时期。器物特征明显，其文化内涵在闽南地区具有代表性，在本书中将其命名为"鸟仑尾类型"。狗头山遗址清理了商周时期土坑墓 5 座。鸟仑尾与狗头山遗址的发掘和研究，对建立福建乃至粤东地区的先秦时期考古学文化系列具有重要意义。

江西省

25.新干商代大墓

作　者：江西省博物馆、江西省文物考古研究所、新干县博物馆　编著
出　处：文物出版社 1997 年版

该书 16 开精装一册，是江西省吉安地区新干县大洋洲乡程家村新干商代大墓的考古发掘报告。该墓于 1989 年 9 月发现，于 1989 年 11 月发掘。简目如下：

第一章　墓葬的发现与发掘
第二章　墓葬概况与随葬遗物的分布
第三章　出土遗物
第四章　结语

附有《新干商代大墓出土器物登记表》《新干商代大墓出土器物分类表》，附有鉴定、测定报告 11 种。

据介绍，共出土遗物 1361 件，其中青铜器多达 475 件、玉器 754 件、陶器 139 件。详报将这些青铜器分为四类：殷商式、融合式、先周式和土著式。其中不乏首次发现的孤品或形制异特者（如火锅、温酒器）。兵器达 10 余种 250 余件。这一切都表明墓主人是个身份显赫的人物。

26.吴城：1973 ～ 2002 年考古发掘报告

作　者：江西省文物考古研究所、樟树市博物馆　编著
出　处：科学出版社 2005 年版

该书为 16 开精装一册，正文共 539 页，约 80.5 万字，文后附有彩色图版 16 版、黑白图版 64 版。

据介绍，位于江西清江县山前乡吴城村的吴城遗址是长江以南地区 1 处极其重要的青铜时代遗址，1973 年修建水库时发现，代表了与中原商文化不相同的另一类青铜文化，本书即是关于吴城遗址的考古发掘详报，较完整地报道了 1973 ～ 2002 年间共计 10 次考古发掘工作的主要收获。详报将整个遗址区按照地理位置分成 9 区，

对城址内的各种遗迹现象进行分类说明，对出土的大量文化遗物按照类别进行了详尽的叙述，特别是对陶器上的大量刻划符号进行了介绍。书后所附的相关研究更有助于对该遗址的理解。这本考古报告是商周考古的重要新成果，对研究长江以南地区的古代青铜文化具有重要意义。李伯谦先生为本书作序。

正文后附有表格 12 种及李伯谦先生《试论吴城文化》等文章 6 篇。另有《吴城商代遗址研究论著要目》。

该报告简目如下：

第一章 概论

第二章 遗址分区与地层堆积

第三章 城址

第四章 文化遗物

第五章 结语

李伯谦先生指出："吴城文化是分布于赣江、鄱阳湖流域的一种青铜文化。""根据吴城遗址的发掘，吴城文化可暂分为三期：一期相当于商代二里岗期上层，二期相当于殷墟早期，三期相当于殷墟晚期，大约经历了四五百年的发展历程。吴城文化第一期是否吴城文化的开始，第三期是否吴城文化的终结？限于目前的资料，尚难做出肯定的结论，还有待于今后的工作。"

李伯谦先生还指出，吴城文化包含两种因素：主要因素是与商文化存在着明显区别的、具有鲜明地方特色的；次要因素则具有较浓商文化特点，受商文化影响明显。

李伯谦先生最后说："吴城文化的年代和性质的确定，生动地说明了早在 3000 多年以前，在中原地区先进文化的影响下，我国江南地区也先后以较快的步伐进入了文明时代。"

今有彭明瀚先生《吴城文化研究》（文物出版社 2005 年版）一书，对已发现的二百多处吴城文化遗址考古材料，进行了全面、细致的梳理和分析，可参阅。

山东省

27.泗水尹家城

作　　者：山东大学历史系考古教研室　编著

出　　处：文物出版社 1990 年版

该书 16 开平装一册，文字 363 页，插图 199 幅，黑白图版 112 页。系 1973 ～ 1986 年间先后 5 次对山东省济宁市泗水县尹家城遗址的考古发掘详报。泗水尹家城主要是一处岳石文化遗址。一般认为，岳石文化是山东省新石器时代向青铜时代过渡的一种文化，是直接由龙山文化发展而来的，以山东地区为中心的考古学文化。岳石文化的年代，与二里头文化基本相当而略晚。据碳十四测定，约为公元前 1890 年至公元前 1670 年。

28.海阳嘴子前

作　　者：烟台市博物馆、海阳市博物馆　编著

出　　处：齐鲁书社 2002 年版

该书 16 开精装一册，系山东省海阳市盘石店镇嘴子前村古墓群的考古发掘详报。1978、1981、1985、1994、1998、2000 年进行了多次发掘，发现大批西周初年青铜器。该书简目如下：

上篇　考古报告

嘴子前墓群概况

一号墓清理与调查报告

二号墓发掘报告

四号墓发掘报告

六号墓发掘报告

中篇　考古研究

嘴子前墓群出土铜器铭文考释及其他

海阳嘴子前墓群的年代、特点及相关问题

嘴子前墓群与田氏代姜之变

源远流长的海阳古文化

下篇　考古者足迹

山乡缴宝记

谁言海阳蛮荒地，瑰丽真宝现人间

在发掘六号墓、一号墓的日子里

29.临淄商王墓地

作　者：淄博市博物馆、齐故城博物馆　编著

出　处：齐鲁书社 1997 年版

该书 16 开精装一册，系山东省淄博市临淄商王墓地的考古发掘详报。这是 1 处从战国至两汉的贵族与平民墓葬区，1992 ～ 1993 年发掘，出土各类文物 982 件。该书分为 8 章，正文后有 10 个附表及研究论文等。该书简目如下：

第一章　序言

第二章　战国晚期墓葬

第三章　西汉前期墓葬

第四章　西汉后期墓葬

第五章　东汉前期墓葬

第六章　东汉后期墓葬

第七章　分期和年代

第八章　结语

30.滕州前掌大墓地

作　者：中国社会科学院考古研究所　编著

出　处：文物出版社 2005 年版

该书 16 开精装上、下两册，系山东省枣庄市滕州市官桥镇前掌大村墓地的考古发掘详报。时代为商周时期，上限为商晚期，下限为西周中期。

该书简目如下：

上册

第一章　前言

第二章　墓地的文化遗存

第三章　商周时期墓葬类型

第四章　商周时期墓葬的随葬器物

第五章　墓葬的分期与断代

附有统计表、登记表 17 种。

下册

收有《前掌大墓地出土铜器铭文汇释》等文章 11 篇。

河南省

31.郑州二里岗

作　者：河南省文化局文物二队　编著

出　处：科学出版社 1959 年版

该书为考古学专刊丁种第七号，16 开一册。二里岗遗址位于今郑州市区老城区东南部，为一高 5 ～ 10 米的土岗，1952 年开始发掘，此为郑州二里岗第一部正式出版的考古发掘详报。

32.小屯

作　者：石璋如　编著

出　处：台北"中研院"1959 ～ 1980 年版

该书系 8 开多卷本出版社物，此系列分为乙编、丙编，计有乙编建筑遗存一册，下分 7 章；丙编殷墟墓葬之一上、下两册，下分 7 章；丙编殷墟墓葬之二一册，下分 14 章；丙编殷墟墓葬之三一册，下分 7 章；丙编殷墟墓葬之四一册，下分 8 章；丙编殷墟墓葬之五上、下两册。另有"殷墟文字"系列，亦为多卷本，1956 年还出版过《小屯·殷墟器物》系列。

33.侯家庄

作　者：梁思永原著；高去寻辑补

出　处：台北"中研院"历史语言研究所 1962 ～ 2001 年版

此系 8 开多卷本系列丛书，是在梁思永先生未完稿基础上辑补而成。第二本 1001 号大墓上下两册，下分 6 章；第三本 1002 号大墓一册，下分 5 章；第四本 1003 号大墓一册，下分 5 章；第五本 1004 号大墓，下分 5 章；第六本 1217 号大墓，下分 5 章；第七本 1500 号大墓，下分 5 章；第八本 1550 号大墓，下分 5 章。第九本 1129 号、1400 号、1443 号大墓。2001 年第 10 本《小墓分述之一》出版。

侯家庄位于河南省安阳市西北 5 ～ 6 公里的洹水北岸，与小屯商代宫殿遗址隔河相望。已发现大墓 14 座，祭祀坑 1400 余个。20 世纪 30 年代，梁思永先生等中国考古人员在此进行了 3 次发掘，共发掘了 11 座大墓、1200 余座祭祀坑，积累了大量珍贵的考古资料。

34.殷墟妇好墓

作　　者：中国社会科学院考古研究所　编著
出　　处：文物出版社 1980 年版、1985 年第 2 版

该书 16 开精装一册，系河南省安阳市殷墟妇好墓的考古发掘详报。1980 年第一版，1985 年版修订了第一版的个别误漏之处，并增加了夏鼐、张培善等先生文章及鉴定报告等。1980 年版简目如下：

壹　前言
贰　地层简述
叁　墓葬概况
肆　随葬器物
伍　结语

附有铜觚、铜爵、铜戈登记表。

据介绍，安阳殷墟妇好墓是 1976 年发掘的。根据墓中所出的铜器铭文和器物形制，参照甲骨卜辞中的有关记载，考证墓主应是殷王武丁的配偶"妇好"，庙号"辛"，死于武丁时期。详报发表了丰富精美的随葬器物和大量铜器铭文，是至今发现的殷王室墓中最完整的一批资料。妇好墓的发现，对于研究殷代的历史，尤其是武丁时期的政治、经济、手工业、文化艺术、方国礼制以及铜器断代、殷墟布局等问题，都具有重要价值。

35.殷墟发掘报告（1958 ～ 1961）

作　　者：中国社会科学院考古研究所　编著
出　　处：文物出版社 1987 年版

该书 16 开一册，分精装、平装两种，系河南省安阳殷墟 1958 ～ 1961 年的考古发掘详报。包括小屯西地、苗圃北地、张家坟、梅园庄、水渠工地、白家坟西、孝民屯、北辛庄、大司空村、武官北地等 11 个地点的考古资料。详报共分 6 章，包括序言、殷代遗址文化层的叠压情况与陶器分期、殷代遗址、文化遗物、殷代墓葬、结束语。发掘地点较多，而有些地点都是过去殷墟发掘中未曾涉及的，因此，对了解各地点

殷文化层的堆积情况以至整个殷墟的布局都是有益的，特别是苗圃北地铸铜作坊和北辛庄、大司空村制骨作坊遗址的发掘，为研究殷商的手工业提供了新资料。

该书简目如下：

第一章　序言

第二章　殷代遗址文化层的叠压情况与陶器分期

第三章　殷代遗址

第四章　文化遗物

第五章　殷代墓葬

第六章　结束语

附有表格 54 种。

魏勤先生写有书评，载《考古》1989 年第 9 期。另有中国社会科学院考古研究所、历史研究所编著的《安阳殷墟头骨研究》（文物出版社 1985 年版）一书，可参阅。有考古学家指出："目前来说，早商就是二里冈，晚商就是殷墟。"（王巍主编《追迹：考古学人访谈录II》，上海古籍出版社 2015 年版，第 226 页）

36.安阳殷墟郭家庄商代墓葬：1982 ～ 1992 年考古发掘报告

作　者：中国社会科学院考古研究所　编著

出　处：中国大百科全书出版社 1998 年版

该详报 16 开精装一册，是 1982 ～ 1992 年对河南省安阳市郭家庄商代墓葬进行发掘的考古详报。

据介绍，此次考古工作共发掘 191 座商代后期墓葬及陪葬坑。其中 M160 是继妇好墓后发现的又一大型殷商贵族墓，墓主是位高级武将，出土各类遗物 353 件，以青铜兵器为主，青铜礼器即多达 41 件，种类齐全，铸造精良，纹饰华美，大多有铭文。详报还介绍了保存完整的 3 座车马坑。本详报在发掘资料的基础上，对殷墟考古中的许多问题，提出了独到的见解。郭家庄墓地所在的殷墟南部，以往考古工作做得很少，这批墓葬及陪葬坑对研究殷墟的布局有重要意义。

37.安阳——殷商古都发现、发掘、复原记

作　者：李 济　著；苏秀菊、聂玉海　译

出　处：中国社会科学出版社 1990 年版

该书 32 开一册，原以英文发表，现译为中文。计 197 页文字，另有插图 17 幅。

今有《殷墟宫殿区建筑基址研究》（科学出版社 2010 年版）一书，可参阅。

38.洛阳北窑西周墓

作　者：洛阳市文物工作队　编著

出　处：文物出版社 1999 年版

本书 16 开精装一册，系河南省洛阳北窑西周墓地的考古发掘详报。此处应为西周王室贵族的公共墓地。据介绍，该墓地早在 20 世纪六七十年代已发掘，但考古发掘报告迟至二十年后才着手，"一些重要资料、特别是田野发掘照片资料都已全部丢失"。该书简目如下：

第一章　墓地概况

第二章　西周早期墓

第三章　西周中期墓

第四章　西周晚期墓

第五章　未分期的西周墓

第六章　西周马坑

第七章　墓葬分期与几点认识

附有《洛阳北窑西周墓青铜器与原始瓷分析》《有关洛阳北窑西周墓的简报、图录与论文目录》两文。

39.郑州商代铜器窖藏

作　者：河南省文物考古研究所、郑州市文物考古研究所　编著

出　处：科学出版社 1999 年版

该书 16 开精装一册，系 1974～1996 年间河南郑州商城遗址外侧 3 个商代前期晚段青铜器窖藏坑的考古发掘详报。这 3 处遗址出土了大批精美的商王室青铜器，对了解商代王室礼制、青铜铸造工艺等均有价值。简目如下：

壹　前言

贰　郑州南顺城街窖藏坑及周围遗存

叁　郑州张寨南街窖藏坑

肆　郑州向阳回族食品厂窖藏坑

伍　结语

附有鉴定、测试报告 4 篇。

40.偃师二里头：1959～1978年考古发掘报告

作　者：中国社会科学院考古研究所　编著

出　处：中国大百科全书出版社1999年版

该书16开精装一册，汇集了1959～1978年河南偃师二里头遗址勘探、发掘的成果。报告共分八章，第一、二章介绍二里头遗址的地理地貌、发掘经过和文化分期，第三至第八章介绍二里头文化一至四期和二里冈商文化上下层阶段的遗存，包括一号和二号宫殿基址，一般居住遗址、墓葬，以及青铜器、陶器、玉器、石器、蚌器等遗物。在结语部分，就二里头文化的渊源、类型、性质、去向和二里头遗址的性质等问题作了探讨。

该遗址自1959年徐旭生先生开始调查发现后，进行了多次发掘。厘清该遗址位于洛水附近，面积达9平方公里。发现有宫殿、大墓、铸铜作坊遗址及玉器、青铜器、陶器等。有学者认为此处就是夏都"斟鄩"。

41.豫东杞县发掘报告

作　者：开封市文物工作队　编著

出　处：科学出版社2000年版

该书16开精装一册，系1989～1990年河南省杞县段岗遗址、鹿台岗遗址的考古发掘详报。书中重点介绍了发掘揭示的龙山文化和夏代的文化遗存。

42.鹿邑太清宫长子口墓

作　者：河南省文物考古研究所、周口市文化局　编著

出　处：中州古籍出版社2000年版

该书16开精装一册，系1997年河南省周口市鹿邑县太清宫长子口西周贵族墓的考古发掘详报。附有《出土器物一览表》及出土青铜器铸造技术分析报告等。

43.郑州商城：1953～1985年考古发掘报告

作　者：河南省文物考古研究所　编著

出　处：文物出版社2001年版

该书16开精装上、中、下三册，汇集了1953～1985年郑州商城遗址的考古发

掘成果，包括城内、城外的发掘资料，涉及龙山文化遗址、洛达庙遗址、商代南关外遗址、商代二里冈遗址、商代人民公园遗址等，以商代遗存为主，战国时期夯土城垣遗址等资料作为附录编入。该书简目如下：

第一章　概况

第二章　龙山文化遗址

第三章　洛达庙期遗址

第四章　商代南关外期遗址

第五章　商代二里岗期遗址

第六章　商代人民公园期遗址

第七章　战国时期遗址

结语

郑州商城包括宫城、内城、外廓城三重城垣，已发现了几十座夯土宫殿基地，陶制或石砌供排水管道、贵族和平民墓葬、青铜重器、骨刻文字等，学术界认为，这里应是商朝的第一个国都：亳都。当时应是世界上最大的城市之一。另外，河南省文物考古研究院所编《郑州商城陶器集萃》（大象出版社 2015 年版），也可一并参考。

44.洛阳皂角树：1992 ～ 1993 年洛阳皂角树二里头文化聚落遗址发掘报告

作　者：洛阳市文物工作队　编著

出　处：科学出版社 2002 年版

该书 16 开精装一册，系 1992 ～ 1993 年河南省洛阳市皂角树二里头文化聚落遗址的发掘报告。一般认为，二里头文化已进入夏代。目前在河南、山西、河北等省发现了 250 多处二里头文化遗址。有半穴式房屋组成的"宫殿"，面积达 10000 平方米左右。有青铜器铸造作坊遗址、玉石作坊遗址，还发现有 1 ～ 1.2 米宽的车辙。但似乎还不能确定二里头文化就是夏。

45.郑州大师姑（2002 ～ 2003）

作　者：郑州市文物考古研究所　编著

出　处：科学出版社 2004 年版

本书为 16 开精装一册，正文共 378 页，约 56 万字，文后附有彩色图版 12 页、黑白图版 32 页。

据介绍，大师姑遗址位于郑州市西北郊。从 2002 年冬季开始，考古人员在这里进行了连续的考古钻探和发掘，发现了二里头文化中、晚期的城址，同时在城址内还发现有早商文化时期的大型环壕和丰富的文化遗存。在大师姑遗址发现了目前已知的唯一一座二里头文化城址，从而填补了我国夏代城市考古的空白，为进一步研究夏代的社会结构、深入探索中国文明起源提供了重要资料，对探讨夏代晚期的夏商文化关系以及夏商文化的年代分界等重大学术问题也具有非常重要的价值。

这本发掘详报系统地报道了郑州大师姑遗址的重要发掘成果，对发现的夏代城址的形制、结构和建造方法等进行详细说明，对城址的始建和废弃年代、城址的性质等进行了初步探讨。详报认为，大师姑夏代城址始建于二里头文化二期偏晚阶段，废弃年代应在二里头文化四期和二里岗下层文化一期偏晚阶段之间，城址的性质可能是夏王朝东境的军事重镇或方国都城。

该书简目如下：

第一章　概述

第二章　二里头文化

第三章　早商文化

第四章　结语

附有表格 16 种。

46.安阳小屯

作　者：中国社会科学院考古研究所　编著

出　处：世界图书出版公司 2004 年版

该详报为大 16 开精装一册，约 40 万字，附有插图 90 幅，彩色图版 8 版，黑白图版 40 版；是夏商周断代工程丛书中的考古报告系列之一，内容为考古研究所于 1975 年至 1985 年在河南安阳小屯村进行科学发掘的报告。这次发掘的地点位于小屯村西，属于宫殿宗庙区的范围。

报告对遗址中发掘的 49 座房基、165 座窖穴、26 座土坑竖穴墓、4 座陶棺葬以及 17 个祭祀坑，都作了详尽的报道。还附有《夏商周断代工程 1996 ～ 2000 年阶段成果报告·简本》有关商代后期的年代节录。

报告的结语部分中，对遗址的演变、房基的修建等相关问题以及墓地发现的意义作了较为深入的探讨和研究。

47.安阳殷墟花园庄东地商代墓葬

作　　者：中国社会科学院考古研究所　编著

出　　处：科学出版社 2007 年版

该书为 16 开精装一册，正文共 397 页，约 58.2 万字，文后附有彩色图版 72 页，黑白图版 8 页。

本书详细报道了考古人员于 1992～2002 年在河南省安阳市花园庄东地发掘的商代墓葬及其研究成果。花园庄东地发掘区位于殷墟宫殿区南部、大灰沟北侧。本考古详报对于解决殷墟宫殿宗庙区的布局等问题提供了重要资料和科学依据。详报重点介绍了 M54 和 M60 的考古发掘资料。其中 M54 是继郭家庄 M160 之后在殷墟发现的又一座保存完好的重要中型墓葬，墓中出土各类随葬品 577 件，以青铜器和玉器、石器为主；青铜礼器共 40 件，种类齐全，形体较大，花纹繁缛，多铸有"亚长"铭文。M60 则是一座形制特殊、随葬器物及摆放位置与众不同的墓葬。它们的发掘，对于探讨商代墓葬制度和开展多学科综合研究具有重要的学术价值。

48.新密新砦：1999～2000 年田野考古发掘报告

作　　者：北京大学震旦古代文明研究中心、郑州市文物考古研究所　编著

出　　处：文物出版社 2008 年版

该书 16 开精装一册，为河南省新密新砦遗址的考古发掘详报。

详报公布了 1999～2000 年新砦遗址两次发掘所获资料，详尽介绍了出土的动物遗骸、植物遗存，以帮助我们了解先民当时的生存环境。详报认为，新砦遗址的年代恰处于龙山文化向二里头文化过渡时期。这一地区的发掘，为探讨夏文化提供了不可多得的实物资料，故新砦遗址被定为"夏商周断代工程"夏文化研究课题子项目。

科学出版社 2010 年出版的《中国聚落考古的理论与实践——纪念新砦遗址发掘 30 周年学术研讨会论文集》一书，可参阅。目前学界一般认为，新密新砦遗址，代表的是后羿代夏时期的夏文化。夏商周断代工程研究认为，新砦二期上接河南龙山文化晚期（新砦一期），下连二里头一期，正好填补了其间的空白。简目如下：

第一章　绪论

第二章　地层堆积

第三章　第一期遗存

第四章　第二期遗存

第五章　第三期遗存
第六章　动物遗骸
第七章　植物大遗骸
第八章　人类食谱专题研究
第九章　人类生存环境专题研究
第十章　结语

49.颍河文明：颍河上游考古调查试掘与研究

作　者：河南省文物考古研究所、密苏里州大学人类学系、华盛顿大学人类学
　　　　系　编著
出　处：大象出版社 2008 年版

该书 16 开精装一册，计 319 页，有彩色图版 2 幅，黑白图版 38 幅。系
1996 ~ 2000 年中美考古人员对河南省颍河上游及其支流谷地的考古调查、试掘的成
果汇集。调查发现了 26 处遗址，年代相当于龙山文化中晚期和二里头文化时期。简
目如下：

第一章　前言
第二章　颍河文明诞生的社会与环境背景
第三章　颍河上游的景观生态系统特征
第四章　田野调查
第五章　遗址试掘
第六章　颍河文明的人地关系分析
第七章　结语

该书对于探讨夏文化的产生等具有一定参考价值。

50.大司空村：第二次发掘报告

作　者：高去寻　遗稿；杜正胜、李永迪　整理
出　处：（台北）"中研院"历史语言研究所 2008 年版

该书 8 开精装一册，介绍了 1936 年秋对河南省安阳市大司空村第 2 次发掘的
资料。共计发掘灰坑 31 个、墓葬 94 座，出土有铜器、陶器、骨器、玉器等遗物。
年代分为"小屯期""东周期""不早于唐宋""近代"四期，以商代遗存为主。
该书简目如下：

51.安阳发掘报告

作 者：李 济等 编著

出 处："中研院"历史语言研究所 1929～1933 年出版·中国图书馆学会高
校分会 2009 年委托复印本；河南教育出版社 2000 年版

该书 16 开 4 册，共 734 页。有图表、折图等。1929 年出版第 1 册，1930 年出版第 2 册，1931 年出版第 3 册，1933 年出版第 4 册。系 1929 年安阳小屯发掘报告系列出版物。其中第 1 册中收有《中华民国十七年十月试掘安阳小屯报告书》，第 4 册中收有《安阳最近发掘报告及六次工作之总估计》《后冈发掘小记》等。

1930 年，史语所还出版有《本所发掘殷墟之经过》《国立"中央研究院"历史语言研究所发掘安阳殷墟之经过》两书，可参阅。

52.安阳殷墟徐家桥郭家庄商代墓葬——2004～2008 年殷墟考古报告

作 者：安阳市文物考古研究所 编著

出 处：科学出版社 2011 年版

该书为大 16 开一册，正文 186 页，彩版 56 版，黑白版 12 版。

2004 年 12 月至 2008 年 3 月，考古人员在殷墟保护区的徐家桥村西、村南，老六庄东南，郭家庄东南等地配合城市建设进行了多项考古发掘，清理了一大批商代房基、灰坑、车马坑、祭祀坑等遗址和大量墓葬。发掘面积共 5000 余平方米，清理商代墓葬 200 余座，出土了一批商代陶器、青铜器、玉石器等重要遗物。

专家指出：这些遗迹和遗物是殷墟近些年来重要的考古发现之一，具有十分重要的考古价值和文化价值。这些发现与发掘丰富了殷墟考古的文化内涵。

53.安阳殷墟小屯建筑遗存

作　　者：中国社会科学院考古研究所　编著
出　　处：文物出版社 2010 年版

本书为 16 开一册，共 172 页，彩色图版 19 页，黑白图版 28 页。

本详报发表的是 1975 ~ 1996 年先后在安阳市小屯所发掘的 3 处殷代建筑遗存的考古发掘资料，内容包括丁组大型建筑基址的发现与研究、甲组基址再发掘的新收获、小屯村北地下式房址的发掘，为研究殷墟建筑的发展、演变等提供了详实的资料。

本书简目如下：

壹　前言

一　殷墟文化分期与年代学研究的新成果

二　殷墟遗址周围的自然环境与生态状况

三　殷墟建筑遗存发现概述

四　丁组基址的发现与发掘

贰　丁组大型建筑基址的发现与研究

一　1 号大型建筑基址

二　2 号大型建筑基址

三　3 号大型建筑基址

四　丁组建筑基址的修建与发展

五　遗址内的中小型房基

参　与 1 号房基相关的祭祀坑

一　祭祀坑概况

二　日用陶容器的组合式别与纹饰

三　祭祀坑介绍

附表祭祀坑登记表

肆　结语

一　丁组基址的布局概况与年代

二　试论乙组基址的面貌与殷人的建筑理念

三　祭祀坑内出土器物的意义

伍　甲组基址再发掘的新收获

一　甲十二基址

二　1 号灰坑的发现与发掘

三　西周墓

四　结语

陆　小屯村北地下式房址的发掘

一　遗址的发现与发掘

二　F10 的形制结构

三　F11 的形制结构

四　文化遗物

五　结语

附录一　《夏商周断代工程 1996—2000 年阶段成果报告》（简本）有关商代后期的年代节录

附录二　记安阳殷墟早期的鸟类

54.郑州小双桥：1990 ～ 2000 年考古发掘报告

作　者：河南省文物考古研究所　编著

出　处：科学出版社 2012 年版

本书为 16 开精装上、下两册，是关于郑州小双桥商代遗址的考古详报。遗址年代大致相当于商代中期，遗迹有祭祀遗存等，遗物丰富。该书简目为：

绪言

第一章　调查与试掘

第二章　遗址分区与地层堆积

第三章　文化遗迹

第四章　文化遗物

第五章　朱书文字与刻划符号

第六章　结语

本书附表 11 种，其中有《小双桥遗址朱书文字与甲骨文、金文对照表》等。

55.平顶山应国墓地 I

作　者：河南省文物考古研究所、平顶山市文物管理局　编著

出　处：大象出版社 2012 年版

本书为 16 开精装本，正文 956 页，文后有彩色图片 112 版，黑白图片 56 版。

应国墓地位于河南省平顶山市，是 1 处以西周贵族墓为主的应侯家族墓地，

共发现 80 多座西周墓葬与 400 余座汉代及其他时代的墓葬，出土了大量精美的器物。本书是大型田野考古报告《平顶山应国墓地》多卷本丛书中的第一部，集中了该墓地西周早中期贵族墓葬以及传世应国铜器的资料，详尽介绍了每座墓葬的考古发掘资料，并将收集文物、历代传世或近代被盗掘的应国青铜器等写入报告中。对墓葬出土的各类器物都尽可能进行更细致的定名、分级，依次划分为大类、小类、品种、亚种、型和亚型等，找出不同随葬器物之间的关系，以更准确地断定墓葬的年代，并与国内其他地区同时期墓葬中出土的器物进行比较研究。本书在编写体例上以墓葬为单位，以年代为顺序，每座墓葬最后均有小结，每一期墓葬均有结语。

本书还对青铜器、玉器、原始瓷器及其他出土器物进行物理和化学分析研究，把自然科学手段与考古学研究结合起来。对墓葬中出土的车马器、兵器、骨器和蚌饰等通常被忽视的器类同样进行了类型学与年代学的探讨。同时，还进行了应国历史及相关问题的综合研究，对应国的溯源、初封地、南迁、世系、都城、礼制、军事地位、与周边诸侯国之间的关系、与南北方文化的交流等都进行了探讨。本书还对应国墓地当前和未来的文物保护做了规划。

本书通过对应国墓地随葬品在不同时段的变化及包含的南北方不同地区文化因素的分析，把握应国的文化特性，较深入研究西周早期的青铜文化变革、南北方文化的交流与融合等学术问题，对进一步认识和了解西周早期经历的社会大变革，以及南北方地区不同文化之间的相互渗透与传播等均有学术价值。

《华夏考古》2014 年第 2 期有王辉先生的书评，可参阅。

56.偃师商城（第一卷）

作　者：中国社会科学院考古研究所　编著
出　处：科学出版社 2013 年版

该书 16 开上下两册，为 1983 年至 2008 年偃师商城遗址宫城外部分的勘探、发掘所取得的各项科研成果，主要包括：城墙勘探、解剖，城门发掘，墓葬发掘，城址西南角二号府库的勘探和发掘，城址东北部生活区、作坊区的勘探和发掘以及出土遗物的介绍，偃师商城商文化的分期等，涵盖了 1983 年至 2008 年期间偃师商城遗址（宫城除外）的全部勘探和发掘资料。

报告以历年勘探、发掘资料介绍为线索，对所有资料分内容进行了全面介绍，条理清晰，查阅方便，使读者能够对早商都城偃师商城的情况有一个系统、全面的了解。

偃师商城和郑州商城都颇具王者气象。有学者指出，文献和考古均不能证明这两座商城有一兴一废的前后继承关系，相反，这两座商城应是大体同时兴衰的两个"亳都"。

57.二里头：1999～2006

作　　者：中国社会科学院考古研究所　编著
出　　处：文物出版社 2014 年版

该书 16 开精装 5 册，系河南偃师二里头遗址考古发掘成果的集大成之作。二里头遗址位于今洛阳市偃师区二里头村，发现于 1959 年，遗址面积达 9 平方公里，包括 1 号宫殿、2 号宫殿、大型墓葬、铸铜作坊等，出土有精美的青铜器、玉器、陶器等，颇具王都气象。已进行了 60 多次发掘，此书主要介绍 1999～2006 年的发掘情况。

简目如下：

第一章　概述

第二章　遗址概况、文化堆积与分期

第三章　遗存综述

第四章　遗址东部区域

第五章　围垣作坊区

第六章　宫殿区

第七章　碳十四测年研究

第八章　环境气候研究

第九章　人骨研究

第十章　经济与生业形态研究

第十一章　结语

第四册全部为彩色图版，第五册全部为表格。

目前国内学术界一般认为：以偃师二里头遗址一、二、三、四期遗存为代表的二里头文化为夏文化。不少人还认为，二里头遗址可能是夏桀的都城。至于二里头文化的来源，学界一般认为二里头文化尚不是最早的夏文化，也不是河南龙山文化的自然延续，河南龙山文化也不是形成二里头文化的全部来源。

中国社会科学出版社 2019 年出版了许宏先生、袁靖先生主编的《二里头考古六十年》一书，可参阅。

58.安阳大司空：2004年发掘报告

作 者：中国社会科学院考古研究所 编著
出 处：文物出版社 2014 年版

该书 16 开精装上、下两册，上册简目如下：

第一章 概况
第二章 商代居住遗存
第三章 商代墓葬
第四章 结语

下册为表格、鉴定报告。

59.新郑望京楼：2010～2012年田野考古发掘报告

作 者：郑州市文物考古研究院 编著
出 处：种子出版社 2016 年版

该书为 16 开精装一册，系 2010～2012 年间对郑州望京楼遗址的考古发掘详报。主要涉及二里头及二里岗时期文化。简目如下：

第一部分 综述
　第一章 绪论
　第二章 遗址勘探与发掘
　第三章 文化层堆积及文化分期
第二部分 二里头文化城址
　第一章 综述
　第二章 第一期文化遗存
　第三章 第二期文化遗存
第三部分 二里岗文化城址
　第一章 第一期文化遗存
　第二章 第二期文化遗存
　第三章 第三期文化遗存
　第四章 第四期文化遗存
　第五章 第五期文化遗存
第四部分 结语
附有《望京楼遗址出土陶器的个体观察》一文及表格。下册为表格、鉴定报告。

湖北省

60.盘龙城：1963～1994 年考古发掘报告

作　　者：湖北省文物考古研究所　编著

出　　处：文物出版社 2001 年版

该书为 16 开精装上、下两册，系湖北省武汉市黄陂区滠口镇叶店村盘龙城遗址 1963～1994 年间的考古发掘详报。据介绍，盘龙城是商王朝南征的军事据点，是南方矿产资源的中转站，是商王朝统治南方的政治中心。上册为文字，下册全部为图版。简目如下：

第一章　概况

第二章　城址

第三章　城外遗址

第四章　盘龙城遗址的考古勘查及采集遗物

第五章　结束语

附有登记表、统计表 4 种，相关文章 12 种。

61.枣阳郭家庙曾国墓地

作　　者：襄樊市考古队、湖北省文物考古研究所、湖北孝襄高速公路考古
　　　　　队　编著

出　　处：科学出版社 2005 年版

本书为 16 开精装一册，正文 409 页，彩色图版 28 版，黑白图版 86 版。

本书全面系统地介绍了在湖北枣阳郭家庙 2002～2003 年发现的西周末至春秋早期的 29 座墓葬、2 座车坑、1 座车马坑及其出土的 4000 多件随葬器物。其中有一批铭文铜器为确认墓地的国属提供了依据。这批材料对于周代考古，尤其是曾国早期的历史和物质文化的研究具有十分重要的价值。该书简目如下：

第一章　概述

第二章　墓葬介绍

第三章　出土器物分类研究
第四章　墓葬分类、分期与年代
第五章　结语
附有表格 14 种及《出土铜器铭文考释》《出土玉器鉴定报告》等文章 3 篇。

62.随州叶家山：西周早期曾国墓地

作　　者：湖北省博物馆、湖北省文物考古研究所、随州市博物馆　编著
出　　处：文物出版社 2013 年版

该书为 16 开软精装一册，系湖北随州叶家山墓地的考古发掘图录。系以叶家山近年来的发掘与整理工作为基础，配合叶家山考古汇报展览编辑而成。简目如下：

前言
第一单元　曾侯墓
第二单元　其他贵族墓
第三单元　随葬品反映的文化交流
附有《论叶家山西周曾国墓地》等文章 3 篇。

63.穆穆曾侯：枣阳郭家庙曾国墓地

作　　者：襄阳博物馆、湖北省文物研究所等馆　编著
出　　处：文物出版社 2015 年版

该书为 16 开软精装一册，系湖北枣阳郭家庙曾国墓地的考古发掘图录。郭家庙为西周晚期至春秋早期时的曾国墓地，分布在两个独立的山岗上，北岗为郭家庙墓区，南岗为曹门湾墓区。2002、2014 年两度发掘，共清理墓葬 60 余座，其中由两座国君级大墓。出土了许多珍贵的文物。简目如下：

第一单元　郭家庙墓区
第二单元　曹门湾墓区
第三单元　穆穆曾侯
前有《"汉东之国随为大"的考古学解析——兼及两周之际的曾、楚关系》《枣阳郭家庙曾国墓地曹门湾区考古主要收获》两篇专文。最后是"结语"。

湖南省

64.坐果山与望子岗——潇湘上游商周遗址发掘报告

作　者：湖南省文物考古研究所　编著

出　处：科学出版社 2010 年版

本书为大 16 开一册，共计 648 页，彩版 36 幅，黑白图版 132 幅。

潇湘上游是商周遗址比较密集的地区。2008 年 6 月至 2009 年 6 月，考古人员先后对宁远县官家岩遗址、东安县坐果山遗址和零陵区望子岗遗址进行了抢救性发掘，并以此为契机，对永州市所辖的潇湘上游各县区进行了大规模的考古调查、试掘，该书就是这些成果的结晶。

潇湘上游绝大部分的商周遗址都属于岩山遗址。这些遗址多利用裸露的岩丛、岩缝，加以人工的搭建，形成窝棚式的居址，是一种非常独特的聚落形态。该书通过对这 18 个遗址出土遗物的整理，首次将这一地区商周遗址分为"坐果山遗存"与"望子岗遗存"两大类，为湘南地区乃至相邻的粤桂山区商周遗址的谱系与年代序列研究打下了重要的基础。此外，潇湘上游地处长江文明与东南亚环太平洋文明的接触地带，也是语言学上苗瑶语族与壮侗语族、民族史上扬越与西瓯骆越的交汇地带。这一地区商周考古的研究成果，必将促进华南地区宏观历史图景的建立。对于民族学、环境学等学科的研究，也有参考价值。

广东省

65.博罗横岭山：商周时期墓地 2000 年发掘报告

作　者：广东省文物考古研究所　编著
出　处：科学出版社 2005 年版

本书为 8 开精装本一册，正文共 519 页，约 163 万字，文后附彩色图版 20 页、黑白图版 56 页。

本书为广东省博罗县横岭山 302 座商周时期墓葬的考古发掘详报。该墓地出土一批陶器、原始瓷器、青铜器及玉石器等随葬品，为研究岭南地区的青铜时代考古学文化提供了宝贵资料。全书分为上、下篇和附录部分，全面、客观、系统地介绍了此次发掘的资料。上篇分为"概述""墓葬综述""墓葬分述""地层出土遗物"四章，运用地层学与类型学的方法，将墓葬分为四期八段，树立了当地商末周初至春秋时期考古学文化的编年标尺。下篇收录的研究文章，是通过多学科结合的方法，对陶瓷器、青铜器及玉石器的重要研究成果。附录部分则为相关的测试报告。本书还配有考古资料库光盘，内含 5000 多幅图片，包括每座墓葬的平、剖面图和侧视图、器物线图、纹饰和刻划符号拓片，以方便读者研究和使用。前有曹淳亮、李伯谦先生序。

李伯谦先生认为，此报告与杨楠所著《土墩与石室土墩遗存研究》一书，"可以看作是对土墩墓、土墩石室墓与夔纹陶、米字纹陶遗存研究的标志性成果"。

2005 年 12 月 14 日的《中国文物报》载有刘绪先生的书评："考古发掘报告的典范之作——评《博罗横断山：商周时期墓地 2000 年发掘报告》。"

广西壮族自治区

海南省

重庆市

66.酉阳清源

作　者：重庆市文物考古所、重庆文化遗产保护中心、四川大学历史文化学院
　　　　考古学系　编著

出　处：科学出版社 2009 年版

该书为 16 开精装一册，正文 334 页，字数约 49.5 万，文后有彩版 16 幅，黑白版 32 幅。

该书是乌江流域酉阳县清源遗址发掘成果的系统报告，全书分前言、地层堆积、新石器时代遗存、商周时期遗存、历史时期遗存和出土动物骨骼 6 章。以商周时期的遗存为重点，对灰坑、房址、水井、墓葬等遗迹和陶、青铜、石、骨等质地的遗物进行了详尽报道和初步分析研究。此外，该书将新石器时代、商周时期遗迹和地层中出土的上万片动物骨骼的鉴定报告单列一章，为研究清源遗址的地理环境和人地关系提供了详细的材料。

本书简目如下：

第一章　前言
　第一节　地理环境与历史沿革
　第二节　遗址概况与工作经历
第二章　地层堆积
　第一节　探方分组及地层

四川省

67.三星堆祭祀抗

作　　者：四川省文物考古研究所　编著

出　　处：文物出版社 1999 年版

该书为 16 开精装一册，是四川省三星堆遗址一、二号祭祀坑的考古发掘详报。述及其发现、发掘情况、出土遗物、年代与分期、族属等，论及蜀人的宗教礼仪制度、文化结构等问题。附有 28 种表格及 4 种鉴定报告。前有邹衡先生序。

不少非考古专业的读者如对三星堆有兴趣，可参看胡太玉先生著《众神之国三星堆》（中国言实出版社 2002 年版），这是一部纪实作品。欲了解国外学者的意见，可参阅巴蜀书社 2002 年出版的《扶桑与若木——日本学者对三星堆文明的新认识》《奇异的凸目——西方学者看三星堆》。陈显丹先生著《三星堆祭祀坑发掘记》（文物出版社 2016 年版），补充了不少生动的细节。三联书店 2021 年推出的《追寻三星堆》一书，通过记者的走访、调查，对宝墩、金沙、盘龙城、新干大洋洲、炭河里等三星堆文明遗址都进行了介绍，比较通俗易懂。

68.城坝遗址出土文物

作　　者：四川省文物考古研究院、渠县博物馆　编

出　　处：上海古籍出版社 2014 年版

该书为 16 开精装一册，是四川省渠县城坝遗址 2005 年考古发掘详报。城坝遗址是商周时期寅人的都城"寅城"遗址。发现有墓葬、灰沟、井、灰坑等遗存。该书简目如下：

第一章　地理概况和历史沿革

第二章　考古发现与发掘概况

第三章　城坝遗址出土青铜器

第四章　城坝遗址出土陶器

第五章　城坝遗址出土玉石器

贵州省

云南省

西藏自治区

69.拉萨曲贡

作　　者：中国社会科学院考古研究所、西藏自治区文物局　编著
出　　处：中国大百科全书出版社1999年版

该书为16开精装一册，系1990年至1992年考古人员对拉萨市娘热乡曲贡村史前文化遗址进行考古发掘的详报。详报揭示了曲贡墓葬的特点、反映的葬俗、墓主人族属等问题，研讨了"曲贡文化"的年代、性质、经济形态、精神生活以及与周边文化的关系等。

一般认为，曲贡遗址遗存，属新石器时代中晚期。遗址的年代约相当于公元前2000年至公元前1500年，约相当于中原地区的夏商之时。遗址内出土了大量石制生产工具、陶器、骨器，为复原曲贡人的物质和精神生活提供了可靠资料。因曲贡遗址是西藏腹地发掘的唯一1处古文化遗存，也是迄今国内发掘的海拔最高的1处遗址，从而成为曲贡文化的命名地。遗址丰富的内涵展示了雪域高原远古时代的一支土著农耕部落文化的面貌，为探索雅鲁藏布江中游河谷地带的开发史提供了十分重要的资料。考古学家王仁湘先生认为：拉萨城郊的曲贡，反映的是高原腹心地带农牧结合的土著文化。

陕西省

70.扶风齐家村青铜器群

作　者：陕西省博物馆、陕西省文物管理委员会　编著
出　处：文物出版社 1963 年版

该书为 16 开一册，文字仅 11 页，图版 39 页。书中介绍了陕西省扶风县齐家村遗址出土的西周时期青铜器。这批青铜器于 1960 年发掘出土。

71.宝鸡弓鱼国墓地

作　者：宝鸡市博物馆　编著
出　处：文物出版社 1988 年版

该书为 16 开上下两册，分平装、精装两种，系 1974 ～ 1981 年宝鸡市郊茹家庄、竹园沟、纸坊头 3 处西周时期弓鱼国墓地的考古发掘详报。

简目如下：
前　言
第一章　绪论
第二章　纸坊头一号墓
第三章　竹园沟墓地
第四章　茹家庄墓地
第五章　结语
附有表格 4 种，鉴定报告等文章 7 篇。

学界认为，此地遗存表明西周时西南、西北地区的青铜器文化联系密切，体现了中原文化与巴蜀文化之间的相互影响。

72.镐京西周宫室

作　者：陕西省考古研究所　编著
出　处：西北大学出版社 1995 年版

该书为 16 开精装一册，系 1983 年至 1984 年对陕西省镐京西周宫室遗址的考古发掘详报。石兴邦先生作序。该书简目如下：

第一章　概况
第二章　宫室建筑基址的发掘
第三章　余论
附有刘士莪先生《简论〈镐京西周宫室〉的重要发现和学术价值》一文。

73.北吕周人墓地

作　者：罗西章　编著
出　处：西北大学出版社 1995 年版

该书为 16 开精装一册，系 1976 年至 1981 年考古人员对陕西省扶风县北吕先周时期墓地 6 次发掘的详报。发掘中共清理先周至西周墓葬 302 座，汉代以后墓 3 座。共出土各类铜器 208 件，陶瓷器 262 件，玉器、石器 110 件（组），骨器、蚌器、贝器、杂器 3000 余件。该书简目如下：

一、历史、地理环境与发掘经过
二、居址
三、墓葬
四、随葬器物
五、结语
前有石兴邦先生序，后附表格两种。

罗西章先生所著《周原寻宝记》（三秦出版社 2005 年版）一书中收有《一件铜戈引出的重大考古发现》一文，记录此次发掘甚详，可参阅。

74.高家堡戈国墓

作　者：陕西省考古研究所　编著
出　处：三秦出版社 1995 年版

该书为 16 开精装一册，是 1971 年、1991 年对陕西泾阳高家堡戈国墓葬的考古详报。简目如下：

序言

第一章　概述

第二章　商周墓葬

第三章　结语

第四章　铜器装饰艺术

第五章　铜器铸造工艺

第六章　附录文献

所谓"戈国"，系指商周之际戈族方国。此次发掘，发现的墓地规模并不大，但未受盗扰，青铜礼器及内盛祭品等保存完好，对于研究商末、西周早期历史，具有重要的学术价值。

75.张家坡西周墓地

作　者：中国社会科学院考古研究所　编著

出　处：中国大百科全书出版社 1999 年版

该书为 16 开精装一册，系 1983 年至 1986 年考古人员对陕西省长安县马王镇张家坡村西周丰京遗址内张家坡西周墓地进行发掘的考古详报。遗址共发掘 390 座西周墓葬、车马坑和马坑，包括 4 座带墓道的井叔墓。出土遗物有陶器、青铜器、玉器等数千件，其中包括很多有价值的珍贵文物。本书分为前言、张家坡西周墓地的地层、西周墓葬类型、出土遗物、墓葬分期研究、结语，共 6 章。有 8 种附录。这批墓葬对于西周时期丧葬制度的对比研究有重要意义。

文物出版社 1965 年出版有《长安张家坡西周铜器群》一书，可参阅。

76.老牛坡

作　者：刘士莪　编著

出　处：陕西人民出版社 2002 年版

该书为 16 开精装一册，是西安东郊老牛坡商代遗址的考古发掘详报。1985 年至 1989 年在当地共进行了 6 次发掘。详报主要介绍了考古人员于 1985 年至 1988 年的考古发掘所获资料。

老牛坡遗址位于陕西省西安市灞桥区燎原村，遗址包括房址、灰坑、墓葬、陶窑、车马坑等。1 条东西长 37.5 米、南北宽约 15 米的大型宫殿建筑基址尤为引人注目，出土大量铜、陶、玉、石角器等。墓葬有人殉现象。有学者推测该处或为商代晚期一个军事据点，后来发展成一个小国：崇国。最后为周文王所灭。

77.城洋青铜器

作　者：西北大学文博学院、陕西省文物局　编著
出　处：科学出版社 2006 年版

该书为 16 开精装一册，是陕西省陕南汉中地区城固县、洋县出土商代青铜器的专题报告。自 1955 年至 2004 年，两县 19 个地点共发现青铜器 33 批，加上零星征集的青铜器，计有 710 件。此书对收入的所有器物都作了绘图，可分为资料部分和研究部分。简目如下：

前言
第一章　城洋青铜器出土情况
第二章　与城洋青铜器相关的馆藏器物
第三章　相关问题研究
　　一、城洋铜器群类型分析及相关问题探讨
　　二、宝山遗址和城洋部分铜器的铅同位素组成与相关问题
　　三、城洋青铜兵器研究
　　四、城洋铜器群中青铜泡用途试探——兼及人面饰与兽面饰的用途
　　五、城固两罍铭文的研究
李学勤先生为本书作序。

78.张家坡西周玉器

作　者：中国社会科学院考古研究所　编著
出　处：文物出版社 2007 年版

本书为 16 开精装一册，有正文 250 千字。

本书的研究对象是 20 世纪 80 年代在陕西丰镐张家坡墓地发掘出土的近千件玉器。这批玉器不仅数量多，而且品种丰富，有礼玉类的璧、琮、璜，武器类的戈、锛，葬玉类的缀玉覆面、棺饰以及装饰品类的串饰、柄形饰、动物形象的饰物等。本书在充分吸收前人研究成果的基础上，从考古学研究、地质考古学研究和工艺特征、微痕探索等三个方面对墓地不同时期、不同等级、不同家族墓组出土的玉器进行了综合研究。

79.南邠州·碾子坡

作　　者：中国社会科学院考古研究所　编著

出　　处：世界图书出版公司 2007 年版

该书为 16 开精装一册，是考古人员于 1980 年至 1986 年间在陕西长武碾子坡遗址进行科学发掘的详报。

碾子坡遗址的发掘，是在"先周文化探索"的工作计划中被提出的。在碾子坡遗址进行的 11 次发掘中，发现了年代约当商代晚期，文化内涵与西周文化有颇多共性的遗存。遗址位于周人迁岐以前先王"公刘居邠"地区，所以这一发现引起了学术界的广泛重视。

碾子坡遗址规模较大，文化堆积丰厚；既有居住址，又有墓葬区。出土遗物相当丰富，包括青铜器、玉石器、陶器、占卜用具及刻划字符等。在当时发掘的先周时期遗址中，这是发现规模最大、对其内涵了解最全面的 1 处。碾子坡遗址的先周时期遗存包括早、晚两期：早期的年代略早于古公亶父时期，在公元前 1200 年前后；晚期与古公亶父、季历时期相当，约在公元前 12 世纪后半期。

本书客观、详尽地介绍了这批先周时期的居住、墓葬及其出土物。同时，还详细介绍了该地点发掘中同时清理的仰韶文化、西周与东周文化的遗迹和遗物。

80.少陵原西周墓地

作　　者：陕西省考古研究院　编著

出　　处：科学出版社 2009 年版

本书为 16 开精装上下两册，正文 807 页，124 万字，文后附彩版 24 幅，黑白版 48 幅。

该书是关于少陵原西周墓地的发掘报告。该墓地位于陕西西安市长安区东南约 5 公里的杜曲镇东杨万村东北约 500 米处的少陵原边上。2004 年 10 月至 2005 年 10 月，考古人员在此发掘，共清理西周墓葬 429 座、殉马坑 3 座、仰韶时期灰坑 12 座。书中介绍了此次发掘的整体情况，对出土的陶鬲、陶豆、陶罐以及铜戈、铜泡等遗物进行了型式划分，对墓葬进行了分期。另外，对墓地的性质和出土的铜短剑进行了考证，并对西周居民的体质及牙病情况进行了对比研究。该书的出版，为研究西周时期的政治制度、军事制度及平民生活提供了丰富的资料。

本书简目如下：

序言

81.周原——2002 年度齐家制玦作坊和礼村遗址考古发掘报告

作　者：陕西省考古研究院、北京大学考古文博学院、中国社会科学院考古研
究所周原考古队　编著

出　处：科学出版社 2010 年版

本书为大 16 开上下两册，共 785 页，彩色图版 76 页，黑白图版 48 页。

本报告是周原遗址 2002 年度田野考古发掘报告，分上、下两编，分别收集了扶风齐家制玦作坊遗址及岐山礼村先周遗址的发掘资料。上编之前有"绪论"，叙述了周原遗址考古工作的简史与报告编写体例。

齐家制玦作坊遗址是我国迄今为止发现的唯一一处西周时期专门生产石玦的作坊遗址。报告全面系统地公布了本次考古发现的遗迹与遗物，以统计表格的形式详细公布了所有与石玦生产有关的信息。鉴于周原遗址作为周人故都的特殊性，齐家制玦作坊遗址的大规模考古发掘，将对西周时期大型聚落内手工业生产形态的研究

及三代时期手工业生产的性质、生产者的身份与地位、生产技术和生产组织，乃至周原聚落的布局与性质等重大问题的探讨起到无可替代作用。

先周晚期遗存的发现是礼村遗址发掘最为重要的收获，属周原遗址首次发现。周原遗址是探索先周文化的核心区域，但以往有关先周文化的资料却十分缺乏，灭商前夕先周最晚段的遗存尤为缺乏。而礼村 LH8 等先周时期遗迹单位的发现，将成为判定周原遗址内更早的商时期文化遗存性质的基点。

至于"周原"，罗西章先生是这样定义的："周原位于今陕西省关中平原西部。其地望有广义和狭义之分。据已故著名历史地理学家史念海教授考证，广义的周原其范围：南自渭河，北依岐山，东起武功漆水西岸，西到凤翔千河以东。东西绵延 70 公里，南北宽约 30 公里，包括扶风、岐山、凤翔三县之大部及乾县、永寿、武功、杨凌、眉县和宝鸡县区的小部分……狭义的周原，也就是现在人们所谓的周原，仅指地处扶、岐两县交界处的法门、清化、京当等乡、镇范围内的周原遗址。"（《周原寻宝记》，三秦出版社 2005 年版）一般认为，周原比丰镐保存得好，是因为秦、汉、唐等历代均在丰镐一带建都，破坏大。而周原自周人走后，没有再成为政治中心，保存得非常好。

该书简目如下：

绪论

上编　齐家制玦作坊遗址

第一章　概述

第二章　地层堆积

第三章　居址遗存

第四章　墓葬

第五章　结语

下编　礼村遗址

第一章　工作概况

第二章　地层堆积与层位关系

第三章　居址遗存

第四章　墓葬

第五章　结语

甘肃省

82.民乐东灰山考古：四坝文化墓地的揭示与研究

作　者：甘肃省文物考古研究所、吉林大学北方考古研究室　编著
出　处：科学出版社 1998 年版

本书为 16 开精装一册。东灰山位于甘肃省民乐县，夏代的四坝文化居民在此留下了民址和墓地。本书是 1987 年发掘的考古详报，对四坝文化的源流与其他文化的关系进行了探讨，对发现的兽骨、蚬、贝、孢粉、小麦、铜器等遗物进行了鉴定及研究。

简目如下：
壹　序言
贰　遗址
叁　墓地
肆　结语

附有 3 种表格。有《民乐西灰山遗址调查简报》等 9 种附录。

一般认为，四坝文化流行于甘、青地区，年代大致相当于中原地区的夏商时期。

83.徐家碾寺洼墓地——1980 年甘肃省庄浪县徐家碾发掘资料

作　者：中国社会科学院考古研究所　编著
出　处：科学出版社 2006 年版

该书为 16 开一册，正文 252 页。

徐家碾墓地位于甘肃省庄浪县徐家碾村，是迄今发掘规模最大、收获最为丰富的寺洼文化考古项目，该书是出版年时至今唯一一部寺洼文化考古学专刊。

报告分为绪言、茔区墓葬、车马坑和结论四章，后有铜器、人骨、动物骨髓和陶器四个附录，介绍了有关发现及其学术意义。

寺洼文化居民和周人都是中国古代羌戎族群体的一支，两种考古学文化存在着错综复杂的文化交流和融合现象，所以，寺洼文化是探讨中国古代文明及华夏民族形成与发展必不可少的一种考古学文化资料。

该书第 160 页称，"徐家碾寺洼文化墓葬的上限年代约当周先王古公亶父迁岐前后，年代大致为公元前 12 世纪中期，下限年代约为当周武王时期，年代大致为公元前 11 世纪中期"。

84.崇信于家湾周墓

作　　者：甘肃省文物考古研究所　编著

出　　处：文物出版社 2009 年版

本书为 16 开精装一册，有正文 224 页，文后有彩色图版 12 版，黑白图版 60 版。

该书为甘肃省文物考古研究所于 20 世纪 80 年代对甘肃崇信县于家湾遗址周墓发掘的报告。共计 7 章：

第一章为前言，包括地理位置、历史沿革、周边地区的周文化遗存和墓葬的发现及发掘经过等四个部分。

第二章是墓葬概述，从墓地概述、墓葬形制、葬具与葬式、葬俗、随葬器物的组合及摆放位置以及殉埋等六部分对墓葬进行了详尽的描述。

第三章是墓葬分类及典型墓葬举例。

第四章是随葬器物，对墓地内出土的陶器，青铜器，玉、石、骨、牙器，蚌、海贝、蛤蜊壳、漆器及纺织物等进行了介绍。

第五章是马坑。

第六章是墓葬的年代推定与分期。

第七章是结语，分别对墓主人身份、于家湾周墓、于家湾周墓青铜锻造工艺水平和于家湾周墓发掘的重要意义等进行了探讨。

于家湾周墓的发掘，是迄今为止甘肃省在商周考古方面规模最大的一次考古发掘，发掘所获得的资料，为我国商周考古及西北地区青铜文化的研究提供了重要的资料。

青海省

宁夏回族自治区

新疆维吾尔自治区

85.西王母文化研究集成：考古报告卷

作　　者：新疆天山天池管理委员会　编
出　　处：广西师范大学出版社 2009 年版

此书为 16 开精装上下两册，收录了西王母有关的考古报告 65 篇，均在《考古》《文物》等专业刊物上发表过。西王母，据《山海经》记载，是专司灾疫和刑罚的女神，被认为是中国西部 3000 多年前母系氏族社会的代表人物。此套丛书还有"图像资料卷""文献资料卷""外文论文卷""传说故事卷"和"论文卷"。

香港特别行政区、澳门特别行政区、台湾省

86.卑南考古发掘 1980～1982：遗址概况、堆积层次及生活层出土遗物分析

作　者：宋文薰、连照美　著
出　处：台湾大学出版中心 2004 年版

该书为 16 开一册，系 1983 年发表的《台东县卑南遗址发掘报告》、1986 年完成的《遗址堆积层次及文化层出土遗物之分析研究》的修订增补本，介绍了该遗址 8 次发掘的资料。附有《卑南遗址抢救考古发掘始末》一文。

一般认为，卑南文化主要见于台湾东部的海岸地区和花东纵谷南段的河旁阶地、海边阶地或山区缓坡上，是我国台湾地区重要的新石器时代文化之一。其年代，一般认为在距今 3000 年至 2000 年，大致相当于内地的商周之时。

下编　考古简报

北京市

1.北京附近发现的西周奴隶殉葬墓

作　　者：中国科学院考古研究所、北京市文物管理处、房山县文教局、琉璃河
　　　　　考古工作队

出　　处：《文物》1974 年第 5 期

在北京西南郊的房山县琉璃河镇附近，考古人员发掘了一批西周时代的奴隶殉葬墓，并且出土带"匽侯"等字样的有铭铜器。简报配以手绘图、照片予以介绍。

据介绍，此遗址位于房山县琉璃河镇北 3 公里处黄土坡、董家村一带，1962 年已发现。1964 年、1972 年均有考古发掘。1973 年开始又进行了新的发掘，计发掘 7 座墓葬和车马坑，基本都属于西周早期燕国遗存。从青铜器铭文可知，复、攸二人得到燕侯冕衣、臣妾、贝货赏赐，但没有土地、彝器、车马、兵器，说明 2 人身份不会太高。7 座西周墓中，有 6 座殉葬了奴隶，共殉 8 人。而 8 个殉葬的奴隶，除 1 个是年约 17 岁的女性外，其余均为未成年男性。马是将腿捆绑后埋入坑内的。4 匹马均有当卢、节约、长方泡等铜辔饰和铜銮。两服马的额头，又各有一个特大的圆形铜泡，骖马则无之。

2.北京琉璃河夏家店下层文化墓葬

作　　者：北京市文物管理处、中国科学院考古研究所琉璃河考古工作队、房山
　　　　　县文教局　赵　信、田敬东

出　　处：《考古》1976 年第 1 期

1973 年 4 月，考古人员在北京市房山县琉璃河公社刘李店村南试掘商周文化遗址时，发现夏家店下层文化墓葬两座。刘李店村位于琉璃河镇北约 1.5 公里，遗址即在村东南约 50 米的台地上。台地西、南两侧断壁陡直，东、北两面是平缓的斜坡。由于长年水土流失及整地辟田，地表遭到破坏，目前只剩下一些残破的灰坑和墓葬。简报配以手绘图，介绍了两墓情况。

据介绍，M1 为长方形土坑墓，未见葬具痕迹，骨架为仰身直肢葬，随葬陶器 5 件。

M2 为长方形土坑墓，仰身直肢葬，仅见铜耳环、铜指环各 1 个。简报推断两墓年代为商代晚期。

简报称，据目前发现，夏家店下层文化主要分布在辽宁西部西喇木伦河以南和河北东北部一带，这两座墓葬的发现为它的分布南限又增加了一个新的地点，有助于对这一文化做更进一步的分析比较。

3.北京地区的又一重要考古收获——昌平白浮西周木椁墓的新启示

作　　者：北京市文物管理处
出　　处：《考古》1976 年第 4 期

1975 年 3 月和 6 月，考古人员先后在北京北郊的昌平县东南 4 公里的白浮村附近，发掘了 3 座保存基本完好的西周木椁墓，出土数百件青铜器、陶器、玉器、石器和十分罕见的西周带字甲骨残片。简报配以照片、手绘图予以介绍。

据介绍，白浮村在昌平镇南，京密引水渠南侧，西沙屯正北。三墓（M1、M2、M3）均为长方形土坑竖穴木椁墓，椁室与墓坑间有白膏泥。随葬器物均置于墓主人头前与椁室内东西两侧。陶器与青铜礼器多放在墓主人头前。兵器之类多放于主人两侧，衣甲、玉角等装饰品多放于木椁之内。大量车马饰件都堆放在一起的现象，可能是随器物放在棺椁顶盖上，椁木腐朽后器物陷入椁内所致。简报特别强调，从墓的形制、葬俗、出土器物可看出西周早期北京地区与中原文化的一致性。

4.北京市平谷县发现商代墓葬

作　　者：北京市文物管理处　袁进京、张先得
出　　处：《文物》1977 年第 11 期

1977 年 8 月，北京市平谷县南独乐河公社刘家河大队农民在村外取土时，发现了一批青铜器。考古人员进行了勘查，通过现场观察及器物分析，认为这是一座商代中期的墓葬。简报配以手绘图、拓片和照片予以介绍。

据介绍，刘家河村位于平谷县城东北 14 公里处，墓葬发现于村路南侧水塘的南岸。该墓北部因早年挖水塘及岸边植树已破坏，南部因压在大车路下得以保存。青铜礼器出土于南端的二层台上，金饰、玉饰、铜人面饰及铁刃铜钺等均出于墓葬底部。出土器物共四十余件，可分为铜、玉、陶等三类。

简报称，平谷县刘家河商代中期墓葬的发现，填补了北京地区商代历史考古的空白。过去北京地区曾零星发现过一些商代青铜器，但对研究商代北京地区的政治、

经济、文化面貌而言却十分不足。简报指出，刘家河墓葬成组器物的发现，对研究商文化的分布、商王朝地域问题以及商文化与夏家店下层文化的直接联系等问题都有着重要的意义。

5.北京市延庆县西拨子村窖藏铜器

作　　者：北京市文物管理处　齐　心
出　　处：《考古》1979 年第 3 期

1975 年，北京市延庆县西拨子村驻军施工时发现一处窖藏，民掘器物共 14 类 53 件，有铜釜、鼎、斧、锛、凿、匕、刀、戈等。时代大体属西周晚期或春秋晚期，从文化风格看，应属夏家店上层文化。这在北京地区，还是首次发现夏家店上层文化。

6.北京市顺义县牛栏山出土一组周初带铭青铜器

作　　者：程长新
出　　处：《文物》1983 年第 11 期

1982 年 6 月，北京市顺义县牛栏山供销社采购站收购到 6 件古代青铜器，北京市文物工作队得知后派人前往，在接收这几件青铜器的同时，根据采购站提供的线索，在青铜器的出土地点顺义县牛栏山公社金牛大队进行了调查。经过宣传，又收到铜器两件及部分铅器残片。据当事人介绍，这几件青铜器是该大队 4 户百姓挖房基时发现的，出土地点位于金牛大队东北角山的阳坡上，距地面 1 米多。与铜器同时出土的还有陶罐 4 件，已佚失。简报配以拓片、照片予以介绍。

据介绍，这批青铜器虽然都已残破，但并不严重，计有鼎、卣、尊、觯各 1 件，觚、爵各 2 件，8 件器物上都有铭文。器物上的 3 字铭文均为"亚真昊"族徽。

简报指出，这组青铜器物是顺义县境内首次发现，器物为墓葬随葬品，年代简报推断约为西周初期。这些青铜器的发现，对研究北京地区的历史地理有着重要意义。

7.1981～1983 年琉璃河西周燕国墓地发掘简报

作　　者：中国社会科学院考古研究所、北京市文物工作队、琉璃河考古队
　　　　　　王　巍、黄秀纯
出　　处：《考古》1984 年第 5 期

在北京市房山区琉璃河遗址的东南，黄土坡村及其周围，分布着许多西周时期

的墓葬。在 20 世纪 70 年代，考古人员曾在这里进行过发掘，取得了不少成果（见《北京附近发现的西周奴隶殉葬墓》，《考古》1974 年第 5 期第 309 页）。自 1981 年秋季开始，考古研究所与北京市文物工作队再次组成琉璃河考古队，对墓地进行了有计划的发掘。发掘的地点选在京广铁路东侧，黄土坡村西北的一片空地上。至 1983 年末，已发掘 8900 平方米，共清理西周时期的墓葬 121 座，车马坑 21 座。

简报分为：一、墓葬形制，二、车马坑，三、随葬器物，四、几点收获，共四个部分予以介绍，有手绘图、彩照。

据介绍，这批墓葬的形制及其随葬品，都具有明显的西周时期的作风。墓葬的形制和排列有一定的规律性。在这批墓葬中，大中小型墓葬的规模、葬具、随葬品种类和数量以及有无车马陪葬、车马的数量等方面，都存在明显差别。这些差别在一定程度上反映出墓主人生前社会地位的不同。3 座带墓道的大型墓，从其规模来看，应是燕国高级贵族的墓葬。小型墓虽然规模与大型墓相差悬殊，却与大中型墓埋葬于同一墓地，可能是此墓地埋葬习俗的特点之一，当不无意义。

1100 号车马坑三号车上部发现的木质伞盖，在过去同时期遗存中尚未见到。带有"匽医"铭文青铜器的出土，为我们研究西周时期燕国的历史增添了文字资料。另外，该墓地出土的漆器器类较多，装饰手法多样，图案纹样精美，大大丰富了我们对西周漆器的认识，为研究西周时期的髹漆工艺提供了新的实物资料。

8.北京发现又一件伯嘉父簋

作　者：刘俊琪
出　处：《考古》1984 年第 7 期

1982 年 11 月，北京市公安部门查获一起走私案，收缴了一批文物，其中有 1 件伯嘉父簋，现已入藏首都博物馆。简报配以照片予以介绍。

据介绍，该器缺盖，敛口，兽首耳垂耳，圈足下有三短足。器重 2.8 市斤。器内底铸有铭文"伯嘉父和喜姬障簋"8 字。

简报称，据了解，该器由河南洛阳地区转来，具体出土地点不清。经查对，它与河南省灵宝地区 1981 年 3 月拣选到的一件铜簋（见《文物》1982 年第 4 期）形制、花纹、尺寸、重量及铭文内容完全一致。简报认为很可能 2 件铜簋是同时同地出土，出土后失散，1 件流入北京。

简报认为，这两件簋形制、纹饰、铭文都表现出西周晚期的特征，应是西周时期某个小奴隶主为其妇喜姬所作之器。

9.北京琉璃河 1193 号大墓发掘简报

作　者：中国社会科学院考古研究所、北京市文物研究所、琉璃河考古队

出　处：《考古》1990 年第 1 期

考古人员自 1981 年以来对北京市房山区琉璃河遗址的西周墓地进行了科学的发掘，前后共清理了 200 余座墓葬，其中包括带墓道的大型墓和无墓道的中、小型墓等；获得出土遗物数千件，其中包括 1 座西周大墓出土的 2 件长铭铜器。引起了研究者的广泛重视。简报分为：一、位置与地层，二、墓葬形制，三、随葬物品，四、结语，共四个部分，先行介绍长铭铜器所在墓葬（M1193）的情况，附有彩照。

据介绍，琉璃河遗址的墓葬区位于今黄土坡村的西北，京广铁路从中横穿而过，将它分为东、西两块。M1193 位于铁路东侧黄土坡村打谷场的西南角，这座墓葬发现甚早，但因种种原因，直到 1986 年秋才得以进行发掘。发掘工作从 10 月 14 日开始，至 11 月 30 日结束，历时 48 天。收工前遇到一场大雪，迅即封冻，给清理工作带来极大困难。该墓为带四条墓道的大型墓葬，曾被盗，但劫余随葬品仍多达 200 多件，其中比较重要的是有铭文的铜器。《考古》1989 年第 10 期上曾发表过铭文全文，但录文有误。此大墓的时代，简报定在西周早期或成康时期，认为应是西周初年燕侯之墓。

10.1995 年琉璃河遗址墓葬区发掘简报

作　者：北京市文物研究所、北京大学考古学系　赵福生、王　鑫、雷兴山等

出　处：《文物》1996 年第 6 期

1995 年 11 月，考古人员对琉璃河遗址墓葬区进行了小规模发掘，墓葬发掘点位于京广铁路以西、黄土坡村一居民点的东侧，属原墓葬分区的 I 区，现属琉璃河遗址统一规划的 F15 区。墓葬区北边发现 6 座墓葬（M1 ~ M5、M10）和 4 座灰坑（H3 ~ H6）等，南边发现 4 座墓葬（M6 ~ M9）和 4 座灰坑（H1、H2、H7、H8）等。简报分为：一、文化堆积，二、墓葬，三、灰坑，四、结语，共四个部分，有照片、手绘图。

据介绍，10 座墓葬大致可以分为南北两排，时代上，北排的墓一般早于南排的墓。在两两成组的墓葬中，一般左边（东）一墓的墓主为女性，右边（西）一墓的墓主为男性。说明当时墓地经过统一规划和安排。其中 M2 在琉璃河墓葬区属于中型墓，在殉人和殉狗方面都有特别之处，3 个殉人均是青少年女性，棺椁之间的 2、

3 号殉人，颈部有串饰，身上及其周围撒有大量海贝，而南二层台上的 1 号殉人，除身上覆盖竹席外，无其他饰品，且为俯身，从殉葬的位置和装饰来看，显然这 3 人的身份地位有所不同，这也是琉璃河墓葬区到目前为止所发现殉人最多的 1 座墓葬。M2 在填土和腰坑中各殉狗 1 只，殉狗身和头部分离，先后埋葬，这在以往发掘的墓葬中极少见，大概与埋葬过程中某种葬仪有关。关于 10 座墓的时代，简报推断西周早、中、晚三期都有。灰坑 8 座中，西周时期的 H1、H8 属西周早期。

11.1995 年琉璃河周代居址发掘简报

作　者：北京大学考古学系、北京市文物研究所　雷兴山、王　鑫、赵福生等
出　处：《文物》1996 年第 6 期

琉璃河遗址自 1962 年发现以来，历经多年工作已被证实为西周燕国早期都城所在。但以往工作多偏重墓葬，对居址了解甚少。1995 年 8 月至 11 月，考古人员对琉璃河遗址进行了发掘，发掘面积 1560 余平方米。所获遗存可分周代居址、周代墓葬、唐至明代居址三部分。简报分为：一、文化层堆积、二、西周遗存、三、战国遗存、四、结语，共四个部分，配以彩照、手绘图，重点介绍了周代居址。

据介绍，西周遗存有灰坑 80 多处，认定琉璃河遗址古城始建于西周早期。居址又分早、晚两期。早期既有周文化风格，又有商文化气息，还有本地土著文化成分。晚期已成为较单一的燕文化。早期遗存中有青铜器陶范出土，表明遗址中有规模不小的铸铜作坊。

12.北京房山琉璃河遗址发现的商代遗迹

作　者：北京市文物研究所　李　华等
出　处：《文物》1997 年第 4 期

北京西南的房山琉璃河遗址经过多年的勘查和清理发掘，大致可分为古代城址、居住遗址和墓地三部分。20 世纪 70 年代，考古人员发现并清理了一些简单的遗迹。简报配以照片、手绘图予以介绍。

简报称，遗址位于房山琉璃河刘李店村东第二生产队场院与董家林村之间一块台地上，为一较大灰坑。遗址中可以复原器物的陶器有十余件。简报指出，从刘李店灰坑出土的陶器，以及周围采集的陶片来考察，不难看出它是属于商末至西周的 1 处居住遗址。年代不会晚于西周初期。台地与周初建都的燕国都城城墙相距只 300 米左右，但在台地上所发现的遗物却与燕国墓地和城内遗址中出土的器物有所不同。

13.琉璃河遗址 1996 年度发掘简报

作　者：琉璃河考古队　王　鑫、柴晓明、雷兴山等

出　处：《文物》1997 年第 6 期

北京琉璃河西周燕国都城遗址是 1 处非常重要的西周遗址，包括城址和墓葬两部分。在宗周地区及已发现的西周诸侯国都城遗址中，它是唯一的既有城址又有诸侯墓葬的遗址，在西周考古学研究当中占有十分重要的地位。1996 年的田野工作分春、秋两季进行，春季的工作从 4 月下旬开始，7 月上旬结束，秋季的发掘则由 9 月中旬开始持续到 11 月下旬。简报分为：一、遗迹、二、遗物、三、结语，共三个部分予以介绍，有照片。

据介绍，考古人员于董家林村内村民取土场做了抢救性清理，共发掘了西周时期的城墙 2 处、灰坑 116 座、墓葬 1 座。琉璃河遗址是全国少见的居址、墓葬、城址俱全的西周遗址。关于琉璃河遗址的性质，目前学术界一般认为是西周时期燕国的都城，但是对于该遗址的年代，如该城的始建年代、作为燕国都城的使用年代（包括开始和废弃的年代）、遗址开始有人居住和最终废弃的年代等还有许多认识不清的地方。简报认为城址的始建年代是西周初年，使用时间是西周早中期，西周晚期已不见高等级墓葬，简报认为这标志着此处已不再是燕国都城，而只是一般居民点了。

简报称，有字卜甲的发现，是此次发掘的又一重大收获。其钻凿和文字在继承了周人传统的做法之外，又有自己独到的特点。

天津市

14.天津蓟县围坊遗址发掘报告

作　者：天津市文物管理处考古队　李经汉、梁宝玲
出　处：《考古》1983 年第 10 期

围坊位于蓟县城东 2.5 公里的翠屏湖畔。遗址是 1960 年文物普查时发现的。1977 年春复查。1977 年秋配合农田建设进行发掘。1979 年春又作了补充发掘。简报配以手绘图、照片予以介绍。

据介绍，遗址遗存可分三期：一期为新石器时代；二期为夏家店下层文化；三期为"一种面貌比较新颖的文化遗存""与夏家店上层文化差别较大"。简报重点介绍了三期文化。

简报称，围坊三期的时代应为商周之际到东周初，已出现小件青铜器及随意抛弃的尸骨，应是一种与中原文化有密切联系，又有浓厚地方特色的文化。简报指出，围坊三期文化的发现，为研究这一地区战国以前的一段历史，提供了重要线索和实物资料。

15.天津蓟县张家园遗址第二次发掘

作　者：天津市历史博物馆考古队　李经汉
出　处：《考古》1984 年第 8 期

张家园位于蓟县城西北 20 公里处的近山丘陵地区，北靠燕山余脉，东临小沙河。遗址坐落在高出河底 18 米的土岗上。张家园遗址是天津地区现存古遗址中比较重要的 1 处，它含有燕南类型的夏家店下层文化和晚于它的围坊第三期文化两种遗存。1965 年第 1 次发掘之后，遗址损坏较大。1979 年春又进行了第 2 次发掘。发掘工作从 4 月 16 日开始，4 月 28 日结束。开探方 3 个，发掘面积 65 平方米。简报分为：一、地层堆积，二、夏家店下层文化遗存，三、围坊三期文化遗存，四、结语，共四个部分予以介绍，有手绘图、照片。

据介绍，张家园遗址的夏家店下层文化遗存 2 次发掘内涵基本相同。但此次发

现的袋形穴、I式鬲、II式鬲、平底盆、陶簋等为过去所不见。其中袋形穴在同类遗存中发现很少，而在中原地区的龙山文化遗址中较为流行。特别值得注意的是，遗存出土的夏家店下层文化陶器，其形制特征有明显的差别。围坊三期文化堆积是一种新的文化遗存，1965年在这里首次发现后，曾把它和夏家店下层遗存同视为夏家店下层文化的先、后二期。近年来在天津地区同类遗存又相继发现多处。通过围坊遗址的发掘，证实这是分布在京津唐地区的一种新的文化遗存。根据地层叠压关系，它比燕南类型的夏家店下层文化晚，比战国早。大致在商周之际到春秋。简报暂称"围坊三期文化"。此次发现的半穴式圆形房基，形制规整，结构清楚，是围坊三期文化的一种新的建筑形式。另外，继第1次发掘之后，此次又在该文化遗存中，发现了西周早期鬲片。同样情况在许家台遗址也有发现。说明围坊三期文化遗存和西周早期鬲共存，在这一地区较为普遍。

简报称，张家园遗址"围坊三期文化"和燕南类型的夏家店下层文化之间，仍有许多共同的因素。围坊三期文化虽然自身有许多特点，但仍是经燕南类型夏家店下层文化之后，当地的一种土著文化。

16.天津蓟县张家园遗址第三次发掘

作　　者：天津市历史博物馆考古部　纪烈敏、张俊生
出　　处：《考古》1993年第4期

张家园遗址自1957年发现以来，已先后于1965年和1979年进行了两次发掘。1987年5月，当地农民在遗址内发现青铜鼎、殷和金耳环等，经调查出土于墓葬。考古人员又进行了第3次发掘。简报配以手绘图予以介绍。

据介绍，遗址所在地是沙河旁的一处丘陵高地，共发掘了4座墓葬。4座墓葬的共同特征是：土坑竖穴木椁、俯身葬、头向东、随葬铜鼎、殷和黄金耳环，皆不见陶器。耳环系生前实用之物，中原地区未见。位于最南边的M2应属晚商时期；M3为商末周初的墓葬；M4的年代为西周初。墓地的年代简报认为应在商代晚期至西周之际，最晚不过西周初年。

另外，M4铜簋铸有"天"字族徽，被认为是周人的一个民族集团。目前所见铸此徽铭的铜器，有明确出土地点的，多在陕西和山西北部。燕山地区发现此类遗存，表明周人在灭商以前已和燕山地区建立了密切联系。

河北省

17.冀东地区商朝时期古文化遗址综述

作　者：文启明
出　处：《考古与文物》1984年第6期

冀东（主要指唐山地区），北控长城，地处华北平原与东北平原的交接地带，历来是中原华夏民族和东北少数部族频繁交往的地区。简报配以手绘图，先行介绍了冀东地区相当于中原商时期的古文化遗址。

经调查，在冀东一带发现相当于商时期的古遗址有数十处。比较重要的有唐山市大城山、古冶、小官庄，丰润县姜家营，玉田县杨家套、五里桥、西八里堡、上下坎，迁西县城西峪、沙岭沟，迁安县南关、倪屯、八里塔，卢龙县东阚各庄、双望，抚宁县岭上村、荣庄，昌黎县城关、邵埝沱，秦皇岛市天马山，滦南县东庄店、小贾庄、西张士坎，乐亭县黄坨。其中经过发掘和试掘的有唐山市大城山、古冶，卢龙县东阚各庄，滦南县东庄店。这些遗址的共同特征是大多分布在滦河下游黄土台地和小河较真的高岗沙丘上，现存面积较小，文化堆积层很薄，内涵也不甚丰富。尽管如此，冀东滦河下游发现大量商时期古文化遗址，不但以确凿的实物打破了滨海地带成陆很晚的传统观点，加深了我们对商王国北部疆域和统一政权的认识，同时也为探求中原文化与北方夏家店下层文化的关系提供了新线索。

石家庄市

18.河北灵寿县北宅村商代遗址调查

作　者：河北省文化局文物工作队　陈应祺
出　处：《考古》1966年第2期

1965年4月初，灵寿县北宅村发现了一些石器、骨器和陶器。简报配以手绘图予以介绍。据介绍，北宅村位于灵寿县西北10公里，遗址在村北土岗上。遗址内有同期的小土坑墓，已遭破坏，有人骨架 1 具，殉葬物较少，仅有陶鬲、陶簋的碎片。这次所采集的遗物，大部分是在商代遗存中常见的，如石斧、石刀、石镰、陶鬲等，与商殷遗址中出土的器物相同。因此北宅遗址应为商代遗址。

19.河北藁城县商代遗址和墓葬的调查

作　者：河北省博物馆、文物管理处　郑绍宗
出　处：《考古》1973 年第 1 期

1965 年 9 月，河北省石家庄地区藁城县台西村农民在村东北"西台"的南面取土时发现了一部分商代青铜器，有戈、爵、斝等物。考古人员于 9 月、12 月对台西遗址进行了 2 次考古调查和钻探，确认青铜器的出土地点是 1 处商代遗址。在遗址的西、南两面还发现了商代墓葬群。青铜器是从商代墓葬中出土的。简报分为：一、遗址附近地理情况，二、商代遗址和墓葬，三、出土遗物，四、结语，共四个部分，有手绘图、照片。

据介绍，台西村位于藁城县城关西 12 公里，属岗上公社管辖。商代遗址主要发现在台西村东北，正东一带虽然也发现遗物，但无灰层。从藁城台西村遗址采集到的遗物观察，大致有这样几个特点：在石器方面，以弓背直刃或凹刃石镰、长方形石刀、扁平长条形石铲为多，另有扁平穿孔石斧、椭圆柱状石斧等；在陶器方面，以折唇、深腹、绳纹高尖足鬲为主，罐、盆、瓮次之，盘、豆、簋较少见。这些特点与邢台曹演庄下层出土遗物之比例大致接近。其次，就陶器的形制说，这里的折唇深腹、高尖足绳纹陶鬲以及罐、盆等均接近曹演庄下层，和郑州二里岗下层相比较也有相似之处，可能属商代早期遗存。另外，遗址中所发现的宽口沿、唇外卷、粗绳纹陶鬲口片和浅盘高圈足豆，其形制接近安阳殷墟所出土器物，可能属商代晚期，其年代简报推断相当于这里的 2 座殷墓。

简报称，这次清理的两座商代墓葬，从随葬品看，其年代要比遗址中的商代早期遗存晚。因为出土的陶鬲足部趋于低矮，腹部亦变浅；出土的铜斝、爵、觚的形制近似武安赵家窑发掘的殷墓，同时，这些铜器以及共出的铜鼎、铜戈、铜罍等均似安阳殷代墓葬所出，故其年代应属盘庚迁殷以后。

20.河北藁城台西村的商代遗址

作　者：河北省博物馆、文物管理处　唐云明、刘世枢
出　处：《考古》1973 年第 5 期

1965 年 9 月和 12 月，考古人员先后两次调查过藁城县台西村商代遗址简报。

1972 年 10 月，村民在台西村西台南侧断崖下又挖出一批遗物，考古人员将遗物全部收回，同时对遗址又进行了 1 次调查和铲探。这批遗物包括铜器、玉石器等共 26 件，系出自同一地点，均为商代遗物，估计应是 1 座墓内出土的随葬器物。其中 1 件铜钺刃部断失，但从断面观察，原刃部系为铁质。这件"铁刃铜钺"送请冶金工业部钢铁研究院作了鉴定。

简报分为：一、遗址概况，二、采集遗物，共两个部分予以介绍，有照片、手绘图。

据介绍，遗址位于藁城县西 10 公里，石德铁路北侧，滹沱河南岸，台西、内族、庄合、故城 4 个村之间。4 村之间相去都不过一二公里。遗址离台西村最近，文化堆积以 3 个土台为中心，名西台、南台和北台。遗物中石器有斧、铲、刀、镰、杵和砺石等。陶器完整者极少，多为残片。遗物中最值得重视的是铜钺刃部的熟铁。过去多认为我国铁器的使用，开始于春秋战国之际，看来在此之前应有一段发展过程。

简报称，这批遗物虽然没有经过正式发掘，估计很可能是商代奴隶主的墓葬中的随葬品。墓葬的年代，从铜鼎、瓿、罍、觚等部分器形的特点看，简报认为它们相当于殷墟文化早期。此简报后附夏鼐先生的《读后记》，指出"藁城商代遗址出土的铁刃铜利器，是一个很有意思的发现。但是，根据已做过的化学分析和金相学考察，似乎并不排斥这铁是陨铁的可能，还不能确定其'系古代冶炼的熟铁'"。

21.河北藁城县台西村商代遗址 1973 年的重要发现

作　者：河北省博物馆、河北省文管处台西发掘小组
出　处：《文物》1974 年第 8 期

早在 1965 年 9 月，位于冀中平原滹沱河南岸的藁城县台西村村西北半华里的"西台"南侧就发现过成组的商代青铜器和 1 件长达 39 厘米的大玉戈。1972 年 11 月，在西台同一地点的最低层又发现了青铜鼎、瓿、罍、觚、匕、刀、戈、矛、镈和玉刀、璇玑、石磬等遗物，伴出的还有 1 件铁刃青铜钺。从地层和伴出器物可以肯定这件遗物是出自中小奴隶主阶级墓内的殉葬品，其年代约当公元前 14 世纪前后，与殷墟文化早期时间大体相同。对研究我国使用铁器的历史很有价值。还出土了 30 余枚植物种子，经中国科学院植物研究所和中医研究院鉴定，均属蔷薇科梅属（Prunus）中多种植物的种子，其中以桃仁为主（详见本刊本期《藁城商代遗址中出土的桃仁和郁李仁》一文）。这些遗物外形比较完整，都是剥掉硬壳后而储存下来的。由于食桃仁可致腹泻，而少食则可医病，故这批出土物作种子或食用的可能性很小，而

作为医药用的可能性较大。另外，出土的漆器、白陶、釉陶、硬陶、箭等，也都具有研究价值。

22.藁城台西商代遗址发现的陶器文字

作　者：季　云
出　处：《文物》1974 年第 8 期

1973 年，考古人员在藁城台西村商代遗址的发掘中，获得了 12 片有刻划文字的陶器残片。这些陶文的时代早于殷墟发现的文字遗物，对于研究我国古代文字的发展有比较重要的意义。简报配以拓片予以介绍。

简报介绍，藁城台西出土的有字陶片，相对于发掘面积而言，分布是相当密集的。殷墟经过多年发掘，所出陶文已发表的尚不及百片，而台西遗址在半年的初步发掘中，就发现了 12 片。这预示着在台西的进一步发掘，可能出土更多的陶器文字。同时，由陶文的发达，还可以推测台西遗址有可能蕴藏着其他商代文字遗物。

23.河北藁城台西村商代遗址发掘简报

作　者：河北省文物管理处台西考古队　唐云明等
出　处：《文物》1979 年第 6 期

藁城台西商代遗址继 1965 年和 1972 年两次调查后，于 1973 年 6 月开始第 1 次发掘，至 1974 年底结束。共开探方 19 个，面积 1852 平方米。探方的位置都在"西台"的东西两侧及其顶部。由于遗址所在的地形限制，故探方大小、方向均不一致，有的如 T2、T4、T14、T16、T17、T18、T19 因发现房子，需加以保护，未清理到底。简报分为：一、文化堆积和年代分期，二、居住遗存，三、墓葬，四、小结，共四个部分。介绍了 1974 年后的发掘，有照片、拓片。

据报道，这次发掘的文化遗迹房子清理了 14 座，灰坑共清理 133 个，水井两眼。在清理的 112 座墓葬中，可分早晚两期，两期的墓葬都是长方形竖穴土坑墓。两墓随葬器物有陶器、铜器、骨角器、玉石器、蚌贝器、卜骨、漆器、丝织品等。

简报推断第一期墓葬亦属商代前期，大体相当于二里岗上层与邢台曹演庄下层。第二期墓葬的年代大体相当于邢台曹演庄下层或殷墟早期文化的前段。

简报称，台西遗址是几年来河北省商代遗址发掘规模最大的 1 处，也是收获最丰富的 1 处。它为探讨我国开始用铁的年代提供了重要线索，也为研究商文化的许多方面，诸如医药、纺织、占卜、文字、漆器、建筑等，增添了可贵的新资料。

24.河北元氏县西张村的西周遗址和墓葬

作　　者：河北省文物管理处　唐云明
出　　处：《考古》1979 年第 1 期

1978 年 3 月，元氏县西张村农民张新爱来函，反映他和其他几个农民在西张村东一块高地挖土时发现了大批古代青铜器和几件玉器，其中有几件铜器上还有不少铭文。考古人员于 3 月中旬派人对青铜器出土地点做了调查和铲探，并将遗物全部带回保存。这批遗物中包括青铜器、玉器共 39 件，均为西周时期遗物。目睹者介绍，可以确定铜器应是出自 1 座西周时代的墓葬中。

简报分为：一、遗址，二、墓葬，三、小结，共三个部分予以介绍，有手绘图。

据介绍，在元氏县正南 5 公里西张村大队村东有大的土岗，俗称"霸王岗"，又名东岗。西距西张村约 0.5 公里，槐河自西而东至村北又折而南流，岗西是一条自元氏通往赞皇的公路，南为一望无际的农田。据当地人讲，七八十年前，这座土岗高出地面约 3 米以上，站在岗的两端，人不能隔岗相望，每逢春秋两季，风沙过后，地面就往往出现不少铜箭头。遗物还有陶片、筒瓦、鹿角等，应属西周前期遗存。铜器铭文再次证明軝国的位置就在今元氏一带。

25.河北正定县新城铺出土商代青铜器

作　　者：正定县文物保管所　刘友恒、樊子林
出　　处：《文物》1984 年第 12 期

新城铺村位于正定县城东北 20 公里处，县文物保管所过去曾经在这里征集到 5 件商代青铜器。1982 年 1 月，新城铺农民在村北城岗取土时，又发现了 8 件青铜器，其中 6 件带铭文。据了解，其中 7 件出土于 1 个土坑竖穴墓内距地表约 60 厘米处，墓内有 1 个人骨架，头向东北，随葬器物放在头部和腰部两侧。另 1 件出土于墓坑东侧 2 米处城岗坡上。简报配以拓片、手绘图予以介绍。

据介绍，有铭文的青铜器有卣 1 件、尊 1 件、觯 2 件、瓿 1 件、爵 2 件。从铭文中有包含 2 个羊字的符号分析，此墓墓主人当为商代 1 个畜牧业奴隶主。

26.藁城北龙宫商遗址的调查

作　者：河北省文物研究所　唐云明等
出　处：《文物》1985 年第 10 期

北龙宫位于河北藁城西北 15 公里滹沱河北岸。1974 年在发掘台西遗址的同时，北龙宫村村民挖山药窖时，发现 2 件铜器，当即上交。据称，1949 年前在这次出土铜器的同一地点，还发现过 1 件铜鼎。1976 年石家庄地区开展文物普查时，在这里又做了 1 次调查。两次调查期间，在村内又零星挖出过一些遗物。两次调查所获和收集到的遗物，简报配以手绘图和照片予以介绍。

简报称，据调查钻探所知，北龙宫遗址可分为商代早期、中期和晚期，出土遗物有陶器、石器等。北龙宫遗址虽未正式发掘，从调查时采集的标本和群众捐献的遗物来看，既为遗址，也包括墓葬。简报推断以Ⅲ式鬲、斝为代表的一些陶器年代应属二里岗下层，或稍早。

27.河北滹沱河流域考古调查与试掘

作　者：滹沱河考古队　吴东风、朱永刚、卜　工
出　处：《考古》1993 年第 4 期

滹沱河在河北省西部，源出山西省五台山东北的泰戏山，穿过太行山东流入河北平原，在献县与滏阳河汇合为子牙河。1983 年秋，为了解滹沱河流域的古代遗址分布情况，考古人员对位于太行山东麓滹沱河上游的平山县进行了比较全面的考古调查。此后又在 1984 年冬对滹沱河以北的灵寿、行唐、新乐、正定等县的部分地区进行了踏查。这次工作前后历时数月，新发现和复查战国以前古遗址 21 处，并试掘了平山县中贾壁遗址。简报分为五个部分予以介绍，有手绘图、照片。

据介绍，仰韶时期遗存是两次调查中发现的最早期遗存，共计 6 处。全部分布于平山县境内，有中贾壁、南贾壁、西沿兴、新水碾、坡底、西荣村。其中位于平山县西北 1 公里的中贾壁遗址现存面积较大，遗物丰富，经试掘后文化面貌较清楚，具有代表性。时代简报推断为仰韶晚期。龙山文化遗存仅一处，即平山县坡底遗址。龙山文化不仅在滹沱河就是在拒马河流域也很难发现，这种现象当有其深刻的历史背景。

简报还介绍了以正定小客庄遗址代表的夏、商第一组，文化面貌接近于漳河流域先商文化；夏、商第二组年代不晚于二里岗上层；平山西街遗址代表西周早期文化遗存；新乐吴家庄采集标本代表春秋时代文化遗存。

28.河北正定县曹村商周遗址发掘简报

作　者：河北省文物研究所、石家庄市文物研究所、正定县文物保护管理所
　　　　张晓峥、任　涛、张小沧等

出　处：《考古》2007 年第 11 期

为配合陕京二线输气管道工程的建设，考古人员于 2003 年 11 月至 12 月，对工程规划范围内的正定县曹村遗址进行了抢救性考古发掘。该遗址位于正定县南牛乡曹村西北 50 米处，东距 107 国道 350 米。在 20 世纪五六十年代平整土地时遗址已遭到破坏，现地表种植有小麦。本次发掘出大量的灰坑、窖穴等遗迹，出土一批陶、石、骨、蚌器等文化遗物。可认定该遗址主要包含商、东周两个时期的文化遗存。简报分为：一、地层堆积，二、商代文化遗存，三、东周文化遗存，四、结语，共四个部分，有手绘图。

简报告称，商代文化遗存年代约为殷墟文化一、二期，结合近年来冀中南地区考古发现，简报推测商代中期河北藁城县台西遗址似为这一地区的中心。至于东周文化遗存，具体年代应为战国中、晚期，因出土较多筒瓦、板瓦，简报推测这一带当有战国时期较大建筑。

唐山市

29.唐山石棺墓及其相关的遗物

作　者：中国科学院考古研究所　安志敏
出　处：《考古学报》第 7 册

20 世纪 50 年代初，生产建设中发现了一些文物，均及时交到政府部门，有明确的出土地点。简报分为五个部分，配以照片，介绍了其中有关石棺墓的遗物。目次如下：

一、引言
二、小官庄石棺墓
（一）发现及清理经过
（二）墓制
（三）文化遗物
（四）年代
三、霍神庙的石范

（一）发现经过

（二）文化遗物

（三）年代

四、其他的零星出土物

五、结语

据介绍，小官庄、雹神庙的石棺墓，时代应早于春秋战国，与赤峰红山遗址后期比较接近。

30.河北滦南县东庄店遗址调查

作　者： 河北省文物研究所　文启明

出　处： 《考古》1983 年第 9 期

东庄店村位于滦南县城南 12.5 公里，遗址在村西 500 米的高岗地上。1981 年春为配合粮局基建，考古人员对遗址进行了调查，并进行了小面积试掘。简报分为三个部分予以介绍，有手绘图。

据介绍，遗迹仅一灰坑，遗物很少，仅出少量碎陶片、残石器、残骨器及几颗碎铜屑。从遗址出土的陶器、石器形制及纹饰作风看，既含有燕山以北夏家店下层文化因素，又具有中原商文化的特征。类似的遗址近年来在冀东一带已发现多处，是地方特征比较明显的一种青铜文化类型。值得注意的是，这个遗址内涵的龙山文化因素较多。简报认为，此次发现为探索中原商文化、夏家店下层文化和山东、冀南等地龙山文化的关系提供了新资料。

31.唐山市古冶商代遗址

作　者： 河北省文物研究所　文启明

出　处： 《考古》1984 年第 9 期

1978 年，考古人员对古冶遗址进行了调查，并采集到残碎的石器、骨器、陶器多件，1981 年春进行了试掘。简报分三个部分配以手绘图、照片、拓片予以介绍。

据介绍，古冶镇属唐山市东矿区，西南距离唐山 25 公里，遗址位于镇东北 2 公里的北寺村，东界滦古公路，西邻石榴河（陡河支流）。据说，遗址所在位置原为一片高岗地，曾建有古寺，由于不断取土逐渐削为平地。遗址的南部和东部均已破坏，现存面积不过 20000 平方米。试掘共开探方 13 个，发掘面积 286 平方米。

据介绍，遗址地层比较简单，耕土层即是被破坏的文化层，文化层下即见生土。

发现陶窑 2 个，灰坑 18 个。遗物按质料可分陶器、石器、骨器、铜器 4 种，其中主要是陶器，石器、骨器大多为采集品。从古冶遗址陶器的质料、形制及纹饰作风看，与大厂县大坨头、天津蓟县张家园及围坊遗址的下层较为接近，既含有燕山以北夏家店下层文化因素，又具明显的中原地区商文化特征，反映了夏家店下层文化与商文化之间的内在联系。从时间看，简报推断大体相当于早商（二里岗）到商末周初这一阶段。

简报称，遗址发现不但为研究这个地区商时期古遗址的文化内涵及其与夏家店下层文化的关系提供了新资料，也为探讨商时期中原地区华夏族与北方地区各部族之间的关系提供了新线索。

32.河北滦县出土晚商青铜器

作　者：孟昭永、赵立国
出　处：《考古》1994 年第 4 期

1988 年 12 月间，滦县雷庄镇陈山头村百姓在村北 20 米处的山脚下拉砂取土。从距地表 50 厘米深的土层中，发现一批青铜器。据当地人介绍，同时出土的还有陶罐（已破碎）和人的骨骼，说明这批青铜器应是墓葬中的随葬品，这批青铜器有鼎、簋、斧、弓形器等，均保存完好。简报配以照片予以介绍。

据介绍，鼎、簋两器物造形古朴、深厚典雅，纹饰美观，制作精工，是同时期青铜器中少见的。从现有资料看，弓形器最早出现在殷墟文化第二期，延续到商末周初。从这批器物的质料、形制及纹饰作风来看，不但具有明显的中原地区商文化的特征，而且含有燕山南麓夏家店下层文化的因素。从时间上看，简报推断大体相当于商末周初这一阶段。

33.河北省迁安县出土两件商代铜器

作　者：李宗山、尹晓燕
出　处：《文物》1995 年第 6 期

1992 年 10 月，迁安县夏官营镇马哨村农民在村南小山子商代遗址西侧取土时，于地下 0.5 米处发现铜鼎、簋各 1 件，同时出土还有陶鬲、罍。简报配以拓片、照片予以介绍。

据介绍，铜簋内底有铭文，简报认为是商代晚期至西周早期箕国之物。箕国当在北京以东至辽宁一带。铭文又与孤竹国有关，孤竹国的地望正在今河北卢龙南、迁安东南一带。这 2 件铜器一同出土，表示当时箕国与孤竹国的关系密切。

34.河北遵化县发现一座商代墓葬

作　者：刘　震

出　处：《考古》1995 年第 5 期

1989 年 7 月，遵化县西三里乡文化站王余先生在大秦铁路施工现场收集到 2 件陶器。同年 10 月，考古人员对该地进行了调查清理，发现是 1 座墓葬，又出土 3 件陶器，简报配以照片予以介绍。

据介绍，墓葬位于遵化县城西北 2 公里处的西三里乡西三里村北小山顶上。墓坑已残破不成形，棺椁、尸骨均腐朽无存。随葬器物放置在墓坑南北两端，南端 2 件并排放置，北端 3 件呈三角状放置，计有鬲 1 件、罐 3 件、杯 1 件。从该墓葬出土的陶器质料、形制及纹饰风格看与夏家店下层文化大体相同，又与唐山市古冶遗址出土的商代陶器相似，其时代当属早商。

35.河北迁安县小山东庄西周时期墓葬

作　者：唐山市文物管理处、迁安县文物管理所　翟良富、尹晓燕

出　处：《考古》1997 年第 4 期

小山东庄位于迁安县县城东南约 10 公里、滦河西岸龙泉山东侧的山脚下。1983 年 11 月，当地农民在修筑通往大山东庄的公路时，在距村 50 米、离地表 0.5 米深处挖出了一批铜器、陶器和金器。1984 年 8 月，一场大雨将修好的路段冲塌，又冲出一些陶器和铜器，考古人员赶赴现场勘查，出土地点为滦河西岸第一台地，由于雨水冲刷形成坡地，地表除残留部分人骨外，墓葬已完全破坏，墓坑大小和器物位置已不清楚。据当地村民反映，由于修路和雨季的雨水冲刷，在 10 余米的范围内先后三次出土了不少器物，除部分器物已毁坏、散失外，其余大部分出土器物已收集并藏于县文管所。计有铜鼎 3 件、簋 1 件、戈 2 件、斧 4 件、铜扣 124 个，金臂钏 2 件、金耳环 1 件，陶罐 8 件、鬲 4 件，松石耳坠 1 件、松石 35 颗。简报配以手绘图、照片、拓片予以介绍。

据介绍，迁安小山东庄发现众多青铜器、金器、陶器，而其中有两件铜器又有铭文，尚属第一次。简报推断该遗址是一座墓葬，其器物当为随葬品；从铜器的器形、花纹及铭文等各方面观察，其墓葬年代为商代晚期至西周初期，其下限不会晚于西周中期。

简报称，虽然这处墓葬得到的资料有限，但无疑为研究唐山地区青铜文化，特别是有关孤竹国及相关问题，提供了重要的实物资料。

36.河北丰润卢各庄出土商代铜鼎

作　　者：唐山市文物管理处　李子春

出　　处：《文物》2007 年第 4 期

1998 年 8 月，河北丰润卢各庄村民在村南还乡河中取沙时，发现 1 件铜鼎。简报配以照片予以介绍。

该鼎通高 43.3 厘米，口径 35.3 厘米，腹径 34.8 厘米，壁厚约 0.6 厘米，重 11 公斤。为侈口，圆唇，直耳，束颈，三柱形足，器底外部三角形范痕明显。颈部饰弦纹三周。外底部有烟炱痕。器底有一直径 0.4 厘米的沙眼。该鼎的形制有明显的商代青铜器特征，这件铜鼎的时代应属商代晚期。

简报指出，商周之交，唐山地区战事频繁。根据该鼎形体较大，铸造粗糙，有明显的使用痕迹，推测属军用器皿。其形制与中原地区的铜鼎有一定区别，应是北方地区当地铸造的产品。这件铜鼎的出土，为研究唐山地区晚商时期的历史文化状况和中原商周文化对这一地区的影响，提供了重要的实物资料。

秦皇岛市

37.河北卢龙县东阚各庄遗址

作　　者：河北省文物研究所　文启明

出　　处：《考古》1985 年第 11 期

东阚各庄位于卢龙县城西南 25 公里，属庄坨公社。1972 年，当地农民在村北 200 米的滦河南岸沙地上平整土地时发现了 1 座古墓，出土饕餮纹铜鼎、乳钉纹铜簋、铜弓形器和金臂钏各 1 件。经考古人员调查，确认此处系一商代晚期的古遗址。简所分三个部分予以介绍，有手绘图、照片。

据介绍，遗址原来地势较高，面积较大，由于近年不断取土，致使灰层大多破坏，现存不过 20000 平方米。考古人员在出铜器小墓的西侧选择灰层较厚的地方进行了小面积试掘。遗址出土的遗物虽然不多，但从陶器的形制和纹饰作风看，却带有明显中原商文化和北方夏家店下层文化的特征。遗址所处的地理位置，据有关文献资料记载，正属商的北方侯国孤竹国的地望。遗物所反映出的典型的商文化因素，如陶器中大量的带有锥状实足的鬲、甗；主要纹饰是绳纹等，表现出这个侯国与商的密切关系。但是，这里陶系以夹砂红褐陶为主，夹砂灰陶，泥质陶更少，器类简单粗犷，地方特征相当明显，简报认为很可能是商时期古文化的一种地方类型，所以这个遗址不但为研究孤竹国的历史提供了可靠的实物资料，同时，也为深入了解北方夏家店下层文化内涵及其与中原地区商文化的关系提供了新线索。

邯郸市

38.磁县界段营发掘简报

作　者：河北省文物管理处　唐云明
出　处：《考古》1974 年第 6 期

界段营位于河北磁县西约 20 公里。1959 年 9 ~ 10 月间，为了配合岳城水库工程，曾在水库淹没区和取土区内进行过 2 次调查，共发现古遗址 6 处，古墓群 1 处，古城址 1 处，古瓷窑址 4 处。界段营遗址是第 1 次调查时发现的。简报分为四个部分予以介绍，有手绘图。

据介绍，考古人员从 1960 年开始发掘，共清理墓葬 38 座。简报未涉及墓葬，仅介绍遗址部分。遗址主要为 4 个灰坑。出土有陶器、铜器、石器。简报认为可能涉及西周多个时期。另外，还发现少量战国中晚期铜刀、骨笄等。

39.河北磁县下七垣出土殷代青铜器

作　者：罗　平
出　处：《文物》1974 年第 11 期

1966 年 12 月，邯郸地区在开挖民有渠南干渠的工程中，在磁县下七垣村南挖出一批殷代青铜器，保存在省博物馆。1974 年，考古人员又进行了发掘。此简报先行介绍入藏的 11 件铜器，有照片。

据介绍，11 件铜器分别是：夔龙蝉纹鼎、夔龙纹簋、云雷纹卣、饕餮纹尊各 1 件，觚 4 件、爵 3 件。

简报称，这批铜器出土于水渠南边仙家庙北 2 米处，在地表下 8 米发现，是放在一起的。铜器上埋的是黄土，没有发现灰土，它可能是 1 座墓葬中出土的。

铜器的时代，简报推断应为殷商晚期。

40.武安赵窑遗址发掘报告

作　者：河北省文物研究所、河北文化学院　陈　惠、江达煌等

出　处：《考古学报》1992年第3期

赵窑村位于河北省武安县城东北20公里，东距京广铁路的临洛关车站11公里。四周群山起伏，河流纵横，中间形成一个盆地，赵窑村即坐落在盆地中央的台地上。1960年秋，考古人员在此进行了发掘。发掘工作从7月15日开始至8月22日结束，历时50天。发现各时代的灰坑、陶窑等遗迹，发掘墓葬22座，以及文化遗物五百余件。简报分为：一、地层堆积，二、仰韶文化遗存，三、商代遗存，四、结语，共四个部分，有照片、手绘图。

据介绍，仰韶文化遗存可分上下两层。下层遗存有灰坑两座，遗物有陶器、石器、少量骨蚌器。上层遗存有石器制作场所1处、灰坑两座，遗物有陶器、石器、骨器。仰韶文化的年代，简报推断为公元前4000年左右。

至于商代遗存，有墓葬19座，以及灰坑2座等，贯穿了商代早期、商代中期和商代晚期。

41.峰峰矿区北羊台遗址发掘简报

作　者：河北省文物研究所、邯郸市文物管理处、峰峰矿区文物管理所　海峰、
　　　　张治强

出　处：《考古》2001年第2期

北羊台遗址位于邯郸市峰峰矿区义井镇北羊台村北500米，东临涉（县）邯（郸）铁路，东南距峰峰矿区约6.2公里。地处太行山东麓南端山前丘陵平原混合地带，地势平缓，平均海拔200余米。东部原广种农作物，西部因毗邻铁路废为荒地。1996年6～7月，为配合国家重点工程邯郸电厂建设，河北省文物研究所会同邯郸市文物管理处、峰峰矿区文物管理所组成考古队，对施工区域进行考古调查和勘探，发现大面积的古文化遗存。从8月14日至9月30日，在施工范围东北部实施了抢救性发掘，实际发掘面积2478平方米。此次发掘情况简报分为：一、地层堆积，二、先商文化遗存，三、晚商文化遗存，四、结语，共四个部分予以介绍，有手绘图、拓片。

据介绍，北羊台遗址与诸先商文化遗存相同性远大于差异性，说明它们的文化性质、年代相若，是同一时期同一种文化。若说稍有区别，也是局部地域或时间早晚的缘由。简报推断北羊台遗址属漳河型先商文化系统，其年代约相当于成汤灭夏

以前。北羊台遗址先商文化遗存暂无分期，但不同遗存间年代应有早晚之别。北羊台遗址晚商文化遗物与殷墟苗圃北地遗址遗物有诸多相似之处，简报推断北羊台遗址晚商文化遗存年代应不晚于苗圃 I 期，绝对年代约相当于武丁时期。

42.河北邯郸薛庄遗址发掘报告

作　者：吉林大学边疆考古研究中心、河北省文物局　井中伟、霍东峰、胡保华
出　处：《考古学报》2014 年第 3 期

薛庄遗址位于河北邯郸黄粱梦镇薛庄村西北约 500 米，西距著名的圣井岗龙神庙仅 1.5 公里，现存面积约 30000 平方米。2006 年 8 至 12 月，为配合国家重大水利工程南水北调中线河北段建设，考古人员对该遗址进行了考古勘探与发掘。简报分为：一、地层堆积，二、龙山时期文化遗存，三、先商时期文化遗存，四、晚商时期文化遗存，五、结语，共五个部分，有彩照、拓片、手绘图。

简报推断，薛庄遗址龙山时期文化遗存的年代约公元前 2300 年，属后岗二期文化；先商文化遗存年代相当于二里头文化第二期晚段至第四期早段；晚商文化遗存年代相当于商王武丁早期至帝辛时期，属殷墟文化。

邢台市

43.邢台曹演庄遗址发掘报告

作　者：河北省文物管理委员会　唐云明等
出　处：《考古学报》1958 年第 4 期

曹演庄位于邢台火车站西南约 1 公里。1954 年秋季，邢台市某建筑单位在该村东边的 1 条干沟两侧取土时，发现了商代的铜戈、陶鬲、陶簋各 1 件，当时即引起有关部门的重视。1956 年 5 月，为了配合遗址上方铁路破土工程，决定进行清理。发掘工作分前后两个阶段，前一段从 1956 年 5 月 14 日开始至 11 月 27 日结束；后一段从 1957 年 4 月 16 日开始至 8 月 12 日结束，共发掘面积 2535 平方米，获得较完整遗物 3999 件。简报分为：一、遗址的面积和地层情况，二、出土遗迹遗物，三、结语，共三个部分，有照片、手绘图。

据介绍，邢台地区的商代遗址分布相当广阔，据调查和试掘的计有 10 处以上，而其文化层的厚度有达 3 米左右的。这说明了遗存的时间相当长久，曹演庄仅是其

中的 1 处。商虽已进入青铜时代，但曹演庄遗址中所发现的生产工具主要还是石器，仅此一类即发现达四五百件，铜器虽也有出土，但仅 8 件，而且还不是生产工具。刀、镰在石器中占多数，它是用于农业上的切割工具。遗址下层的土质灰绿，而有黄绿斑点，看来很像是曾种过谷物类。同时，出土的 1 个罐中，尚有谷类腐蚀后的残存。这些都是研究商代农业的具体资料。

44.河北邢台东先贤村商代遗址调查

作　者：唐云明
出　处：《考古》1959 年第 2 期

东先贤村在邢台市西南约 6.5 公里，遗址是 1957 年 11 月间，省文物局对邢台地区商代遗址进行普查时发现的。位于村南的一块岗地上，岗的面积南北长约 330 米，东西宽 250 米。岗顶高出地面约 4.5 米。当地农民称之为"南岗"。岗顶地面平坦，现为农田。边缘成缓坡状。在岗的东、西、北三面有路沟环绕，唯南面为七里河，纵横东西。在遗址附近，北东两面相距约 0.5 公里处都是商代遗址的分布，该遗址的位置是最靠近西面的一处。简报配以照片予以介绍。

据介绍，发现并采集有石器 19 件、陶器 10 件、纺轮 2 件及陶片 2010 块、骨角器 10 件、蚌器 3 件等，与周边的商代遗址有着共同的特点。

45.河北邢台市出土一件嵌青铜兽玉戈

作　者：邢台市文物管理处　石从枝
出　处：《文物》1997 年第 11 期

1992 年 8 月，邢台市文物管理处在配合市旧房开发公司公园东街住宅小区建筑工程时，在南小汪西周遗址的 1 座西周墓内清理出土 1 件嵌兽首玉戈。该墓为土坑竖穴，玉戈出于死者左脚肋骨处，出土的其他器物有浅盘粗柄肉豆、陶罐、陶鬲各 2 件等。该墓西侧一墓葬同时出土 1 组西周铜器。1991 年南小汪西周遗址曾出土 1 件有字甲骨。出土玉戈简报配以照片予以介绍。

此戈玉质，深黄色，局部有褐色浸斑。器体扁厚，三角形援，近锋部略向上扬。援部狭长，前锋尖锐，中脊起棱，援末两圆穿，有上下阑。这件玉戈在玉石上成功地镶嵌铜质兽首，尚属首次发现，弥足珍贵。

今有徐坚先生《时惟礼崇：东周之前青铜兵器的物质文化研究》（上海古籍出版社 2021 年版）一书，可参阅。

46.河北邢台市葛家庄遗址北区 1998 年发掘简报

作　　者： 河北省文物研究所　贾金标、任亚珊、郭瑞海、刘福山
出　　处：《考古》2000 年第 11 期

葛家庄村位于河北省邢台市西南 1 公里，隶属于桥西区南大郭乡。遗址地处太行山东麓的山前平原地带，北临河北轮胎厂，南距葛家庄村 100 米，其南 2 公里为七里河。1993 年，河北轮胎厂在扩建工程中发现了该遗址，此后河北省文物研究所进行了多年的发掘工作，共发掘先商时期遗址 4000 多平方米，两周时期墓葬 300 余座。1998 年的工作主要是在前几年工作的基础上对遗址南区的两周墓葬和遗址北区进行发掘，发掘时间为 1998 年 10 月至 12 月，发掘面积达 190 平方米，发现了一批灰坑、窖穴、陶窑等遗迹，出土了较为丰富的陶器、石器、骨器、蚌器等遗物。此次在遗址北区发掘的情况简报分为：一、地层堆积与分期，二、第一期文化遗存，三、第二期文化遗存，四、第三期文化遗存，五、结语，共五个部分，有手绘图。

据介绍，本次工作是对遗址北区进行的首次考古发掘，文化遗存的年代简报推断第一期文化遗存属先商文化，第二期文化遗存属中商时期文化，第三期文化遗存为晚商文化。简报称，本次发掘对探索先商文化起源及商史分期等学术课题提供了一批重要的考古学资料，也为今后进一步的发掘工作打下了基础。

47.河北邢台县东先贤遗址发掘简报

作　　者： 河北省文物研究所　贾金标、郭瑞海、任亚珊
出　　处：《考古》2002 年第 3 期

1995 年冬，邢台县东先贤村村民在砖场取土时发现大量陶片。考古人员对现场进行调查，采集了大量标本，并于 1996 年 3 月至 4 月对该遗址进行了抢救性发掘。

东先贤村位于邢台市西南 3.5 公里，隶属于邢台县南石门镇，遗址位于东先贤村西南 1 公里的岗上。20 世纪 50 年代，考古工作者在文物普查中发现此遗址并对其进行试掘，由于当时发掘材料所限，发掘者认为遗址年代为商代晚期。本次发掘面积 550 平方米，出土遗物 450 余件。简报分为：一、遗迹，二、遗物，三、结语，共三个部分，有手绘图。

据介绍，根据遗迹间相互关系和典型器物的形制特征，简报把东先贤遗址分为早晚两期，简报推断：第一期以 H6、H3、H1、H10、H18 等为代表，时代为商周之际；第二期以 H11、H4、H7、H2、H12、H19、H20 等为代表，时代应为西周早期；该遗址应为一处制陶作坊，而非居民区。

48.河北邢台市东先贤遗址 1998 年的发掘

作　者：东先贤考古队　段宏振、牛世山、何元洪
出　处：《考古》2003 年第 11 期

东先贤遗址位于河北省邢台市西南郊七里河北岸的东先贤村附近，东北距邢台市区约 3 公里。河北省文物工作队曾在东先贤村南的岗地上作过试掘，发现了商代和战国时期的文化遗存。1998 年 10 月，"夏商周断代工程"所设置的"邢台东先贤的分期与年代"研究专题启动，考古人员对邢台市周围的商代遗址进行了调查和复查，最后选定东先贤遗址作为试掘地点，发掘地点选在村北。1998 年 11 月至 12 月，对该遗址进行为期 40 余天的发掘，共发掘探方 6 个，清理面积达 80 余平方米，此次发掘的主要收获简报分为：一、地层堆积，二、第一期文化遗存，三、第二期文化遗存，四、第三期文化遗存，五、第四、五期文化遗存，六、结语，共六个部分，有手绘图。

据介绍，简报通过比较可知，东先贤遗址商文化遗存第一期应晚于郑州二里岗阶段白家庄期，而与安阳洹北花园庄 G 的年代基本相同，但此期的上限可能比后者略晚；此期也相当于邹衡先生关于商文化分期的"早商文化第四段第Ⅶ组"。第二期应与安阳 YH226、87XH1 及洹北花园庄 H2 年代相近，相当于郑振香先生关于殷墟文化分期的一期早段，也相当于邹衡先生所分的殷墟文化一期。第三、四、五期应分别相当于殷墟文化二、三、四期。

简报称，此次发掘的成果，为今后全面开展相关工作，最终确定祖乙邢都的地望打下了坚实的基础。

49.河北邢台市南小汪发现西周墓

作　者：河北邢台市文物管理处　石从枝、李　军
出　处：《考古》2003 年第 12 期

1992 年 6 月，邢台市文物管理处为配合市旧房开发公司进行公园东街住宅小区的建设，在南小汪西周遗址进行发掘，并发现了一批西周墓葬。其中编号为 92XNDM23（以下简称 M23）的墓中出土了 1 件嵌青铜兽首玉戈。该墓位于邢台市桥西区公园东街西侧，北靠达活泉路，西邻郭守敬大街，南邻紫金泉路。简报分为：一、墓葬形制，二、出土遗物，共二个部分，有手绘图、照片。

据介绍，墓葬为竖穴土坑墓，共出土 5 件随葬品，包括玉器 1 件，陶器 4 件。其中玉戈具有商代晚期的造型风格。简报称，值得注意的是，此玉戈上镶嵌有青铜

兽首，是铜、玉合制器，这在邢台尚属首次发现，即使在全国也是不多见的。南小汪遗址的第 4 层为西周时期文化堆积，M23 开口于遗址的第 3 层下，时代简报推断也应大体相近，即西周时期。

50.河北邢台市葛家庄遗址 1999 年发掘简报

作　者：河北省文物研究所、吉林大学边疆考古研究中心、邢台市文物管理处
　　　　　朱永刚、李伊萍、任亚珊、贾金标等

出　处：《考古》2005 年第 2 期

邢台市葛家庄遗址是冀南地区 1 处重要的古文化遗址。1993 年至 1998 年，考古工作者对该遗址连续进行了多次发掘，取得了重要收获。考古人员于 1999 年上半年对该遗址北区进行了第 1 次较大规模的发掘。简报分为：一、文化层堆积与分期，二、第一期文化遗存，三、第二期文化遗存，四、第三期文化遗存，五、第四期文化遗存，六、结语，共六个部分，有照片、手绘图。

据介绍，该遗址发现大量灰坑、窖穴、祭祀坑和墓葬等遗迹，出土大批不同质地的遗物。所见文化遗存可以分为四期，分别属于龙山文化晚期、先商文化、中商文化和晚商文化，以中商文化遗存最为丰富。此次的发掘成果对研究商族起源、夏商文化分界和商史纪年等具有重要的学术意义。

51.河北临城县补要村遗址南区发掘简报

作　者：北京大学考古文博学院、河北省文物局、邢台市文物管理所、白城县
　　　　　文化旅游局　王　迅、常怀颖、朱博雅、柏　柯等

出　处：《考古》2011 年第 3 期

补要村遗址南区位于河北临城县东部镇内至楼底公路的南侧，北距遗址北区约 80 米。此区域的地层堆积破坏较严重，南区文化堆积以先商及中晚商时期遗存为主，另发现极少量的仰韶文化和汉唐时期遗存。由于遗址南区先商及中晚商时期遗存较为重要，简报分为：一、地层堆积，二、先商时期遗存，三、中晚商时期遗存，四、结语，共四个部分，介绍这部分资料，有彩照、手绘图。

据介绍，此次发掘，在遗址南区发现较丰富的先商文化遗存，填补了冀中南部地区漳河与滹沱河之间同时期考古学文化的缺环。这类遗存的文化面貌与先商文化漳河类型、下岳各庄类型皆有一定差别，年代相当于二里头文化第三、第四期之时，可以作为冀中南部同时期考古学文化的代表。

保定市

52.河北唐县出土西周归父敦

作　者：王敏之
出　处：《文物》1985 年第 6 期

河北省沧州地区文化局文物组征集到 1 件带铭铜敦，据了解，是唐县东岗宠村社员在村东北挖土时发现的。简报配以拓片予以介绍。

该器通高 16.5 厘米，捉手作喇叭口状，高 1.9 厘米，径 10.6 厘米，盖内面有铭文两行，释为"鲁子中之子归父为其膳敦"。

根据造型与铭文字体简报推断，这件归父敦当为西周时期器物。

53.河北容城县上坡遗址发掘简报

作　者：河北省文物研究所、保定市文物管理处、容城县文物保管所　段宏振、
　　　　孙继安、张　丽
出　处：《考古》1999 年第 7 期

上坡遗址位于容城县城南 0.5 公里处上坡村南的 1 座高岗上。1981 年至 1982 年，考古人员对该遗址进行了抢救性发掘，发现了新石器时代、先商期和商代等诸多时期的文化遗存。尤其是以陶盂为主要特征的新石器时代早期遗存的发现，引起学术界的广泛注意。对此次发掘的主要收获简报分为：一、地层堆积，二、新石器时代早期遗存，三、仰韶文化晚期遗存，四、先商期文化遗存，五、晚商文化遗存，六、结语，共六个部分予以介绍，有手绘图。

据介绍，上坡遗址的新石器时代早期遗存与磁山文化的遗存类似但差别明显，两者之间或因地域或因时间所形成的差别，基本上构成了可视上坡一期遗存为一相对独立类型的条件，即上坡类型遗存，简报推断其年代与磁山文化大致相当。仰韶文化晚期遗存与大司空类型遗存相似，同时又与北京地区的雪山一期遗存有不少相似之处。简报认为这一遗存反映了保定地区古文化对南北方文化都兼收并蓄的特点。商代文化遗存的发现是本次发掘的又一重大收获，简报指出，以下岳各庄、上坡等遗址为代表的冀中地区先商期遗存，很有可能是区别于冀南地区先商文化的另一种系统的考古学文化。晚商文化遗存与安阳殷墟同类遗存相似，其时代简报认为亦应

相同，约相当于殷墟第四期，但该期以 B 型鬲为代表的遗存不见于殷墟，而与围坊三期文化有密切的关系，简报称，这反映了晚商时期本地考古学文化的复杂性。

54.河北定州市尧方头遗址发掘简报

作　　者：河北省文物研究所、保定市文物管理处　段宏振等
出　　处：《考古》2004 年第 9 期

尧方头遗址位于河北省定州市南郊尧方头村西南。1998 年 6 月至 8 月，考古人员为配合朔黄铁路建设工程，在尧方头村西南 1000 米处发掘汉代墓群时发现了该遗址。遗址现存面积 1 万余平方米，发掘发现了较为丰富的夏时期的文化遗存。简报分为：一、地层堆积，二、遗迹，三、遗物，四、结语，共四个部分，有手绘图。

据介绍，该遗址特征与冀中地区夏时期诸遗址极为相近，与豫北冀南地区先商文化的下七垣文化遗址也有一些相近之处，但总体看区别较大。尧方头遗址的发掘，有助于我们加强对冀中地区商代以前历史的了解。

张家口市

55.蔚县夏商时期考古的主要收获

作　　者：张家口考古队　孔哲生、张文军、陈　雍
出　　处：《考古与文物》1984 年第 1 期

简报分为六个部分，介绍了河北省蔚县夏、商时期的考古收获，有照片。

据介绍，蔚县考古学系年已明确。第一、第二阶段应属夏代时期；第四阶段起遗存与前三个阶段大相径庭，显系另一文化系统遗存。简报认为这个阶段的遗存大概是含有北方文化因素的早商文化或早商文化的北方变体。

56.河北宣化县小白阳墓地发掘报告

作　　者：张家口市文物事业管理所、宣化县文化馆　陶宗冶等
出　　处：《文物》1987 年第 5 期

小白阳墓地是 1984 年春季进行文物普查时发现的。当时，根据征集和墓地地表暴露得知，该墓地含有相当于夏家店上层和春秋晚期——战国早期两类遗存。由于

常年水土流失，墓地受到了一定程度的损毁。近年来，当地农民在此耕作时，经常发现墓内随葬的铜器和陶器。考古人员于1985年4月至5月，对小白阳墓地进行了抢救性发掘。简报分为：一、墓地概况，二、灰坑及出土器物，三、墓葬及出土器物，四、结语，共四个部分，有照片、手绘图，介绍了一号祭礼坑发掘情况。

据介绍，小白阳村西距张家口市约40公里，现属宣化县李家堡乡。这里北依燕山山脉，南临龙洋河河川盆地。村西有龙洋河由北向南汇入洋河，墓地即位于河西1000米处的一座小山坡上。共发现灰坑11处、墓葬48座，均为长方形竖穴墓。出土遗物有陶器、铜器、石器等。这批墓葬的年代，简报推断上限可能早到春秋，下限不会晚于战国早期。灰坑的年代应相当于西周时期，比墓葬要早。

57.河北怀安狮子口发现商代鹿首刀

作　者：刘建忠

出　处：《考古》1988年第10期

河北怀安狮子口村农民李海林，早年在村东南0.5公里许长咀沟坡地上割草拾柴时，捡到1把兽首铜刀，1986年全区文物普查时，他将这把铜刀献给县文物保管所。简报配以照片予以介绍。

据介绍，刀全长22.4厘米，柄长9.5厘米，刃长12.9厘米，背厚0.2～0.6厘米。这件鹿首刀的形制和造型风格与河北青龙抄道沟、辽宁建平二十家子、殷墟妇好墓出土的鹿首刀酷似，因此，这件鹿首刀的时代简报推断应是在商代晚期。

58.河北宣化李大人庄遗址试掘报告

作　者：张家口市文物事业管理所、宣化县文化馆　陶宗冶

出　处：《考古》1990年第5期

李大人庄遗址西距张家口市约50公里，现属宣化县小村乡。遗址位于李大人庄村西南一高台地上，面积约5000平方米。1984年春，市、县文物部门进行文物普查时，曾在这里采集到鬲、三足瓮、盆等陶器残片，并于断崖剖面发现了文化堆积层和灰坑。为抢救濒临破坏的遗址，1986年6月至7月，考古人员在遗址北部靠近断崖处先后开2米×10米探沟4条进行试掘。同时在遗址东南断崖处清理了9座墓葬。简报分为：一、灰坑与出土物，二、墓葬与出土物，三、结语，共三个部分。

据介绍，李大人庄灰坑的年代，简报推断：上限到夏文化时期偏晚，下限不会晚于早商初期。依据大坨头遗址H1打破H2的层位关系，以及这两座灰坑出土陶器

的差异，李大人庄的墓葬与灰坑应分属两个不同时期，墓葬的时代早于灰坑，年代约相当于夏文化时期。

59.河北崇礼石嘴子发现新石器时代遗址

作　者：张家口地区文管所　贺　勇
出　处：《考古》1992 年第 2 期

这处遗址是 1978 年地区文物普查队在文物普查时发现的。为了弄清遗址文化内涵，1984 年 5 月对该遗址进行了复查。遗址位于崇礼县石嘴子乡石嘴子村南 200 米的梯田上。因当地农民常年在此修整梯田和进行耕种，致使遗址破坏较为严重。遗址中部被一条东西向水沟隔成南北两块，面积共约 60000 平方米。从梯田剖面观察，文化层厚约 0.7 ～ 1.9 米，在遗址的地表可看到明显的圆形灰坑和大量的陶片以及磨制精细的石器。两次考古调查，采集到许多石器和陶片。简报配以手绘图、照片予以介绍。

据介绍，当地采集石器 22 件、骨锥 1 件，陶器完整器物采集不多，多为残片。陶器质料可分为泥质灰陶、褐陶、红陶及夹砂灰陶、夹砂褐陶五个陶系。其中以泥质灰陶最多，夹砂灰陶次之，泥质褐陶和夹砂褐陶不多，泥质红陶极少，不见黑陶。简报推断此墓应属于殷墟文化第四期偏早阶段。

承德市

60.河北承德地区的古文化遗址调查

作　者：河北省文化局文物工作队　敫承隆
出　处：《考古》1962 年第 12 期

1960 年考古人员在承德地区进行文物复查发现了古代遗址 11 处并试掘了其中的丰宁千佛寺和滦平营坊村 2 处遗址。简报配以手绘图予以介绍。

据介绍，这次所调查的 11 种遗址，主要分布在围场、丰宁、滦平、平泉、承德五个县（市）内。它们的位置大都靠近河岸的黄土台地或砂丘陡坡，由于长期受雨水和风沙的扰动，在各种遗址附近地面，都有文化遗物的暴露，因而很容易被发现。时代从石器多于陶器的较早期遗址到红山文化均有。文化面貌应都属新石器，但时代可能晚至殷、周。

61.河北平泉东南沟夏家店上层文化墓葬

作　者：河北省博物馆、文物管理处　郑绍宗
出　处：《考古》1977年第1期

1964年，河北省平泉县南岭公社东南沟生产队，在村东1公里的黄窝子山整修梯田时发现了石棺墓群1处，出土了一部分文物。1965年3月，考古人员对墓群进行了调查，除原发现地以外，又在黄窝子山东南的北大面山发现墓群1处，了解到南岭公社的东南沟外，在柳树沟哨鹿沟一带也都有同类墓群，选择了黄窝子山和北大面山进行发掘。两地共发掘墓葬11座，编号"黄M1～M10"及"北M1"（墓号凡未注明地点者均为黄窝子山墓葬）。

简报分为：一、墓葬分布情况，二、墓葬形制，三、随葬器物，四、结语，共四个部分，有手绘图。

据介绍，在黄窝子山墓群清理了10座墓。在北大面大墓墓群清理了1座墓，共11座墓，尚有许多墓未预清理或未发现。多为石棺墓，地面上的封石、封土、地下的葬具、尸体大多保存不好。出土有铜器、骨珠、贝等遗物。应属夏家店上层文化，时代为西周末到春秋初期。

简报总结归纳了夏家店上层文化墓葬特点：

一是有石棺墓、石盖土坑墓、土坑竖穴墓、石椁墓四种墓葬形制。有的有木棺、有的无。已发现除石椁墓外的三种形制墓葬分布在同一个墓地的情况。

二是墓地距同类文化遗址不太远。

三是墓地大部选在附近较高的山顶阳面（多数）或阴面（少数）的中部或上中部洼地。

四是一个墓群一般都有三四十座或更多的墓葬，埋葬较有规律。如黄窝子山成年人墓在上，幼儿墓在下。黄窝子和北大面仅一梁之隔，却分为两个墓地，这很可能是一个墓地属于一个氏族。

五是墓葬中遗物少，是一个特点。夏家店上层文化人们已进入奴隶制社会的青铜时代，但基本上还保持着古老的氏族制残余，即同一氏族成员埋葬在一个墓地之中。

简报最后指出，夏家店上层文化的时代下限约当西周末到春秋，一般不会晚到战国初。有人认为夏家店下层文化和夏家店上层文化二者文化和时间上有发展和承袭关系。目前，从出土遗物分析，确是各具特点，简报认为解决二者的发展和承袭关系问题，还需要有一段时间。

62.河北承德发现商代石牌饰

作　者：承德县文物保护管理所　李　林
出　处：《文物》1990 年第 7 期

1977 年秋,承德县下板城镇东窑村村民在东山上筑梯田时,距地表约 1.5 米深处,发现商代墓葬数座。墓内出土的文物中有石牌饰两件。简报配以拓片予以介绍。

据简报介绍,石牌饰均为滑石质,黑色,保存基本完好。1 件石牌两端刻直线纹,上部两平行横线之间刻一兽面纹,两眼圆睁,宽嘴,二尖长猿牙,直鼻,鼻下有二锯齿纹。兽面纹周围及牌饰中部刻排列有序的三角形纹,牌饰中部刻一钝角"V"形纹。石牌长 8.5 厘米,宽 3.3 厘米,厚 1.3 厘米。另 1 件石牌饰的正面,两端和中部刻一排尖齿纹:上部和中部各刻一兽面纹,形状与图一兽面纹基本相同。兽面纹周围也饰排列有序的三角形纹。背面凹凸不平,有圆圆、短线划纹。石牌长 9.4 厘米,宽 4.3 厘米,厚 1 厘米。

63.河北兴隆县发现商周青铜器窖藏

作　者：兴隆县文物管理所　王　峰
出　处：《文物》1990 年第 11 期

1984 年 4 月,兴隆县小东区乡小河南村农民在村西南 2 公里的西沟里取石时,发现商周青铜器 10 件。这批青铜器埋藏在一面西向坡度为 45 度的石土山坡中,距坡面 1 米左右。简报配以照片予以介绍。

据介绍,器物有短剑 2 件、刀 2 件、矛 1 件、戈 4 件、钺 1 件、器盖 1 件,时代简报推断为西周早期。简报称,这次发现的青铜器具有北方和中原地区商周时期青铜器的风格。

64.河北省滦平县梨树沟门山戎墓地清理简报

作　者：滦平县博物馆　马清鹏　赵志厚
出　处：《考古与文物》1995 第 5 期

1993 年,考古人员为配合铁路建设,在滦平县西部虎什哈镇营坊村西北发掘了 30 座墓葬,均为长方形竖穴土坑墓,单人仰身直肢葬,木椁为葬具。死者有覆面习俗,有杀牲殉葬。出土的近 400 件文物以夹砂陶系罐、壶等及青铜短剑等为主。时代应在西周初年或西东周之交。

沧州市

65.河北沧县倪杨屯商代遗址调查简报

作　　者：沧州市文物保护管理所、沧县文化馆　王世杰
出　　处：《考古》1993 年第 2 期

　　沧州市辖青、沧两县，地处华北平原东部，为黄河冲积地带，属黑龙岗河流域。境内主要河流有京杭大运河之南运河段，子牙河、陈圩河、滹沱河、黑龙岗河等。历史上黄河等河流的多次改道与泛滥，造成了大量的泥沙沉积，致使这一带古人类活动的遗迹、遗物深埋地下，给考古工作带来很大困难，从而造成了史前考古及商周考古的空白。倪杨屯遗址发现于 1987 年，它的发现使这一地区的考古工作出现了新的契机。简报分为：一、遗址概况，二、遗物，三、小结，共三个部分，有手绘图。

　　据介绍，倪杨屯商代遗址位于沧州市正西，东北距沧县杜林镇 1.5 公里，北距沧（州）河（间）公路 1 公里，其东 1 公里为滹沱河故道。采集品较丰富，有陶器、石器、蚌器、骨角器和青铜器等。夏商时代，河北省境内并行分布着两种文化，冀南漳河流域为商文化，燕山、军都山以北为夏家店下层文化，它们之间的地域为两种文化的交错分布区。倪杨屯遗址正是处在这样一个交错地带。既有大量商文化遗存，又受到夏家店下层文化的影响。

　　简报称，倪杨屯遗存的大致年代约相当于中原商文化的二里岗上层到整个殷墟时期。倪杨屯遗址的发现，对研究殷商时期燕山南麓，特别是沧州一带的古代文化面貌有着重要的意义。

廊坊市

衡水市

山西省

66.晋东南地区早期文化的考古调查与初步认识

作　者：中国国家博物馆、山西省考古研究所　雷生霖等

出　处：《文博》2011 年第 2 期

　　浊漳河流域所在的晋东南地区长期以来是早期文化的考古空白点，考古人员从 2010 年开始实施的浊漳河流域早期文化考古调查获得了大量的资料，对探索该区域的早期文化面貌及其在中华文明形成中的地位奠定了坚实的基础。简报分为：一、仰韶文化时期，二、龙山文化时期，三、二里头文化时期，四、商时期，五、初步研究，共五个部分，有照片。

　　本次调查在 12 个地点采集到仰韶文化时期遗物，其中阳沟、赵村等地点遗物的文化面貌单纯，为仰韶文化中期，北底、朵垴和暖泉采集到丰富的仰韶晚期遗物。仰韶文化时期遗物类型包括陶器和石器，器形包括钵、罐、盆、瓮、尖底瓶、豆等。仰韶文化中期遗物陶色普遍为红色，晚期遗物除红色外，还有灰、橙、黄、灰和黑色，以灰色为主。龙山文化早期遗存占少数，以晚期遗存居多，表现出和晋南地区同期文化一致的面貌，而少见豫北冀南文化特征，基本不见豫中地区的文化因素。二里头时期文化遗存，带有强烈的地方特色。而商时期与豫中、豫北平原商文化中心已彻底一体化。

太原市

67.光社遗址调查试掘简报

作　者：解希恭

出　处：《文物》1962 年第 4、5 期合刊

　　光社村位于太原市北郊 10 里许，东依阳曲山，西临汾河，南北两面是广阔的平原。遗址于 1954 年发现（见《文物参考资料》1957 年第 1 期），在村的南面是 1 块高出

平地 5 米多的黄土台地。1956 年 10 月，考古人员再次做了地面勘察。该遗址的范围南北长约 200 米，东西广约 100 米。东边有 1 条深沟，沟东不远是 1 道宽阔的河谷地带。西边是通过遗址新建的 1 条市区公路。地面上到处可以拣到残石斧、铲、鬲足及灰色绳纹陶片。在遗址西边断崖上，很明显地看到许多灰坑及断续灰层。从 10 月 11 日开始在遗址西南边沿新建公路的东侧，作了 1 个 4 米 ×4 米的探方，历时 21 天，试掘结果简报分为：一、地层包含遗物，二、遗物，三、结语，共三个部分予以介绍，有照片、手绘图。

据介绍，这个遗址的堆积，从上下灰土来看，有浅深之分，所含遗物却无区别。出土的遗物以陶器为主，石器次之，骨器则更少，也还有一些兽骨等。石器以磨制的扁平有肩与无肩石铲为主，平面像梯形的石斧也不少。它们的制法，大部是打制后经过研磨，而且比较精细。陶器以夹砂粗灰陶为主，均系手制。器形以鬲为主，有特殊的大型三足瓮。一般器大壁厚，而器足形式复杂。黑陶、红陶极少。但三棱形、锥形与长方形空心鼎足，也是比较特殊的。纹饰以粗绳纹为主，附加堆纹次之，个别灰黑色陶片上有圆圆、三角纹。此外有比较整齐的白灰面和比较原始的卜骨，值得注意。

简报称，这个遗址包含的内容很丰富，石器中多生产工具，而且制作有一定的进步性，同时还发现了少数黑陶片及 12 片卜骨，大约是带有地方性的新石器时代晚期文化遗存。简报推断，遗址也可能相当于龙山文化的晚期，或者接近于商代文化。

68.太原市南郊许坦村发现石棺墓葬群

作　　者：高礼双

出　　处：《考古》1962 年第 9 期

太原市南郊距市中心 7 公里的许坦村，于 1958 年 4 月挖出了约十五六座墓葬。简报配以照片予以介绍。

据介绍，当地人称在 100 米范围内离地表土深 2 米处，共发现了十五六座墓葬，其中 5 座是用石片砌成的若棺椁状，四周用自然石块砌成墙，上面用大石片复盖，底部没有铺石块。全部都是单身葬，头向西南。出土陶器的类型有：鼎、甗、鬲、罐、簋、钵、盆、杯等 50 余件。棺内没有发现其他遗物，仅在死者的腰部发现 1 件磨光石斧。在许坦村墓葬的东北约 1 公里处的东太堡黄土台地上，于 1953 年，曾发现了 1 处遗址。附近的砖厂在此取土时，曾发现过灰陶鬲、甗、罐等完整陶器、磨光石斧和骨器等。许坦村墓葬出土的甗、罐和东太堡村遗址中出土的都是十分相近的。而这两地仅相距1公里，因此可能许坦村墓葬和东太堡遗址是有联系的。许坦村墓葬的时代大约相当于商殷时期。

大同市

朔州市

69.山西右玉县发现青铜簋

作　者：右玉县文化馆
出　处：《考古》1983年第8期

1970年10月，在山西省右玉县高家堡公社大川大队村南1里的许沟崖上，出土了1件殷代的青铜簋，简报配以照片予以介绍。

据介绍，该铜簋颈部饰有四个羊头，腹部饰有云纹组成的菱形图案花纹，每隔4厘米有一个乳钉纹。器形厚重，没有铭文。

忻州市

70.保德县新发现的殷代青铜器

作　者：吴振录
出　处：《文物》1972年第4期

1971年11月27日，保德县林遮峪公社林遮峪大队在修造大寨田时发现了一批青铜器。林遮峪村位于保德县城西南35公里的黄河岸边，背山面水，西距黄河百余米。这一带山峦重叠，沟壑连绵，地形异常险要。这批铜器出土于南距该村1公里，高900米的堡梁山上。距地表约40厘米深处发现青铜器。据介绍，除两件铜斧置于人骨架的右侧外，30件铜器均零乱地放在足骨下端。玉琮放在提梁卣内。弓形饰2件叠放在胸骨上。人骨架1具，头东足西。简报配以手绘图、照片予以介绍。

据介绍，青铜器包括食器、盛酒器、兵器、车马器等，有的上有族徽符号。简报推断为商代晚期遗存。

71.忻县连寺沟出土的青铜器

作　者：忻州考古队
出　处：《文物》1972 年第 4 期

连寺沟村位于忻县城南 35 华里，北临同蒲铁路以西，东距平社车站约 3 公里，属庄磨公社。这里曾先后出土过两批青铜器。简报配图予以介绍。

据介绍，1966 年 11 月于连寺沟村南羊圈坡平整土地时，刨出青铜器，共计 6 件，完整的 4 件。1938 年在连寺沟村东约半里的牛子坪也曾发现青铜器，此次收集到 5 件。这两批铜器的年代，简报推断为商代。

72.山西忻州市游邀遗址发掘简报

作　者：忻州考古队　卜　工、许永杰、马　升
出　处：《考古》1989 年第 4 期

忻定盆地是山西省五大盆地之一。游邀村属忻州市董村镇，西北距县城 10 公里。遗址紧依村南，由北至南地势渐高，其南 5 公里系舟山余脉。1987 年考古人员再度合作，是年开 5 平方米 ×5 平方米的探方 40 个，获得一批丰富的实物资料。

简报分为：一、文化堆积，二、早期遗存，三、晚期遗存，四、结语，共四个部分予以介绍，有照片。

据介绍，早期遗存有房址、灰坑、墓葬（土坑竖穴）；遗物为陶器、石器和骨、蚌器。晚期遗存有房址、灰坑、陶窑、墓葬（未见葬具，很少有随葬品）；遗物为陶器（皆为泥质陶）、石器、骨器等，简报推断本遗址早期遗存年代大致相当龙山时期，晚期遗存是山西中、北部地区进入夏代纪年的最早遗存。

简报称，这次发掘获得的层位关系和陶器组合关系证明，此处遗址早晚两期遗存尚能进一步分期，陶鬲的谱系关系也比较复杂，既有当地土生土长的，也有外来的，这种不同器类乃至不同谱系陶鬲的组合关系，无疑提供了探讨三北地区考古学文化区系类型的新资料，对于今后的工作是大有帮助的。

阳泉市

晋中市

73.山西灵石旌介村商墓

作　　者：山西省考古研究所、灵石县文化局　陶正刚、刘永生、海金乐等
出　　处：《文物》1986 年第 11 期

灵石县旌介村位于晋中盆地的南部边缘，汾河之东，太原到风陵渡公路的东侧；西南距灵石县城 15 公里。1976 年，旌介村村民修建窑洞时曾发现商墓 1 座，编为三号墓，出土 10 余件铜器。1985 年 1 月，在村东烧砖取土场发掘了 2 座商代铜器墓，编为一号和二号墓。此外，在三号墓附近钻探时，发现该墓一小部分未清理完，即又做了补充清理。3 座墓的相对位置为：二号墓居中，南距一号墓 4 米，北距三号墓 50 米。简报分为："一号墓""二号墓""三号墓""结语"，共四个部分，有彩照和拓片。

据介绍，一、二号墓均为一椁多棺男女合葬墓，有铜器等随葬品，铜器上有铭文。都有殉人、殉狗、殉牛。两墓的时代简报推断为商代晚期，或者已迟至商周之际。

74.山西太谷白燕遗址第一地点发掘简报

作　　者：晋中考古队　许　伟、杨建华
出　　处：《文物》1989 年第 3 期

太谷县位于山西省中部太原盆地东缘，其东南部为太行山地，西北部为平川，境内嶂峪河、乌马河均源于太行山地，西流入汾河。白燕村坐落在太行西麓的山前缓坡地带，西南距太谷县城约 15 公里，北距嶂峪河 3.75 公里，南临乌马河，西南与阳邑隔河相望，两村相距约 4 公里。遗址主要分布在白燕村西北的河滨阶地上，现存范围东西长约 830 米、南北宽约 430 米，面积在 35 万平方米以上。

该遗址是 1956 年文物普查时发现的。考古人员于 1980 年春夏对此进行了复查、钻探和试掘，并于 1980 年夏秋季、1981 年春季和夏秋季进行了 3 次大规模发掘，总发掘面积近 3000 平方米。发掘工作结合田野考古教学，分 4 个地点进行。

简报分为：一、文化堆积和遗存分期，二、第一期遗存，三、第二期遗存，四、第三期遗存，五、第四期遗存，六、第五期遗存，七、第六期遗存，八、结语，共八个部分并配以照片，介绍了第一地点的发掘情况。

据介绍，第一期至第六期遗迹的共同之处为发现房址、灰坑和陶器，第四期还发现有陶窑，第六期遗存极少，仅在遗址东南部发现几个灰坑。简报推断白燕第四、第五期遗存年代为夏商时期。白燕第六期遗存与第四、第五期遗存年代距离很大，文化性质截然不同。其小口圜底瓮与洋西张家坡西周晚期居址出土的同类器形制相似，年代应与其相近。目前这类遗存仅在白燕遗址中有极少量发现，对它的认识将是晋中考古的另一研究课题。

吕梁市

75.石楼县发现古代铜器

作　　者：杨绍禹

出　　处：《文物》1959年第3期

1958年9月，考古人员在山西吕梁县城西60里处的贺家坪发现了早在1938年出土后便保存在当地陈姓村民家的一批铜器。简报配以照片予以介绍。

这批铜器计有铜鼎1件、瓻1件、罍1件、爵1件、斗1件等。据说同时出土的还有玉器、贝等，现已不存。与1956年、1957年在石楼县出土的青铜器应为同一时期遗物。

76.山西吕梁县石楼镇又发现铜器

作　　者：谢青山、杨绍舜

出　　处：《文物》1960年第7期

1959年8月间，吕梁县石楼镇罗村公社沙窑管理区桃花庄生产队，在耕地时发现了铜甗等古物。经过清理查对，这批文物位置都有移动，由于长年的水土流失，墓只留下竖穴腰坑残迹。腰坑在墓的中间，东西边沿已看不清，只在不同的位置上有两具尸骨。出土物大致可分为铜器、玉器、金器、骨器四类，铜器中有食器、酒器、兵器、工具等。简报配以照片予以介绍。

据介绍，有铜器（不计铜泡）21件，金片及玉器20余件。其中金片全长57.6厘米，中宽4.8厘米，重3.1两。此物发现时在头骨上，同时有8片类似耳环上有绿松石的金片。在尸骨腿部出有金片5节，长9厘米，宽1.5厘米，上有穿孔。这批遗物的年代，简报推断为商或西周。

77.石楼后兰家沟发现商代青铜器简报

作　者：郭　勇

出　处：《文物》1962 年第 4、5 期合刊

后兰家沟在石楼县西北 12.5 公里的丛山深壑中。在村南 1.5 公里的高阜上，向东突出 1 块三面临谷、地势狭小的凸形地带，就是这次文物的出土地点。附近地面经过长年水土流失，文物几乎要暴露出来，1957 年 8 月间当地人翻地时发现了铜器等物。以后又经过扰乱，出土地点原来情况已经无法辨识，只有残碎人骨尚留在乱土中。简报配以照片予以介绍。

据介绍，出土器物为：铜器 24 件（容器以酒器为主，未见食器，此外就是装饰物、工具和兵器等）、金器 3 件、玉器 2 件。简报称，这批铜器似为商晚期的遗物。

78.山西石楼义牒发现商代铜器

作　者：石楼县人民文化馆

出　处：《考古》1972 年第 4 期

1969 年 5 月，石楼县义牒公社义牒村的农民在村东约 1 公里的琵琶塬上耕地时，发现了一批铜器。经勘查，这批铜器距离地表很浅，同出的还有人骨和残陶罐等，当是墓葬的随葬品。简报配以照片、手绘图予以介绍。

据介绍，铜器共 13 件，其中 4 件为容器，其他为兵器、工具等。简报推断义牒出土的这些铜器的年代应属商代。但是，义牒出土的铜容器只有觚和爵，而没有发现觥、斝、卣等器形，这种情形与安阳殷代晚期墓葬更为接近，很可能义牒这座墓葬的绝对年代较之桃花庄等地的要晚一点。

简报称，义牒出土的铜器上发现两个单字铭文，这是过去石楼出土的铜器中没有发现过的。在殷代，在西边的方国中有沚，其地约在今山西，石楼也许就是当时沚国的所在。

79.山西石楼义牒会坪发现商代兵器

作　者：石楼县文化馆　杨绍舜

出　处：《文物》1974 年第 2 期

1973 年 6 月 1 日，石楼义牒供销社干部，在村北的会坪修窑洞时，发现了铜器。考古人员前往现场，进行了解，铜器在 1 米深处发现，未见其他物品。简报就出土

铜器予以介绍。

简报介绍，器物有兽面纹有銎钺和铜镞各1件。根据上述兵器的花纹及特征来看，和1969年义牒出土的2批铜器相似，简报推断应是属于商代晚期的遗物。

此外，1974年4月，在县城附近的1处古文化遗址内，发现了1个铸造铜器用的陶范塞，呈红色，从范塞的现状看来是使用过的。以上这些发现，对研究石楼青铜器提供了一些新的资料。

80.山西石楼新征集到的几件商代青铜器

作　者：石楼县文化馆　杨绍舜
出　处：《文物》1976年第2期

简报配以照片，介绍了几件商代青铜器。一是1970年于城关公社肖家塌林出土的铜戈1件，有铭文；二是1970年于罗村公社南沟村出土的铜刀1件；三是1968年在曹家垣公社外庄村出土的蛇首带环铜勺1件。此3件的年代，简报均推断为商代晚期，其中铜刀可能略早。

今有《晋西商代青铜器》（韩炳华主编，山西省考古研究所、山西博物院编，科学出版社2017年版）一书，可参阅。

81.山西石楼褚家峪、曹家垣发现商代铜器

作　者：山西吕梁地区文物工作室　杨绍舜
出　处：《文物》1981年第8期

1975年7月5日，山西省石楼县义牒公社农民在村西上刘家莹地耕地时，在地表以下50厘米深处发现一批铜器。简报配以拓片予以介绍。

简报介绍，先出土的有人头骨和铜戈，銎戈、铜镞、弓形器等随之出现，同时出土的还有贝和小骨节串珠各5颗。

1976年1月7日，曹家垣村农民在村西0.5公里处的招瓜垣上修梯田时，发现一批铜器和人骨骼。这两批青铜器都有人骨伴随出土，证实都是墓葬遗物。从器形、铭文、纹饰看，简报推断大部分铜器有中原商代晚期铜器的特点，一部分铜器有北方游牧民族文化的特色，但更重要的是其地方特色，都是中原地区和其他地方少见的铜器。这两批铜器的发现，为研究商代晚期文化提供了新资料。

82.山西柳林县高红发现商代铜器

作　　者：杨绍舜

出　　处：《考古》1981 年第 3 期

柳林县在山西省西部，地处太军公路的西段，是古今要道，战国时为赵国蔺县地。高红村位于柳林县的西边，距城 10 余公里，在八盘山下，太军公路必经之道，离军渡只有 0.5 公里，地势险要。1978 年 4 月 8 日，该队农民在村西北八亩垣上翻地时，发现了一批铜器。据农民介绍，在距地表 0.5 米的深处发现铜盔，并有 1 具人骨，头向西北，铜盔在遗骸头部，其余铜器都在腰部和下肢零散放置。简报配以照片、手绘图予以介绍。

据介绍，柳林县出土的这批铜器，尚属少见。吕梁地区沿黄河一带出土铜器不少，但出土铜盔、铜矛、铜靴形器也极少见。从铜盔的造型来看，有自身特点。从地理位置上看，柳林和石楼、永和、保德以及陕西省的绥德等地相隔都不太远，从出土的铜器看，器物造型、花纹都有相似之处，这些地方出土的铜器，虽然受中原文化的影响，但也保持了它的地方特色。简报认为这座墓葬应为殷商晚期。

长治市

83.山西长子的殷周文化遗存

作　　者：山西省文物管理委员会

出　　处：《文物》1959 年第 2 期

1958 年 3 月，晋东南长子县西旺村整修公路时，发现了一批文物，考古人员于 3 月终赶往勘查。简报分为：一、西旺出土物与古墓群，二、西南呈遗址，三、城西北郊的遗址和墓群，共三个部分予以介绍，有照片。

据介绍，西旺村在县东南 25 里，上党平原之南，太晋公路（太原至晋城）经其东、往北到长治市尚不及 50 里，从东北 5 里的乡所在地西南呈起，地势愈走愈下，形成稍有坡度的广阔平原。该村农民在村北公路南侧不到 2 尺深的土内，发现铜鼎、铜簋各 1 件，陶鬲 2 件，贝 50 枚，勘查时土层已被扰乱，但在其周围 200 米以内的斜坡断面上，暴露古墓 20 余个，遗物或为古墓中掘出。从出土文物风格来看，简报推断应属殷周时代。

西南呈遗址在西南呈村西和村南的道边上，暴露出很多灰层和灰坑。主要遗物为灰色绳纹陶片，器形除了一般的盆罐之类，也有较高的高足，陶壁一般较厚，简报推断均像殷周时代的遗物。把这一遗址和西旺墓群对照来看，很可能有着时代和文化上的联系。

城西北郊的遗址和墓群。城西北约一里，地形较高而敞平，靠城的一面低洼，并有通向西边的大道，考古人员在断崖砖窑的周围，发现遗物很丰富的东周到汉的遗址。从断面上看，距地表 3 米深的土内，到处堆积着陶片约有半里长。除一般盆罐器形之外，带云纹或"长乐未央"铭文字的圆瓦当、半瓦当、花砖、陶豆等均不少。

在遗址的下面压着一群墓葬，已暴露迹象的有 18 个，有些墓内填土夯打得很紧，遗址在上，墓葬在下，层次分明，证明墓群是早于遗址的。

84.山西长子县发现西周铜器

作　者：山西省长治市博物馆　王进先
出　处：《文物》1979 年第 9 期

1975 年，山西长治市博物馆收集到长子县景义村出土的铜器 4 件，出土情况不详。对这些器物，简报配以拓片、照片予以介绍。

据介绍，鼎，器内壁有铭文 6 行共 42 字。鬲，方唇、侈口，立耳稍外撇、鼓腹，弧裆较高，空口足。甗，侈口、束腰，立耳稍外撇，上部内壁有铭文四字。簋，方唇敞口，扁鼓形腹，兽首形耳，有珥。

从这些器物的形制、纹饰及铭文看，简报推断当属西周。据史书载，周文王封辛甲子于长子，历史悠久。这批铜器的出土对进一步研究上党地区的历史文化提供了重要资料。

85.山西屯留县城郊出土西周早期青铜器

作　者：王进先
出　处：《考古》1982 年第 6 期

1976 年 11 月，山西省屯留县城北约 1 公里处（现县磷肥厂和化工厂内）出土两件西周青铜器。出土器物由长治市博物馆收藏。简报配以拓片、手绘图予以介绍。

据介绍，计鼎 1 件，簋 1 件，均未见铭文。出土的以上 2 件铜器，从形制与花纹分析，时代应属西周早期。据调查，出土铜器地点紧靠屯留绛河，河流沿岸不远有新石器时代以来的各期遗迹。这批铜器的出土，对进一步探讨这一带文化面貌有一定的参考价值。

86.山西屯留县上村出土商代青铜器

作　者：长治市博物馆　侯艮枝
出　处：《考古》1991 年第 2 期

屯留县上村在长治市城西北约 30 公里。1987 年秋，该村村民送来几件商代铜器和 1 件陶鬲，经调查，这批器物出于墓葬。简报配以照片予以介绍。

据介绍，计铜爵 1 件、铜毁 1 件、铜戈 1 件、铜铃 2 件及陶鬲 1 件。未见铭文。年代简报推断为商代中、晚期。

87.山西武乡县上城村出土一批晚商铜器

作　者：王进先、杨晓宏
出　处：《文物》1992 年第 4 期

1986 年 8 月，山西长治市武乡县上城村农民在耕地中发现一批商代铜器。经调查，系 1 座商代墓葬所出。墓为长方形竖穴，内有一骨架，器物置于头前，中腰部放骨贝 7 枚。器物被农民取出墓外，大都残破。简报配以照片、手绘图予以介绍。

据介绍，计有瓿 2 件、爵 1 件、壶 1 件、戈 2 件、削 1 件、锥状器、弓状器各 1 件，骨贝 7 枚。简报推断为晚商时遗物。

晋城市

临汾市

88.1959 年侯马"牛村古城"南东周遗址发掘简报

作　者：山西省文管会侯马工作站　张守中
出　处：《文物》1960 年第 8、9 期合刊

1959 年，山西省文物管理委员会侯马工作站在侯马市对"牛村古城"南的东周时代文化遗址作进一步钻探，选择重点，发掘了 500 余平方米，并在周围地区进行了勘察清理，收获极其丰富。简报分为：一、文化遗迹，二、文化遗物，共两个部分，有手绘图。

简报介绍，这次发掘发现居住室、窖穴、水井和铸造铜器的残迹。出土遗物1500余件，其中有铜器、陶器、骨角蚌器、玉石器、货币及大量制做铜器的陶范和制造骨器、蚌器的骨料和蚌料等。

简报称，1959年发掘的这一地区的遗址，是整个侯马东周遗址的一小部分，发掘清理面积及出土文物的数量均超过往年，所出土的带有文字的空首布以及有字样的陶范为我们继续深入研究“牛村古城”是否即为晋国的都城——新田，提供了新的线索。所发现的铸造铜器的残迹、大批的陶范、骨器和骨料、蚌器和蚌料等，进一步证实了这一地区是繁盛的于工业工厂区域。

89.山西翼城发现青铜器

作　者：李发旺

出　处：《考古》1963年第4期

1962年9月4日，山西省翼城县城关公社凤家坡生产大队农民发现一批青铜器。简报配以照片予以介绍。

据介绍，这些铜器出土于凤家坡西北50米处，共8件，均很完整。与铜器同时出土的还有蛤蚌和贝，大约是1座墓葬。出土铜器现存翼城县文化馆。

简报称，其中有提梁卣、铜甗、铜簋，还有马饰和车軎，简报由器物形制推断，这批铜器大约是西周遗物。

又，据《文物》1963年第4期报道，山西省翼城县城关公社凤家坡生产大队农民，在距凤家坡西北50米的林方圪塔劳动时，在1个沟壑中发现器物盖1件，于是跟踪追迹，挖掘出殷末、西周初的铜器数件。铜器花纹古朴，制造精美，出土后完整无缺。这在翼城还是首次发现。计有：提梁卣1件，卣盖和卣腹内各有铭文3字，文字相同，唯腹铭大于盖铭。铜甗1件，有铭文，甗沿有饕餮纹。铜簋1件，有螭首双耳。簋底有铭文1行。另外有马饰2件、车軎2件。与铜器同时出土的还有蛤蚌和贝。

90.山西永和发现殷代铜器

作　者：石楼县文化馆　杨绍禹

出　处：《考古》1977年第5期

1963年5月，在山西永和县西南25公里的下辛角村发现5件铜器和两件金质珥形器。这些器物是在1条流水沟的沟壁上发现的，距地表只有30多厘米，在器物附近还发现有人骨遗骸，原来是 1 座墓葬。简报配以照片、拓片予以介绍。

据介绍，计铜罍 1 件、铜觚 1 件（有 1 字铭文）、铜爵 1 件、铜戈 2 件、金质珥形器 2 件。简报推断为殷代遗物。

91.晋南二里头文化遗址的调查与试掘

作　者：中国社会科学院考古研究所山西工作队　张岱海、高　彦
出　处：《考古》1980 年第 3 期

晋南地区自古即有"夏墟"之称，1959 年以来，考古人员曾在涑水流域和盐池、伍姓湖周围、汾河下游（限于临汾以南）和它的支流浍河、滏河流域，做过较为详细的调查，共发现古文化遗址 300 多处。简报分为三个部分，先行介绍了其中的二里头文化遗址，有照片、手绘图。

据介绍，已发现的二里头文化遗址有 30 多处，简报有"晋南二里头文化遗址登记表"，收录了各遗址的基本信息。简报对已发掘的二里头文化遗址的遗物，做了一些比较工作。指出目前除在东下冯发现"东下冯类型"晚期直接叠压在二里岗商文化层之下的地层证据，并在一些陶器上看出二者之间的前后演变迹象外，还没有找到这一时期的文化层与龙山文化晚期遗存相互之间的地层叠压关系。这些遗址之间的关系，与东下冯遗址的异同等，还有待日后的工作。

92.1978 ～ 1980 年山西襄汾陶寺墓地发掘简报

作　者：中国社会科学院考古研究所山西工作队、临汾地区文化局　高　炜、
　　　　李健民
出　处：《考古》1983 年第 1 期

山西省襄汾县陶寺遗址的发掘工作，是从 1978 年春季开始的，根据遗址内涵所反映的文化面貌，初步认为是中原龙山文化的一个地域性变体，定名为"陶寺类型"。墓地位于遗址东南隅，据目前勘察，面积在 30000 平方米以上。这处墓地，于 1978 年秋季开始发掘，至 1980 年底，已进行 5 个季度的田野工作。为了工作的方便，考古人员将墓地划分为 3 个发掘区，自东而西，依次编为 I、II、III区。截至 1980 年底，在 I 区北部和III区中部揭露 1084 平方米，发现墓葬 637 座，已发掘 405 座。另有灰坑 32 座。

简报分为：一、地层关系和墓葬分布特点，二、墓葬形制，三、随葬器物，四、年代，五、结语，共五个部分予以介绍，有手绘图。

据介绍，在 400 多座墓中，除少年死者 1 例、屈肢葬 3 例、2 次葬 9 例外，都是成人仰身直肢单人葬。埋葬深浅不同，但全是土坑竖穴墓，都有墓圹可寻。没有丛葬，也未见将尸骨抛置在灰坑或灰层中随便瘗埋的情形。一般说尸骨比较完整。绝大部分的墓，头向东南。仍然保持着氏族墓地的形式。同中原许多地方的龙山文化墓地一样，占墓葬总数 98% 以上的中、小型墓，随葬品缺乏，特别是不使用陶器随葬，构成陶寺墓地的另一显著特点。与中、小型墓截然相反，大型墓有丰富的随葬品，包括彩绘陶器和彩绘（漆）木器等具有高超水平的工艺品。不难看出，龙山文化早期财产和权力的分化已极明显。

简报指出，早期大型墓彩绘蟠龙的陶盘，是迄今中原地区有关龙的图像的最早标本，对于研究龙崇拜的起源，探讨陶寺遗址和墓地的文化属性，都很有价值。此外，墓地出土的鼍鼓、特磬、木案、木俎、大木盘和多种彩绘木豆等，在迄今的考古材料中，都是最早的。关于土鼓，古文献有明确记载，但从未见过实物，这次陶寺出土的标本，或许可弥补这一空白。陶器、木器上面的彩绘花纹，与仰韶彩陶花纹迥然不同，已经图案化、抽象化，甚至有些神秘的韵味。它们与商代青铜器花纹的渊源关系，显而易见。目前在这里尚未发现冶铜和用铜的材料，但这批彩绘器物对于探讨我国灿烂青铜文化的起源，提供了值得注意的线索。

简报强调，陶寺正处于晋西南"夏墟"的范围内，从地望和出土材料联系起来看，陶寺墓地的发掘为探索夏文化提供了重要资料。

由考古学上讨论夏王朝，可参阅孙庆伟先生《鼏宅禹记：夏代信使的考古学重建》（三联书店 2018 年版）一书。

93.山西吉县出土商代青铜器

作　　者：吉县文物工作站　阎金铸
出　　处：《考古》1985 年第 9 期

1983 年 3 月 30 日下午，吉县城关公社上东村生产队农民在村北石人坟（原有石人 2、石兽 2，故名）西约百米处修整地埝时，发现 1 座残墓。考古人员于当天赶赴现场，予以清理。简报配以手绘图、照片予以介绍。

据介绍，这是 1 座长方形土坑竖穴墓，位于两块田地交接处的埝跟下。出土器物有銎式斧 1 件、铃首剑 1 件、勺 2 件。吉县发现的这座墓，根据出土的器物和其他各地的发现，简报推断是商代晚期的。

简报称，在山西过去这类器物发现的南限只到石楼、永和，现在又延伸到吉县，这就为研究活动于商王朝西北方的土方、舌方的文化面貌和分布范围提供了新的资料。

94.山西洪洞永凝堡西周墓葬

作　者：山西省文物工作委员会、洪洞县文化馆　张素琳等

出　处：《文物》1987 年第 2 期

1980 年 6 月及 10 月，山西省文物工作委员会考古队两次派员到洪洞县永凝堡（也称永凝东堡）村进行考古调查、钻探、发掘。钻探面积 13000 多平方米，共发现灰坑 20 个、墓葬 56 座，大部为西周墓，个别较晚。有 22 座墓经过发掘清理，其中 12 座由省考古队负责，10 座由临汾地区文物训练班进行工作。这些墓多为西周时期墓葬，大部分被盗。简报分为：一、位置与环境，二、墓葬形制，三、随葬品，四、结语，共四个部分，配以照片、手绘图，先行介绍省考古队发掘情况。

据介绍，永凝堡位于洪洞县城东南约 6 公里，村的西、南、北三面是磨河，东边为开阔地。永凝堡地势比周围几个村子都高，当地人称之为“堡子”。一条东西向的现代公路从村中穿过，将此村分为南北两部分。为了便于发掘、清理，将村内墓葬区分为三部分：公路以北为北区（80SHYB），公路以南稍偏西部为南区（80SHYN），公路南侧、村东口为南东区（80SHYND）。此次清理的 12 座墓均为长方形竖穴土坑墓，葬具多为 1 棺 1 椁，较大的墓有 2 棺 1 椁，个别小墓仅 1 棺。葬式仅 1 例仰身屈肢外，其余皆为仰身直肢。随葬品有铜器、陶器、玉器等。墓主人有的口含碎玉片、小海贝。此批墓葬，1 座（NM9）的年代不晚于西周早期成康时期；四座（BM14、NDM4、NDM11、NDM14）为西周中期早段或偏晚。四座（BM5、BM6、NDM8、NDM9）年代为西周晚期。另有 3 座墓（NM3、NM11、NDM12）为西周墓，但具体时间不好判断。简报推测这一片墓葬为恒父家族墓地，认为此次发掘，有助于探讨晋国早期文化。

95.山西襄汾县大柴遗址发掘简报

作　者：中国社会科学院考古研究所山西工作队　高天麟、李健民

出　处：《考古》1987 年第 7 期

大柴遗址地处汾河西岸，在襄汾县城西南约 5 公里处，与著名的“丁村人”发现地丁村隔河相望。大柴村隶属南贾镇，与南贾镇相距约 4 公里。简报分为四个部分予以介绍，有手绘图。

据介绍，遗址主要分布在村子的西南部。据 1959 年调查时估计，遗址东西约 400 米，南北约 200 米。1977 年以来，多次作过复查。发掘工作自 1986 年 4 月 10 日开始，至 4 月 27 日全部结束，历时 17 天，总计发掘面积 100 平方米，清理灰坑

11 座，复原陶器近 40 件。年代据测定为公元前 1700 年至公元前 1600 年左右。其遗存并不是龙山文化陶寺类型的自然延续。因此，大柴遗址的发掘，对于夏文化和早商文化的探索将会产生某些影响。

96.山西洪洞县发现商代遗物

作　者：山西省考古研究所　朱　华
出　处：《文物》1989 年第 12 期

1982 年 5 月，洪洞县双昌乡上村村民盖房时发现青铜鼎、爵、戈及玉刀、金耳环等共 6 件。简报配以拓片、照片予以介绍。

据介绍，计有铜鼎、铜爵各 1 件、铜戈 2 件、玉刀 1 件、金耳环 1 件。简报推断这些都是商代遗物。

97.山西隰县庞村出土商代青铜器

作　者：隰县小西天文管所　王　进
出　处：《文物》1991 年第 7 期

1987 年 3 月，山西隰县城南乡庞村农民在距村东北约 0.5 公里的原上耕地时，发现 5 件青铜器，及时报告了小西天文管所。经调查，器物出自 1 座古墓中，因地层扰乱，已难辨认出墓葬的形制。出土青铜器计有鼎、斝、觚、爵、戈各 1 件，现收藏于小西天文管所。简报配以照片予以介绍。

简报称，隰县古代属冀州，夏、商等代均为畿内地。以上铜器中，斝、爵两器有多处补铸痕迹，质量较低，反映铸造水平不高。简报推断其年代应属商代晚期。

98.陶寺中期墓地被盗墓葬抢救性发掘纪要

作　者：山西大学科学技术哲学研究中心、中国社会科学院考古研究所　王晓毅、
　　　　严志斌
出　处：《中原文物》2006 年第 5 期

2005 年春节前，陶寺遗址发生 2 墓被盗事件，2005 年 3 月至 6 月，考古人员对被盗地点的 6 座中小型墓进行了抢救性发掘。简报分为：一、地层堆积，二、墓葬，三、遗物，四、结语，共四个部分，有照片。

据介绍，计有小型墓 2 座（M27、M33），均为竖穴土坑墓，葬式均为单人仰身

直肢葬。中型墓4座（M26、M31、M32、M28），均为竖穴土坑墓，均被盗扰过，葬具、人骨几乎不存。出土遗物主要有铜器、玉石器、蚌器、骨器、彩绘陶器五类。铜器仅红铜制铜环1件。陶洼文化的年代一般认为是公元前2500年至公元前1900年左右。此6座墓葬的时代，简报推断为陶寺中期，应已进入青铜时代。从现场看，似在陶寺晚期已被盗，但似乎是出于报复，尸骨抛弃得到处都是。

99.山西曲沃羊舌晋侯墓地发掘简报

作　者：山西省考古研究所、曲沃县文物局　吉琨璋、孙永和、吕小明、
　　　　陶向明等

出　处：《文物》2009年第1期

2005年8月至2006年10月，考古人员在山西省曲沃县史村镇羊舌村南的岭地上发掘了1处晋国两周时期的墓地，其中M1和M2是一组晋侯和夫人的异穴并列合葬墓。

据介绍，羊舌村在曲沃县城东北约15公里。羊舌晋侯墓地位于滏河南侧的岭地上。简报分为"M1、M2""其他墓葬""结语"，共三个部分予以介绍，有彩照、手绘图。

简报称，该墓于2003年5月因盗掘被发现，当时在盗坑周围散落有大量的木炭和残断铜鱼，据据探结果分析，这里是1处周代晋国重要墓地。2005年夏，盗事再起，县文物部门在上述盗坑周围探明3座"中"字形大墓。7月底，山西省考古研究所组成羊舌考古队开始工作，在3座大墓以东约70米处又发现1组2座"中"字形大墓（编号为M1、M2）和车马坑，2005年8月至2006年4月，这两座墓的发掘工作完成。M1、M2都曾被盗，故两墓无一铜器出土。出土有石器、陶器、玉器、金器等。有殉人10人。M1、M2为"中"字形竖穴积石积炭墓，是目前在山西发现的两周时期最大的墓葬。简报推断M1、M2的时代约为两周之际至春秋早期，M1的墓主人可能是晋国两周之际的晋文侯。

简报指出，晋文侯是晋国历史上一位雄才大略的君主，他在位35年（前780～前746年），正当两周之际。文侯在位期间，晋国强盛，曾挟辅周平王东迁，有周室再造之功，享受高级别的葬制也符合常理。他死后晋国内战迭起，最终庶系代嫡，其墓被毁也许与这段历史有关。简报认为，羊舌晋侯墓在历史上被盗的现象值得我们深思，与之相距仅4500米的北赵晋侯墓地没有遭到盗掘，而且曲村遗址邦墓区的所有墓葬在20世纪80年代之前都没有被盗，羊舌地的陪葬墓也没有被盗。羊舌M1、M2被盗扰现象表明这是一种有意识的破坏行为，即毁墓。根

据种种现象和两周之际的历史背景推测，这可能与家族复仇有关。晋文侯之后嫡系晋侯有昭侯、孝侯、鄂侯、哀侯、小子侯和晋侯缗，这一时期是晋国历史上的嫡庶之争时期，分封于曲沃的庶系与居于翼的嫡系争夺政权，内战长达 67 年，最终庶系夺取了政权。这种毁墓行为可能是曲沃庶系一支在夺取政权后对翼嫡系一支的报复行为。

100.山西北赵晋侯墓地一号车马坑发掘简报

作　者：山西省考古研究所、北京大学考古文博学院　吉琨璋、常怀颖、冯　峰等

出　处：《文物》2010 年第 2 期

北赵晋侯墓地于 1992 ～ 2001 年经过了 6 次大规模的发掘，清理晋侯夫妇墓 9 组 19 座，每组晋侯夫妇墓均有数座陪葬墓和 1 座车马坑：一号车马坑（K1）属晋侯苏墓（M8），是该墓地最大的 1 座车马坑。与其他车马坑一样，一号车马坑位于主墓（M8）墓室之东。自 1992 年起，对一号车马坑先后进行了三个阶段的发掘。1992 ～ 1993 年初是第一阶段（属第二次晋侯墓地发掘），确定了一号车马坑的范围，并对打破该坑的祭祀坑、汉代墓葬、汉代窑址及 1990 年以来的盗洞进行了清理。从数个盗洞的壁面，初步了解了车马坑大致的深度，以及整车下葬的埋藏方式。为了便于发掘和保护，1996 年在坑上建造了固定大棚。1997 年进行了第二阶段的发掘，将东部马坑清理完毕，西部车坑仅清理了上部 2.9 米深的填土，之后因故暂停。2006 年 2 月开始第二阶段的发掘，至 2007 年底结束，历时近 2 年。简报分为：一、概况，二、01 号车，三、11 号，四、21 号车，五、小结，共五个部分，有彩照、手绘图。

据介绍，一号车马坑属晋侯苏墓，是该墓地最大的 1 座车马坑。该坑东部葬马，西部葬车。马坑中至少有 105 匹马，车坑中有 48 辆车。据观察，马应为死后葬入。该车马坑是目前所知西周时期规模最大、陈放车辆最多的车马坑，车辆均为整车放入，车舆的种类多样，对于研究西周时期马车的种类、形制、结构与埋葬制度具有重要的学术价值。

101.山西翼城县大河口西周墓地

作　者：山西省考古研究所大河口墓地联合考古队

出　处：《考古》2011 年第 7 期

大河口墓地位于山西省南部翼城县城以东约 6000 米处。在墓地周围发现几处

不同时期的遗址，其中新石器时代遗址位于墓地西南方的浍河东岸台地上，西周遗址位于墓地西南约 500 米处，东周和汉代遗址分布于墓地东北、东侧和西南台地上。

2007 年 5 月大河口墓地被盗，同年 9 月至次年 5 月山西省考古所对该墓地进行了考古勘探和试掘。2008 年 9 ~ 12 月进行了普探，2009 年 5 月至 2011 年 5 月进行大规模抢救性发掘。简报分为：一、M1，二、M1017，三、M2002，四、其他墓葬，五、小结，共五个部分，墓地面积颇广，仅西周墓就有 1500 余座。对其中重要的西周墓进行了介绍，有彩照、手绘图。

据介绍，考古队在山西翼城县大河口墓地已清理 300 多座墓葬，均为长方形竖穴土坑墓，有棺椁，墓主多为仰身直肢。大中型墓以随葬青铜器为主，小墓以随葬陶器为主。这处墓地墓主的国族名为"霸"，"霸伯"是最高权力拥有者。大河口墓地的发掘对于研究西周分封制度、器用制度和族群融合等均具有重要意义。

102.山西翼城县大河口西周墓地 M1 实验室考古简报

作　者：中国社会科学院考古研究所文化遗产保护研究中心、山西省考古研究所翼城大河口考古队　李存信、谢尧亭等
出　处：《考古》2013 年第 8 期

大河口墓地位于山西省临汾市翼城县隆化镇一处三面环山的山梁台地上，西距翼城县城约 6 公里。2007 年 5 月中旬，大河口墓地中有墓葬被盗，考古人员对墓地进行勘探和发掘。经勘探，这是 1 处西周墓地，墓地面积 4 万余平方米，墓葬大多为东西向，均为土圹竖穴墓。为 1 棺 1 椁。墓口四角外侧发现不规则椭圆形斜洞。墓室内发现大量青铜食器、水器、酒器、乐器、兵器、工具及车马饰，在东侧二层台上发现漆木俑 2 件，南、北二层台上还有木盾等。在墓室二层台上方约 0.4 米的四壁发现壁龛 11 个，壁龛内放置漆木器、原始瓷器和陶器等。

从墓葬形制和随葬器物分析，墓葬时代当为西周早中期之际，葬主当为侯伯一级男性贵族。出土数量众多的遗物是研究西周时期随葬制度的重要资料。1 座墓内发现如此多的壁龛，在西周墓葬中是第一次，墓内随葬漆木俑是目前我国最早的实例。从出土的青铜器铭文看，此墓地可能是新发现的 1 个西周封国的墓地。简报分为：一、绪言，二、田野处理保护，三、室内发掘清理，四、遗迹和遗物，五、漆木器保护措施，六、结语，共六个部分进行了介绍，有彩照。

简报指出，实验室考古的基本理念，是把考古发掘、文物保护融为一体，推动中国考古学向着更加注重资源节约、科技投入、信息提取、文物保护的方向发展，

走科学化、精细化的可持续发展道路，探索新型考古模式，创建具有中国特色的现代考古学。

简报说，本次进行的实验室考古发掘不是简单地把壁龛迁移至室内进行清理，而是利用更多的科技手段进行考古发掘和对出土的漆木器进行更好的保护。大河口M1漆木器的处理保护项目取得了可喜成果，获取了一批重要文物，积累并丰富了北方地区出土先秦时期漆木器的处理方法和保护经验。同时，通过该项目的实施，也逐步明晰了实验室考古的工作特点、要求、模式与流程。

运城市

103.山西夏县东下冯遗址东区、中区发掘简报

作　者：东下冯考古队　徐殿魁、王晓田、戴尊德
出　处：《考古》1980年第2期

晋南是夏王朝的中心地区之一。为了探索夏文化，考古人员于1959年至1963年围绕汾河下游、浍河、涑水河流域进行过4次调查，共发现和复查了汉代以前的古文化遗址300多处。东下冯遗址系1959年第1次调查时发现的，1974年秋季开始发掘。遗址位于夏县埝掌公社东下冯村北，青龙河两岸台地上，总面积约250000平方米。为便于工作，将遗址分为东、中、西、北四个工作区。北区在河的北岸，其他三区在河的南岸。简报配以手绘图，介绍了东区、中区的发掘工作。

据介绍，东区主要发现了商代前期遗存和所谓"二里头文化东下冯类型遗存"，中区主要发现了"东下冯类型遗存"及商代前期夯土墙及一组圆形建筑基址。

简报称，夏文化问题的研究，素为史学界、考古学界所关注。近年来河南偃师二里头等遗址的发掘，使这个课题的研究大大深入了一步。但是，对于什么是夏文化的问题，看法上还存在着一定的差距，有人认为二里头遗址一、二、三、四期都是商文化，有人认为二里头遗址一、二、三、四期都是夏文化，对于二里头文化的分布分期以及社会经济形态的综合研究，都还需要大量的工作，还有待更多的新资料的发表。晋南在文献上早有"夏墟"之称，这个地区的调查试掘也证明与二里头文化近似的遗址有三四十处之多（考古所山西队资料），山西夏县东下冯遗址的发掘，为在晋南地区探索夏文化增添了一批可喜的实物资料。其中最值得注意的一点是："东下冯类型"遗存和二里头一至四期既有很多相同点，又有不少相异之处。在相异方面，主要表现在某些陶器的器形和常用器的组合上。经测定，东下冯遗址的时代与二里

头文化一样，均属商代前期。

又，据《考古学报》1983 年第 1 期报道，东下冯遗址，位于夏县城北约 17 公里的东下冯村。这一带沿河两岸尚有西阴村、崔家河和埝掌等遗址，包括着仰韶、龙山、夏、商、周各个时代的文化遗存。1959 年中国科学院考古研究所山西工作队在晋南调查时发现了此处遗址。1975 年春，为了配合探索夏文化问题而进行试掘，同年秋正式发掘，至 1977 年底止，历时近 2 年半。发现房址 12 座，灰坑 35 个，墓葬 21 座。出土有石器、骨器、陶器以及原始青瓷片 20 余片、灰石 20 余公斤。

据介绍，遗物中的原始青瓷为我国瓷器的起源提供了资料。该遗址的年代，简报认为下限在公元前 2000 年左右，正在夏纪年之内，而晋南自古又有"夏墟"之称，故而这次发掘，对探索夏文明有其价值。

104.山西平陆枣园村出土一批西周车马器

作　者：卫　斯
出　处：《考古与文物》1988 年第 3 期

1985 年 3 月中旬，枣园村村民在挖新窑院时出土了一批铜器。考古人员前往征集，简报配以照片予以介绍。

据介绍，这批铜器主要为车马器，分别出土于 2 个已被破坏的车马坑内。2 坑东西排列在一条直线上，相距 11 米左右。坑底距地表 3.6 米左右，坑口东西长 4.5 米、南北宽 3.86 米。据当地人介绍，同出的还有人骨和马骨。两个车马坑出土的铜器计有銮铃、车軎、车辖、戈、活页、马衔、马镳、当卢、节约、铜环、铜泡等 28 件。这 2 个车马坑都是埋 1 辆车、2 匹马，并有 1 名殉葬的驭夫，与沣西张家坡西周车马坑埋葬方式基本相同。因此其时代不会晚于西周中期。其出土地点距周初所封虞仲的古虞城不远，这对探索古虞国的历史是有价值的。

105.山西芮城柴村出土的西周铜器

作　者：戴尊德、刘岱瑜
出　处：《考古》1989 年第 10 期

1979 年 7 月，山西省芮城县城关乡柴村农民在村西庙后沟崖边刨土垫地时，掘出一批青铜器和陶器，共 100 余件，这批铜器收集回馆保存。同年秋天，考古人员对出土铜器地点进行了勘察。得知这批铜器等皆出自墓葬中。1985 年，该村农民又发现铜器 4 件，也一并送交县博物馆。这批铜器中有 2 件铸有铭文，1 件为叔向父毁，1 件为叔伐父鼎，2 器铭文已有考古人员初步考证研究。

据介绍，柴村庙后沟位于县城正北 3.5 公里，沟为南北向狭长冲沟，沟西南 1 公里有 1 座保存较好的东周古城遗址，据历史记载为古魏城。经往出土铜器地点勘察了解，发现崖边尚遗存有 1979 年出土铜器、陶器的 3 座残墓，推测墓葬形制为长方形土坑竖穴墓，方向大约为南北向。墓坑附近有零散的人的颅骨与肢骨。墓中随葬器物位置与葬具葬式均已扰乱，情况不明，仅据目睹者口述青铜器出土情况。1985 年又出土铜鼎 2 件，铜毁 2 件，出土情况不明，与上述 3 墓无关。简报推断这批青铜器应当属于西周时期魏国之器物。

106.1988 ～ 1989 年山西垣曲古城南关商代城址发掘简报

作　者：中国历史博物馆考古部、山西省考古研究所　王　睿、佟伟华等
出　处：《文物》1997 年第 10 期

山西垣曲古城南关商代城址发现于 1984 年，1985 ～ 1986 年进行了勘查和试掘，第一阶段的工作报告已出版。1988 ～ 1989 年发掘工作继续进行。

简报分为：一、地层堆积，二、二里头晚期文化遗存，三、二里岗下层文化遗存，四、二里岗上层文化遗存，五、结语，共五个部分，配以照片，先行介绍了城址内东南部发掘情况，关于夯土台基情况将另文介绍。

据介绍，垣曲商城的商代遗存与商中心统治区的文化面貌基本一致。值得引起注意的是，此次发掘的 11 座商代墓中，有 3 座儿童墓，另外 8 座成人墓中有 4 座骨架不全。利用灰坑埋人现象也较普通，在一人体的胫骨上还嵌有铜镞。此次发掘，为商城的研究提供了新资料。

107.1991 ～ 1992 年山西垣曲商城发掘简报

作　者：中国历史博物馆考古部、山西省考古研究所　佟伟华、王　睿等
出　处：《文物》1997 年第 12 期

1991 年考古人员在垣曲商城内进行发掘，发掘面积近 700 平方米。1992 年又在城内东南部发掘面积 800 余平方米。两年发掘共清理分属于宋代、二里岗上层、二里岗下层、二里头晚期、仰韶晚期等各不同时期的灰坑 119 个、沟壕 12 条、墓葬 5 座、房址 2 座、窑址 2 座，出土了大量石器、骨器、陶器及铜器等遗物。

简报分为：一、地层堆积，二、二里岗下层文化遗存，三、二里岗上层文化遗存，四、结语，共四个部分，配以照片等，先行介绍了二里岗上下层遗存情况。

据介绍，从城址内的文化层堆积状况和遗迹分布状况总体观察，商城修建之前，这里曾是仰韶晚期人类的居址；到了二里头晚期，这里已发展成大规模的聚落；到了商代，商人在征服夏人之后开始在这里修筑城垣、宫殿，使这里成为方圆百里的政治、经济、军事中心。因此，城址内与城址修筑与使用年代相应的二里岗上下层堆积最为普遍。商城废弃后历经千年沧桑，直到宋代才又开始有人生活。在城址内南部发现的陶窑为寻找城内手工业作坊区提供了线索，它表明城址南部很可能是制陶作坊区。

108.山西夏县东阴遗址调查试掘报告

作　者：山西省考古研究所、夏县博物馆　宋建忠、秦小丽、黄永久
出　处：《考古与文物》2001 年第 6 期

1999 年 8 月，在考察夏县西阴、东下冯等遗址时，县博物馆的黄永久馆长带考古人员顺路看了距阴村不远的东阴遗址。当时发现遗址所在的砖厂范围内随处可见散乱的陶片和筛捡出的成堆陶片。根据采集的和现场仍遗留的陶片等遗物，考古人员断定这里是 1 处单纯的二里岗上层时期文化遗址。

2000 年 3 月，为彻底了解该遗址的文化内涵性质，尤其是为了抢救濒临消失的这一商代早期文化遗址，对其进行了进一步的调查和试掘，结果表明该遗址中心部分已被取土毁掉，现仅存东部边缘，而且试掘探方的包含物也不丰富，出土的陶片既少又碎。

为尽可能全面地反映该遗址的文化内涵，简报将调查和试掘所获标本一同整理分为：一、自然环境和相关考古工作，二、遗址现状与工作过程，三、地层堆积，四、文化遗存，五、结语，共五个部分，有手绘图。

据介绍，根据发掘和采集的各类遗物分析，简报将东阴遗址确定为商代早期二里岗上层时期。本次发掘最引人注目的当是大批骨料发现。骨器的生产要经过原材料的收购、坯料的加工、成品的磨制等重要环节，这是集团专业化的产物。东阴遗址大批骨料的发现，简报认为或许说明了这里是专业化生产加工坯料或骨器的重要基地，表明它在功能和性质上绝不等同于一般的聚落，同时，东阴遗址的发掘也为认识二里岗上层时期的制骨业和遗址在结构功能上的区别提供了极为重要的资料。

109.山西绛县横水西周墓发掘简报

作　者：山西省考古研究所、运城市文物工作站、绛县文化局　宋建忠、吉琨璋、
　　　　田建文、李永敏等

出　处：《文物》2006 年第 8 期

横水镇位于山西省运城市绛县西部，1970 年从闻喜划归绛县。该镇由横南、横东、横北 3 个村组成，墓地就坐落在横北村北，北距绛山仅 5 公里。墓地南北宽约 1000 米，南部在小土城周围，主要是战国和西汉墓葬，北部是西周墓葬区。正东 2000 米处有周家庄遗址，其时代为新石器至西周时期。2004 年秋，此处多座西周时期大、中型墓被盗。考古人员在此进行了抢救性的钻探、发掘工作，并将新发现的 2 座带墓道的大墓编号为 M1、M2。还有 1 座被盗过的大型墓，编号为 M3。2004 年 12 月 19 日，考古人员对这 3 座墓葬进行考古发掘，2005 年 7 月结束。简报分为：一、1 号墓，二、2 号墓，三、结语，共三个部分予以介绍，有彩照、拓片、手绘图。

据介绍，2 座大墓的葬具均为 1 椁 2 棺，其中 M2 还有殉人 4 具。墓中均出土有大量的青铜礼器，如鼎、簋、爵、觯、盉、盘等，并各出土铜甬钟 5 件。许多铜礼器上的铭文中有"倗伯" 2 字。简报认为，M2 的墓主是倗伯，M1 的墓主是倗伯夫人。年代简报推断为西周中期的穆王时期或略晚。尤为重要的是，在 M1 的外棺上发现了大面积的"荒帷"痕迹，为研究西周礼制提供了珍贵的实物资料。

简报称，荒帷的出土是这次发掘的重要发现之一。所谓"荒帷"，先秦《周礼》《仪礼》《礼记》等史籍，对饰棺的墙柳、荒帷等均有记载，汉代的郑玄、唐代的孔颖达以及清代学者也多有注疏。周代的高级贵族墓里普遍使用荒帷，并一直沿用到汉代。自 20 世纪以来，考古工作者发掘了大量的两周墓葬，在曲沃北赵晋侯墓地、三门峡虢国墓地，都发现了墙柳等棺饰的痕迹。但丝织品的荒帷，多因保存状况较差、仅留下局部残片而没有确认。战国时期的楚国墓中也见到一定数量的荒帷，但均没有像 M1 这样大面积的发现。此次发现为研究史书所记载的"荒帷"，提供了难得的实物资料。

110.山西绛县横水西周墓地

作　者：山西省考古研究所、运城市文物工作站、绛县文化局　宋建忠、谢尧亭、
　　　　田建文、吉琨璋等

出　处：《考古》2006 年第 7 期

横水镇位于山西省运城市绛县西部，由横南、横东、横北 3 个村组成，自古以

来就是较为繁华的交通要道。2004 年 4 月，在横北村北坡出现了盗掘古墓的活动，不久即被绛县文化局发现并及时上报运城市文物局。同年 7 月，运城市文物局组织进行考古钻探，并从 11 月开始发掘。至 12 月中旬，山西省文物局责成山西省考古研究所负责组建了横水考古队，于 12 月 19 日开始进行正式发掘。2005 年底共清理墓葬 110 余座。简报分为：一、墓地概况，二、主要发现，三、结语，共三个部分，有彩照、手绘图。

据介绍，110 余座墓中出土大量青铜礼器、车马器和陶器、漆木器、玉器等。其中，M2 和 M1 为倗伯及其夫人异穴并排合葬，时代约相当于西周中期的穆王后期。墓葬规模较大，随葬品丰富，在 M1 中还发现保存较好的"荒帷"，即当时的棺罩。先秦文献中多次提到周代的饰棺之物，如"墙柳""帷荒""棺束"等，一直未见实物，此次发现为一重要考古成果。

简报还指出，由铜器铭文来看，山西绛县的横水一带，在西周时期还存在 1 个不见于文献的小封国倗国。倗国的发现使我们可以重新认识西周中期以前晋国的疆域，在绛山之南有倗国，倗国之西则有董国。当时晋国的实际疆域也就相当于今天的翼城、曲沃以及襄汾的河西部分这一带，其地理范围正好与《史记·晋世家》中有关晋的始封地在"河、汾之东，方百里"的记载相符。

111.山西绛县柳庄夏商遗址发掘报告

作　者：山西省考古研究所、国家博物馆考古部、运城市文物局　王晓毅、王力之、丁金龙

出　处：《华夏考古》2010 年第 2 期

2003 年，考古人员在运城盆地重点对涑水河与青龙河流域进行拉网式调查，并对柳庄遗址进行试掘。柳庄遗址中的遗存属二里头文化东下冯类型，相当于东下冯遗存的第Ⅳ期；柳庄遗址的商文化遗存可归入二里岗文化东下冯类型，属商早期遗存。简报分为：一、遗址概况和发掘情况，二、地层堆积和文化分期，三、夏文化遗存，四、商代早期遗存，五、结语，共五个部分，有手绘图。

据介绍，柳庄遗址中夏文化遗存，遗物主要为陶器，陶质以夹砂灰陶和泥质灰陶为主，有少量夹砂褐陶、泥质褐陶和泥质黑陶；纹饰以绳纹为主，另有弦纹、篮纹、附加堆纹、圆圆纹等。器形有鬲、罐、盆、瓮、斝、甗等。商早期文化遗存，陶器仍占遗物的绝大多数，陶质以泥质灰陶为主，次为夹砂灰陶；纹饰以绳纹为大宗，此外有弦纹、附加堆纹、划纹等。器形有鬲、罐、盆、瓮、甗、大口尊等。此遗址的发掘，对研究夏文化及夏商过渡，提供了新的实物资料。

内蒙古自治区

呼和浩特市

112.内蒙古清水河白泥窑子 L 点发掘简报

作　者：崔　璿

出　处：《考古》1988 年第 2 期

该遗址发现于 1983 年，1984 年发掘。

简报认为白泥窑子的年代为龙山文化晚期，另外一种文化现象的年代，经测定为公元前 3500 年前后。

包头市

乌海市

赤峰市

113.内蒙古宁城县小榆树林子遗址试掘简报

作　者：内蒙古自治区文物工作队　刘廷善

出　处：《考古》1965 年第 12 期

内蒙古宁城县小榆树林子村位于老哈河南岸，与辽中京城址隔河相望。河之南岸为连绵不断的山梁，经过多年雨水冲刷，山梁上出现无数伸向老哈河的沟壑。遗址位于小榆树林子村南 1 座名为盖子山的圆形土丘上。地表散布着陶片、石器及兽骨等物。从断崖上可看到露出的石砌墙、窖穴等遗迹。1960 年 9 月间，考古人员曾在遗址西北部靠近断崖处试掘。简报分为：一、文化层堆积，二、遗迹，三、遗物，四、结束语，共四个部分，有手绘图。

据介绍，发现有房屋两座，均为圆形，以草拌泥土坯砌成。出土有陶器、骨器、铜器、卜骨等。简报推断年代为殷商至西周。

114.赤峰药王庙、夏家店遗址试掘

作　者：中国科学院考古研究所内蒙古工作队　刘观民、徐光冀等
出　处：《考古学报》1974 年第 1 期

1959 年，考古人员在辽宁省昭乌达盟（原属内蒙古自治区）境内做过短期的调查。1960 年春，选定在赤峰近郊药王庙和夏家店两地做了试掘。试掘简报发表于《考古》1961 年第 2 期。当时认为两处遗存的时代，大体相当于商汤建都阶段。此次试掘后，则提出了两种文化的看法。随后，又在昭盟和邻近地区做了一些调查发掘，发现不少与此性质相同或相似的重要遗存。考虑到这批材料是提出两种文化区别的原始根据，还是有必要把它发表出来，作为一个供比较研究的地点。文中引用的比较资料，仍依旧稿迄于 1963 年年底以前的发现。简报共分三个部分：一、药王庙遗址，二、夏家店，三、结束语，有照片、手绘图。

据介绍，药王庙村在赤峰市南 17 公里，属三眼井乡。村在药王山下，遗址在山上。夏家店位于赤峰市东 15 公里处。发掘发现所谓"夏家店下层文化"和"夏家店上层文化"。夏家店下层文化的部分遗物，与黄河流域青铜时代较早的遗址——例如郑州二里岗遗址作比较，面貌相似；另一些遗物，则有龙山文化的特征，因此，将它视为龙山文化的变种不是没有道理的。从陶鬲的多种类型和夏家店上层文化的年代上限看，其年代下限不晚于西周初期。夏家店上层文化的年代，应在春秋以前。根据 1963 年在赤峰市的发掘情况表明，其年代下限应在以燕、秦为代表的战国文化到达这里之前。

简报指出，如果对这两种文化的年代推断无大差误，即可看出：自西周初至春秋时期，这个地区曾有过重大的变化，以致在考古学的文化范畴里竟出现如此显著的反映，古史传说中的"殷王子亥宾于有易"（《山海经·大荒东经》郭注引《竹书纪年》）的故事启示我们：在汤以前，河北境内的氏族或部落集团与商族可能有较密切的关系；周初封召公于燕，是周王室对东方氏族或部落集团加强统治的措施，这表明，这里与齐、鲁等地是被同等看待的。联系近年来在河北北部和辽西一带的考古发现，对商和先周时期的研究，这里也应是重点地区之一。

115.敖汉旗大甸子遗址 1974 年试掘简报

作　　者：中国科学院考古研究所辽宁工作队
出　　处：《考古》1975 年第 2 期

在"文化大革命"期间，辽宁省昭乌达盟敖汉旗大甸子公社兴建中学校舍时，发现了完整的陶器和人骨，经调查，这里是 1 处遗址，近旁并有墓地。1974 年进行了调查和试掘。简报配以手绘图予以介绍。

据介绍，大甸子村在敖汉旗革委会所在地新惠镇东约 60 公里（直线距离），南距北票县城 55 公里。遗址在村东南的 1 个土岗上，当地居民称为"城子地"。土岗高于附近耕地约 4 米。有灰坑、居住面、柱洞、土坯墙等建筑遗迹。岗上地面采集到的陶片，多夹砂绳纹灰、褐陶，器形有鬲、甗、鼎等三足器，绳纹和附加堆纹罐、瓮等。采集的石器有打制石锄，磨制石斧、刀、铲等。简报称，从地面采集的陶片和石器观察，这里是 1 处夏家店下层文化性质的遗址。遗址南北长约 350 米，东西宽约 200 米。紧靠遗址东北的地带，就是 1 片墓葬区。这次试掘就在中学校园内，挖掘了 54 座墓葬，这仅是墓地东部边缘的一小部分。墓葬分布密集，排列有序。均是长方形土坑竖穴，有的除去表土即见人骨，有的深于 5 米，一般的深约 2 米。墓中多为单人葬，个别也有合葬。葬式多为侧身直肢，仰身或俯身的极少。头向多为西北。木质葬具已朽。另外，在填土中还发现有随葬的猪和狗的头骨或猪和狗的完整骨架。这次试掘获得完整的陶器 90 余件，其中陶器上有彩绘的 20 多件，还有一些骨、贝、蚌、石、玉、铜等不同质料的用具和装饰品。

116.辽宁克什克腾旗天宝同发现商代铜甗

作　　者：克什克腾旗文化馆
出　　处：《考古》1977 年第 5 期

1973 年 7 月，克什克腾旗土城子公社天宝同大队河套生产队小学学生，在村北敖包山西南坡 1 块巨大立石的西侧，挖出 1 件铜甗。甗基本完好，两足稍残。通高 46 厘米，口径 29 厘米，重 11.75 公斤。简报配以照片、手绘图予以介绍。

简报称，铜甗埋藏选择在向阳山坡，南向，并以立石为标志，这显然是当时人们有意安排的，其埋藏性质仍为窖藏。时代简报推断为商代晚期。

张光直先生著有《商文明》（三联书店 2013 年版）一书，多引考古材料以证己说，可参阅。

117.内蒙古赤峰县四分地东山咀遗址试掘简报

作　者：辽宁省博物馆、昭乌达盟文物工作站、赤峰县文化馆　李恭笃等

出　处：《考古》1983 年第 5 期

1973 年秋，配合沙通铁路工程，考古人员对四分地东山咀遗址进行了试掘，现将这次试掘工作的收获简报于后。简报分为：一、遗迹，二、遗物，三、结语，共三个部分予以介绍，有照片、手绘图。

据介绍，遗址位于赤峰县（现已划归内蒙古自治区）初头朗公社四分地大队东南，西路嘎河西岸的东山咀斜坡黄土台地上，距赤峰市约 50 公里。遗址东西长 280 米、南北宽 100 米，总面积为 28000 平方米。遗址南端尽头的最高处，遗存 1 段长 27 米、宽 1 米的残石墙。这里应是 1 处夏家店下层文化的原始村落居住址。有房址 9 处，灰坑 18 座。地面遗物丰富，多为夏家店下层文化的鬲足、甗腰、豆柄、器底和大量的绳纹陶片及一定数量的篮纹陶片。遗址南部较远的山坡上，分布有夏家店上层文化的石棺墓。遗址中还发现一些夹砂红陶片和残坏的环状带孔石器等夏家店上层文化遗物，这些遗物可能是由于风刮水冲和农耕活动等原因，从山上流失下来的。简报指出，除了石器、骨器、陶器外，还发现有一件铸造铜饰品的小陶范，但生产用具仍以石器为主。应属早商时期夏家店下层文化及龙山文化范畴。

118.翁牛特旗大泡子青铜短剑墓

作　者：贾鸿恩

出　处：《文物》1984 年第 2 期

内蒙古昭乌达盟翁牛特旗乌兰敖都公社查干敖尔大队大泡子村，地处老哈河西北 18 公里的沙漠中，因村东不远处有一自然湖泊（当地人俗称"大泡子"）而得名。大泡子村虽被沙漠环绕，但村南、村北的低洼地带却绿树成荫，水草丰茂。1981 年 5 月间，这一带刮了一场罕见的大风。大风过后，两把青铜短剑暴露于村东不远的沙窝中。当地牧民发现后，完整地保存了下来。考古人员前往作了调查。简报分为：一、发现经过，二、随葬器物，三、几点认识，共三个部分，有手绘图等。

据介绍，在调查中，椭圆形的扰坑依然暴露在地表上，仅发现几块残缺不全的下肢骨和头盖骨。牧民反映，2 把剑出土时，还有 2 把铜刀和一些散碎的铜饰件，以及 8 件泥制的陶罐一起出在这个坑里。这些器物都得到了保存。当时还见到过人的头骨和股骨，但已朽不成形。据这些情况分析，遗物当是墓葬的随葬品。计青铜短剑 2 件、陶器 8 件等。简报推断年代为西周中期。

119.内蒙古敖汉旗周家地墓地发掘简报

作　　者：中国社会科学院考古研究所内蒙古工作队　杨　虎、顾智界

出　　处：《考古》1984 年第 5 期

1981 年春，考古人员在复查敖汉旗夏家店上层文化墓地时，发现古鲁板蒿公社周家地村西的墓葬保存较好，颇具特色，同年 8 月发掘这处墓地。发掘所获人骨和动物骨骼分别经考古人员鉴定。简报分为：一、墓地与墓葬，二、随葬品，三、结语，共三个部分，有手绘图、照片。

据介绍，墓地位于敖汉旗古鲁板蒿公社周家地村西 800 米，老哈河右岸丘岗的北坡上。其西约 700 米，即东白家地村东是 1 处与此墓地相对应的夏家店上层文化遗址。周家地的墓葬全部是土坑竖穴墓，普遍使用木质葬具，而不见石椁；仰身直肢葬为主，头向大多为西北，有一定数量的二次葬，以及多种形式的合葬；以钉缀铜泡、绿松石的麻布作覆面，有的面部尚覆盖蚌壳；随葬陶壶（前此仅见于赤峰红山后等墓葬）和短颈罐等都是自具特色的。随葬品有陶器、铜器、革带、蔽膝与刀鞘，骨器、蚌器、覆面。周家地墓葬出土的器物群及其葬俗，简报推断应是 1 处夏家店上层文化墓地，时间约当春秋时期，各墓有早晚之别。从存在时间、分布地域、生产与习俗等方面，把夏家店上层文化遗存，与史籍的有关记载相比较，可以看出它应是东胡及其先人的一种遗存。

简报称，周家地部分墓葬保存较好，木质葬具、发辫、革带和某些服饰佩带方法（如铜饰头箍、铜耳环、箕形蚌质项饰等仍保留在原位）等方面，都为夏家店上层文化的研究增添了新的材料，也对探索其他北方民族相关问题有所启示。

120.内蒙古赤峰市大甸子墓地述要

作　　者：刘观民

出　　处：《考古》1992 年第 4 期

大甸子村在内蒙古赤峰市（原昭乌达盟）的敖汉旗南部，村外有 1 处夏家店下层文化的遗址与墓地。发掘工作自 1974 年开始，至 1983 年历经四次。简报配以手绘图、照片予以介绍。

据介绍，大甸子遗址高出周围地面约 2～3 米，是个有夯土围墙的聚落遗址。大甸子墓地在遗址的东侧，紧靠在遗址的围墙与豪沟之外，地势低于遗址。墓皆为长方形土坑竖穴。墓地以东西方向的空白地带间隔分为北、中、南三大区。各大区之中又以不同的相对集中情形区分为若干小区。北区占地面积最大，墓最多，编号

545 座。南区墓最少，编号 116 座。总编号 804 座。墓皆头向西北。男、女成人是单人一次葬。男女成人墓中大都有随葬陶器，墓中随葬陶器的（包括不同年龄性别）有 600 多座。随葬陶器的常见例是每墓出 2 至 3 件，这样的总计有 400 余座。茔城之间有礼遇之差，随葬陶器上曾经彩绘的有 400 多件，出自 200 多座墓中。大甸子墓地的年代曾有两例碳十四测定，相当二里头二、三期的年代跨度之中。以目前对这类酒器形态的源流知识而言，简报认为它们是源自二里头文化的，在夏家店下层文化之中应属外来因素。

简报称，大甸子墓地是揭露较完整的一处夏家店下层文化的墓地，对于了解相当夏代纪年的族墓地，是目前尚为稀少难得的实例。对于研究早期青铜时代的工艺技术，世族、礼制等方面，都是重要的资料。

121.内蒙古林东塔子沟出土的羊首铜刀

作　者：王未想
出　处：《北方文物》1994 年第 4 期

1987 年 3 月，内蒙古赤峰市巴林左旗林东镇附近的塔子沟村农民付友在辽上京遗址南塔山的东南山坡上捡到 1 把羊首青铜刀。这把刀是在被风吹开的小山丘上发现的，后被巴林左旗博物馆征集。简报配以手绘图予以介绍。

据介绍，铜刀通长 37.4 厘米，凹刃、弧背。其中刃部长 24 厘米，柄长 10 厘米，刃部最宽处 3.8 厘米；弧背较厚，为 1.1 厘米。重量 440 克。背部两面奋起一道凸棱，与柄至身的衔接处凸棱连接在一起。柄上宽下窄，横剖面为扁圆形，柄上羊首铸造逼真而精致，完全是立体形象，四面皆可观赏。加之手柄上饰以华美的图案，更加显得作工精湛。它既是 1 件兵器，又是 1 件不可多得的青铜艺术品。与铜刀同时出土的还有 1 件铜泡饰。在铜刀出土的沙丘地带，见有多处积石，推测这把铜刀应是墓葬中的随葬品。简报认为是商代晚期的遗存。

122.内蒙古敖汉旗发现一件夏家店下层文化玉斧

作　者：内蒙古敖汉旗博物馆　邵国田
出　处：《考古》1997 年第 11 期

内蒙古敖汉旗博物馆于 1995 年秋，收藏 1 件玉斧。据传，此玉斧出土于该旗的大甸子乡一带。简报配以拓片予以介绍。

据介绍，玉斧为浅绿色玉质，有墨绿色纹理，体态修长，表面磨光，局部酸蚀严重。

这件玉斧上部带纹饰的中心位置的变体鸟纹，在夏家店下层文化彩绘陶器上也屡有出现，而扭索纹、凸弦纹也是北方青铜文化主要纹饰。因此，这件玉斧虽然出土位置不明，简报推断当属夏家店下层文化，另从其形制看，也应属夏家店下层文化的类型。

简报称，这件玉斧的发现，为研究我国北方青铜文化又提供了一个十分珍贵的实物材料。

又，据《文物》1983 年第 8 期报道，在喀喇沁旗锦山公社西府大队曾发现一夏家店下层文化石磬。时代应是距今 3500 年左右，相当于商代早期。

123.内蒙古赤峰市半支箭河中游 1996 年调查简报

作　者：中国社会科学院考古研究所、内蒙古文物考古研究所、吉林大学考古
　　　　系赤峰考古队　朱延平、郭治中、王立新
出　处：《考古》1998 年第 9 期

近年来，为了给赤峰地区大遗址保护提供科学依据和进一步开展对这个地区的考古研究，考古人员有重点地调查与发掘了赤峰地区西南部的夏家店下层文化遗址。简报分为三个部分介绍，有手绘图。

据介绍，KD1 ~ KD5 或其中某几个地点肯定是夏家店下层文化先民长期定居的聚落，而 KJ7 等另一种类型的遗址则明显不属于这一性质；鉴于 KD1 ~ KD5 与 KJ7 等地点间应存在某种联系，简报认为可将这两种类型的遗址放在一起考虑，亦即可将 KD1 ~ KD5 与 KJ7 为代表的那些地点视作一个群体；简报认为，若将 KJ7 制高点视为上述群体之标志，那么东北方面洞山制高点附近的 SD1 就应该是另一群体的标志。

简报称，上举两种类型，尤其是以 KJ7 为代表的一类遗址，其性质究竟如何，它们之间又有怎样的关系，这是在将来的工作中有待揭示的。

124.内蒙古巴林右旗发现绳纹陶罐

作　者：朝格巴图
出　处：《北方文物》2006 年第 2 期

1983 年 8 月，内蒙古赤峰市巴林右旗巴彦汉镇和布特哈达 4 组社员，在距村约 2.5 公里的西南山岗上放牧时发现 1 件绳纹陶罐，别无共存器物，也无墓葬痕迹。此罐现收藏于旗博物馆。简报配以照片予以介绍。

据介绍，陶罐为夹砂褐陶，火候较高，轮制，圆唇矮领，侈口丰肩，圆鼓腹，最大径在腹中上部，小平底，腹部满印斜竖绳纹加抹划平行弦纹 13 周。从陶罐的造型和纹饰特征看，此罐为夏家店下层文化器物。根据目前考古材料可知，在西拉木伦河以北发现夏家店下层文化完整器物还属首次，大致相当于夏商时期。

125.2006 年赤峰上机房营子石城址考古发掘简报

作　者：吉林大学边疆考古研究中心、内蒙古文物考古研究所　金英兰、卢可茵
出　处：《北方文物》2008 年第 3 期

2006 年秋，为配合三座店水利枢纽工程的建设，考古人员联合对上机房营子石城址遗址进行了大规模的考古发掘，揭露和出土了大量的遗迹、遗物，其文化属性分属于夏家店下层文化和夏家店上层文化，为探讨阴河流域青铜时代考古文化面貌及诸多相关问题，提供了丰富的科学资料。简报分为：一、地层堆积与文化分期，二、遗迹，三、遗物，四、结语，共四个部分，有手绘图。

据介绍，石城依山势而建，平面布局呈不规则形，南北长约 280 米，东西宽约 100 ～ 200 米，面积近 40000 平方米。城的东西两侧为 10 余米深的沟壑，石城址的南部为陡坡，叶表植被破坏严重，现为果林，地面多为裸露的石块。发掘区位于石城北部地势较平坦处，发掘面积 500 平方米。揭露灰坑和窖穴 21 个，出土有石、陶、骨、角、牙等器物。

简报称，上机房营子遗址两年发掘的面积有 2000 余平方米，揭露遗迹 200 余个，出土器物 1000 余件，其文化属性分属于夏家店下层文化和夏家店上层文化，延续的时间应从夏商进入了周代。

126.内蒙古敖汉旗柳南墓地综述

作　者：杨　虎、林秀贞
出　处：《北方文物》2011 年第 4 期

柳南墓地是青铜时代聚族而葬的墓地，1982 ～ 1983 年发现并发掘，共计 21 座墓，均为土坑竖穴结构。随葬器物有陶器和石器，陶器均为手制。它与已知的考古学文化既有联系又有较大的差异，应立为"柳南类型"。简报分为：一、墓葬分布及其葬俗特征，二、遗物特征，三、结语，共三个部分，有手绘图。

据介绍，简报将柳南墓地的文化特征简单归纳为两点：第一，墓葬成排分布。墓室结构为长方形土坑竖穴，无葬具。墓内填土多用数层石块填埋。尸骨大部分经

火焚烧。简报概括为土坑火葬填石墓。葬式有仰身直肢和侧身屈肢。第二，墓内以随葬陶器为主，少量石器。陶器皆手制。陶质有夹砂和泥质之分，个别陶器有红衣和黑彩。纹饰有附加堆纹和斜向绳纹，素面占大多数。陶器中有圈足碗和绳纹罐或圈足碗与素面双耳罐的组合套器。男女墓主皆有。随葬陶器流行个体很小的非实用的明器，且罐底多有穿4孔的特征。除随葬陶器外，男性还随葬石钺和石镞，女性随葬陶、石纺轮，体现了男女社会分工的不同。正因如此，简报才说："柳南墓地属青铜时代遗存。柳南的墓葬结构、墓俗和随葬器物群颇具特色，不能笼统地归到已知的考古学文化中。"

据测定，这一墓地的年代为距今约 3300 ～ 3600 年。

127.内蒙古克什克腾旗喜鹊沟遗址发掘简报

作　者：吉林大学边疆考古研究中心、内蒙古自治区文物考古研究所　王立新、李延祥、曹建恩

出　处：《考古》2014 年第 9 期

克什克腾旗位于内蒙古自治区赤峰市的西北部。2011 年 6 ～ 7 月，考古人员对这处遗址进行了发掘。简报分为：一、地层堆积，二、遗迹，三、遗物，四、结语，共四个部分，有彩照、手绘图。

据介绍，发掘区出土的各类遗物以石器为大宗，其次是陶片，有少量骨器和角器。另外，还发现了大量的兽骨、鱼骨。简报推断喜鹊沟遗址的年代应为晚商时期，其下限或可至西周初，简报认为这是迄今为止在我国长江以北地区发现的年代最早的采矿遗址。

通辽市

128.内蒙古库伦旗南泡子崖夏家店下层文化遗址调查简报

作　者：哲里木盟博物馆　郝维彬

出　处：《北方文物》1996 年第 3 期

1988 年 5 月，在进行哲里木盟文物大普查时，考古人员在库伦旗三道洼乡南泡子崖村发现 1 处夏家店下层文化遗址，并对该遗址进行了初步调查和出土文物征集工作。

简报分为：一、地理位置与环境，二、征集和采集遗物，三、结语，共三个部分，有手绘图。

据介绍，南泡子崖属自然村，位于库伦镇西约49公里、三道洼乡西南10公里处。归该乡三家子村管辖，东距三家子村1.5公里，西与奈曼旗章古台苏木泡子村隔河相望。村民盖房时经常挖出陶器、铜器、石器、人骨，大半被毁。考古人员征集和采集的器物有陶器15件及石器等共计25件。遗址由居住址和墓群两部分组成。在征集遗物中发现，完整陶器都在遗址南半部出土，一并出土的还常常有玛瑙玦、陶纺轮和一些石器等。同时，发现有规律排列的人骨架，显然，遗址南半部是一处墓群；遗址北半部应为居住地，墓地与居住地几乎相连。简报称，在经济形态方面，反映出当时先民正处在石铜并用时期，过着定居生活，石锄、石锤、石矛、蹄形器等农耕和狩猎工具的发现，说明当时先民以农耕和狩猎为主要生活来源。手工业发达，主要有制陶业、青铜铸造业和玉石器加工业等。陶器制作美观，青铜刀和玛瑙玉石器制作精巧，说明当时的青铜铸造业和玉石加工业已达到相当水平，并已有了一定的审美意识。

该遗址属夏家店下层文化，约相当于中原地区夏商时期。

129.内蒙古通辽市扎鲁特旗香山镇双龙泉与水泉沟遗址的调查

作　者：吉林大学边疆考古研究中心、内蒙古扎鲁特旗文物管理所
出　处：《考古与文物》2011年第3期

扎鲁特旗位于内蒙古自治区通辽市的西北部。旗内中北部为大兴安岭余脉，大部分属低山丘陵地带。以往在该旗境内开展的考古工作不多，工作基础十分薄弱。汉以前的文化遗址更是缺少关注。唯有旗内东南部的南宝力皋吐墓地近年进行过正式的发掘。考古人员对该旗香山镇所发现的双龙泉和水泉沟两处遗址进行了重点复查。

简报分为：一、双龙泉遗址，二、水泉沟遗址，三、初步认识，共三个部分，有手绘图。

据介绍，双龙泉遗址位于扎鲁特旗香山镇双龙泉村南3000米处，东南距鲁北镇约4000米。水泉沟遗址位于香山镇罕山村北约4000米的水泉沟北侧的坡地上。遗址地表现已辟为果园，种植山楂、沙果等，破坏严重。两处遗址所发现的遗物主要为陶器，简报认为此两处遗址的年代与文化应与魏营子文化相同。时代约相当于中原地区的商代。

鄂尔多斯市

130.内蒙古准格尔旗大口遗址的调查与试掘

作　者：吉发习、马耀圻

出　处：《考古》1979 年第 4 期

　　大口遗址在准格尔旗马栅公社，这处遗址，在 1962 年调查后曾作过报导。考古人员于 1973 年夏天，进行了 1 次小规模的试掘工作。简报分为四个部分予以介绍，有手绘图。

　　据介绍，大口村位于准格尔旗沙屹堵镇东南约 35 公里。这里南临黄河，是鄂尔多斯高原的南缘。东与山西省河曲县隔河相望，南约五公里进入陕西省府谷县境，正是内蒙与山西、陕西两省交界的地方。遗址西南距大口村约 0.5 公里，坐落在 1 处高出河床约 30 米的台地上，面积东西约 200 米、南北约 150 米。遗迹风化严重，陶片等遗物大都散布于地表。文化堆积较好的中部和西部已被垦为农田，耕作时常把瓮棺葬具和其他遗物犁翻出来。试掘共清理了房屋遗迹 2 处（编号 F1、F2）、半圆形窖穴 1 个（编号 H1）、瓮棺葬 7 座（编号 W1 ~ W7）、成人墓葬 3 座（编号 M1 ~ M3）；共得完整陶器 20 余件，石器、骨器一百余件。可分为两期，第一期相当于客省庄二期文化。第二期文化的相对年代要早于偃师二里头早商文化，晚于客省庄二期文化。先民已过着定居的农业生活，已有家畜饲养，但狩猎仍占一定地位。采集到的石贝 1 件，似为货币，说明已有商品交换。

呼伦贝尔市

131.内蒙古莫力达瓦旗尼尔基四方山发现古墓

作　者：莫力达瓦达斡尔族自治旗民族博物馆　杜思辉、郭旭晟、郭淑珍

出　处：《北方文物》2009 年第 1 期

　　2002 年 6 月 4 日，在旗政府所在地尼尔基镇四方山村开发建设旅游区时，发现一座古墓葬，考古人员对墓葬进行了清理。简报配以照片予以介绍。

　　据介绍，四方山，海拔高度约 165 米，俯瞰其形状因近四方形而得名。墓地位

于四方山西侧的半山坡上，其东北 15 公里为旗所在地尼尔基镇，因破坏严重，墓葬形制难以判断清楚。在墓穴现场南北长 2 米、东西宽 1.5 米、深约 0.8 米的范围内，发现并清理出墓主人的头骨、小腿骨各 1 块及少量人体骨髓碎片。据目击者称，墓葬为单人葬，仰身直肢，头北脚南。无葬具。墓内出土完整陶器 3 件及少量的红褐色、灰褐色陶器碎片，并有 5 件铜泡出土。简报认为此墓属白金宝文化，相当于商周时期。该类型的遗存在松嫩平原分布十分广泛，在内蒙古自治区尚属首次发现，此次发现为研究白金宝文化遗存的分布范围，提供了新的实物资料。

巴彦淖尔市

132.内蒙古白音浩特发现的齐家文化遗物

作　者：齐永贺

出　处：《考古》1962 年第 1 期

在内蒙古自治区巴彦淖尔盟阿拉善旗白音浩特镇南约 0.5 公里处的鹿图山，1958 年秋先后两次发现齐家文化遗物。遗物发现在该山南半坡距地表 1 米深的土层中，在其南约 200 米处，又采集到残石磨盘、磨棒各 1 件。出土的陶器有素面细泥红陶双大耳罐 1 件，夹砂粗灰陶双耳罐 1 件，灰陶绳纹单耳鬲 1 件，夹砂粗陶盏形器 1 件。此次发现，对研究齐家文化的分布范围有一定价值。

乌兰察布市

兴安盟

133.吉林科右中旗的新石器时代遗存

作　者：盖山林

出　处：《考古》1977 年第 3 期

科尔沁右中旗位于吉林哲里木盟东北部，西邻扎鲁特旗，南与科尔沁左中旗毗连。在该旗东部地区，地面上散布着许多固定沙丘，在临近河边湖畔、地势高的沙丘上，常有原始氏族所遗留下的古文化遗存。有些沙丘，由于历年风雨剥蚀，形成许多风蚀坑，在这些坑中常有古文化遗址发现。考古人员1965年在该旗发现了新石器时代遗址多处。简报分为：一、贝子府，二、界拉百，三、哈尔巴达，四、红旗脑色，五、结语，共五个部分，有手绘图。

据介绍，发现有细石器、陶片等。关于贝子府、界拉百等古遗址的时代，简报认为可能属于新石器时代的末期，它的下限可能已到了金石并用时期。因为在官地和望海屯等出土类似贝子府几何形图案的陶片的遗址，均已有了铜饰，说明这种陶片纹饰是金石并用时代的。

锡林郭勒盟

阿拉善盟

辽宁省

沈阳市

134.辽宁法库县弯柳街遗址调查报告

作　者：曹桂林、许志国
出　处：《北方文物》1988 年第 2 期

弯柳街遗址发现于 1979 年。当地农民在这里进行耕种、取土等劳动时，先后发现大量的陶器残片、完整陶器和石制工具，考古人员曾先后几次去该遗址进行调查。

简报分为：一、地理位置，二、调查采集、征集情况，三、遗物，四、关于遗址的年代，共四个部分介绍调查情况。

据介绍，弯柳街遗址位于法库县城西南约 25 公里丁家房乡弯柳街村东南的漫岗台地上，当地人称为"房身地"。根据对遗址的调查和对遗物的分析，其陶器无论在陶质、陶色、器形、器类、制作方法和纹饰上，都与新民高台山、沈阳新乐上层文化相近，应属同一种文化。沈阳新民高台山遗址的年代经碳 14 测定为距今 3370 年，相当于商末周初，因而，简报推断弯柳街遗址的年代亦应大体与此相当。

简报称，青铜刀的出土，为我们探索北方青铜文化渊源和毗邻地区青铜文化的关系提供了珍贵的实物资料。

135.辽宁法库县湾柳遗址发掘

作　者：辽宁大学历史系考古教研室、铁岭市博物馆　何贤武、郑　辰、赵常琳、
　　　　曹桂林
出　处：《考古》1989 年第 12 期

湾柳遗址，属辽宁省法库县丁家房乡湾柳街村。遗址是 1979 年发现的，其后铁岭市博物馆曾多次调查，并在《北方文物》1988 年第 2 期发表过调查报告（曹桂林、许志国《辽宁法库县湾柳街遗址调查报告》，《北方文物》1988 年第 2 期），1987

年又曾作过小型试掘，报告未发表。湾柳遗址坐落在村东南漫岗台地上，为挽救古代文化遗物免遭破坏，探索辽北地区青铜文化面貌，考古人员于1988年5月5日至6月16日到此进行为期43天的发掘实习。发掘地点基本在第Ⅱ区，因照顾砖厂晾坯，故未能连片开方，共开探方20个，揭露面积516平方米。发掘灰坑7个，墓葬1座，出土遗物有生产工具、生活用具等100余件。

据介绍，湾柳遗址1979年发现后，铁岭市博物馆作过多次调查，征集了部分文物。从征集文物看，除陶器外，还发现青铜器5件，其中1件铃首刀已发表，此次发掘，又发现几件铜器，简报从而可以断定此遗址应属青铜时代遗址。

湾柳遗址从地层上可分二层，然纵观文化遗物，基本无大差别，且文化堆积较薄，故可归入一个文化层。湾柳遗址的年代，从陶器形制和发现有青铜器看，属青铜时代，约与新乐上层和新民高台山相近；但从器物形制的复杂性、多样性和采集的青铜器形制比较进步，与中原商殷时期青铜器有相似之处来观察，该遗址年代比新乐上层和高台山可能略晚，经测定其年代为距今3150±80（前1200）年，树轮校正年代距今3340±150（前1390）年。大约相当中原商殷时期。

136.辽宁新民市偏堡子遗址青铜时代遗存

作　者：沈阳市文物考古研究所、吉林大学边疆考古研究中心、新民市文物管理所　吴　敬、姜万里、张树范、刘焕民、蒋　璐等

出　处：《考古》2011年第10期

偏堡子遗址位于辽宁省新民市张屯乡偏堡子村，西北距新民市区约25公里，西距辽河约10公里，南临蒲河。1956年，考古工作者在偏堡子村调查时，发现了重要的新石器时代遗存，即目前学术界公认的"偏堡子文化"。从偏堡子文化发现、命名至今，其代表性遗存均是在偏堡子遗址以外的地点发掘所得。在第三次全国文物普查中，新民市文物管理所在偏堡子村采集到了属于偏堡子文化、高台山文化以及新乐下层文化的陶片。考古人员对偏堡子遗址进行主动发掘。此次发掘时间从2010年7月中旬至9月底。发掘分两区，发现了青铜时代以及辽金时期的文化堆积和遗迹，但并未发现明确属于偏堡子文化或是年代更早者。第Ⅰ发掘区以辽金时期遗存为主，只有少量青铜时代遗存，且被晚期遗迹严重扰乱。第Ⅱ发掘区的辽金时期遗存极少，青铜时代遗存保存较好。两区的青铜时代遗存文化面貌基本一致。简报分为：一、地层堆积，二、墓葬，三、遗址，四、结语，共四个部分，介绍了第Ⅱ发掘区的相关情况，有照片、手绘图。

据介绍，在遗址第Ⅱ发掘区清理了青铜时代墓葬6座，出土陶器12件，同时发

掘了灰沟、灰坑若干，出土了陶器、骨器、石器等。墓葬的年代，简报推断约在商代中期及以前。这批材料具有高台山文化和新乐上层文化的因素，同时又有较强的地域性和时代性，为研究本地青铜时代的文化面貌提供了新的材料。

137.沈阳市千松园遗址 2010 年发掘简报

作　　者：沈阳市文物考古研究所
出　　处：《考古》2013 年第 9 期

千松园遗址是 20 世纪 80 年代初第二次全国文物普查时发现的，位于沈阳市城区西北部塔湾地区新开河北岸的黄土台地上。2002 年 6 月因中国刑事警察学院建设学生食堂，首次对该遗址进行了考古发掘，发掘面积 102 平方米，发现灰沟 2 条、灰坑 4 个、出土少量新乐上层文化遗物。2003 年 3 ~ 5 月，因辽宁经济职业技术学院建设教学楼和培训楼，抢救性发掘 250 平方米，发现灰沟 1 条、灰坑 15 个，出土有偏堡子文化和"千松园二期遗存"的遗物。2006 年 3 ~ 4 月，因中国刑事警察学院建设学生宿舍楼，抢救性发掘 107 平方米，发现灰沟 2 条、灰坑 9 个，出土少量新乐上层文化遗物。2010年初，工美学院原址被整体拆迁。此年 6 ~ 8 月，考古人员再次进行抢救性发掘，发现新乐上层文化围壕 1 条、房址 8 座，辽、金时期房址 4 座，各时代灰坑 50 个，出土陶器、瓷器、石器、铜器等各类遗物近百件。简报分为：一、地层堆积，二、遗迹，三、遗物，四、结语，共四个部分，有彩照和手绘图。

简报认为，千松园遗址 2010 年发掘的早期遗存可以归入新乐上层文化的早期，年代相当于夏商之际；其晚期遗存同新乐上层文化的晚期遗存相当，年代为商代晚期。

据简报推测，千松园遗址的房屋是先挖出基槽，然后在基槽内外挖出柱洞，以立木柱构搭屋架，屋顶结构不明。遗址内经常发现有一面较平的大块草拌泥红烧土，极有可能为墙面，由此推测房屋应为木骨泥墙。房屋使用前，基槽内要先铺垫一层黄褐色土。柱洞不设柱础，而且较大的柱洞可能是柱坑，其直径并不一定代表木柱的直径。屋内多见烧火痕迹，灰烬多被铺撒到屋内地面上，形成一层较厚的以炭灰土堆积为主的踩踏层，并且房屋中间往往会下陷形成一个凹坑。垫土如果较厚，则与踩踏层可区分开来，如果较薄，则很难区分，且容易与半地穴的屋壁连成一体。这种房屋建造方式与道义郭七遗址中发现的房址相似。另外，在大型房址内仅发现有烧火痕迹或炭灰堆积。有些小型房址的面积过小，其长度不够人躺卧，是否用于居住尚有待考证。大型房址内发现的坑可能是用于储藏物品的窖穴。

简报指出，这些发掘为新乐上层文化房址结构、聚落形态、社会组织等方面的研究提供了新的考古资料。

大连市

138.记旅大市的两处贝丘遗址

作　者： 安志敏

出　处： 《考古》1964 年第 2 期

1961 年 8 月，安志敏先生调查了旅大市烈士山和小磨盘山的 2 处贝丘遗址。简报分为：一、烈士山贝丘遗址，二、小磨盘山贝丘遗址，三、有关的几个问题，共三个部分，有手绘图。

据介绍，烈士山旧名大佛山，是耸立在旅大市区内海拔约 190 米的一座高山，山北面对着斯大林广场，从山的北麓到大连湾海岸，相距约 3 公里，为一广阔的冲积地带。山南则为起伏的丘岭地带。

这个遗址发现于 1939 年，但没有发表正式报告，只在个别论文里提到一些情况。所发现的个别遗物，现藏于北京大学，其他则下落不明。1948 年和 1949 年，所采集的石器和陶器，现藏于旅顺博物馆。小磨盘山位于市郊黑石礁凌水桥的西北，南距海岸约 1 公里，山顶的海拔高度约在 100 米以上。该山为一孤立的山头。

简报称，烈士山和小磨盘山贝丘遗址出土的文化遗物，基本上属于辽东半岛新石器时代晚期文化的范畴，在遗物的性质上也确含有若干龙山文化的因素。上限大约相当于中原殷周时期或稍早；而下限也应当早于战国。

139.大连于家村砣头积石墓地

作　者： 旅顺博物馆、辽宁省博物馆　许明纲、刘俊勇

出　处： 《文物》1983 年第 9 期

砣头积石墓地位于大连市旅顺口区铁山公社于家村西南 500 米临海的一个小半岛上，1977 年发现，同年进行了清理。简报分为"墓葬结构、葬式和埋葬习俗""随葬器物"等几个部分予以介绍，有照片。

据介绍，共计 58 个墓室，根据发掘情况分析，建墓时先用土将地面垫平，然后用附近海岸取来的大石块垒砌墓室，上用小海卵石封顶，隆起成小丘。有的还在墓上中心部位放一排大石块，可能是作为标记。墓室为单室，分长方形、方形和椭圆形三类。底部多数铺一层小海卵石，有的铺大石块，室内不填土。随葬品有石珠、

陶珠、绿松石坠、玛瑙坠、陶器等。

简报认为，此处是附近发现的于家村遗址先民的公共墓地。年代约相当于中原地区的商末周初。

又，据《考古学报》2006年第2期，辽宁省大连市旅顺口区北海镇北海村东南三面临海的砣子上，高出海平面10余米，当地称之为"大砣子"或"东海砣子"。1980年10月，考古人员在进行调查时发现了该遗址。鉴于遗址保存完好，大连市人民政府于1985年7月11日将之公布为"市级文物保护单位"。1996年10月6～19日，考古人员得知该遗址遭到严重破坏的消息后，立即对该遗址部分地段进行了抢救性考古发掘。由于建筑施工，遗址再次遭到破坏，考古人员又于1998年3月30日至4月4日进行了第二次抢救性考古发掘。揭露出房址8座、灰坑4个、遗物200余件。

据介绍，第一期文化遗存距今约3600～3300年；第二期文化遗存距今约3384±92年或距今3050±86年。大砣子第一期文化发现生产工具不多，主要有斧、锛、刀、铲、球、纺轮等。第二期文化生产工具大量增加，除第一期所有石器外，增加钺、剑、镞、棍棒头等。扁平长身石斧大量出现，石锛形制多样，用途广泛，分工更细。收割工具刀有所增加，网坠的发现反映了捕捞业的水平，动物遗骸包括鹿、猪、狗、猫、牡蛎、蛤仔、红螺等，说明当时的经济以农业为主，兼营渔猎和采集。

140.辽宁新金县双房石盖石棺墓

作　者：许明纲、许玉林
出　处：《考古》1983年第4期

双房西山石棚和石盖石棺墓群，是1980年6月中旬，新金县文物普查过程中发现的，8月6日至7日进行了清理。双房小队位于新金县安波公社德胜大队东北约2公里，墓群位于双房小队西约0.5公里的西山南坡。这里共有石棚6座、石盖石棺墓3座，均被破坏。简报配以照片、手绘图，先行介绍了残存的第六号石盖石棺墓。

据介绍，考古人员推测，当时是先挖一个长方形坑，然后在坑内用大型花岗岩石板筑成长方形石棺。人骨无存，葬式不清。出土遗物有青铜短剑、滑石斧范等。该墓的时代，简报推断为商末周初或稍早。

141.辽宁省瓦房店市谢屯乡青铜时代遗址调查

作　者：王　玖

出　处：《北方文物》1992 年第 1 期

为了配合大连市文物志编写工作，1982 年春，考古人员用了 20 多天的时间，对谢屯乡所有的自然村进行了普查，新发现新石器至青铜时代遗址 8 处：有魏屯的魏山遗址；莲花村的莲花山遗址；靠海村的东大山遗址；狮石村的黑灵山遗址；前进村的北山遗址；泉眼村的磊子山遗址；大屯村的大榆山遗址；沙山村的元台山遗址。采集到不少石器、陶器标本。简报配以手绘图，重点介绍了魏山、莲花山、东大山 3 处青铜时代遗址的调查情况。

据介绍，此 3 处遗址距今约 4000 年，这种文化类型的特点是，陶器以夹砂黑褐陶为主，夹砂黑皮陶次之。器形主要有壶、罐、钵、豆、碗、杯等。除豆外，均为平底，不见三足器和圈足，器壁厚而器形大，出现彩绘陶。这种文化类型，似与青铜短剑墓有一定联系。

142.辽宁省庄河县古遗址调查

作　者：曲　枫、孙德源

出　处：《北方文物》1992 年第 3 期

庄河县位于辽东半岛东部，南临黄海，境内丘陵起伏，气候温暖温润，河流众多。辽南最大的河流——碧流河以及庄河、英那河从此流入黄海。庄河境内分布着丰富的古代文化遗址。1988 年秋天，考古人员对北吴屯等几处新石器时代至青铜时代遗址进行了调查。此次调查为研究辽东半岛古代文化提供了新的资料。简报分为：一、黑岛北吴屯贝丘遗址，二、平山遗址，三、明阳小鳖山遗址，四、尖山盐坨子贝丘遗址，五、几点认识，共五个部分，有手绘图。

据介绍，黑岛半岛东距县城 30 公里，南、东、北三面被大海包围。半岛山峦起伏，英那河从半岛北边缘入海。北吴屯遗址就位于黑岛半岛北部的一处缓坡之上，其南 200 米处即北吴屯，故称其为北吴屯遗址。平山遗址位于县城西北 10 公里处，南距黄海 15 公里。遗址在庄盖公路南侧 100 米远的一座高岗之上。岗上地势平坦，南北长 80 米，东西宽 50 米，系人工所为。小鳖山遗址位于县城西南 50 公里处，南 2.5 公里为黄海。遗址在明阳乡蛎子嘴村东 400 米处一座高岗之上。盐坨子遗址在县城西南约 60 公里处，位于尖山乡盐厂北侧突兀而起的山岗之上。遗址以南 500 米处即黄海。

简报称，这批遗址的年代，大致在距今 4000～3000 年左右，约相当于中原地区的夏商之时。简报指出，这些遗址不少建在山顶而不是通常的背风向阳之地，或与防止海水侵蚀有关。

143.辽宁大连市大嘴子青铜时代遗址的发掘

作　者：辽宁省文物考古研究所、吉林大学考古学系、大连市文物管理委员会
　　　　陈国庆、华玉冰、王　玠、刘俊勇等
出　处：《考古》1996 年第 2 期

大嘴子遗址地处大连市甘井子区大连湾镇李家村东北约 2 公里处黄海北岸三面环海的半岛顶端台地上，东、南为临海断崖，高出海面约 10 米，当地俗称"大嘴子"，故名。现遗址北侧已修成公路，西部则为缓坡农田。该遗址在 1959 年旅顺博物馆进行文物普查时发现。1987 年，由于修建大连至经济技术开发区的振兴公路从遗址中间穿过，大连市文物管理委员会曾对遗址进行了局部抢救性发掘。

因该遗址内涵丰富，保存较好，1992 年春，考古人员对该遗址进行了发掘。简报分为：一、地层堆积与文化分期，二、早期遗迹和遗物，三、中期遗迹和遗物，四、晚期遗迹和遗物，五、动物遗骸，六、结语，共六个部分，有手绘图、照片。

据介绍，因遗址上层房屋原地保护，所以仅在两个探方内清理了早、中两期的地层，故此两期出土物较少，完整器物少见。这次共发现房址 12 座，灰坑 3 个（H1～H3），石墙 1 道，出土遗物 150 余件。晚期房址均开口于第 2 层下，分布密集。经有关部门研究决定，将晚期房址原地保存，故只将 T2 和 T6 清理至生土。

简报称，大嘴子遗址晚期遗存的年代，经中国社会科学院考古研究所实验室对出土木炭进行碳十四测定，年代分别为：距今 3384±92 年(F1 木炭，1434±92 年 B.C，树轮校正年代为 1691～1459 年 B.C)；距今 3053±86 年(F4 木炭，1103±87 年 B.C，树轮校正年代为 1373～1051 年 B.C)。

144.辽宁瓦房店市长兴岛青铜文化遗址调查

作　者：刘俊勇
出　处：《考古》1997 年第 12 期

长兴岛位于辽宁省瓦房店市西部，为我国长江口以北最大的岛屿。1982 年，考古人员在长兴岛进行了近 20 天的考古调查，发现各时期遗址近 30 处。1990 年，考

古人员对三堂村新石器时代遗址进行了发掘。四处青铜时代遗址的调查情况简报分为：一、药王庙遗址（编号Y），二、八岔沟遗址（编号B），三、窟窿山遗址（编号K），四、茶山遗址（编号C），五、结语，共五个部分，有手绘图。

据介绍，长兴岛这4处青铜文化遗址的面貌和大连地区以前所发现的青铜文化遗存不同。这几处遗址，以药王庙遗址最具代表性，文化特征为以双肩石斧为代表性器类，其他还有双肩石钺、双肩石锛。除此之外，还有一定数量的扁平斧、双孔石刀及网坠。扁平石斧、石刀是大连地区青铜文化的代表器，这说明岛上和内地之间有一定的联系。药王庙一类遗存的陶器以叠唇深腹罐为代表，有的饰刺点纹，这与上马石上层类型的同类罐相似。据此，简报推断此类遗存的年代为距今3000年左右。

145.辽宁大连市土龙子青铜时代积石冢群的发掘

作　者：大连市文化局　吴青云
出　处：《考古》2008年第9期

土龙子积石冢群位于辽宁大连市金州区七顶山乡，地处辽东半岛南端渤海东岸。由自然山石砌筑的规模不等的多座积石冢，散布于为群山所环抱的一条土岗之上。其东为七顶山，北为庙山，西为老虎山，南为连绵起伏的丘陵。土岗为黄褐色砂质黏土，系自然地质作用形成。其形状宛如一条巨龙，自北向南纵卧于山谷之中，岗名"土龙"，实源于此。

土龙子积石冢发现于20世纪60年代，1983年作为金县（今金州区）重要的青铜时代墓地被列入县级文物保护单位，2001年公布为大连市文物保护单位。2004年底，土龙子积石冢所在地的七顶乡村民于此地进行大规模的取土烧砖活动，严重危及土岗之上积石冢的安全。同年秋季，考古人员对其进行抢救性考古发掘。发掘工作自2005年9月14日开始，至10月19日结束。简报分为：一、积石冢的分布及其墓室形制与结构，二、出土遗物，三、结语，共三个部分，有彩照、手绘图。

据介绍，考古人员对辽宁大连市土龙子4～7号积石冢进行清理。各冢均由数座长方形石砌墓室组成。墓室铺垫地石，再以石板、石块砌筑四壁，墓顶用多块石板封盖，墓室之上再积石堆垒。石板、石块据实地调查来自墓地以北的庙山。埋藏方式为多人二次或多人多次葬。一些墓内人骨经过火烧，是入葬时火烧，还是日后遭到破坏时火烧，待考。出土遗物以陶片为主。冢群的年代应为庙山青铜时代遗址上层文化时期，距今约3000年。大约相当于晚商时期。

1号积石冢系1991年发掘，发现有多人火葬、多人二次葬墓葬，出土遗物主要为陶片。详见《考古》1996年第3期。

146.大连庄河平顶山青铜时代遗址发掘简报

作　　者： 辽宁省文物考古研究所
出　　处：《北方文物》2011 年第 1 期

平顶山遗址是在丹东——庄河高速公路考古调查中发现的。2003 年春，考古人员对遗址进行了 2 个多月的清理发掘，共发掘近 3000 平方米。遗迹有房址、灰坑、墓葬等。

简报分为：一、地理位置，二、地层堆积，三、遗迹，四、遗物，五、结语，共五个部分，有手绘图、照片。

据介绍，平顶山遗址位于大连庄河市徐岭镇大房身村平顶子小队西的平顶山的南坡上，共发现半地穴式房址 11 座、灰坑 9 个、墓葬 2 座。出土遗物为石器、陶器。石器以磨制为主，种类较多，主要有刀、镰、斧、凿、镞、磨石等。墓葬为土坑竖穴墓，人骨已朽。随葬品为陶器。文化风貌为双砣子三期，大致相当于商周之际。

同属于双砣子三期文化的遗址，还有 1991 年、1992 年调查和发掘的王宝山遗址。该遗址位于大连市金州区大魏家镇后石灰窑村一座海拔仅 46.8 米的王宝山上。共发现积石墓 8 座。详见《考古》1996 年第 3 期载《辽宁大连市王宝山积石墓试掘简报》一文。

鞍山市

147.辽宁省岫岩县太老坟石棚发掘简报

作　　者： 许玉林
出　　处：《北方文物》1995 年第 3 期

1987 年 7 月，考古人员清理、发掘了岫岩县太老坟石棚。简报配以手绘图予以介绍。

据介绍，太老坟石棚位于岫岩县城东北 8.5 公里的兴隆乡白家堡子村西南约 200 米的断崖处，断崖附近原有茔地，当时称为太老坟，石棚由此而命名。从清理情况看，盖石已不存，石棚系用自然花岗岩稍经加工砌成。出土遗物有石刀、陶片等，有人骨及火化人骨。

简报认为其应属青铜时代墓葬，暂归入夏商周时期。

148.辽宁岫岩真武庙西山青铜时代遗址试掘简报

作　者：岫岩满族自治县博物馆　卜常益
出　处：《北方文物》2000 年第 3 期

1989 年 8 月，岫岩玉石矿在岫岩镇西南真武庙西山建选矿厂，考古人员赴现场调查、勘探，发现施工场地内有青铜时代遗址，遗址面积 50000 余平方米，考古人员进行了试掘。

简报分为：一、地貌与文化堆积，二、遗物，三、结语，共三个部分，有手绘图。

据介绍，遗物主要为陶器，大部分类夹细砂陶，小部分为含云母陶和含滑石粉陶。陶色多以黑褐、红褐色为主，有少部分黑陶与灰陶。部分陶片内壁可平轮修痕及泥条盘筑痕。极少见到斜线纹、弦纹，大部为素面。器物口沿常为叠唇，并在口沿外侧饰附加堆纹，亦有饰盲鼻等。可辨器形有壶、罐、盘、碗、盆等。

据简报推断，真武庙西山遗址年代可初步界定为上限在西周中晚期，下限在春秋时期。

抚顺市

149.辽宁抚顺市发现殷代青铜环首刀

作　者：抚顺市博物馆
出　处：《考古》1981 年第 2 期

1975 年 9 月，抚顺拖拉机配件厂在修建工程中，于距地表 1.4 米黄土中，挖出青铜环首刀 1 件，仅刃部残，基本完好。这是抚顺地区首次发现殷商青铜器。出土地点位于抚顺市西部，介于抚顺、沈阳间，北距浑河 2 公里。简报配以照片予以介绍。

据介绍，青铜环首刀，双范合铸，长 24.1 厘米，最宽处 3.2 厘米。刀身作弧形（弧背曲刃），环首。1977 年 5 月，考古人员在青铜环首刀出土地点作了试掘。出土陶片多是夹砂粗红陶，个别的有红褐色。轮制，火候较高，质地坚硬。陶片大部分残碎过甚，不易辨识器形。三足器在出土遗物中占较大比重。

150.辽宁新宾满族自治县东升洞穴古文化遗存发掘整理报告

作　　者：抚顺市博物馆、新宾满族自治县文物管理所　尚景全、延德玉、李荣发
出　　处：《北方文物》2002 年第 1 期

东升洞穴遗存位于辽宁新宾县大四平镇东升村北，处于太子河上游的桓仁、本溪和新宾三县交界处。继 1974 年之后，1988 年和 1996 年，考古人员又对东升洞穴遗存进行调查，发现一批具有鲜明特征的陶器和石器，其年代上限不早于商周之际，下限约为春秋前后。简报分为：一、洞穴位置和发现经过，二、出土遗物，三、几个问题的讨论，共三个部分，有手绘图。

据介绍，该洞穴是 1974 年文物调查时发现，发现后所获遗物长期放在新宾县文管所库房，未整理发表。1988 年、1996 年再次进行了调查、发掘。在东升洞穴内约 10 平方米的狭小范围内，出土了 60 余件陶器和 30 余件石器。陶器都可以修复完整，壶、罐、杯成套发现。这么多成套的完整器物的发现，与一般的遗址（包括洞穴遗址）发掘中习见的残破陶器和陶片大量出土的情况是全然有别的。其次，出土的石器皆磨制精细，没有使用痕迹，往往是斧、锛、凿成套出土，也不像是实用器。简报怀疑是先民利用天然洞穴作为墓地的一种埋葬习俗。其年代不早于商周之际，下限约为春秋前后。

本溪市

151.辽宁本溪县庙后山洞穴墓地发掘简报

作　　者：辽宁省博物馆、本溪市博物馆、本溪县文化馆　李恭笃、刘兴林、齐　俊
出　　处：《考古》1985 年第 6 期

庙后山坐落在太子河的支流汤河畔，属本溪县山城子公社山城子大队，距县东南 15 公里。为长白山余脉，海拔高度 500 米。

1978 年至 1982 年以来，山城子公社山城子大队农民在庙后山烧石灰采石，前后发现了 3 处洞穴，根据发现的先后，分别编为 A 洞、B 洞和 C 洞。其中 A 洞属旧石器时代的堆积。

B 洞的古墓葬发掘清理工作，从 1979 年 8 月 4 日开始，到月末结束。

为了进一步了解庙后山洞穴墓地的文化内涵，于 1982 年 6 月又对 C 洞及其西侧山坡上与该洞穴墓地文化性质相同的古遗址进行了试掘。发掘工作从 6 月 10 日开始，

7月3日结束，历时23天。简报分为：一、B洞，二、C洞，三、遗址，四、结语，共四个部分，有手绘图、照片。

据介绍，通过本溪庙后山B、C两个洞穴墓的发掘，对太子河流域普遍存在的这支古文化内涵有了初步认识。它既不同于锦西沙窝屯洞穴古文化遗存，也不同于依兰倭肯哈达的洞穴墓葬，在墓葬风俗、生活器皿和生产工具上均有其自身的特点。基于上述情况，简报认为有必要提出庙后山文化类型。虽然在庙后山文化类型的遗址和墓葬中尚未发现青铜器，但根据CM2出土的黑灰色、圆腹、带有四个半圆形器耳的陶壶，已接近辽阳二道河子和新金双房石棺墓出土的陶壶，再考虑到石器中的齿形器和环状石器的多种因素，简报推断这一文化的下限已进入了青铜时代，它的上限有可能早到新石器时代晚期。

152.辽宁桓仁县狍圈沟遗址

作　者：本溪市博物馆、桓仁县文管所　齐　俊、王俊辉
出　处：《考古》1992年第6期

狍圈沟遗址位于桓仁县八里甸子乡东北1.5公里处的狍圈沟村。黛龙江从遗址的西南方向流过，遗址坐落在南北向的坡地上。1978年6月，八里甸子农民在开发该地种植人参动土时在地表下发现大量的石器和陶器残片，考古人员到现场进行了清理，并将出土文物全部收归文管所。简报配以手绘图予以介绍。

据介绍，出土遗物有陶器、玉器。这里采集的遗物以石器最多，并且打制石器与磨制石器共存。打制石器以疤痕大、制做粗糙、形式不固定为其特点。用料、打制方法与太子河流域同类遗址、本溪县山城子乡头道河子遗址、本溪县通江峪遗址及牛心台乡绢纺东山坡遗址（见《本溪地区太子河流域新石器至青铜时期遗址》，《北方文物》1987年第3期）出土的打制石器相似。陶器未见完整器。从残片看，均为手制，素面，陶质有夹细砂、夹粗砂、夹滑石粉陶等，陶色有红褐、灰褐两种。器物均平底，未见三足器，济形耳、环形耳在遗址中常见，以上这些都具有辽东山区遗址的特点。简报推断，狍圈沟遗址的年代与本溪县水泥厂后山洞墓相近，已进入青铜时代。

153.辽宁本溪多年发现的石棺墓及其遗物

作　者：梁志龙
出　处：《北方文物》2003年第1期

本溪位于辽宁东部山区太子河上游，1960年以来，该地陆续发现了一批石棺

墓，简报分为：一、本溪县，二、本溪县郊区，三、结语，共三个部分，并配以手绘图，主要介绍了这批石棺墓的基本资料，并对相关问题进行了讨论，本溪地区石棺墓的流行时间较长，经商周直达战国晚期，墓中出土的弦纹壶及青铜短剑，值得注意。

简报称，由于种种原因，墓葬发现后大部被毁，形制与葬式不清，但墓内遗物多被文物部门收回，得以保留。尽管这批石棺墓材料多系调查所得，发现时间距今长短不一，有的已逾数十年，但其地点明确，出处清楚，仍然具有资料价值。

简报指出，本溪地区石棺墓的发生，不晚于本区太子河上游洞穴墓地的早期遗存，洞穴毕竟有限，远离洞穴的人们或许采用的便是石棺墓埋葬方式。辽东地区石棺墓四壁多由板石或块石构筑，而此次介绍的代家堡子石棺墓则由鹅卵石构筑。这种筑式十分罕见，或为本区早期石棺墓的一种特征。石棺墓在本区流行时间较长，直到战国晚期中原文化进入该地之后，方才渐渐消失，因此，石棺墓是本区青铜时代及早期铁器时代的重要文化遗存。而本区早期石棺墓反映的文化面貌，多与洞穴墓地相同，两者应属同一文化。此后在发展过程中，对周边文化渐有吸纳，青铜短剑的出现便是一例。晚期石棺墓受中原文化影响逐渐增大，泥质陶器、刀币及铁器开始在石棺墓中频频出现，从中可见土著文化和中原文化的相互融合。

简报认为，值得注意的是，本区石棺墓中出有多件属于弦纹壶系列的陶壶。有理由相信，本溪地区不仅是弦纹壶的重要分布地域，而且，弦纹壶进入本区的时间较早，不会晚于西周晚期。

154.辽宁本溪县新城子青铜时代墓地

作　　者：辽宁省文物考古研究所、本溪市博物馆、本溪县文物管理所　王来柱、
　　　　　华玉冰等

出　　处：《考古》2010 年第 9 期

2006 年春，本溪市博物馆在对本溪县东营坊镇新城子村明代城址进行考古调查时，在城址东南部一条乡间小路边缘的断崖上发现几块大石板，个别石板下暴露出石块垒砌的墓室，遂认定这是 1 处盖石墓地。因乡路拟扩建，暴露出的墓葬面临破坏，考古人员于同年 10 ～ 11 月，对该墓地进行了发掘。

此次发掘发现了一批排列有序的墓葬，并出土了一批具有鲜明的地域及时代特征的陶器等遗物。简报分为：一、地理环境与发掘概况，二、墓葬形制及随葬品，三、结语，共三个部分进行了介绍，有彩照、手绘图。

据介绍，共发掘 16 座盖石石棺墓。墓室均以石块或石板垒砌，墓顶盖石为整块

大石板。墓中不见人骨，仅 1 座出有人牙。各墓随葬品均较少，种类有陶壶、罐及石斧、铲、纺轮等。该墓地的规模较大。从已发掘的部分看，墓葬排列有序，大体可分成三排，偏北部一排为 M6～M14，中间一排为 M1、M4、M5、M16，偏南部一排为 M2、M3、M15，各排的墓葬大体在一条东西向直线上。而从南北向观察，各墓位置均有交错。除 M8、M16 的方向为东北—西南向外，其余均为西北—东南向。上述迹象表明，该墓地的墓葬应该有严格的埋葬次序，年代大体为西周晚期至春秋时期。同类遗存广泛分布于辽宁东北部地区。

丹东市

155.辽宁东港市山西头青铜时代遗址发掘简报

作　者：辽宁省文物考古研究所、东港市文管所　徐韶钢、陈　山等

出　处：《考古》2011 年第 1 期

山西头遗址是辽宁省文物考古研究所与丹东各市、县、区文物部门在丹东—庄河高速公路考古调查中发现的。遗址位于辽宁省东港市黄土坎镇扬名村山西头组稍偏西的大洋河台地上。遗址西南 5000 米为辽南名山大孤山。遗址西、北两面极陡，东、南两面是缓坡。2002 年冬和 2003 年春，考古人员对该遗址进行了两次历时两个多月的正式发掘。简报分为：一、地层堆积，二、遗迹，三、遗物，四、结语，共四个部分，有彩照、手绘图。

据介绍，计发现房址 5 座、灰坑 4 个、灶址 2 处。5 座房址中有 4 座为土坑半地窖式，1 座为石筑半地地穴式。出土遗物以石器和陶器为主。遗址的年代大约相当于中原地区的商代。该遗址的发掘，为研究辽东南地区青铜时代文化提供了重要资料。

锦州市

156.辽宁义县发现商周铜器窖藏

作　者：辽宁义县文物保管所　孙恩贤、邵福玉

出　处：《文物》1982 年第 2 期

1979 年 4 月，在辽宁义县北边的稍户营子公社花尔楼大队，靠近医巫闾山的西

麓坡地上，距地表 1 米深的圆坑内，出土一批共 5 件青铜容器。器物堆放零乱，倒置和套装，无其他物同出，应属窖藏。简报配以照片和手绘图予以介绍。

据介绍，5 件青铜器为鼎 1 件、甗大小 2 件、簋 1 件、俎形器 1 件。这批青铜容器从形制和纹饰看，铸造年代简报推断当在商末周初。其中簋可能相当于殷墟中期，甗应属西周初年。简报称，特别值得重视的是这批铜器出土地点的地理位置。此次窖藏铜器的发现，使义县成为迄今所知我国商周青铜器出土区域的最北界线，对于研究商周时期的东北疆域，具有重要的参考价值。

157.锦州山河营子遗址发掘报告

作　者：刘　谦
出　处：《考古》1986 年第 10 期

遗址位于锦州市西 9 公里山河营子乡西平顶山上，东 2.5 公里是山河营子乡政府所在地，南为宋家沟村，西 2.5 公里是姜家屯，北靠小凌河岸台地之上。小凌河北岸是沙河堡村（沙河堡是明代城堡）。遗址是 1957 年 4 月 5 日在普查文物时发现的。遗址战争年代被挖成一条战壕，因而将地下遗物暴露出来，出现了一些石器、陶器、兽骨、红烧土等。1957 年 6 月进行了发掘，计清理出标本 138 件。简报分为：一、文化层堆积，二、山河营子下文化层，三、山河营子上文化层，四、结束语，共四个部分，有手绘图。

据介绍，山河营子遗址，从出土器物群分析，应分为两种文化，下文化层特点与城子崖文化相接近。上文化层有的文化因素与夏家店上文化层相接近，但两者也有差别。夏家店上层文化中，往往有青铜器的发现，而在山河营子遗址上层没有青铜器的发现。简报认为山河营子上层早于夏家店上层文化。简报未发现有青铜器，也许与发掘少有关。

营口市

158.辽宁盖县伙家窝堡石棚发掘简报

作　者：许玉林
出　处：《考古》1993 年第 9 期

1988 年 8 月 4 日至 20 日，考古人员对盖县九寨镇三道河子村伙家窝堡石棚进行了清理发掘。简报配以手绘图等予以介绍。

据介绍，伙家窝堡屯北有一条东西走向的山岗，形如老牛状，当地称为老牛台山。山不高，顶部较平，山坡较缓。老牛台山东部有两个突起的高台地，石棚多分布在这些高台地及其相近的南坡上。经调查发现石棚 20 多座，大都遭到自然和人为的破坏，石棚多倒塌，有的石棚被水冲击，其壁石、盖石、铺底石都已离开原位，不在一起，孤立地倒放在冲沟上。有的壁石、盖石已被乡民劈石作为建筑石材。考古人员选其 5 座石棚进行了清理发掘，从东向西依次编为 1 ~ 5 号。石棚内发现有随葬品，这些随葬品多在铺底石的四边。出土的遗物中，石器有石斧、石凿、石锛、石刀、石镞，陶器有叠唇筒形罐、壶等，有的陶器还大小套合在一起，1 号、5 号石棚内发现火化人骨。这些随葬品和人骨进一步证明石棚为墓葬，石棚群就是石棚墓葬。葬式有火葬痕迹。

此处遗址的年代，简报推断为距今 3000 年左右，应属青铜时代。

阜新市

159.辽宁阜新平顶山石城址发掘报告

作　　者：辽宁省文物考古研究所、吉林大学考古学系

出　　处：《考古》1992 年第 5 期

平顶山石城址，位于辽宁省阜新蒙古族自治县紫都台乡双井子村平顶山屯西北约 1 公里的黄土岗地上，东距阜新市 45 公里。1988 年春，对城址进行了实地勘测和试掘。1989 年春，又进行了第二次发掘。两次总发掘面积为 555 平方米，不但搞清了城址的文化内涵，而且确定了石城的形状、结构和年代。

简报分为：一、探坑方位、地层堆积与分期，二、第一期文化遗存，三、第二期文化遗存，四、第三期文化遗存，五、石城址的形状、结构与年代，六、结语，共六个部分，有手绘图、照片。

据介绍，通过阜新平顶山石城遗址的发掘，可知该遗址主要包含了三种文化遗存，第一期遗存具有典型的夏家店下层文化特征，第二层遗存属于高台山文化，第三层遗存简报大体推定其年代下限不晚于西周。石城简报推断应是一座夏家店下层文化晚期的城址。

160.辽宁阜新县界力花青铜时代遗址发掘简报

作　者：辽宁省文物考古研究所　司伟伟、徐　政、张桂霞
出　处：《考古》2014年第6期

为配合内蒙古自治区锡林浩特盟西乌珠穆沁旗巴彦乌拉镇至辽宁省阜新市新邱的铁路建设，经国家文物局批准，辽宁省文物考古研究所于2009年7～10月对遗址进行了考古发掘。此次发掘仅限铁路建设用地范围内进行，发掘面积900平方米。共清理房址6座、灰沟2条、灰坑40个、灶址1个和墓葬6座。简报分为：一、地层堆积，二、遗迹，三、出土遗物，四、结语，共四个部分，有彩照、手绘图。

据介绍，界力花青铜时代遗址简报推断属于夏家店下层文化。简报称，墓葬中出土的陶圆肩鬲和盆形鼎在其他夏家店下层文化遗址中少见，因此该遗址中是否有其他文化因素，还有待于该地区以后进一步的考古发掘工作。

一般认为，夏家店下层文化的年代为公元前2000～前1500年左右。

辽阳市

盘锦市

铁岭市

161.辽宁开原果子园等古遗址调查

作　者：武家昌
出　处：《北方文物》1987年第1期

1981年春季，考古人员对开原县松山公社几处古遗址进行了调查。这些古遗址堆积单一，文化内涵较为丰富，都具有共同的文化特点。它的发现丰富了辽北地区的考古文化内容，为我们研究辽北地区和整个东北地区的原始文化提供了新的资料。简报配以手绘图予以介绍。

据介绍，简报重点介绍的果子园、英城子、蒿山堡、半拉山等几处遗址，大多

位于沙河沿岸。采集的石器、陶器有很多相同之处。在以果子园为代表的这类遗址中，采集有石磨盘、石磨棒、石刀、石斧等生产工具，表明这类遗址的居民是以农业为其主要的经济来源，同时兼营狩猎，作为其经济来源的补充。这类遗址面积较大，有的还有村寨围墙。村落围墙的出现，是部落之间互相残杀、掠夺而进行攻占防御的设施，是原始部落战争遗留的历史见证。简报认为，果子园这类遗址时代的下限，应为燕秦时期，它的上限当在西周或春秋之际。

162.辽宁西丰县新发现的几座石棺墓

作　者：辽宁省西丰县文物管理所　周向永、赵守利、孟祥忠、邢　杰
出　处：《考古》1995 年第 2 期

西丰县地处辽宁省北部，东部、东北部与吉林省毗邻，境内多丘陵山地，其间有碾盘河、寇河等河流纵贯。近几年来，在西丰县境内连续发现几座石棺墓，这批资料对认识辽北东部山地的青铜文化内涵具有重要意义。简报分为：一、消防队院内石棺墓，二、金山石棺墓，三、诚信村石棺墓，四、对三座墓葬年代的推定，共四个部分，有手绘图。

据介绍，出土地点消防队院位于西丰县城，金山位于西丰县最北端，诚信村位于西丰县城西南方向。金山石棺墓简报推断为战国至汉初时期墓葬。消防队院内石棺墓简报推断为春秋中早期墓葬。诚信村石棺墓墓主人头枕铜矛，脚蹬短剑，膝间置玉斧，全身覆以箭镞，副棺内有陶器和其他生产工具，此种葬式十分罕见，说明此墓主人绝非一般平民。青铜短剑和铜矛在同墓出土的墓例并不多见，简报推断其时代为两周之际。

163.辽宁开原市建材村发现刻铭青铜刀

作　者：辽宁铁岭市博物馆　许志国
出　处：《考古》2000 年第 5 期

1995 年春，辽宁省开原市八棵树镇建材村一农民在村后大背山南坡采石场西侧，捡到 1 件青铜刀。据调查，出土铜刀的建材村后山坡，是 1 处石棺墓群，现有暴露于地表的墓圹、封石堆 30 余座。简报配以手绘图、拓片予以介绍。

据介绍，青铜刀为双范合铸，背刃皆为弧形，柄为扁平长方形，尾端铸成圆饼形首，边缘磨成较薄的锋刃。铜刀尖部已残。现存长 25.2 厘米，宽 3.6 厘米，厚 0.4 厘米。在刀身一侧柄部前端近背处，阴刻 1 字铭文。由铭文考证，建材村铜刀的时代，

简报推断在西周晚期或稍后。

简报称，此铜刀的出土，对我们研究商周之际辽北东部山区青铜文化是十分珍贵的资料。

164.辽宁铁岭市银州区辽海屯北山遗址

作　者：裴耀军、潘国庆
出　处：《北方文物》2005 年第 2 期

1993 年 6 月，考古人员对辽海屯北山遗址进行了重点勘探与试掘，发现房址、窖穴、灰坑等遗迹 14 处，出土了一批具有特色的陶器和石器。陶器的种类有鬲、鼎、甑、甗、盆、罐、碗等，其年代约在西周时期。

简报分为：一、地理位置及遗址概况，二、文化堆积，三、主要遗迹，四、遗物，五、结论，共五个部分予以介绍，有手绘图。

据介绍，该遗址位于铁岭市银州区龙山乡东辽海屯村村北，略呈长方形，面积约 3 万平方米。发现半地穴式房址 3 处，窖穴 3 个，灰坑 7 个。遗物主要有陶、石、骨器和石块、烧土块等。简报认为该遗址的时代为西周时期。

朝阳市

165.辽宁喀左县北洞村发现殷代青铜器

作　者：辽宁省博物馆、朝阳地区博物馆
出　处：《考古》1973 年第 4 期

1973 年 3 月 6 日，辽宁省喀喇沁左翼蒙古族自治县平房子公社北洞大队第三生产队，在村南一丘岗上挖石头时，在距地表约 30 厘米深处发现 6 件青铜器，考古人员前往现场作了初步清理。简报分为几部分予以介绍，有手绘图、照片。

据介绍，北洞村在喀左县城（即大城子）南约 17.5 公里。这里北、东、南三面环山，西临大凌河，河两岸是开阔的平川地带，村南隔一条通向大凌河的河沟有一突起的山峰，名孤山，发现铜器的丘岗就在孤山西山坡山脚处。铜器坑的四周和坑的填土内发现有夹砂褐陶绳纹甗足、绳纹加划纹陶罐、附加堆纹陶瓮残片。山下河东平地发现的遗址中，也出现同样陶片。此类遗存在辽宁西部地区分布广而密集，文化面貌接近商文化。6 件铜器计瓿一、罍五，都是贮酒器，器体雄浑厚重，它们埋

167.辽宁省喀左县山湾子出土殷周青铜器

作　　者：喀左县文化馆、朝阳地区博物馆、辽宁省博物馆
出　　处：《文物》1977 年第 12 期

1974 年 12 月，喀左县平房子公社山湾子村农民在村东北枣树台子平整土地时，发现 1 处青铜器窖藏，出土青铜器 22 件，其中有铭文的 15 件。简报配以照片、手绘图予以介绍。

据介绍，山湾子村在喀左县城南 25 公里。窖藏坑略呈方圆形，长径约 120 厘米，坑底距地表 90 厘米。22 件青铜器包括鼎一、鬲一、甗一、盂三、尊一、卣一、罍三、毁十和盘状器一。除个别为商末青铜器外，大部分为西周初期青铜器，窖藏年代也应是西周初期。有的器形为中原地区未见，可能是当地铸造的。

168.辽宁朝阳魏营子西周墓和古遗址

作　　者：辽宁省博物馆文物工作队
出　　处：《考古》1977 年第 5 期

1970 年秋，朝阳县六家子公社魏营子大队在前魏营子村老龙湾修梯田时发现木椁板、灰膏泥、青铜器和大量陶片。1971 年冬、1972 年春和 1976 年 5 月，考古人员对这个地点进行了调查，确定这里是 1 处古遗址，并在遗址附近清理出墓葬 9 座，清理、收集部分铜器和其他文物。简报分为：一、墓葬，二、遗物，三、初步认识，共三个部分予以介绍，有手绘图。

据介绍，前魏营子村北距朝阳县 70 公里，这里群山环绕，小凌河的一条支流由南向北流过，在村东北 1 公里许又向东南回折成一河湾，河湾环绕处伸出一很长的台地。古文化遗址即位于此台地上，红烧土和陶片在台地上分布面很广，古墓葬分布在遗址东南坡。仅 7101 等两墓出土有铜器、陶片、绿松石珠等，其他 7 墓无随葬品。简报认为此处为西周早期燕国墓葬。简报指出，燕国文化墓葬在燕山南北广大地区均有分布，但仍可分辨出燕国政治中心同所辖广大地区在文化上的关系，前者完全具备中原地区特征，后者则更多地溶合了北方各族文化的某些因素。

169.记辽宁喀左县后坟村发现的一组陶器

作　者：喀左县文化馆
出　处：《考古》1982 年第 1 期

　　后坟村位于喀喇沁左翼蒙古族自治县县城西南约 25 公里、大凌河西岸，属山咀子公社海岛营子大队。距这里东南约 2 公里就是出土燕侯盂等 16 件西周早期铜器的马厂沟小转子山。1972 年 9 月，后坟村村民在村南打井时找到 1 座古泉眼，在挖到距地表约 5 米深接近泉底时，发现一批陶器。这批陶器以灰褐和红褐陶为主，多饰有绳纹，部分为素面或外壁经打磨光滑的素面陶，大都形体较小，器形有鬲、罐、壶、钵等类。这批陶器与当地常见的夏家店下层文化和夏家店上层文化陶器均有明显差别。简报配以手绘图予以介绍。

　　据介绍，在这批陶器出土地点附近未见遗址。在辽西地区，夏家店下层文化的时代，目前能够确定为龙山文化晚期到早商时期，其下限不会晚于商晚期，而夏家店上层文化目前能够确定为西周晚期到春秋战国之交，还没有发现其上限早到西周早期的迹象。在夏家店下、上层之间，尚有一段时间空白，大约即商末周初这一阶段。后坟这类遗存，从时代和文化面貌两方面分析，都正好介于其间，它可能即是辽西地区夏家店下层文化和夏家店上层文化之间的一种文化类型，这次发现的意义与价值，或许正在于此。

170.辽宁建平县喀喇沁河东遗址试掘简报

作　者：辽宁省博物馆文物工作队、朝阳地区博物馆文物组　姜念思
出　处：《考古》1983 年第 11 期

　　喀喇沁位于辽宁省建平县东北部。遗址面积约 12000 平方米。地面上到处可以捡到战国、夏家店文化遗物。1980 年 5 月至 6 月，考古人员进行了抢救性发掘。简报配以手绘图等予以介绍。

　　据介绍，此次试掘最主要的收获是发现了 8 座夏家店下层文化房址。其中有 5 座房址是相互迭压的，即在同一位置连续居住，新房盖在旧房之上。简报称，夏家店下层文化时期已经由对偶婚制进入 1 夫 1 妻制阶段，出现了个体的家庭，这种"固守老屋"的习俗说明房屋已可以遗传后代，逐步变成了个体家庭的私有财产。在夏家店下层文化的早期地层中发现的 1 枚残石磬是这次试掘的另一重要收获。石磬是一种打击乐器，它的起源很早，有人根据古代音乐传说认为在新石器时代即发明了

石磬，但到目前为止，还没有发现新石器时代石磬的实物，考古发现最早的石磬属二里头文化时期。夏家店下层文化，据碳十四测定，年代距今约 3900 ~ 3500 年，与二里头文化的年代相当，是我国东北地区分布地域相当广泛的一种早期青铜文化，其社会性质已进入原始公社向奴隶社会过渡阶段。

另外，还发现有少许夏家店上层文化（春秋时期）与战国遗物。

171.辽宁凌源县三官甸子城子山遗址试掘报告

作　者：李恭笃
出　处：《考古》1986 年第 6 期

城子山遗址位于凌源县凌北乡三官甸子大队河下村的西山坡上。南距凌源 8 公里，地处建平与凌源两县的交界地带，东北行 8 公里即是建平县牛河梁红山文化的墓地。城子山高出现代河床约 150 米，山顶隆起，南、北、西三面有 2 米高残石墙围绕，像座圆形古城堡，故当地人称该山为城子山。整个遗址为西高东低，呈斜坡状，南北长 104 米，东西宽 76 米，面积为 7904 平方米。该遗址是 1979 年 6 月辽宁省文物训练班在凌源县进行文物普查时发现的，1979 年 10 月试掘。

简报分为：一、遗址概况与地层堆积，二、红山文化遗迹，三、红山文化墓葬，四、红山文化遗物，五、夏家店上层文化遗迹，六、夏家店下层文化遗存，七、小结，共七个部分，有手绘图、照片。

据介绍，共发现红山文化墓葬 3 座，红山文化墓葬分石棺墓、土坑墓 2 种。大墓多随葬有玉雕饰品，小墓无随葬品。葬式多为仰身直肢葬。红山文化房址 1 座，夏家店下层文化房址 1 座、灰坑 3 个。

简报指出，城子山墓葬出土的玉雕器物群，可使我们意识到，在我国北方地区，青铜文化未到来之前，已出现一个原始玉雕艺术的文明时期。它的出现不仅展示了北方原始文化的风采和当地原始土著民族的创造力，并且对我国玉雕艺术的传统发展起着重要影响。如果把红山文化、夏家店下层文化和殷墟出土的玉器作一比较，不难看出，我国北方玉雕技术在造型风格、纹饰特点方面，与中原文化的一致性。尤其值得注意的是双首玉龙等应是冥想出来的。

今有杨伯达先生主编《中国玉器全集》（河北美术出版社 2005 年版）上中下三册，可参阅。

172.辽宁喀左县高家洞商周墓

作　者：辽宁省文物考古研究所　王成生、辛　岩、刘大志
出　处：《考古》1998 年第 4 期

1979 年，辽宁省喀左县平房子乡高家洞村农民高树青在自家院内挖菜窖时，掘出 1 件完整的商代青铜瓿，1991 年初交给喀左县博物馆。为了搞清铜瓿出土情况，同年 4 月，考古人员对此地进行调查发掘，发现 2 座墓葬，分别编号为 M1 和 M2，调查发掘情况简报分为：一、墓葬地理位置，二、墓葬所在地层关系，三、墓葬及随葬品，四、墓葬年代及文化性质，共四个部分，有手绘图、拓片。

据介绍，M1 遭严重破坏，仅残存一部分，简报推断 M1 的年代不早于商代晚期，M1 中随葬有羊头，陶器的特点与魏营子类型雷同，该墓应属魏营子类型，时代也与之相当；M2 的年代简报推断约当西周晚或春秋初期。

简报称，此次出土的铜瓿系中原地区商代的青铜礼器。M1 的铜瓿出在大凌河畔的墓葬中，并与魏营子类型的夹砂红陶器共存，可谓弥足珍贵。该墓对研究魏营子类型文化及与中原文化的关系等问题，无疑提供了重要的实物资料。

173.辽宁北票市康家屯城址发掘简报

作　者：辽宁省文物考古研究所　辛　岩、李维宇
出　处：《考古》2001 年第 8 期

康家屯城址位于辽宁北票市大板镇康家屯村小波台沟北约 0.5 公里处，地处大凌河南岸的二级台地上。该城址为辽宁省文物考古研究所配合白石水库基本建设于 1992 年调查时发现。1995 年进行复查和重点勘探，确定其年代和范围。城址属夏家店下层文化时期的 1 座较大型石城址，北部被大凌河冲毁。从城址保存的部分看，东、南城墙残垣轮廓清晰可见，面积 1.5 万平方米。推测该城原呈方形或长方形。1997 年开始发掘，重点对城墙、城门、马面、城壕等遗迹进行清理解剖。1998 年至 2000 年主要是对城内第 1 ~ 4 层的遗迹进行揭露，共揭露面积 8500 平方米。通过发掘基本搞清了城址内中、晚期建筑的布局及结构。简报分为：一、地层堆积，二、遗迹，三、遗物，四、结语，共四个部分，有手绘图。

据介绍，根据东南城壕内的堆积，得知该城曾有过两次较大规模的毁坏性倒塌，而且从其城墙、马面等遗迹看，又有多处修补和改建。根据城内的第 4 层下发掘的遗迹现象分析，当时城内的布局结构为由主墙、附墙分隔成若干层次的院区及院落。根据典型器物对比，简报推断康家屯城址属夏家店下层文化遗存，城址年代上限大

体早到赤峰蜘蛛山遗址碳十四测定的距今 3965±90 年，下限大体相当于北票丰下遗址碳十四测定的距今 3550±80 年。

简报称，值得注意的是，第 4 层下石筑穴内夏家店下层文化典型器鬲、甗、尊、瓮与高台山文化典型器高领壶共存，表明夏家店下层文化中含有高台山文化因素。

葫芦岛市

174.辽宁兴城县杨河发现青铜器

作　者：锦州市博物馆　李建民、傅俊山
出　处：《考古》1978 年第 6 期

1976 年 2 月，辽宁省兴城县碱厂公社杨河大队出土一批青铜器。简报配以照片予以介绍。

据介绍，杨河大队处于山丘地带，西北距碱厂公社 3.6 公里，东距兴城县 28.2 公里。这批青铜器是社员在村西约 1.3 公里碱厂水库旁的小山（当地人俗称长条山）东坡上打石头时，于石缝的淤土中发现的。青铜器共 6 件，分兵器和工具 2 类，兵器 2 件，工具 4 件。简报认为杨河的这批青铜器，既反映了我国北方早期青铜文化的特点，又表现出中原地区商文化的影响，其时代简报推断应相当于商；从地域上看，可能与夏家店下层文化有直接关系。

吉林省

长春市

175.吉林双阳万宝山石棺墓

作　者：许彦文

出　处：《黑龙江文物丛刊》1984 年第 3 期

1983 年 4 月末，双阳县山河公社万宝大队一名农民趟地时，发现 1 座石棺墓。考古人员赶到现场进行调查，发现墓已遭到破坏，随葬品被农民拿回家中保存。简报配以手绘图予以介绍。

据介绍，墓葬位于双阳县山河公社南 20 华里处，标高为 240 米的万宝南山东坡上，山势漫缓。墓为长方形土圹石棺墓，单人葬，人骨已朽。随葬器物共 7 件，其中陶壶、陶碗各 2 件，陶罐 1 件，石斧 1 件，铜刀 1 件。时代应与西团山文化相近，大致相当于中原地区商周时期。

据《考古》1960 年第 4 期介绍，西团山，位于吉沈铁路黄旗屯车站南约 1 公里的铁路西侧，1949 年前后即有过多次调查和采集，1956 年发掘过两座石棺墓，出土有石器、陶器等，未见铜器。

176.吉林德惠县出土陶器

作　者：佟阿伟

出　处：《考古》1985 年第 3 期

1983 年 4 月，吉林省德惠县《文物志》编写普查队在菜园子乡新立村王家坨子屯征集 4 件陶器，经调查 4 件器物均系墓葬所出。简报配以照片予以介绍。

据介绍，王家坨子屯位于松花江南岸的平原上。西距大沙坨子屯 1 公里，北距松花江 2.5 公里。墓葬区处于 10 余米高的沙丘南坡，1972 年后多有人骨、陶器出土，但只有 4 件陶器被当地退休教员王凤君保留。陶器为豆、双耳罐、双耳直口罐、陶钵。

4件器物均为手制，火候较高，据调查应属随葬品。从器物形制看简报推断与中原地区、长江中下游地区的商代中晚期文化类型颇为相似。简报称，这对研究东北地区文化与中原文化的关系提供了不可多得的珍贵材料。

吉林市

177.吉林两半山遗址发掘报告

作　者：张忠培
出　处：《考古》1964 年第 1 期

两半山位于吉林市东郊红旗屯南，1 条已干涸的小河把 1 座山分成东西两边，故名"两半山"。1953 年发现古代遗存，1954 年、1962 年两次发掘。简报分为"住地及墓地的分布和地层情况""出土器物""结语"三个部分，有照片、手绘图。

据介绍，发掘墓葬为石棺，单人仰身葬。出土有陶器、石器等。应已进入青铜时代，具体时代尚待研究。

178.吉林蛟河县石棺墓清理

作　者：匡　瑜
出　处：《考古》1964 年第 2 期

1962 年 4 月和 6 月，考古人员对蛟河县山头屯和小南沟附近的石棺墓进行了清理。简报分为：一、山头屯石棺墓，二、小南沟石棺墓，三、小结，共三个部分，有手绘图。

据介绍，山头屯石棺墓位于蛟河县城西南 17.5 公里处。发现的石棺墓共有 4 座，石棺已毁，没有任何遗物，仅采集到部分石器、陶器。小南沟发现石棺墓 2 座，出土及采集的遗物有石器、陶器。从 2 处发现墓葬的数量之多和排列情况来看，可能是当时的氏族公共墓地。在这里发现的遗物中，虽然没有见到金属制品，但从石棺所用的石板很规整、上面还有斜的凿痕来看，很可能当时已使用了金属工具。从绝对年代看，应已进入铜石并用时代。

179.吉林舒兰黄鱼圈珠山遗址清理简报

作　者：吉林省文物工作队　王洪峰、张志立
出　处：《考古》1985 年第 4 期

　　珠山遗址位于吉林省舒兰县法特公社黄鱼大队村西的珠山上，正当舒兰、榆树、九台、德惠四县交界处，东南距县城 60 公里，距公社所在地约 9 公里。这处遗址是 1960 年文物普查时发现的，现列为省级重点文物保护单位。遗迹较为集中的东坡和南坡已被邻近的社队开辟成采石场。1980 年和 1981 年，考古人员做了抢救性的清理。两次共清理房址 9 座，灰坑 3 个，墓葬 2 座，获得陶、石、骨和金属器 200 余件。简报分为：一、地层情况，二、遗迹和遗物，三、结语，共三个部分予以介绍，有手绘图、拓片、照片。

　　据介绍，简报测定该遗址的年代为距今 2815±125 年，大约相当于西周晚期。发现石棺墓 1 座，姑且存疑。简报认为此处是靺鞨——渤海早期遗存。

　　简报指出，珠山遗址的两次发掘，为我们进一步了解和认识吉长地区靺鞨渤海文化的西团山文化的面貌、特征，提供了新的资料。这里发现的一些新的器型、器类和地层根据，对于我们深入研究西团山文化类型的划分，确立其编年、分期，将会有所帮助。而 M1 的发现，更为我们今后在更大范围内建筑晚于西团山文化的遗存，提供了新的线索。

180.吉林桦甸江西屯遗址发掘简报

作　者：吉林省文物考古研究所　洪　峰、何　明
出　处：《北方文物》1986 年第 2 期

　　江西屯遗址是松花江上游红石水库淹没区内 1 处保存较好的原始社会时期遗址。1984 年春季，为了配合水库工程建设，考古人员对其行将淹没和浸润地段进行了较大规模的发掘，获得一批陶、石器标本。这次发掘所获简报分为三个部分予以介绍，有手绘图。

　　据介绍，江西屯位于松花江上游龙岗山脉北麓，海拔梯度较高。遗址坐落在屯西一道山梁之上，东对松花江一条支流——苇沙河口，地属老金厂乡苇沙河村。从采获的遗物来看，江西屯遗址是一种以夹砂素面褐陶和打制石器为主要内涵的原始文化遗址。

　　简报推断江西屯遗址的年代亦不会太晚，参照邻近地区原始文化的已知年代，江西遗址的绝对年代可能在距今 3000 年上下。

简报称，江西屯遗址的发掘，为我们提供了一批新的资料。尽管所获陶器有限，而且至今对其房址、墓葬的形制也一无所知，但是，这样一组有可靠地层关系的陶、石器的发现，对于我们今后深入了解和探讨这一地区原始文化，无疑会有所帮助。

四平市

181.吉林双辽市后太平青铜时代墓地

作　者：吉林省文物考古研究所、四平市文物管理委员会办公室、双辽市文物管理所、双辽市郑家屯博物馆　梁会丽、赵殿坤、隽成军、李　丹、宫运学、邵海波、孙殿文等

出　处：《考古》2009 年第 5 期

双辽市位于吉林省西部，地处松辽平原腹地、科尔沁沙地东缘、东辽河与新开河及西辽河的交汇地带。后太平墓地位于双辽市东明镇后太平村北部，1984 年文物普查时，在后太平村北 1 公里的坨子上发现 1 处遗址，并确认其是 1 处青铜时代文化遗址，辽金时期亦有人居住，并将其命名为后太平遗址。2007 年 3 月，在对东辽河右岸二级台地进行考古调查时，在后太平遗址西南约 1 公里处发现了 1 处墓地。墓葬分布十分密集，并有辽金时期的房址、灰坑等遗迹叠压其上。由于村民建房取土及春季冻融引发的坍塌对墓葬造成了不同程度的破坏，2007 年 5 月至 11 月，考古人员对后太平墓地进行了抢救性发掘。清理晚商灰坑 2 个、青铜时代墓葬 37 座，以及辽金时期房址、灰坑、灰沟等遗迹单位 9 个。

简报分为：一、地层堆积，二、墓葬概况，三、墓葬分类，四、出土遗物，五、结语，共五个部分，有彩照、手绘图。

据介绍，此次发掘共清理了 37 座竖穴土坑墓，均未见葬具，个别墓内有生土二层台。小墓长仅 2 米余，大墓长达 5 米以上。多数墓葬为多人二次葬。出土遗物有陶器、石器、青铜器、骨角器等 1000 余件，以陶器最具特色。

这批墓葬的年代简报推断为西周至春秋晚期，为研究辽河流域青铜时代文化提供了重要资料。

辽源市

通化市

182.吉林省集安市临江墓东侧青铜时代房址考古发掘报告

作　者：吉林省文物考古研究所　王志刚、顾聆博、聂　勇
出　处：《北方文物》2010 年第 4 期

2003 年，考古人员在对"临江墓"的清理过程中，在墓葬东侧、墓葬与祭台之间找寻墓域铺石的探沟内发现 1 座半地穴式房址，房内出土各类磨制石器、夹粗砂陶纺轮、陶钵等遗物 58 件，年代为青铜时期，其中石制品数量、种类较多，并具有一定特色。部分遗物的形制特点与同为鸭绿江流域的通化"万发拨子"遗址二、三期文化遗存的同类器物相似，部分遗物与朝鲜半岛青铜时代一些遗址内的出土遗物形制特点具有可比性，此次发掘为鸭绿江流域青铜时代考古学文化研究提供了一批重要的考古资料。

简报分为：一、地层堆积，二、房址形制，三、出土遗物，四、结语，共四个部分，有手绘图。

据介绍，此处房址是在考古人员为配合集安市高句丽遗址申报世界文化遗产的考古发掘中发现的。此遗迹为 1 座平面近圆角方形的半地穴式房址，编号为03JLF1，房内出土各类磨制石器、夹粗砂陶纺轮、陶钵等遗物 58 件。F1 内出土的工具类型包括农具、狩猎工具、纺织工具、捕捞工具几类。其中以镞的数量最多，加工最为精细，其次为刀，据此对当时经济生活中狩猎业和农业的地位可见一斑。而在一座房址内同时出土有农业、渔猎、手工业工具，说明当时所处的经济发展阶段可能尚无交换、买卖等活动，而个人生活的满足主要以自给自足的家庭式生产为主。

简报认为时代大致相当于中原地区商、周及其后段时期。

白山市

松原市

183.吉林乾安县大布苏泡东岸遗址调查简报

作　者：吉林省文物工作队　刘法祥
出　处：《考古》1984年第5期

1982年9月，考古人员在乾安县大布苏泡东岸进行了为期7天的考古调查，在这里发现了多处古文化遗存，其中青铜文化遗存较为丰富。此次调查在这里发现的青铜文化遗存有3处。按其文化特征可分为2种：一种是以褐色夹砂素面陶器为特征的青铜文化遗存，它们有两处，一处在学字井屯西，一处在中人字井屯西北。另一种是以黄褐色泥质纹饰陶为特征的青铜文化遗存，仅一处，在后人字井屯西北。简报分为三个部分予以介绍，有手绘图、拓片、照片。

据介绍，此次调查所得细石器数量较少，但制作细石器剩留的残片却较多，而且遍布在以上3处青铜文化遗存中。由于没有发现属于新石器时代的陶器（片），所以初步认为在这一带细石器普遍存在于青铜文化中，只不过学字井屯西一带较为集中。从调查材料可以认为，大布苏泡东岸存在着两种青铜文化。一种是以小件青铜器和手制褐色素面夹砂陶器为特征的文化；另一种是以小件青铜器和手制黄褐色泥质纹饰陶器为特征的文化。这2种青铜文化，特别是前一种青铜文化的分布范围、内涵以及与邻近的白金宝文化、西团山文化的关系等，都有待于今后随着工作的不断深入去解决。地质学家们认为，早在2000年前，东北气候温暖湿润，雨量较多。在这水草丰盛的地方，聚居着不同文化面貌的居民也是完全可能的。在后人字井屯西北发现的篦点和圆点几何纹陶器，与过去在吉林省大安县东山关、汉书，黑龙江省肇源县白金宝，杜尔伯特蒙古族自治县官地等处发现的同类陶器略有不同。简报认为这可能是由于地域或年代的不同而出现的。

白城市

延边州

184.吉林延吉柳庭洞发现的原始文化遗存

作　者：延边博物馆　严长录
出　处：《考古》1983 年第 10 期

1973 年考古人员赴延吉县进行考古调查，于石井公社九龙大队柳庭洞发现了 1 处较重要的原始文化遗存，包括居住址和墓葬。简报配以照片、手绘图予以介绍。

据介绍，柳庭洞坐落于海兰江北岸一条东西走向的台地上，遗址面积约 2000 平方米，地面散布有许多夹砂陶片。台地东端北山脚下是墓地，有 1 座墓已被破坏。墓周壁用石块叠砌，顶覆大石板。遗址中有 1 处已遭破坏的房址。出土 3 个陶罐以及石斧、刮削器、陶碗、陶纺轮等，房址的东北角出 30 多件石镞，西北、西南、东南靠壁处出筒形罐和盆等器物的碎片。

柳庭洞遗址的年代，经测定为距今 3160±90 年左右。

185.吉林珲春市迎花南山遗址、墓葬发掘

作　者：吉林省图军铁路考古发掘队　庞志国
出　处：《考古》1993 年第 8 期

迎花南山遗址、墓葬位于吉林省珲春市凉水乡迎花村东南 1 公里处山坳的两个山坡上。1988 年 5 月至 7 月，为配合铁路建设，考古人员进行了抢救性发掘，发掘面积 380 平方米，发掘出房址 4 座，灰坑 1 座，墓葬 3 座。

简报分为：一、地层，二、遗迹与遗物，三、初步认识，共三个部分予以介绍，有手绘图、拓片。

据介绍，迎花南山遗址、墓葬均坐落在山的缓坡地带，这些山坡已被开垦为耕地。房址、灰坑的开口处被耕土层破坏，墓葬也已遭到了严重破坏，积石散成一片，并被黑色淤土填平。房址和大批墓葬的发现，反映了这一时期这里的人们出现了家庭形式的定居生活。大量的狩猎工具如石矛、石镞，农业生产工具石斧、石刀、石磨盘、磨棒，说明当时的狩猎和农业生产还处于距今约 3000 年的新石器时代晚期原始阶段。房址和墓葬主人的族属，简报认为是"北沃沮人"。

186.吉林延边新龙青铜墓葬及对该遗存的认识

作　者：侯莉闽
出　处：《北方文物》1994年第3期

1990年7月23日，新龙屯村民在其村北的山坡上取腐殖土时发现了一些人骨、陶片、石器等。考古人员当日即赴现场对暴露在约6平方米范围内已被破坏的3座墓葬进行了清理，并认定这里是1处属于青铜时代的墓群。1991年再次对墓群中部即将遭到破坏的墓葬进行了抢救性发掘。简报分为：一、墓葬地理位置，二、墓葬综述，三、出土文物，四、对该遗存的认识，共四个部分，有手绘图。

据介绍，墓地位于延吉市长白乡河龙村新龙屯北1公里余的西向山坡上，山坡的坡度为25度。墓区西距延吉市东郊约16公里，距吉林省重点文物保护单位城子山山城仅1.5公里。共发掘了8座墓葬，均为石圹封石墓。墓与墓相连，下面墓葬的东壁同时也是上面墓葬的西壁。盛行迁葬，而且是多层葬，每个墓中有2层骨架，个别还发现有3层骨架。一般墓底的骨架比较完整，且为一个个体，而上层放置骨架凌乱，且为多人骨殖。墓区出土文物共361件，分别出于墓葬填土中和墓内。有玉器、石器、陶器、骨器等。简报认为这或许是又一个文化类型，其时代经测定，大致相当于中原地区夏、商时期。

187.吉林省和龙县兴城遗址发掘简报

作　者：吉林省文物考古研究所、延边朝鲜族自治州博物馆、和龙县文物保管所
　　　　刘景文、王洪峰
出　处：《北方文物》1998年第1期

兴城遗址位于吉林省和龙县东城乡兴城一村北山上，是海兰江沿岸的一处较大遗址。1986年、1987年，考古人员两次进行了发掘。两年中先后发掘清理了新石器时代乃至青铜时代的房址、墓葬30余处，所获遗物颇丰。考虑到报告的出版时日，简报分为：一、遗址概况，二、遗迹和遗物，三、结语，共三个部分，配以照片、手绘图，先行介绍相关资料。

据介绍，兴城遗址的青铜时代遗存，是迄今为止长白山东麓发掘到保存最完好、资料最丰富的1处。房址是一种面积较大、结构合理、建造精细的圆角长方形、深地穴建筑。居住面以站土或掺细沙的黏土铺垫，在中部或偏东挖有圆形、椭圆形灶坑；梁柱一般沿房址长轴分两行排列，沿墙一周还立有较密的边柱；为防止四壁坍塌还采用了黏土筑台和黄泥护壁等措施。值得注意的还有，绝大多数的房址均未发现外

伸或内缩的斜坡门道。陶器为手制磨光的夹砂褐陶，素面为主，器物组合除罐、碗、盆、钵、杯、盅外，还有少量的瓮。石器以磨制为主。

简报称，此处遗址年代经测定为距今 4000 年至 3500 年左右。从遗址中房址的密集程度、建造规模看，当时的人们已过着比较稳定的定居生活。从出土的工具种类和动物骨骼分析，当时人们的主要生产手段是农耕和渔猎，农耕已达到了较高水平。另从遗物中众多的纺轮和猪、羊、牛骨看，当时不仅有了简单的纺织业，且很可能开始了家畜的饲养。其时或许已经进入了父系氏族社会。

黑龙江省

哈尔滨市

188.黑龙江宾县老山头遗址探掘简报

作　者：赵善桐

出　处：《考古》1962年第3期

老山头位于黑龙江省宾县巨源乡靠山屯北1.5公里处，北隔松花江与呼兰县相对，南临一望无际的平原。遗址即位于山的西北端顶部。在以前即知此地有1处遗址，1957年6月21日至30日考古人员到这里作过探掘，又发现遗址4处，按遗址排列顺序，自西北端起向南编为1～5号。遗址地表散布着辽、金时期的灰瓦片和夹砂粗陶片，考古人员以第1号作为探掘点，其余几处只做一般了解。简报叙述的资料，除4件典型的为第4号采集外，余者皆是第1号的探坑和探沟出土的。简报分为：一、地层，二、遗迹，三、遗物，四、结语，共四个部分予以介绍，有手绘图、照片。

据介绍，从挖掘所见文化层来看，地表层有辽、金时期的人们在此居住过。黑灰土层是文化层。遗迹有居住址、灶址；遗物有石器、骨器、陶器、蚌器和动物骨骼。

简报称，老山头遗址出土的遗物，与嫩江下游、松花江中游诸遗址出土的相同，是属于同一文化系统的金石并用时代的遗存。

189.五常市小北山遗址发现西团山文化石器

作　者：赵湘萍

出　处：《北方文物》2006年第2期

小北山遗址位于五常市西南约80公里处，是拉林河上游典型的青铜文化遗存之一。2002年，考古人员配合磨盘山水库基建工程对遗址进行了文物调查，发现房址、灰坑等遗迹，遗物有陶器、石器、骨器等生产工具和生活用具。其中采集到9件石器较为珍贵，磨制水平超过了其他石器。简报配以照片、手绘图予以介绍。

据介绍，这 9 件石器计有板状石斧 2 件、齿轮状石器 1 件、柱状石斧 1 件、砍砸器 1 件、半月形双孔石刀 1 件。尤其是齿轮状石器以往不多见。时代应相当于中原地区商周时期。

齐齐哈尔市

190.昂昂溪新石器时代遗址的调查

作　者：黑龙江省博物馆　赵善桐、杨虎
出　处：《考古》1974 年第 2 期

1960 年，考古人员对嫩江沿岸进行文物普查时，在昂昂溪地区作了调查和复查。1963 年 5 月、1964 年 4 月复查了这个地区的 26 处新石器时代遗址（有的下限可晚至铜石并用时代），收获较大。进一步调查了梁思永先生于 1930 年 9 月在五福调查、发掘的四座沙丘和莫古气、额拉苏等重要遗址；采集标本 1424 件，其中石器 1335 件。简报分为：一、遗址，二、遗物，三、几点认识，共三个部分，有手绘图。

简报称，昂昂溪地区原始文化有一个很长的发展过程，那里的原始社会时期遗址是长期形成的，地表暴露的遗物不是同一个时期的。所谓昂昂溪"细石器文化"时间较早，在昂昂溪地区发现的红衣陶片、鬲、"支座"、陶范等则属晚期遗物，官地墓葬代表晚期遗存。现有材料表明，昂昂溪地区和嫩江下游、松花江中游两地区的铜石并用时代（或更晚）的遗存有较为明显的共性。

191.黑龙江富裕县小登科出土的青铜时代遗物

作　者：张泰湘、曲炳仁
出　处：《考古》1984 年第 2 期

1981 年 5 月下旬，富裕县小登科农民破坏了青铜时代墓葬 4 座。考古人员闻讯后前往调查，并征集到陶罐 4 个、石范 1 个、铜耳环 1 个、铜镞 1 个、细石器 2 件。此外在遗址上还采集到细石器 6 件、大铜泡 2 个、小铜泡 1 个、铜镞 1 个、指环 1 个。简报配以照片、手绘图予以介绍。

据介绍，小登科屯位于黑龙江省富裕县西南 15 公里，西距嫩江主流 1 公里。墓群位于小登科小学校西北的弧形沙丘台地上，台地高约 517 米，台地下为旧嫩江河道，再往西为今日嫩江河道。1960 年，黑龙江省博物馆在嫩江流域进行考古调查时曾发现了这处遗址，并对其中 3 座墓葬进行了清理。一号墓为土坑竖穴墓，内葬两人，墓内有陶罐、青铜耳环、石范（合范）等；二号墓，开口、深度、方向均同一号墓，墓内有囊壶；三号墓基本同于二号墓，遗物只有一个夹砂红陶罐；四号墓不清，仅收集到 1 枚铜镞，另征集到 1 个铜镞。小登科的相对年代，简报推断可定在距今三四千年左右，约相当于商代。

简报称，小登科出土的铜镞和石范是一个重要的发现，它证明了小登科的相对年代已经到了青铜时代。

鸡西市

鹤岗市

双鸭山市

大庆市

192.黑龙江官地遗址发现的墓葬

作　者：赵善桐

出　处：《考古》1965 年第 1 期

1960 年 9 月，考古人员在复查官地遗址时，发掘了 2 座墓葬。简报配以照片、手绘图予以介绍。

据介绍，墓葬发现于官地西南红头山东北角冲沟东侧的黑沙土层中，人骨已部分外露。由北往南顺序编为墓 1 和墓 2，两墓相距不过 5 米。墓 1 距地表深 0.3 米，仅发现人头骨 1 具，随葬品共 5 件。头骨的左侧（西南方向）放 1 件小陶钵，在头骨与陶钵间有 1 件铜丝圈，头骨右侧放 1 大 1 小 2 件铜泡，其前又有 1 件骨锥。墓 2 位于墓 1 东南方 5 米处，墓的深度与墓 1 同，是 1 座双人合葬墓，仅存四肢骨与头骨，葬式是仰卧直肢，2 具骨骼并列。随葬品皆放头骨顶部。右侧有陶壶、小三足陶器各 1 件和铜丝圈 2 个；左侧有陶壶、小陶碗各 1 件，还有 2 件带多孔骨制品，头骨脑前扣放一蚌壳。

简报称，从出土遗物来看，墓葬和遗址是同一时代的遗存，而遗址可能略早于墓葬。墓葬中出土的几件铜制品，说明这时期的人们已使用金属。

193.黑龙江肇源白金宝遗址第一次发掘

作　　者：黑龙江省文物考古工作队　林秀贞、郝思德
出　　处：《考古》1980 年第 4 期

1964 年考古调查时发现了肇源县白金宝遗址，1974 年 8 月至 10 月进行了首次发掘。简报分为：一、地理环境和地层堆积，二、遗迹，三、遗物，四、结语，共四个部分，有手绘图。

据介绍，白金宝遗址是黑龙江省 1 处重要的青铜时代遗址。发现的两处房址均为半地穴式，面积较大，经夯实、烘烧。有椭圆形灶坑。生产工具以骨器、蚌器为主。蚌刀多达 40 余件，还发现少量蚌镰，表明当时农业有了一定的发展。磨制精致、锐利的骨鱼镖、矛和镞，以及蚌镞、石镞等，则是渔猎生产在经济中占有相当地位的标志。大量兽骨表明畜牧业也较为发达，当时主要是养羊。

简报称，白金宝遗址的年代，约相当于西周中期。简报称，与白金宝遗存相似的遗址，分布在以嫩江中下游和松花江上中游为中心的松嫩平原上。

194.黑龙江肇源小拉合、狼坨子青铜时代遗址调查简报

作　　者：郝思德、李砚铁
出　　处：《黑龙江文物丛刊》1984 年第 4 期

1978 年春，肇源县引嫩工程指挥部兴修水渠时，在县城西北的东北窑小队附近发现了一些文物和人类遗骨。1979 年 7 月考古人员前往调查，初步认定小拉合遗址和狼坨子墓葬均为青铜时代文化遗存。同时，还对白金宝青铜时代文化遗址进行了复查。

东北窑南距义顺公社约 5 公里，东南距肇源县城 60 公里。往西 30 公里即为嫩江。该地附近有一条南北长约 10 公里的沼泽泡子，当地人称为"乌兰大海"，实为嫩江古河道。在沼泽泡子东部地带分布着一些零星的沙丘岗地，遗址就坐落在沙丘漫岗上，其北一处为狼坨子，往南一处即小拉合。简报配以手绘图予以介绍。

据介绍，小拉合遗址遗物比较丰富，石器以压制的居多，凹底石镞加工较精细，刮削器多作圆弧刃，磨制石器主要有斧。陶器为手制，火候高，质地坚硬，器壁一

般较薄，泥质陶为主，次为夹砂陶。狼坨子墓葬遗物不多，葬式、葬制不明。陶器仅有泥质黄褐陶和夹砂褐陶，手制，多素面，也有凸弦纹、刻划纹等。简报分析，这两处遗存的文化内涵大体一致。从出土生产工具看，当时的人们主要从事渔猎经济，亦开始经营原始农业，过着定居的氏族村落生活，人死后就近埋葬。小拉合在年代上似乎要早于白金宝，应相当于商周时期。

简报称，小拉合遗址面积较大，地面遗物也较丰富，通过今后的发掘，能为研究黑龙江省青铜时代文化的内涵、特征、类型及其同白金宝文化的渊源关系提供重要的资料。

伊春市

佳木斯市

七台河市

牡丹江市

195.黑龙江宁安县莺歌岭遗址

作　　者：黑龙江省文物考古工作队　张太湘、牛国忱、杨　虎
出　　处：《考古》1981 年第 6 期

莺歌岭遗址位于黑龙江省宁安县镜泊湖南端东岸上，北距学园屯 1.5 公里，南距南湖头屯 2 公里。1949 年前，侨居哈尔滨的俄人 B.B. 包诺索夫，于 1931 年曾到镜泊湖的珍珠门、老鹳砬子、南湖头等地进行调查。1939 年，日人奥田直荣曾到镜泊湖地区进行调查，并对金明水、腰岭子、南湖头等遗址进行小规模的发掘。1958 年、1959 年、1960 年，考古人员都曾前往调查。1963 年 6 月至 7 月进行了发掘。简报分为：一、遗址概况和地层堆积，二、下文化层遗存，三、上文化层遗存，四、结语，共四个部分予以介绍，有手绘图。

据介绍，下文化层陶器以夹砂红褐陶为主，手制，器类很少，是迄今所知牡丹

江流域最早的一种原始文化遗存。是否已使用铜器不详。上文化层以夹砂黑灰陶和磨光黑灰陶为主，手制，住所为方形（长方形）半地穴式建筑，有垒砌石墙。年代测定为商周之际。

黑河市

绥化市

大兴安岭地区

上海市

196.上海松江区广富林遗址 1999 ～ 2000 年发掘简报

作　者：上海博物馆考古研究部　宋　建、周丽娟、陈　杰
出　处：《考古》2002 年第 10 期

广富林遗址位于上海市西南的松江区余山镇广富林村，遗址于 1959 年发现，后曾试掘，发现 2 座良渚文化墓葬和春秋战国时期的文化遗存。1999 年以来，考古人员在广富林遗址进行有计划的勘探和发掘。本文是 1999 年和 2000 年两次发掘的简报。1999 年和 2000 年度的发掘主要位于 I 区和 II 区，实际发掘面积共 546 平方米。通过 2 个年度的发掘，可以确认 II 区的发掘区域以良渚文化墓地为主，而 I 区以良渚文化、一类新的新石器时代晚期遗存和东周—汉代文化遗存为主。这类新的新石器时代晚期遗存以往在环太湖地区从未发现，因此，简报暂命名"广富林遗存"。由于篇幅所限，简报只报道良渚文化和广富林遗存。简报分为：一、地层堆积，二、良渚文化，三、广富林遗存，四、结语，共四个部分，有手绘图、拓片。

据介绍，1999 ～ 2000 年度发掘的 23 座墓葬均开口于同一地层，但是根据对良渚文化陶器的认识，其年代存在区别。本简报暂不作分期，仅确定其在良渚文化年代标尺上的位置。良渚文化分期有多种不同的分期方案，对典型器物的演变序列已经基本达成共识。现以四期 6 段的分期方案为标尺，将这 23 座墓葬纳入该方案。

广富林遗存是上海地区新发现的一种文化遗存，其年代经实验室测有 2 个碳十四年代数据（半衰期为 5568 年），分别是 3770±60B.P.（实验室编号为 20003）和 3780±60B.P.（实验室编号为 20004），经树轮校正后为公元前 2310 年和公元前 2320 年。

简报称，广富林遗存的发现为环太湖地区的文化谱系和文明进程研究提出了新的问题。

江苏省

197.江苏溧水、丹阳西周墓发掘简报

作　者：镇江市博物馆　刘　兴
出　处：《考古》1985 年第 8 期

　　江苏省溧水县乌山公社岗沿山 4 号墩，在原清理的 1、2 号墩南约 200 米，与 1、2 号墩呈不等边的三角形。由于土墩处在山坡地，经逐年雨水冲刷而平缓，高距地表仅约 1 米，墩底范围不清，直径约 9 米。1978 年 10 月考古人员对该墩进行了发掘（编号 LW4）。由顶部下挖仅 80 厘米，即发现器物。在这座土墩内有两个墓葬，一座在西北面坡上（LW4:M2），一在东南面坡下（LW4:M1），两墓底高低相距约 25 厘米。简报配以手绘图、照片予以介绍。

　　据介绍，这个土墩内的两座墓，与宁镇地区其他同类型土墩墓相同，不深挖墓坑，无明显的边缘，是依山坡斜度用熟土铺平作为墓底，随葬器物即放置其上。未发现人骨架，但在 M2 中发现有人齿两处，均未成年。两墓共出土陶瓷器 24 件。在这批出土文物中，特别是溧水乌山四号墩出土的 I 式印纹硬陶坛，以 4 个长条附加堆纹竖贴在腹部，上塑双兽为耳，制作工整精巧，亦是早期对印纹硬陶生产重视的现象。根据近几年来在宁镇地区对这种墓葬的发掘情况，这两地墓葬应同属于土墩墓的早期类型，简报推断它的时代相当于西周前期。

南京市

198.南京锁金村遗址第一、二次发掘报告

作　者：南京博物院　尹焕章、蒋缵初、张正祥
出　处：《考古学报》1957 年第 3 期

　　南京市北郊太平门外 2 公里处锁金村西北，原有一高出周围平地 5 米左右的圆形土墩。当地农民称为"小山头"。此处离玄武湖东北岸只有 500 米，往东南 1

公里便是紫金山。1955 年南京林学院建校舍时出土有石器、陶器、兽骨。1956 年
5 月、1957 年 1 月，考古人员进行了两次发掘。简报分为：一、遗址位置和工作经过，
二、文化层堆积及其主要现象，三、出土遗物，四、结语，共四个部分，有照片、
手绘图。

据介绍，出土遗物有石器、陶器、骨角器、青铜器等，年代简报推断为商末、西周初。
另外还发现有战国时 1 件铜铃，以及六朝、宋代、明清的少许遗物。其中有东晋纪
年墓砖。

199.南京市北阴阳营第一、二次的发掘

作　　者：南京博物院　赵青芳等
出　　处：《考古学报》1958 年第 1 期

遗址位于南京城内北阴阳营南京大学职工宿舍的西院里。约在抗日战争之前，
这里的遗址曾被前金陵大学农学院吴良才先生发现，但未正式发掘。1954 年 9 月，
南京师范学校在遗址西边建筑校舍，用土墩上的土来填垫废塘。掘土时发现很多石
器和陶器，经考古人员前往实地调查，及时作出保护遗址的具体措施。1955 年春季，
南京大学拟在遗址附近建筑房屋，考古人员即于 2 月间开始计划发掘。发掘工作自
2 月 23 日开始，至 3 月 31 日结束，共费时 37 天。1956 年 5 月初，又进行了第二次
发掘。工作自 5 月 2 日开始至 6 月 17 日结束，简报配以照片和折页手绘图予以介绍，
简报目次为：一、前言，二、地层与分期，三、居地和葬地，四、文化遗物，五、
结语。

简报介绍，前后两次发掘，发现住宅残迹 1 处、灶穴遗迹 2 处、灰坑 18 个。并
在葬地层清理出人骨 225 具。遗物方面共出土石器、陶器、骨器、玉器、玛瑙器、
小件铜器、卜骨、卜甲等约 3381 件。关于这遗址两层文化的时代，简报推断下层是属
于新石器时代晚期的，上层则是铜石并用时代的文化。

200.江苏溧水发现西周墓

作　　者：镇江市博物馆、溧水县文化馆　刘　光、吴大林
出　　处：《考古》1976 年第 4 期

1974 年 11 月，溧水县乌山中学师生在小农场生产劳动中发现铜鼎 1 件。1975
年 5 月，考古人员进行了清理。该地在溧水县乌山镇西南约 1 公里的岗沿山岗的西
侧中部，是 1 个仅略凸出地表的圆形小土墩，直径约 6.5 米。当地人反映该土墩过

去曾高约12米，因逐年耕种和平整土地而削平。在清理中，除前出土的1件铜鼎外，还出土陶器4件，并发现有1根长80厘米的炭迹。从地表到生土仅55厘米，有的器物即在地表土下，有的器物已在表土上，部分受到损坏。简报配以拓片、照片予以介绍。

据介绍，计铜鼎1件、红砂陶器1件、几何印纹陶瓮1件、几何印纹陶罐1件、泥质黑衣陶罐1件，从纹饰看与中原地区出土的铜器纹饰明显不同，可能是当地制造的。简报认为器物的时代应属西周。在这一地区，一般以几何印纹陶为随葬品的墓葬，多属平地堆成的土墩，无墓穴，该处虽未发现骨架遗存的痕迹，但从出土器物的分布情况来看，仍应是一处西周小型墓葬。

201.南京浦口出土一批青铜器

作　者：南京市文物保管委员会　魏正瑾
出　处：《文物》1980年第8期

南京市浦口区三河公社林场大队第四生产队在治山造田时发现一批古代青铜器，考古人员于1977年12月进行了现场调查，确定铜器系1座土坑墓的随葬品。简报分为：一、出土器物，二、时代和地方特征，共两个部分予以介绍，有拓片、照片。

据介绍，铜器出土地点是林场四队附近1个名叫"长山子"的小丘南坡，东南距离长江边7.5公里，南与海拔200米左右的馒头山距离2公里左右。铜器发现于小山坡的中段、地表以下约2米深的黄土层之中。共得鼎1、鬲3、矛1、戈2、剑1及镞30余件；鼎、鬲等生活用具成南北一线排列，彼此有一定间隔，戈、矛、剑及成堆的箭镞等兵器散置其间。简报推断，浦口出土的这批青铜器，是西周晚期至春秋初期江南地区的产品。

简报称，由于长江下游两岸出土公元前7、8世纪的青铜器不太多，成批的发现更少，所以这些铜器对于研究长江下游奴隶社会的历史，是一批有用的资料。

202.江苏溧水宽广墩墓出土器物

作　者：刘建国、吴大林
出　处：《文物》1985年第12期

1981年2月，溧水县和风公社黄家村生产队农民，在村东200米外的宽广墩内发现一批青铜器、印纹硬陶器和原始青瓷器。同年7月，考古人员到现场调查，大部分铜器已破损散失，其余器物由镇江博物馆收藏。简报分为两个部分，配以拓片、手绘图，介绍了调查和征集情况。

据介绍，宽广墩位于溧水县城南约30公里的和凤公社黄家大队境内，地处溧水县、高淳县及与安徽当涂县相邻的三角地带，东距溧（水）高（淳）公路的双牌石车站3.5公里。据当时掘土的农民介绍，在距墩顶深约2.5米居中处，发现4只并立的印纹硬陶坛；继在东侧稍低的土中又发现4只并立的原始瓷折肩直腹罐；其余器物均分布于距墩顶深约4米的一层薄的灰淤土之上，范围近似长方形，长约4米、宽约1.5米，南北向，居墩的偏东部分。灰淤土之下系生黄土。另外，据称有些铜器出土时外围多有似漆容器残迹。简报认为这些遗物应属一座墓葬，墓主应为吴国的贵族。年代简报推断为西周晚期至东周早期。

203.江苏溧水出土的几批青铜器

作　者：溧水县图书馆　吴大林
出　处：《考古》1986年第3期

江苏溧水境内分布着数以百计的属于西周至春秋时期的土墩墓，墓内先后出土了一些铜器。溧水土墩墓内陆续有青铜器发现。简报介绍了几件有确切出土地点的青铜器，有照片、拓片、青铜器。

据介绍，有白马公社上洋大队段西生产队出土的铜鼎1件，为春秋中期遗物。有洪蓝公社前进大队后赵村出土的铜矛1件，为西周至春秋前期遗物。有拓塘公社梅山大队出土的矛、戈、剑各1件等，为西周早期遗物。均未见铭文。

204.高淳发现一件西周时期铜簋形器

作　者：高淳县文物保管所　康　京
出　处：《文物》1998年第6期

1984年8月，江苏省高淳县顾陇乡下刘家村农民在"竹山墩"开挖水渠时，发现1件铜簋形器，次年交县文管会收藏。简报配以照片、拓片予以介绍。

据介绍，竹山墩靠近下刘家村东北角，土墩约直径50米，高5～6米，应属一大型土墩墓地。簋形器于竹山墩的东北坡，距山坡地表约0.5米处发现。据了解，出土现场除少量陶片随泥土运走外，仅此1件铜器。此器于1994年经国家文物鉴定委员会鉴定，时代定为西周晚期至春秋早期，器型应具吴国风格，为国家一级文物。此器用籼米装至口沿，按口沿刮平，称其重量为2250克。这件簋形器应是1件衡量谷物的铜量具。

无锡市

205.江苏无锡锡山彭祖墩遗址发掘报告

作　者：南京博物院、无锡市博物馆、锡山区文物管理委员会　朱国平、邹忆军、
　　　　郝明华、汪俊明、解立新、蔡剑鸣、唐根顺等

出　处：《考古学报》2006 年第 4 期

彭祖墩遗址位于江苏省无锡市锡山区鸿山镇管家桥村的管家桥自然村西南 100 米处。遗址西距无锡市区 20 公里，南临张塘河和伯渎河，东北 1 公里处有鸿山。遗址地处太湖平原，为一近长方形台地。1990 年，无锡市博物馆在考古调查中发现该遗址。2000 年 11 月至 2002 年 6 月，考古人员对该遗址进行了 3 次发掘，发现了属于马家浜文化、商周时期的文化遗存，包括房址、灰坑、墓葬等遗迹，以及属于以上各个文化和时期的陶器、石器等遗物。简报分为：一、地层堆积，二、马家浜文化遗存，三、崧泽文化遗存，四、商周文化遗存，五、结语，共五个部分，介绍了相关的发掘情况，有照片、手绘图。

据介绍，该遗址发现的马家浜文化遗存有其自身的特点，似乎受周边文化影响较多。而商周时期的文化遗存，是以釜为主要饮具，与湖熟一带以鬲为主要饮具有明显区别。简报称，这一发现对解决整个江苏南部和浙江北部的商周时期文化的特征有重要意义，也为吴越文化的研究提供了值得重视的新材料。

徐州市

206.江苏铜山丘湾古遗址的发掘

作　者：南京博物院

出　处：《考古》1973 年第 2 期

丘湾古遗址位于徐州市北 17 公里，在铜山县茅村公社檀山集的东南。1959 年冬发现并作过探掘；1960 年春，进行过小范围的发掘。通过两次发掘，了解到丘湾遗址的主要内涵是商代文化遗存。1965 年冬，又对遗址进行了较大范围的发掘（依 3 次发掘先后次序分别编号为丘 I、丘 II、丘 III）。简报分为：一、文化层堆积概述，

二、遗迹与遗物，三、商代陶器分期，四、商代葬地的发现，五、结语，共五个部分，有手绘图、拓片、照片，附有"丘湾商代葬地人骨统计表""丘湾商代葬地狗骨统计表"。

据介绍，丘湾遗址处在山峦间的开阔地带，为近山傍水的台地。丘湾遗址的文化内涵，包括三个不同时期，即新石器时代晚期的山东龙山文化、商代文化和西周文化。但龙山文化仅是部分的、少量的遗存，西周文化又保存得极不完整，因此构成遗址的主要部分应是这里的商代遗存。这里的商代遗迹，反映了当时人们的居住情况，规模是狭小的，建筑是简陋的。出土遗物以陶器、骨器、石器、蚌器为大宗，青铜器极为少见。商代晚期，青铜器的铸造已经盛行，但遗址内出土的青铜生产工具，仅仅是小刀、箭头和鱼钩等寥寥数件，石制和蚌制的生产工具，这时仍然被广泛使用。丘湾商代葬地共发现人骨20具、狗骨12具，分批集中地葬在同一个地点，葬法极为简单潦草，只用黄土加以掩埋。葬式全部都是俯身屈膝。因葬地有大量的狗骨同葬，骨骸经初步鉴定又有女性，所以死者的身份简报认为应该是奴隶。

简报称，从丘湾商代遗址的发现以及其文化特征来看，是与中原商代文化十分接近的。

常州市

207.江苏金坛鳖墩西周墓

作　者：镇江市博物馆、金坛县文化馆　刘　兴、徐永年
出　处：《考古》1978年第3期

1975年5月，金坛县城东公社电力大队农民在平整鳖墩土地时，发现1件几何印纹陶罐，内满盛青铜块70余公斤，同时在该墩的西北面又发现几件几何印纹陶罐，当即报镇江市金坛县两馆，考古人员进行清理，清理情况简报配以手绘图、照片予以介绍。

据介绍，鳖墩墓葬形式，无墓坑及土层压实的现象，而是平地埋葬后再封土成冢。两座墓葬出土的几何印纹陶，器形、纹饰已趋向简单化，而原始瓷质量则有所提高，器形亦较多样化，反映了原始瓷的制造在不断提高，应用范围亦较广泛。70公斤青铜块的出土，反映了江南一带铜的资源比较丰富，也一定程度地反映了当时的冶炼技术水平。墓葬中出土木炭，经中国社会科学院考古研究所实验室进行C-14测定，结果是距今2820±105年（前870年），相应的树轮校正年代是2935±130年（前985年），即相当于西周中晚期。

208.江苏金坛市新浮遗址的试掘

作　　者：南京博物院　王奇志、盛之翰等
出　　处：《考古》2008 年第 10 期

2005 年 6 月至 7 月，在上水土墩墓群抢救性发掘期间，南京博物院对正遭到严重破坏的金坛市薛埠镇新浮遗址进行了抢救性试掘。薛埠镇位于金坛市西部、茅山东麓，西距茅山诸峰之磨盘山约 7.5 公里，东距金坛市约 20 公里，是丘陵、岗地与平原的交接地带，340 省道从镇北穿过。新浮遗址位于薛埠镇新浮村南约 100 米处，南距 340 省道约 300 米，北距上水土墩墓群约 500 米。遗址为一大体呈长方形的台地，高出周围地面约 1.5 ～ 2 米，面积约 2 万平方米，当地农民称之为"枕头岗"。遗址大部分已在乡镇建设取土过程中被破坏。简报分为：一、地层堆积，二、遗迹，三、遗物，四、结语，共四个部分，有照片、手绘图。

据介绍，考古人员发现了灰坑等遗迹，出土陶器、石器以及少量的原始瓷器等遗物。该遗址属于早期湖熟文化，遗物与郑州二里岗遗址下层有很多相似之处，年代相当于中原的商代早期。

简报指出，本次发掘出土陶器中也有一些为以往发掘的早期湖熟文化遗址少见或不见的器形，如豆把上部突鼓的泥质浅盘豆、夹砂白陶尊、镂孔呈三瓣形的原始瓷豆等，这些发现丰富了早期湖熟文化的内涵。一般认为，湖熟文化的分布中心在茅山以西的宁镇地区和皖南东部，新浮遗址的发掘说明早期湖熟文化在茅山山脉以东也有所发展。

苏州市

209.江苏吴县何山东周墓

作　　者：吴县文物管理委员会　张志新
出　　处：《文物》1984 年第 5 期

1980 年 7 月 6 日，吴县枫桥公社水泥厂职工，在何山取土时，挖出了一批青铜器和陶器。由于墓穴已被破坏，考古人员只作了详细的现场调查以后，征集回一批出土文物。简报分为：一、墓葬地理位置和调查情况，二、出土遗物，三、结语，共三个部分，有手绘图等。

据介绍，枫桥何山，位于苏州城西 10 公里，吴县西津桥镇南约 1 公里处，是苏州城西古墓葬较多的地方。这次出土文物的地点，在何山西南麓的缓坡上。据当时参加取土的职工回忆，文物分布在东西宽 5 米、南北长 8 米、距地表约 2 米的同一平面内。这些文物应该是 1 个墓葬内的随葬品。出土遗物有青铜 33 件、陶器和原始瓷器各 1 件，共计 35 件。青铜器有：鼎、盉、簋、缶、匜、盘、戈、矛、镞及车马器等，有的为楚器。简报称，周敬王十四年（前 506 年），吴王阖闾、伍子胥率兵攻入楚之郢阳。因此，此墓出土的楚国铜器，很可能是吴人掠回的战利品，赐给攻楚的功臣，死后随葬的。墓主人可能是这次攻楚有功之人。

墓葬的年代，估计应在周敬王十四年吴楚战争结束后或稍晚。

210.江苏苏州上方山六号墩的发掘

作　　者：苏州博物馆考古部　钱公麟、丁金龙
出　　处：《考古》1987 年第 6 期

上方山又名楞伽山，位于苏州市西南 12.5 公里。六号墩位于上方山楞伽寺塔西 1 公里处的上方山余脉的山脊上。因其是塔以西第六个墩，故定名为"六号墩"。其墩所处地俗名"抱震岭"；是苏州市郊横塘乡新丰到梅湾的捷径山隘。此山岭海拔为 76.2 米。登山远眺，南面石湖经越来溪入太湖，吴山逶迤南仲；北面金山、狮子山、何山、索山、黄山环抱；西面接边七子山、尧峰山。考古人员于 1981 年、1984 年进行了两次发掘。简报分为四个部分予以介绍，有手绘图。

据介绍，"六号墩"规模较大，处于东西走向的山脊上，东西径为 42 米，南北径为 28 米，高 7.15 米，呈馒头状。墩内有一石室，位于墩的西半部偏中。整个石室平面呈长条形，长为 9.60 米，宽约为 1.84 米，最高处为 6.15 米。石室系本山的大、小石块堆砌而成。简报认为，石室建筑是一种盛行于太湖流域西周—战国时期的一种建筑形式，基本上都是因地制宜，利用本山之材建筑，分布于山脊为主，也有在山余脉、山腰及山麓的。其用途有的说是墓葬，有的说是军事用烽燧墩（石室藏兵），有的说是原始土著居民活动场所。简报认为上方山六号墩中石室，目前基本上可以肯定为人类活动场所。至于其具体作什么用度，如上述藏兵（军）洞、烽燧墩、居住地、"江南长城"，还可能作为祭祀遗址等，还待进一步探讨和研究。

此遗址时代，简报推断为西周中期。

211.江苏吴县南部地区古遗址调查简报

作　者：姚勤德

出　处：《考古》1990 年第 10 期

吴县，地处长江下游的太湖之滨，面积 1634 平方公里，四周分别与无锡、常熟、昆山、吴江交界。早在 1956 年，南京博物院就做了大量的考古调查工作，发现了数处古遗址。尔后，又先后发掘清理了张陵山遗址、澄湖古井遗址、三山岛旧石器时代遗址。为了配合《文物地图集》的编撰，考古人员对这一地区进行了详细的考查，先后新发现古文化遗址 8 处，复查遗址 6 处。其中 2 处遗址已作过报导。6 处调查较为详细，内涵较为丰富的遗址，简报分为：一、遗址概况，二、遗物，三、各类文化遗物的时代，共三个部分，有手绘图、拓片。

据介绍，调查材料表明，这一地区各类史前遗存的面貌与太湖流域已发现的新石器时代遗址的文化序列是相一致的。简报推断，古遗址第一类文化遗存均具有马家浜文化特征；第二类文化遗存时代大致与崧泽中、晚期相当；第三类文化遗存其时代相当于良渚文化时期；第四类遗存时代大致相当于中原的商代至西周早期。

简报称，商周遗存的发现是一重大收获，为今后研究这一地区商周文化的序列，提供了实物资料。

又，据《考古》1986 年第 4 期，几年来，江苏吴县地区还曾陆续出土了一批青铜剑，其中大多数是在围垦太湖时，在湖床深处淤泥里发现的。由于当时水利工程施工紧张，未及清理发掘，这些青铜剑都是事后从百姓手里征集的。

据介绍，这些青铜剑的共同特点是，剑首呈喇叭形，茎圆柱状，剑身呈柳叶形，在距前锋约占剑身的五分之二处渐向内收。剑刃有整齐的锉磨斜口，至今还很锋利。剑的棱脊部延伸到前锋尽端。可分为六式。Ⅰ、Ⅱ式剑上限应在西周后期，下限春秋早期。Ⅲ、Ⅳ式剑下限不晚于春秋后期。至于Ⅴ、Ⅵ式剑，应是Ⅰ、Ⅱ式剑演变来的，属于战国时期。

212.江苏常熟钱底巷遗址发掘报告

作　者：南京大学历史系考古专业、常熟博物馆　宋　建、戴安汝、吴慧虞等

出　处：《考古学报》1996 年第 4 期

钱底巷遗址在常熟市北郊新光村西，南距常熟市区 4 公里。遗址三面临水，西北高东南低。钱底巷遗址于 1980 年经常熟市文和会调查发现，1983 年南京博物院曾进行过试掘。1988 年 8 月至 10 月，考古人员对该遗址进行了发掘。试掘表明，

钱底巷遗址的主要文化内涵是新石器时代崧泽文化和商周文化，也发现了一些六朝、唐、宋文化遗存。简报分为：一、前言，二、崧泽文化遗存，三、商周文化遗存，四、结语，共四个部分，有照片、手绘图。

据介绍，钱底巷崧泽文化遗存陶器大多与以往发现无异，仅少数器形为以往不见，如 B 型陶鼎、D 型陶豆等。商周文化遗存的主要文化面貌是马桥文化的延续与发展，并含有中原地区商、周文化因素和宁镇地区湖熟文化因素。

此次发掘一个突出之处是重视人类居住与自然环境状况的相互关系，南京大学大地海洋系徐馨先生对采自该遗址的 28 块孢粉样进行了分析，认为钱底巷遗址崧泽文化早期，气候比现在稍显湿暖，遗址及其周围水域面积较大，分布比较多的池塘与港汊。崧泽文化中晚期，水域面积较前有所缩小，陆地面积相应扩大，气候略偏干凉，由于喜冷成分没有出现，因此还不能说是干冷气候。

简报称，殷墟文化晚期至春秋末年，在环境变迁方面可细分为三个时期：早期耐干旱的草本植物缺失，提示地面温度较大；中期比较干旱，水域较小；晚期长江江面抬高，发生过江水沿港汊倒灌的现象。

南通市

连云港

213.江苏新海连市大村新石器时代遗址勘察记

作　者：江苏省文物工作队　陈振尧、陈克猷
出　处：《考古》1961 年第 6 期

大村位于江苏省新海连市东北约 7 公里处，自 1959 年至 1960 年，陆续有古代遗物出土。简报分为：一、地层情况，二、出土遗物，三、小结，共三个部分，有照片。

据介绍，该遗址可分为上下两层，上层为汉代文化，下层为新石器时代文化。新石器时代墓葬中，死者的头部覆盖一砖红色细泥质红陶钵，其葬俗，出土文物应属青莲岗文化。出土的 6 件铜器，为西周晚期风格，估计为西周墓葬中的随葬品。这样成组精美的西周铜器，在江苏省出土文物中并不多见。

214.江苏东海庙墩遗址和墓葬

作　者：南京博物院、东海县图书馆　尤振民、周晓陆
出　处：《考古》1986 年第 12 期

庙墩位于江苏省东海县青湖乡西丁旺村之北，为一圆台形土墩，现存面积南北为 138.5 米，东西 90 米，中部最高处高出地面 1.70 米。庙墩土色浅灰，与周围黄色沙壤土有明显区别。其四周是广阔的农田，在墩西 30 米处有一条宽约 50 米的古河道南北向通过，以后又转折向西。1982 年 1 月上旬，西丁旺村农民在庙墩平整土地时，发现了一批青铜器、陶器和玉器，计有铜甬钟 9 件，铜鼎 3 件，铜匜、盘、壶、凿各 1 件，陶瓿 2 件，玉器 2 件。青铜器出土时除少数严重锈蚀外，其余均基本完整，后被砸破卖给乡废品收购站，以至部分器物已经残缺。考古人员闻讯后已将这批器物收集保存。同年 2 月下旬，在出土地点进行了调查，查明这批器物是出自 1 座墓葬。简报分为：一、遗址，二、墓葬，三、几点看法，共三个部分，有手绘图。

据介绍，出土青铜器的残墓，简报推断为春秋早中期时墓。伴出有圆石片、贝、陶片等。简报称，从此墓的基本形制到随葬品的基本风格看，是属于中原商、周文化系统，而与南方同时期的文化面貌明显不同。

215.江苏灌云县出土周代青铜器

作　者：陈龙山
出　处：《考古》1993 年第 10 期

1988 年 5 月，灌云县伊山乡任庄村村民在山岗挖土时，于地面下 1 米深处发现铜鼎 1 件以及剑、戈等青铜器，考古人员进行了调查。简报配以照片予以介绍。

据介绍，计鼎 2 件、剑 2 件、戈 2 件、凿 1 件，未见铭文。

淮安市

216.江苏沭阳出土商代铜鼎

作　者：王厚宇
出　处：《文物》1990 年第 4 期

1985 年，江苏淮阴市博物馆征集到商代铜鼎 1 件。据发现者是说铜鼎出土于沭

阳县万匹村，同时出土铜鼎 1 大 1 小，小的 1 件已损坏丢弃。经调查，万匹村是 1 处新石器时代至商周遗址，遗存丰富，曾发现一些商周墓葬。此鼎可能是墓葬遗物。简报配以照片予以介绍。

简报介绍，鼎口微敛，方直耳立于沿上，弧腹，圜底，三柱状实心足，下端稍小。腹上部呈带状凸起，上饰简化的饕餮纹三组，细窄鼻梁，圆眼突出。通高 24.5 厘米，口径 18 厘米，足高 10 厘米。

从形制和纹饰看，此鼎与河南安阳小屯 17 号殷墓出土的鼎酷似。小屯 17 号墓属殷墟文化二期，即武丁至祖甲时期。简报推断此件鼎时代应与之相同。

盐城市

217.江苏盐城市龙冈商代墓葬

作　者：盐城市博物馆　韩明芳
出　处：《考古》2001 年第 9 期

1995 年 8 月，盐城市龙冈中学校园内施工时发现商代墓葬 1 座，考古人员赶赴现场进行抢救性清理发掘。

简报分为墓葬概况、出土器物、几点认识，共三个部分，有手绘图、照片。

据介绍，根据遗物堆放的位置及范围，简报推测它可能为墓葬，随葬器物主要为红陶器，亦有少量泥质灰陶器，纹饰主要为绳纹和弦纹，仅有 1 件为斜方格纹，从总体风格来看，其年代简报推断大致可定为商代晚期，约相当于殷墟一期至二期之间。

简报称，龙冈商代墓葬的发现表明了淮河下游以南地区在商代并非是文化的空白区，而应是淮夷的分布空间；从龙冈商代墓葬的随葬器物分析，商王朝的势力范围有可能到达江淮东部，至少商王朝的影响已波及到这一地区，即江淮东部有可能成为商代诸多方国中的一个方国。

扬州市

镇江市

218.江苏句容县浮山果园西周墓

作　　者：南京博物院　宁　结
出　　处：《考古》1977年第5期

　　浮山果园在句容县城西南20多公里的甸岗村，从天王寺到溧水的公路从此经过。在浮山的北麓直到甸岗村，分布着许多古代的大土墩。仅在果园第三生产队即有土墩30多个。历年平整土地时，土墩中都有古代的陶器发现。1974年冬，在第三生产队发掘1个土墩，发现古代墓葬10余座，出土西周时代的陶鬲等随葬器物两百余件。这个土墩，编为Ⅰ号土墩。1975年春，在Ⅰ号土墩的东北约300米的地方，发掘清理了1个土墩，编为Ⅱ号土墩。发掘工作于5月3日开始，5月25日结束。Ⅱ号土墩南北长约20米，东西宽约15米，高出地面3米。发现墓葬8座，编号为句浮HM1～HM8。墓葬内出西周时代的陶鼎、鬲，还有黑皮印纹陶器、几何印纹硬陶器、原始瓷豆等，青铜器仅出1件铜戈。据此推断很可能是西周一般平民阶层的墓葬。简报分为"墓葬特点""随葬器物的一般情况和它们的特征""墓葬时代的推断和墓主身份的分析"等几个部分予以介绍，有手绘图。

　　据介绍，Ⅱ号土墩内的8座墓葬和常见的西周墓葬不一样，有其本身的特点：一是都用平地堆土成墓的办法埋葬死者，而不是深挖圹穴的办法埋葬死者的。二是各墓的随葬器物几乎每件都有残破或缺损，很少有完整无损的。三是各墓的葬具和人骨均未发现，其原因可能是在埋葬时就没有棺椁一类的葬具。四是墓葬的堆土均为红色黏土，在堆土之上还有黄色黏土做封土。8座墓葬分布在1个大封土墩内，但不是在同一个水平面上，有的高，有的低，一般多在土墩顶以下1～3米的地方。由此可知8座墓葬是先后埋葬的，逐次堆葬，最终形成1个馒头形土墩。五是墓葬无固定的方向，根据各墓长方形堆土范围来看，8座墓有4座大致是南北方向，另外4座大致为东西方向。各墓所出随葬器物多少不等。最多的如M2有18件，最少的如M4只有1件。其他6座墓是4～11件。8座墓葬共计出土随葬品66件。简报推断为西周中期墓葬。简报推测，本墓地8个墓葬可能是西周时代一个武士的家族墓地。可见西周政权的统治已到达远离中原的江南一带。

219.江苏句容浮山果园土墩墓

作　者：镇江市博物馆浮山果园古墓发掘组
出　处：《考古》1979 年第 2 期

从句容县城向南 24 公里，是天王镇，由天王镇沿溧（水）武（进）公路向西 5 公里，是天王公社的甸岗，即浮山果园。从天王镇至甸岗之西，是一片岗峦起伏的丘陵地区，长约六七公里，南近浮山，北距虬山 8 公里，这一地段中分布有大大小小的土墩古墓，仅果园三队就有土墩墓 32 个。当地人通称土墩为"宝宝墩"。考古人员于 1974 年 11 月选择了其中 1 个中型"宝宝墩"进行了发掘，编号为一号墩。简报配以手绘图等予以介绍。

据介绍，一号墩北距甸岗约 2 公里，在甸岗至浮山公路的东侧，是 1 个馒头形的土墩。经过发掘，这个土墩内是个墓葬群，内有 16 座墓葬，均无葬具。尸骨大都腐烂无存，2 处发现有人齿 7 枚，1 处发现残腿骨 2 根。墓葬并有明显的打破现象。随葬器物共 358 件，出土陶瓷器大多为生活用具，还有少数生产工具。从质地上分有夹砂陶、泥质陶、几何印纹硬陶、原始瓷等；从器形上分有鬲、鼎、甗、贯耳釜、坛、罐、豆、盅、盆、钵、大口器（？）、器盖以及纺轮等。器物中有各种腐烂粮食痕迹，有鱼、禽、兽残骨，保存有较完整的蛋壳数十只，是罕见的遗物。年代经测定为距今 2900 ~ 2700 年左右，约为西周中期荆蛮族家族墓葬。

220.江苏丹阳出土的西周青铜器

作　者：镇江市博物馆、丹阳县文物管理委员会　刘　兴、季长隽
出　处：《文物》1980 年第 8 期

1976 年 12 月，丹阳县城东四公里许的司徒公社砖瓦厂在取土时发现一批青铜器，计有鼎、簋、尊、盘、瓿等 26 件。这批青铜器数量较多，器形有特色，纹饰多样，对于研究长江下游近海地区的青铜文化面貌有重要的价值。简报分为：一、出土器物，二、出土情况，三、时代探讨，共三个部分，有拓片、照片。

据介绍，这批青铜器出土时是堆叠放置的。2 只大铜鼎并列放在最底部，鼎内放铜簋、铜盘，再上放小铜鼎，小铜鼎都是倒置或侧置。大小铜尊放在大鼎的一侧，2 只大铜盘覆盖在大尊上。这批青铜器出土于距西周统治中心较远的东南沿海地区，属于地方铸造，具有一些地方色彩。简报推断这批窖藏青铜器有些具有西周早期特征，但多数是西周中期的器物，或者还较晚一些。

简报推断：窖藏的时代，应不晚于春秋早期。

221.镇江市马迹山遗址的发掘

作　者：镇江博物馆　肖梦龙
出　处：《文物》1983 年第 11 期

1980 年 3 月，为配合丹徒县施工建设，考古人员在马迹山遗址作了小面积发掘。简报分为：一、遗址概况、地层与遗迹现象，二、文化遗物，三、小结，共三个部分，有照片、拓片、手绘图。

据介绍，马迹山遗址位于镇江市东南郊大运河之南，遗址原为椭圆形土墩，属于宁镇一带常见的所谓"台形遗址"。因施工土墩已成曲尺形。这次发掘的部位，大体在原土墩的中部。发现灰坑 3 个，出土石器 140 余件、陶片 7800 余件，修复陶器 68 件，青铜器 1 件。年代简报推断上限为商代晚期，下限应到西周初期。

222.江苏丹徒大港母子墩西周铜器墓发掘简报

作　者：镇江博物馆、丹徒县文管会　肖梦龙
出　处：《文物》1984 年第 5 期

1982 年 9 月，丹徒县大港公社赵庄大队采石场工人在乔木山上的母子墩取土时发现 1 件青铜簋，随后送交镇江博物馆。考古人员对母子墩作了发掘清理。经发掘证实是 1 座大型土墩墓。简报分为：一、墓葬形制，二、随葬器物，三、年代推断，共三个部分，有照片、手绘图。

据介绍，这一带分布有不少土墩墓，母子墩为其中之一，外观呈馒头形，高出周边 5 米许。随葬器物以青铜器为主，包括铜礼器、兵器及车马器；几何印纹硬陶和原始瓷器为辅，不见泥质陶器。

该墓的年代，简报推断为西周早期偏晚或中期之初。

223.江苏丹徒县石家墩西周墓

作　者：镇江市博物馆　刘建国
出　处：《考古》1984 年第 8 期

石家墩位于宁镇丘陵东端偏南的黄土高地之间，西北距镇江市 15 公里，东北与宁沪铁路三山车站仅隔 2.5 公里。1981 年初，丹徒县三山公社湖滨大队在石家墩内取土建砖窑时，发现原始青瓷器，经考古人员清理发掘，系属西周时期的 1 座土坑墓。简报配以手绘图、拓片予以介绍。

据介绍，墓坑长方形，坑口在地表下50厘米深墩内中部偏东处，坑壁外系生黄土，坑内填以细砂质灰黄土。器物出于坑底部西南端，出土器物均系原始青瓷器，器形分罐、豆两类，共计18件。器皆灰白胎，釉色分茶绿釉和灰青釉两种，前者釉面较厚，有泪痕，易脱落，一般未施到底；后者釉面极薄，与胎面附着一体，刷痕显露，釉不易脱落，常施及底。器物上起沟，开裂、局部变形的现象多见。此墓的时代简报推断约在西周中晚期。

简报称，石家墩西周墓的出土为探讨江南地区的西周墓葬的性质、类型增添了典型的实物资料；同时为研究这一地区的族属情况提供了有益的线索。

224.江苏句容城头山遗址试掘简报

作　　者：镇江市博物馆　刘建国
出　　处：《考古》1985年第4期

城头山遗址位于句容东北约5公里处的句容水库内，现为高出水面略呈椭圆形的小岛，表面平坦，南北长约150米、东西宽约200米、顶面海拔高度为30米。该遗址于1957年文物普查时发现。当时，水库尚未修筑。1958年，遗址被圈入水库后，保存情况尚好，只是边缘缓坡常年受水浪的冲击，多坍塌露出断面。1981年6月3日至15日，考古人员在遗址东南部试掘。简报分为：一、地层，二、第三文化层，三、第二文化层，四、第一文化层，五、结语，共五个部分予以介绍，有照片、拓片、手绘图。

据介绍，第三文化层灰坑两个，遗物有生产工具、生活用具。简报认为第三文化层的时代，大致相当于崧泽文化晚期，至于其中的罐式匜、绳索状器耳等已含有良渚文化的成分。

第二文化层2B层出土遗物有生产工具、生活用具，2A层灰坑一个，遗物有生产工具和生活用具。简报推断，2B层延续的时间较短，大致相当于早商时期，2A层则相当于中原商代中晚期。

第一文化层灰坑1个，遗物有生产工具、生活用具。其时代简报推断为亦相当于中原西周时期。

225.江苏句容白蟒台遗址试掘

作　　者：镇江博物馆　刘建国、刘　兴
出　　处：《考古与文物》1985年第3期

白蟒台遗址，又名牛屎坯，位于江苏句容县城南约20公里的虬山水库内，北距葛村镇 3.5 公里，西南距浮山果园周代土墩墓群约 7 公里，周围分布许多遗址群。这里原是一片谷地，遗址为一突出地面高约 8 ～ 10 米的土墩。1959 年虬山水库建成后，白蟒台遂成为突出水面的一座岛屿。遗址的现状为条形，顶部平坦，海拔高度为 13.2 米，东西长约 200 米，南北宽约 60 ～ 70 米。考古人员于 1981 年 3 月 5 日至 20 日进行了试掘。简报配以照片、手绘图予以介绍。

据介绍，此遗址可分为上、中、下三层，三个文化层的基本内容大体一致，应属同一文化。据简报推断，白蟒台遗址的下层文化大致相当于商代中期，中层文化相当于商至西周，上层文化相当于西周早期。

226.江苏丹徒大港土墩墓发掘报告

作　　者：江苏省丹徒考古队　肖梦龙、谷建祥等
出　　处：《文物》1987 年第 5 期

在镇江市以东丹徒至大港沿江一带的低山丘陵和岗地上，分布着一些大型土墩墓。为配合当地工矿开发和大港港口区的施工建设，考古人员 1984 年春对这一带分布着的不同类型墓葬有选择地作了发掘。先后计发掘双墩一号和烟墩山二号西周土墩墓 2 座，背山顶东周铜器墓 1 座，另外还有乔木山二号和北山二号汉墓，以及西烟墩宋、明时期的江防军事设施。简报分为：一、墓葬位置和形制结构，二、随葬器物，三、年代推断，四、几点认识，共四个部分，配以照片、拓片、手绘图，先行介绍了烟墩山二号墓（烟 M2）和双墩一号墓（双 M1）的发掘情况。

据介绍，烟墩山位于大港镇东北 3 公里处，山上原有 4 座土墩墓，故又名"四墩山"。二号墓封土发掘前仅剩 2 米高、约 20 米周长的一个土堆。一号墓位于大港镇以西 3.2 公里肖家村东。有 2 座高大的墓墩东西并排，当地百姓称为"双墩"。一号墓为西边 1 个。发掘前封土高约 5 米，外观保存完好。但已被盗，遗物有限。二号墓仅出土陶器、原始中瓷器等 36 件，未见铜器。但墓中"石床"规模较大。2 墓年代应在商末至西周初年。文化内涵既有当地土著文化，又受中原周文化影响。

227.江苏句容及金坛市周代土墩墓

作　　者：南京博物院考古研究所、镇江市博物馆、常州市博物馆　林留根、李虎
　　　　　仁、杭　涛、田名利、王奇志等
出　　处：《考古》2006 年第 7 期

2004 年开工建设的江苏宁常、镇溧高速公路，穿越了句容及金坛市土墩墓特别

密集的区域。南京博物院考古研究所于 2004 年 7 月对高速公路途经地区进行了考古调查和勘探。2005 年初，考古人员对高速公路沿线的土墩墓进行了大规模的抢救性考古发掘。此次发掘从 2005 年 4 月 11 日开始，同年 9 月中旬结束，先后调查发现土墩 46 座，其中被公路施工彻底破坏了 6 座，实际发掘土墩 40 座。共清理墓葬 233 座、祭祀器物群（坑）229 个及丧葬建筑 14 座，出土各类遗物 3800 余件。简报分为：一、工作方法及思路，二、主要收获，三、学术意义，共三个部分，有彩照、手绘图。

据介绍，此次抢救性发掘在土墩墓考古的历史上是规模最大的 1 次，共发掘土墩 40 座，清理墓葬 233 座、祭祀器物群 229 组、墓葬建筑遗存 14 座，出土各类文物 3800 多件。每墩一墓或多墓并存；多种埋葬方式共存；一墩多墓的向心布局等发掘成果极大丰富了江南土墩墓的文化内涵，在许多方面取得重要突破，为研究土墩墓的源流、分期、分区等提供了珍贵资料。

简报指出，土墩墓主要分布在江苏、浙江、上海、安徽、江西以及福建的北部，分布范围大，延续时间长。但是，从 20 世纪 70 年代在江苏句容开始正式发掘并命名，以及 20 世纪 80 年代在浙江、安徽也相继发现土墩墓以来，各地发现的土墩结构异常复杂，对其争议不断，存在的诸多疑问也使土墩墓成为长期以来困扰考古学界的谜团。

简报称，长期以来，一般的观点都认为土墩墓是两周时期江南地区的一种特殊的埋葬方式，主要分布在苏南、皖南和浙江、上海等长江下游一带。这种墓有坟丘而无墓穴，利用丘陵地带的山冈或平原上的高地，在地面上安置死者和随葬器物，然后堆积起未经夯打的馒头状土墩。每墩内埋葬一墓或埋几座甚至十几座墓。这是考古学界对土墩墓的初始认识，虽然在后来的土墩墓考古工作中不断被怀疑和否定，但一直都被看作是土墩墓的基本概念。但后来随着各地土墩墓考古的陆续开展，在对土墩墓的认识上又产生了新的争议。例如有的研究者认为土墩墓就是 1 墩 1 墓，不存在 1 墩多墓，周围的器物群是属于中心墓葬的祭祀品，等等。此次发掘是江南土墩墓自 20 世纪 70 年代发现以来，首次以明确、翔实、可靠的田野考古资料确立了它在中国青铜时代考古中的地位，对研究商周时期中原文化和江南土著文化的关系、中华文明的一体化进程等重大课题具有重要意义。

228.江苏句容鹅毛岗 1 号土墩墓发掘简报

作　　者：镇江博物馆、句容市博物馆　杨正宏、王克飞
出　　处：《江汉考古》2013 年第 2 期

土墩墓是商周时期流行于我国东南地区、以封土成墩为特征的一种墓葬形式。

江苏省句容市、金坛市境内的茅山周边地区是土墩墓分布较为集中的区域之一，仅句容市境内即多达上千座。鹅毛岗土墩墓群位于句容市后白镇曹村行政村鹅毛岗自然村西北，共有土墩墓 30 余座。2001 年 8 月至 10 月，考古人员配合句容市基本建设，对其中的两座土墩墓（简称 D1、D2）进行了发掘。D1、D2 筑于周代，均属一墩多墓类型，D2 发掘简报已经发表。简报分为：一、概况，二、地层堆积，三、遗迹及遗物，四、结语，共四个部分介绍了 D1 的情况，有手绘图。

据介绍，D1 的时代为西周晚期至春秋早期。D1 中发现的早期墓葬为平地掩埋式，而后期墓葬则为浅坑式，这样两种墓葬形制并存的情况在以往的土墩墓发掘中也多次发现，说明了这是一种普遍现象。发现的红烧土迹象与 D2 可能同为焚烧植物祭祀的用途。墓葬方向、随葬器物多寡和排列都没有规律，说明随葬品的多少可能主要取决于墓主人的财富，并没有完全遵照一定的礼制，可能实为当时的一种简单的葬俗。

泰州市

229.江苏姜堰天目山西周城址发掘报告

作　者：南京博物院、泰州市博物馆、姜堰市文物管理委员会　朱国平、王奇志、王正奎等

出　处：《考古学报》2009 年第 1 期

天目山城址位于江苏省泰州市姜堰市城区北部，地势较高，近四面环水，形似 1 座小岛。20 世纪 70 年代中期，当地百姓在生产建设过程中先后在遗址东北角发现宋代和汉代墓葬等，此后，该遗址成为姜堰市生产资料公司仓库所在地。1983 年泰县（即今姜堰市）图书馆对该遗址做了调查，发现并采集了部分周代遗物。1985 年 9 月，该遗址被公布为县级文物保护单位。该遗址由于历年来当地农民及乡镇企业取土遭到较大破坏。2000 年 8 月至 2002 年 10 月，考古人员对天目山遗址进行了两次考古发掘，发现了属于西周时期的城址。该城址分为内城和外城，外城受后代扰乱明显，同时在发掘中还清理了房址、灰坑、灰沟、墓葬等遗迹，出土了陶器、石器等遗物。

简报分为：一、地层堆积，二、城址，三、其他遗迹，四、遗物，五、结语，共五个方面，有彩照、手绘图。

简报指出，天目山遗址为西周时代的古城，城址规模不大，但其内外城结构和

水道环绕的特点，表现出我国南水水网地区古代城市的风貌。文献记载，当时在江淮东部地区活动的是古代干国。城址的文化堆积延续至两周之际中止，可能与文献所载吴灭干的史实有关。

宿迁市

浙江省

230.记浙江发现的铜铙、釉陶钟和越王石矛

作　者：王士伦

出　处：《考古》1965 年第 5 期

浙江出土的铜铙、釉陶钟和越王石矛特别有意义。简报配以拓片予以介绍。

铜铙，1963 年 7 月在余杭县石濑徐家畈挖坑时发现。全器通高 29 厘米，执柄长 12 厘米，柄端径 4 厘米，执柄与器不通。年代简报推断为商或周初。釉陶钟，据说在绍兴出土，现藏宁波博物馆。简报推断为春秋战国时遗物。越王石矛，现存绍兴县文物管理委员会，1957 年 3 月发现于绍兴县义桥，出土于距地表约 1 米处。石料质地细腻光滑，全长 22 厘米，有铭文，为鸟虫书。应为明器而非实战兵器。

231.浙江瑞安、东阳支石墓的调查

作　者：安志敏

出　处：《考古》1995 年第 7 期

考古学上的所谓"巨石纪念物"在世界范围内有着广泛的分布，计见于北欧、西欧、北非、中非、撒丁岛、巴勒斯坦、约旦、南俄、伊朗和印度等地。此外，东亚和东南亚也有所分布。这些巨石遗迹往往有自己的源流，不可能像传播论者所主张的那样，把它们的起源归诸同一个中心，从而"巨石文化"的概念，已变得毫无意义。以巨石遗迹为代表的墓葬，被称为多尔门（dolmen），各地区之间在形制或名称上也不尽相同。我国辽东半岛概以 4 块或 3 块石板支撑巨大的盖石如棚状，故俗称"石棚"。朝鲜半岛除前一种外，尚有在巨大盖石的下边垫以矮小的支石，两者的分布以汉江流域为交错地带，统称之"支石墓"，并以前者为北方式，后者为南方式。至于日本九州北部的支石墓，全部属于南方式。我国浙江瑞安发现的支石墓，也属于南方式，为有关的研究提供了新的信息。为了便于分类，尊重习惯上的名称，可称北方式者为石棚，称南方式者为支石墓以相区别。它们都暴露在地面上，没有封土的痕迹。至于埋入地下的石构遗迹（如石冢、大石盖墓或石棺墓等），都可排除在外。

瑞安岱石山的支石墓发现于1956年，现已无存。1983年在棋盘山又发现2座，迄今犹在原地保存。同年又在岱石山发现26座，1989年在杨梅山发现1座，现俱毁坏无存。1993年东阳祥湖村又发现规模巨大的巨石墓1座。1993年10月间，安志敏先生前往调查。简报分为：一、引言，二、瑞安的支石墓，三、东阳的支石墓，四、余论，共四个部分，有照片、手绘图。

据介绍，瑞安支石墓的形制比较典型，出土器物以印纹硬陶及原始瓷为特征，时代相当于西周，在年代上可能稍早于韩国和日本，或许代表着较早的原始形态。至于东阳的支石墓，则属于比较特殊的一种形制，墓室作长条形，覆有多块盖石，支石用石板或石块补筑而留有空隙，也没有土墩一类的封土。值得注意的是，墓室作东西向，同瑞安的支石墓相类似，又与江、浙一带的土墩石室墓相一致，尤以墓葬的结构更为相像，很可能是代表着由支石墓向土墩石室墓的过渡形式。土墩石室墓主要分布在太湖周围，兼及杭嘉湖平原和宁绍平原一带，远至金衢盆地也有分布。东阳支石墓的发现，对探讨土墩石室墓的起源问题，无疑提供了重要的线索。

简报指出，从地理位置上观察，支石墓在浙江、韩国和日本的分布，恰好环东中国海形成相互对应的形势。尽管出土遗物不尽一致，但至少从墓葬结构上所呈现的共性不容忽视，或许表明它们之间有着一定的渊源关系。结合稻作农耕、干栏式建筑和坟丘墓等诸多因素的源流，均与江南密切相关，支石墓也是其中的一个例证。简报认为：此以环东中国海为中心的海上通道，亘古以来在文化交流史上起着不可低估的作用，目前的许多考古迹象是值得深入探讨的重要课题。

杭州市

232.浙江萧山杜家村出土西周甬钟

作　者：浙江省博物馆　张　翔
出　处：《文物》1985年第4期

1981年3月，浙江省萧山县所前公社杜家大队开山时，在小东山西坡离地面60厘米深处发现1件西周青铜甬钟。简报配以照片予以介绍。

简报称，从杜家甬钟的器形和花纹形式看，它属于西周钟的一个类型。因此，杜家甬钟的制作年代简报推断为西周中期，或者就是穆王时的器物。

宁波市

温州市

233.浙江洞头岛九亩区新石器时代遗存

作　者：方加松、古成崇
出　处：《考古》1991 年第 9 期

1987 年 4 月至 7 月，洞头岛九亩区农民挖沙时，在距地表约 3.2 米处陆续出土了一批石器。简报配以手绘图予以介绍。

据介绍，计石锛 7 件、石凿 1 件、石镞 2 件、印纹硬陶 1 件。时代简报认为与福建昙石山文化三期相似。简报称，九亩区隶属于洞头县双朴乡风门村，位于温州湾东南约 50 公里的海面上，出土的石器分布在九庙顶山的西南面山脚。该地发现新石器时代遗存，为研究我国沿海一带岛屿的人类活动提供了实物资料。

234.浙江苍南县埔坪乡发现一座商代土墩墓

作　者：温州市文物处、苍南县文物馆　王同军
出　处：《考古》1992 年第 6 期

1986 年 4 月，苍南县埔坪乡柯岭脚村村民在乌岩山开掘水沟时发现一批石器和陶片。考古人员前往现场调查，简报配以手绘图予以介绍。

据介绍，乌岩山南近柯岭脚村，山的南坡较平缓，现为茶园，石器、陶片均出土于该坡近山顶处的水沟旁。从这次现场调查来看，除山南坡约 10 平方米范围内可采集到陶片、石器外，其他地表均未见。山顶有较多的碎石块，山表泥土为酸性红黏土，不宜古代人生活居住。经整理，陶片大多可复原。由此可见，该处可能是底铺碎石块的土墩墓，封土因长年水土流失而无存。这种现象与江山县王村地山岗土墩墓的情况一样（《江山县南区古遗址、墓葬调查试掘》《浙江省文物考古研究所学刊》1981 年第 1 期）。出土器物有石器、陶器。从出土石器、陶器的器形、纹饰分析，该墓的年代简报推断约在殷商时期。

简报称，从史前以来，温州地区是百越族的活动地区，因此，这座墓可能是古

代越族的遗存。苍南土墩墓的发现，对研究商周时期江南土墩墓分布范围提供了新的资料。

235.浙江瓯海杨府山西周土墩墓发掘简报

作　者：浙江省文物考古研究所、温州市文物保护考古所、瓯海区文博馆　陈元甫、蔡钢铁等

出　处：《文物》2007 年第 11 期

瓯海区隶属温州市，位于浙江省东南部。墓葬位于瓯海区仙岩镇穗丰村杨府山的山顶。2003 年 9 月，村民发现了土墩墓。考古人员于 9 月对该墓进行了抢救性发掘。这是 1 座西周时期的土墩墓（编号 M1），墓内出土鼎、簋、戈、剑、矛、镞、铙等青铜器，以及镯、玦、柄形器、管形饰等玉器。简报分为：一、墓葬形制，二、随葬器物，三、结语，共三个部分，有彩照、手绘图。

据介绍，这是 1 座平地掩埋的土墩墓，地面封土墩平面呈圆形，直径 15 米左右。因村民在土墩上垦殖，墩顶已被夷为平地，现存封土高度仅 1 米左右。墓底未挖墓坑，直接在略作平整的地面上覆土掩埋，是 1 座典型的土墩墓。随葬品呈竖"一"字形分布。葬具和人骨已朽不存，出土遗物 83 件（组）。有铜器、玉器、绿松石等。墓主应为西周中期越族中的贵族，有可能是一位军事首领。出土的青铜器、玉器均有较高的研究价值。

今有（韩）李裕杓先生《西周王朝军事领导机制研究》一书，中文本上海古籍出版社 2018 年出版。书中大量使用了考古成果。

嘉兴市

236.浙江省海盐县出土商周青瓿

作　者：海盐县文化馆

出　处：《考古》1981 年第 1 期

1974 年 1 月 7 日，海盐县在治水工程中出土 1 件青铜瓿。同出的还有青铜锄、陶纺轮、石锛等。简报配以照片予以介绍。

据介绍，海盐县位于太湖流域的东海之滨。这批文物，出土在该县的东风公社立峰大队低田生产队，距今海岸线 7 公里。该地和隔河相对的东厨舍村，都曾不断

出土泥质灰陶、印纹硬陶和六朝青瓷器，但是青铜尚属首次发现。此器仅发现下半部，简报推断为商代遗存。另外一些遗物应为西周遗存。

237.浙江嘉兴市雀幕桥遗址试掘简报

作　者：嘉兴市文化局　陈耀华
出　处：《考古》1986 年第 9 期

雀幕桥遗址位于浙江嘉兴城东、平嘉公路 7 公里处。1972 年曾出土过 1 组良渚文化的陶器。1980 年调查时，曾发现良渚文化器物 5 件；1983 年 3 月初，对该遗址进行了小面积的试掘，实际试掘面积为 27.5 平方米。两条探沟在耕土层下的文化层均可分为上、中、下三层。简报分为四个部分并配以手绘图予以介绍。

据介绍，雀幕桥遗址的三个文化层的叠压关系较为明显。下层出土的器物，简报推断时代上应相当于崧泽中期；中层无完整器物，碎片也极少，以墓葬为主，M2 随葬的陶器残缺较严重。发现的两个墓葬的时代，简报推断均为良渚文化晚期。雀幕桥上层出土的器物比较单纯，不见晚期印纹陶片，陶片的纹饰为条纹、篮纹、横向或斜向的绳纹，叶脉纹、粗方格纹等与上海马桥四层的某些器物和纹饰比较接近。简报认为似属这类遗存的较早阶段（马桥文化的年代大致与中原的夏和商相当）。

简报称，雀幕桥遗址上层的发现，对今后研究古吴越文化和印纹陶遗存的分期将有所帮助。

湖州市

238.浙江长兴县出土的两件铜器

作　者：浙江省文物管理委员会
出　处：《文物》1960 年第 7 期

1959 年 10 月在从长兴到广德牛头山的筑路工程中，曾经出土过零星的石器和铜器，其中以嘉兴专区公安局筑路大队发现的 1 件铜钟和 1 件铜簋最为重要。这两件铜器在长兴县西北 7 公里上草楼村附近的地里（现已改为水田）发现。钟平放在地下，口朝东；簋倒置在钟内，出土时离地面 80 厘米左右。

据介绍，2 器的铸造年代简报认为应为西周前期的楚器。简报指出，过去有人怀疑有的楚器为伪造，是因为文字是后刻上去的。

239.浙江长兴县发现西周铜鼎

作　　者：长兴县革委会报道组
出　　处：《文物》1977年第9期

长兴县地处太湖口，地理位置十分重要。据文献记载，早在春秋时，吴王阖庐的弟弟夫槩就曾在长兴筑城。历年以来，这里不断出土新石器时代至明清的文物，就目前调查所知，全县已发现古代遗址10多处，古代墓葬几十处。1959年在小浦曾出土西周时铜镜、铜簋各1件，1969年在长兴中学曾出土西周铜钟1件。1976年1月，在开挖长兴港时，又出土西周铜鼎1件。

这件铜鼎从其形制观察，简报推断为西周早期遗物。

240.浙江长兴出土五件商周铜器

作　　者：长兴县博物馆　夏星南
出　　处：《文物》1979年第11期

长兴出土的五件商铜器，简报配以照片、拓片予以介绍。

一、铜钺。1979年5月，长兴县长城公社水利干部交到长兴县博物馆1件青铜钺。这件兵器两范合铸，内两面都有凹入图案，可能是一种族徽。据介绍，1977年中秋节，他家为造房在长城公社杨桥大队第一生产队附近小冲前小山包取土，挖到8～9米深时发现了这件兵器，没有发现其他遗物。根据这件铜钺的形制与纹饰，简报初步判断它属于春秋时代的遗物。

二、铜鼎。出土于下箬公社上莘桥附近，出土时离地表4米余。鼎四范合铸，器底有一层烟炱，表明是实用器。从形制、纹饰分析，此鼎简报推断为西周早期器。

三、铜锛。1976年1月长兴港工程中在城郊公社上阳大队出土。类似铜锛在江西清江吴城商代遗址中也曾发现（见《文物》1975年第7期），因此简报推断此锛属于商代。

四、铜匕剑。1976年1月长兴港工程中在下箬公社杨湾村附近出土。剑柄、剑格通体有纹饰，一面云雷纹，一面兽面纹。此剑简报推断应是西周早期器。

五、铜戈。1977年5月港口公社出土。出土时腐蚀严重，断成7块。分析形制及纹饰，此戈简报推断也属于西周早期。

241.浙江长兴县出土一批石犁和石破土器

作　　者：浙江省长兴县博物馆　夏星雨
出　　处：《农业考古》1988 年第 2 期

近几年来，博物馆在全县文物普查中，从农民手中陆续征信到商周时代的石犁、石破土器共 10 件。简报配以照片予以介绍。

据介绍，一、石犁 6 件，出土地点丁甲桥和横山乡都濒临太湖的水乡平原地带。二、石破土器 4 件，出土地点为吴山乡红山林场、白阜乡、二界岭乡均属靠山之丘陵地带。

简报称，1949 年以来，石犁、石破土器在长江下游及太湖流域的浙江、江苏各地及上海马桥遗址中均有发现，长兴地处浙北太湖流域，古属吴越之地，长兴出土的石犁、破土器为研究古越族农耕生产技术提供了实物资料。

242.安吉发现一件西周时期铜铙

作　　者：安吉县博物馆　周意群
出　　处：《文物》2005 年第 1 期

2004 年 3 月，浙江省安吉县高禹镇中学基建工地发现 1 件铜铙。考古人员闻讯后赶赴出土现场进行实地调查，并对铜铙出土点进行了发掘清理，证明铜铙出土于距地表 4 米多深的 1 座墓葬。简报配以照片、手绘图予以介绍。

据介绍，此铜铙为合范浇铸，器壁留有较多的沙眼，通体褐色泛有绿色锈斑。钲部两面各有 3 排枚，每面 18 个，甬与身内腔相通，铙侧至舞和甬部各有一条明显的范痕，但内腔平整。钲部饰有云雷纹。通高 32 厘米，甬高 13 厘米、径 5.5 厘米，铙长 22 厘米，钲高 19 厘米，舞广 11 厘米，舞修 16 厘米，枚高 1.2 厘米，壁厚 0.7 厘米。重 5.7 千克。其时代简报推断应属西周早期。西周时期的铜铙在浙江境内少有发现，甚为珍贵，对于研究浙北乃至太湖流域商周时期历史提供了实物资料。

243.浙江东苕溪中游商代原始瓷窑址群

作　　者：浙江省文物考古研究所、湖州市博物馆、德清县博物馆　郑建明、陈元甫、沈岳明、陈　云、朱建明、俞友良等
出　　处：《考古》2011 年第 7 期

东苕溪位于浙江省北部，发源于浙江省西部的天目山脉，迤逦向东，流经临安

市东部青山湖地区，在杭州市余杭镇折向北边的良渚文化中心分布区——良渚、瓶窑一带，穿良渚古城的西北角至德清境内，纵贯德清与湖州中部，在湖州市区与西苕溪汇合，向北注入太湖。山上有丰富的瓷土、烧料，山下河网密布，运输便利，制瓷条件相当优越。以往考古调查资料表明，以德清为中心，包括湖州南部地区在内的东苕溪中游地区是商周原始瓷窑址的最重要分布区，尤其是春秋战国时期窑址，不但规模大、产品质量高，而且大量烧造仿青铜礼器与乐器产品，许多器物几乎可以与汉代青瓷相媲美。

2010 年初，考古人员对东苕溪流域商代原始瓷窑址进行了专题调查。简报分为：一、东苕溪中游商代原始瓷窑址群的调查，二、南山商代原始瓷窑址的发掘，三、本次调查及发掘的意义，共三个部分予以介绍，有彩照、手绘图。

据介绍，共发现商代窑址 30 多处。共发现 3 条窑炉、8 个灰坑、2 个贮料坑、1 条水沟和若干个柱洞，出土大量原始瓷器。南山窑址是 1 处商代几乎纯烧原始瓷的窑场，为探索瓷器起源、原始瓷产地等提供了重要的实物资料。简报甚至认为"东苕溪中游，是中国瓷器的重要起源地"。

244.浙江湖州南山商代原始瓷窑址发掘简报

作　者：浙江省文物考古研究所、湖州市博物馆　郑建明、陈元甫、沈岳明、
　　　　陈　云

出　处：《文物》2012 年第 11 期

南山窑址原称"老鼠山窑址"，位于浙江省湖州市东林镇南山村西边约 1000 米的小山上，属于湖州青山窑址群。南山窑址有两处，分别位于小山的西北坡与东南坡，编号为 I 区和 II 区。

2010 年 3 ~ 11 月，考古人员对南山窑址进行了抢救性发掘，其中 I 区发掘面积 800 平方米，II 区仅作试掘钻探。

据介绍，以浙江德清为中心，包括湖州在内的东苕溪中游地区，是先秦时期原始瓷窑址的重要分布区，迄今已发现窑址 100 多处，时代从夏商时期一直持续到战国，是中国瓷器的重要起源地。发现窑炉、灰坑、贮料坑、水沟、柱洞等遗迹，出土豆、罐、簋、尊、盆、盘、钵、盂、盖等原始瓷器，还有少量的印纹硬陶。

南山窑址的年代简报推断上限为公元前 1560 ~ 前 1500 年左右，下限则在殷墟后段。简报称南山商代窑址群的发现与发掘，对于探索中国瓷器的起源具有重要意义。

绍兴市

245.浙江上虞县商代印纹陶窑址发掘简报

作　者：浙江省文物考古研究所　胡继根
出　处：《考古》1987 年第 11 期

1984 年夏，考古所在上虞县百官镇西南 5 公里处、杭临公路东侧的浙江建筑卫生陶瓷厂基建工地内，清理了 6 座印纹陶窑址。简报分为四个部分予以介绍，有拓片、手绘图。

据介绍，窑址均位于工地北缘的李家山坡脊下部，高出农田 10 ～ 20 米，6 条窑床分别编号为（84）上严 Y1 ～ Y6。诸窑分布范围东西长约 35 米、南北宽约 30 米，Y1 占据东面，Y3 位于北缘，距 Y1 约 22 米，Y3 之南 3.7 米为 Y2，Y2 以西 5 米为 Y4，最南面的是上下迭压的 Y5 和 Y6，两窑与 Y1 相隔约 25 米，各窑自北而南略呈半圆形环绕着李家山脚。发现有不少陶片。各窑周围均无发现理想的废品堆积层，不能具体确定某一条窑的年代，只能笼统地认为：Y2 ～ Y6 的年代应为商朝，Y1 的年代和性质因资料太少而未能断定。

简报称，商代龙窑尚属首次发现，它不但提前了龙窑的出现年代，同时为研究龙窑的历史、结构和发展演变提供了珍贵的实物资料。

金华市

246.浙江义乌县平畴西周墓——兼论原始青瓷器的制作工艺

作　者：金华地区文管会　贡　昌
出　处：《考古》1985 年第 7 期

浙江省义乌县平畴公社平畴村在义乌县城东北 9 公里处，义乌至义东公路经过村北，东阳江流经村东，村南为高山，西部为起伏不平的黄土丘陵。1981 年 11 月，平畴村一农民在村南 200 米的大山边缘的脊春（又名木见山）上垦地时，挖出不少原始青瓷器和印纹陶片，考古人员于 1981 年 11 月进行了发掘。简报分为：一、墓葬形制，二、随葬品，三、原始青瓷的制作方法，四、原始青瓷的特点，五、时代，共五个部分，有手绘图、照片。

据介绍，出土原始青瓷的地点，经发掘，为一土墩墓。现保存三面墓壁，一面已被农民垦土时挖去。棺椁已朽无存，人骨架已朽，仅存牙齿二颗和 7 块残碎的四肢骨。这次发掘出土 62 件随葬品，左侧群众开荒时挖出 52 件，共计 114 件。其中原始青瓷占 100 件，陶器及其他器物 14 件。从这座墓葬出土 100 件原始青瓷情况来看，为全国各地所不见，所以这批原始青瓷绝不是外来的，从造型、釉色等方面来看，与各省相比，也不尽相同。简报推断，这批原始青瓷，属当地产品无疑。简报推断这座墓的时代，约在西周晚期。另简报从坯的制作方法、纹饰刻划方法、上釉方法三方面介绍了原始青瓷的制作方法，并介绍其特点。

247.浙江东阳六石西周土墩墓

作　者：浙江省磐安县文管会
出　处：《考古》1986 年第 9 期

考古人员在六石公社进行文物普查时，于六石村约 1 公里处的油塘山背发现 1 座残土墩墓。简报配以手绘图予以介绍。

据介绍，油塘山背是一个丘陵上的小山包，东阳县城至巍山镇的城北公路从旁边通过。土墩墓距公路约 20 米，许多器物都已露出地面。六石土墩墓残高 12 厘米，土墩墓底在尸首未放置之前，曾用大量木柴进行焚烧，使墓底干燥，并将焚烧后的火灰与炭屑在墓底均匀地摊开，目的是防潮。土墩墓中尸骨腐烂殆尽。出土的随葬器物有原始青瓷 13 件，排列成半圆形，中间是陶制的渔网坠，共五百余枚。

248.浙江磐安深泽出土一件云纹铙

作　者：赵一新
出　处：《考古》1987 年第 8 期

1986 年 2 月 13 日，深泽乡农民在山背掘地时发现了 1 只云纹铙。简报配以照片予以介绍。

据介绍，铙的甬已残，通体泛深绿色，无光泽。整体残高 27 厘米，从铙至舞部高 19 厘米。隧部饰以云纹勾成的饕餮纹，两边饰以云纹。钲部饰云纹，同时饰乳枚 4 组，每组 9 枚，共 36 枚。角部饰饕餮纹，旋上饰云纹。重 6.25 公斤。这件青铜铙的时代应为西周早期。

衢州市

249.浙江衢州市发现原始青瓷

作　者：衢州市文物管理委员会　金　羽、崔成志、崔成实

出　处：《考古》1984 年第 2 期

1982 年 5 月，考古人员在本市云溪公社西山大队进行文物普查，收集到大批原始青瓷器及一些印纹陶罐。西山大队位于衢州城东约 15 公里的黄土丘陵地带，下层均为红色砂岩地层。地处钱塘江上游街江之滨（古称瀔水）。

据调查，这批器物分别在村东东山和村南大石塔山的土墩里出土。大石塔山土墩已荡然无存。东山现已辟为晒场还残留小部分土墩，考古人员作了清理。该墓（编号为西山 M1）。经清理，出土Ⅲ式原始瓷罐 1 件；Ⅰ、Ⅱ、Ⅲ式原始瓷豆各 1 件；原始瓷盂 3 件；香石 1 件，长方形。除大墩顶墓葬中出土的器物外，大石塔山和东山两处收集、出土的原始青瓷有 73 件、印纹陶罐 4 件。简报分为：一、原始青瓷，二、印纹陶罐，三、小结，共三个部分，有手绘图、拓片、照片。

据介绍，原始青瓷胎质粗疏，底部多数生烧，胎色灰白或灰黄。釉色有青灰、灰黄、酱色等。光泽度好，釉面不均匀，有缩釉凝聚斑，施釉不到底。一般采用泥条盘筑、慢轮修饰成型，圈足均为黏接，大件器物有分块黏合的明显痕迹。器形有尊、罐、簋、盂、豆、壶、碟、碗、器盖等。

印纹陶罐，胎粗、灰紫色。表面呈灰色或灰褐色。器壁厚重，质地坚硬，叩之作金石声。器形有扁腹平底罐、扁腹圆底罐 2 种，共 4 件。简报推断这批器物及墓葬时代应为西周时期。

简报称，西山出土的这批原始青瓷器形多样、数量之多、质量之佳，是衢州市的首次发现，亦为浙江省以往所少见。这为研究我国陶瓷发展史，特别对江南原始青瓷的研究，增添了一批珍贵的实物资料。

250.浙江衢州西山西周土墩墓

作　者：金华地区文管会　贡　昌

出　处：《考古》1984 年第 7 期

1983 年，衢州市文管会在市东 24 公里的云溪公社进行普查时，发现衢江、云溪

两江汇合处的西山大队四周有 8 个土墩，直径为 50 ~ 150 米左右，地表均散布有印纹陶和原始青瓷碎片，疑为土墩墓。普查之后，在当地人取土建房的大墩顶土墩上，发现有木炭层和鹅卵石，考古人员进行了清理。简报分为三个部分予以介绍，有手绘图。

据介绍，大墩顶在西山大队村东南 200 米处，墓葬位于大墩顶顶端。清理前，墓堆土已掘掉。

据介绍，这次出土的原始青瓷，为灰白色胎，淘洗较好，胎骨较致密，很少有气孔。制作较规正，特别是罐、盂、豆等器物的手制轮修相当熟练，工艺水平较高。在装饰方面，无论是弦纹、篦纹、贴粘泥饼、拼接圈足等工艺，都比较细致，均施青釉，略泛绿色，开冰裂纹，釉面均匀，有光泽，除圈足内底外，内外满施釉。

简报称，这座土墩墓规模较大，随葬品较精，还有漆器随葬，在江南一带尚属少见。在鹅卵石上烧制木炭，使墓底、墓壁变成红烧土，对保存墓葬和防潮起了一定作用，为研究西周葬制提供了资料。随葬品中原始青瓷在质地、造型、纹饰、釉色等方面，工艺水平是较高的，为进一步研究西周原始青瓷提供了一批较精致的实物资料。陶罐上饰兽耳的装饰，一般在汉代较流行，而在西周尚属少见，无疑为研究西周陶器增添了新的资料。简报推断，墓葬的时代约相当于西周早期。

251.浙江衢州市衢江北区古遗址调查简报

作　者：衢州市文物管理委员会　金　羽
出　处：《考古》1987 年第 1 期

大头源、庙源溪、云溪是衢江的 3 条支流，发源于衢州西北部的山区，向东南流经面积广阔的黄土丘陵，汇入衢江，均属钱塘江水系。1982 年衢州市开展文物普查以来，在这些丘陵地带发现了多处古文化遗址，由于自然植被遭到破坏，水土流失严重，加之历年的开垦，遗址的文化层大部分受到扰乱。因此在调查中，凡发现较多生产工具，有明显人类居住痕迹（如红烧土、灰坑以及陶器残片）的地方定为遗址，本文将作介绍；而只见陶瓷器残片或墓葬遗物的地方只作为遗存，本文不作介绍。简报分为：一、拓溪，二、庙源溪，三、云溪，四、结语，共四个部分，有手绘图、拓片。

据介绍，拓溪是大头源的一段，大头源发源于衢县七里乡大头村，流经七里、下村、石梁、姜家山、万田、柯城 6 个乡入衢江，沿溪一带丘陵连绵，古文化遗存丰富，限于篇幅，简报介绍了有代表性的拓川遗址和茶叶山遗址。庙源溪发源于衢县九华乡九华山，流经万田乡入衢江。乌柱山遗址位于衢州市区北 5 公里的万田乡汪家村，该遗址自 1982 年发现以来，多次作了调查，现场共采集石器 11 件、残瓷器 40 余件。云溪又名邵源溪，发源于衢县周家乡，流经珟塘乡、云溪乡入衢江。云溪流域丘陵起伏，出土文物甚多。1982 年，在云溪乡进行文物普查，发现了地处云溪与衢江交汇处的西山村、黄甲山村的西周土墩墓，并征集了大批原始青瓷器，简报根据采集的器物造型、纹饰等特征，大致推断柘川遗址的时代应略早于商代，延续至西周早期。茶叶山遗址、乌柱山遗址、黄甲山遗址的时代为商代早期至西周。

简报称，各遗址中的多种石器，说明了当时的人们不仅从事渔猎生产而且从事农耕生产。石镞的数量较多及一定数量的石矛，说明了当时狩猎还占有重要的地位。

舟山市

台州市

252.浙江温岭出土西周铜盘

作　者：台州地区文管会、温岭县文化局
出　处：《考古》1991 年第 3 期

1984 年春，温岭县琛山乡楼旗村村民在村前山坡中开垦整地时发现铜盘 1 件。出土时不见其他遗物。现收藏在温岭县文管会。简报配以照片、手绘图予以介绍。

据介绍，铜盘上有龙纹作为装饰，整个器物造型别致，工艺精湛，未见铭文。简报推断为西周时期遗物。

丽水市

安徽省

合肥市

253.肥西、合肥发现西周晚期铜器

作　者：不详

出　处：《文物》1972 年第 1 期

1971 年 4 月，在肥西小八里村发现一批西周晚期铜器，鼎 2 件，簋、小方簋、盉、匜、盘各 1 件。1970 年 6 月，在合肥市乌龟岗发现的墓葬中，出有陶罐 2 件、陶盉 1 件和西周晚期铜鼎 1 件。鼎附耳平盖，盖正中一匜有"乔夫人铸造其镍鼎" 7 字铭。

简报称，2 处西周晚期铜器，都有较重的地方色彩，填补了淮河中下游过去未发现西周晚期铜器的空白。

芜湖市

254.安徽南陵千峰山土墩墓

作　者：安徽省文物考古研究所　杨鸠霞、杨德林

出　处：《考古》1989 年第 3 期

南陵县位于安徽省长江以南，1983 年该县在文物普查时，发现城东南 9 公里的葛林乡千峰、官洲及沿着漳河向南 10 余华里的范围内分布着很多大大小小的土墩。这次发掘的 18 座土墩，选择了 3 个不同地点，各点相距约 1 公里，分布呈三角形。千峰林场是这片山区的最高点，这里发掘了 4 座土墩，编号为 Ml～M4；在千峰水库吴冲村北大路两旁共发掘了 11 座土墩，编号为 M5～M13、M17、M18；在葛林乡以北窑厂发掘了 3 座土墩，编号为 M14、M15、16 号墩 M1 和 M2。简报分为：一、概况，二、墓葬结构，三、随葬品，四、结语，共四个部分，有拓片、手绘图。

据介绍，千峰山土墩墓封土堆积外形基本一致，均呈馒首状，土墩底盘有的圆形，有的椭圆形，占地面积较大。这些土墩保存现状基本完好，一般都没有遭受较大的破坏。但由于长期的水土流失，现存的土墩比原堆筑的土墩高度略降低，坡度渐缓，底盘逐渐增大。此次发掘了 18 个土墩，清理了 19 座墓葬，共出土遗物 40 余件。简报认为应该属于平民阶层的墓葬群。年代可分两期，一期的年代为西周中期或偏早，二期的年代为西周末或早一些。

255.安徽省繁昌县平铺土墩墓

作　者：杨鸠霞

出　处：《考古》1990 年第 2 期

土墩墓位于县城东南 25 公里的平铺乡西部的丘陵山地上，这里分布着 1 个土墩墓群，当地人称这些土墩为"万牛墩"。土墩墓分布比较密集，从平铺乡向西延伸达 5 公里的范围。由于窑厂取土，土墩的封土已被挖去东北部的四分之一。考古人员清理了这座土墩墓并配以手绘图予以介绍。

据介绍，平铺土墩墓相当于江苏浮山果园土墩墓的二期和镇江地区土墩墓第一类型墓葬，与南陵千峰山土墩墓的二期接近，某些方面存在着一些差别，简报认为，可能是属于地区性的差别，而不是属于时代上的差别，是当时生活在江南地区不同部族自身文化面貌特征的反映。平铺土墩墓的时代简报推断在西周晚期。

256.安徽繁昌板子矶周代遗址发掘简报

作　者：安徽省文物考古研究所、繁昌县文物管理局　叶润清、徐　繁等

出　处：《文物》2013 年第 10 期

板子矶遗址位于繁昌县荻港镇新河村西北约 700 米，东南距繁昌县城约 20 公里。遗址所在的板子矶紧邻长江南（东）岸，面积约 20000 平方米。遗址位于板子矶东部，近椭圆形，面积约 4000 平方米，文化堆积厚约 3 ~ 6 米。板子矶遗址是迄今安徽省发现的距离长江最近的一处古遗址，时代为西周晚期至春秋早中期，现为繁昌县重点文物保护单位。为配合板子矶龙王庙复建工程，2009 年 1 月至 5 月，考古人员对板子矶遗址进行了抢救性发掘。此次发掘面积 100 平方米，出土大量陶器、印纹硬陶、原始瓷器、石器、铜器等，完整及复原 30 余件。简报分为三个部分加以介绍，配有照片和手绘图。

第一部分为"地层堆积"，可分为 15 层。

第二部分为"遗物"，分为5个小标题介绍。一为陶器，主要为生活用品；二为原始瓷器，有鼎、豆、碗等；三为石器，仅见锛、镰两类，制作较粗；四为铜器，仅见镞、头部多为两翼形，少数为三棱锥形或三角形；五为玉器，玦1件。

第三部分为"结语"，判断"板子矶遗址的时代大致可定为西周晚（末）期至春秋早中期"。

简报指出，板子矶遗址是迄今安徽省皖江（长江安徽段）南（东）岸地区发现的距离长江最近的1处周代遗址。遗址所在区域在吴国立国之后不久的西周晚期便归入吴国的版图，在文化面貌上基本不见周文化因素而与具有相同文化传统的宁镇地区基本一致，并与吴国核心区域太湖地区表现出较大程度的相似性，同时明显受到江淮地区的影响（如带把盉为江淮地区常见器物），到了春秋中期，少数器物如细高柄豆与江淮楚地同类器已经没有明显的区别。简报认为，这说明到了春秋中期，吴、楚两国不仅在军事上战争频繁，而且在文化上相互渗透，在具有"吴头楚尾"之称的马鞍山、芜湖、铜陵地区，这种文化交流反映得更加明显。

257.安徽南陵龙头山西周土墩墓群发掘简报

作　者：安徽省文物考古研究所、南陵县文物管理所　陈小春等
出　处：《文物》2013年第10期

龙头山土墩墓群位于安徽南陵县三里镇牌楼行政村与漳西行政村，南侧紧邻318国道，向南约1公里有澄清河。2010年5月至2011年1月，考古人员对合肥至福州高速铁路用地范围内的土墩墓进行了发掘，同时对龙头山区域进行了详细调查。调查结果显示，龙头山墓群的分布范围约2平方公里，现存土墩墓400多座（含已发掘部分）。此次发掘67座。简报分为三个部分进行了介绍，配有照片和手绘图。

第一部分"墓葬概况"，介绍说，本次发掘的67座土墩中，1墩1墓的43座，1墩2墓的3座，1墩3墓的2座。另有19座土墩未发现墓葬及遗物。出土器物包括印纹硬陶器、夹砂陶器、原始瓷器、石器、玉器和小件青铜器等。

第二部分为"墓葬举例"，重点介绍了D13等墓葬。

第三部分为"结语"，判断时代为"西周时期"，指出"龙头山土墩墓多数为一墩一墓，这也是皖南地区土墩墓群的主要特征之一"。

简报还指出，多数墓葬随葬器物较少，大部分均为常见的生活实用器皿，未见象征身份地位的礼器，应该是属于平民墓葬。值得注意的是有19座土墩内未发现任何埋葬迹象，但其土墩堆积方式与其他土墩堆积无异，也没有明显的盗扰迹象，

需要进一步研究。漳河流域是皖南地区土墩墓分布最集中的区域，仅南陵县在第三次全国文物普查中发现并登记的周代土墩墓群即达 52 处。通过龙头山土墩墓群的调查与发掘，反映了这一区域独特的文化特征，为我们认识此类遗存提供了珍贵的资料。

蚌埠市

258.安徽蚌埠市禹会龙山文化遗址祭祀台基发掘简报

作　者：中国社会科学院考古研究所安徽工作队、蚌埠市博物馆　钱仁发、王吉怀等

出　处：《考古》2013 年第 1 期

禹会遗址是淮河流域 1 处非常重要的龙山文化遗址，位于安徽蚌埠市西郊 18 公里处涂山南麓的禹会村（前郢）南，东距天河约 1 公里，北距涂山 4 公里。在《汉书》等多部古籍中都有"禹会诸侯于涂山"的记载，"禹会"这个地名可能与此有关。禹会旧时又称禹村岗、禹会古台，岗上原有 1 座大庙，据地方志记载是建于南宋年间的禹帝行祠，20 世纪上半叶倒塌后仅剩土堆。20 世纪 50 年代，因修建淮河大堤和蚌埠至淮南的公路取土而削低了土岗，后因长年耕作和水土流失，土岗面积大幅减小。历年的治淮工程和农田建设，已对遗址造成相当大的破坏。通过 2006 年的初步钻探和 2007～2011 年的五次较大规模发掘，获得了大量与古代祭祀活动相关的遗迹和遗物。遗址中发现的大型祭祀台基、大型祭祀沟、不同类型的祭祀坑、由黄土和白土堆筑的圆圈遗迹、大型简易工棚建筑以及风格独特的器物组合等。由于该遗址的文化内涵独特而复杂，大部分资料尚在整理中，本简报分为：一、遗址位置和现状，二、发掘目的，三、文化堆积，四、出土遗物，五、结语，共五个部分，仅将大型祭祀台基和祭祀台基面上的相关设施以及大型祭祀沟的发掘资料先行介绍，有彩照、手绘图。

据介绍，此次发掘遗物主要出土于祭祀沟内，祭祀台基面上仅见破碎的陶片和鼎足之类。祭祀沟内除陶器之外，还发现相当数量的磨石和少量小型石器。

简报介绍说，根据上述分析，可以判断修建祭祀台基的几种土壤来源不同，应该是经过了人为选择。4000 多年前的古人如此行为，可能具有特殊的文化意义。至于土壤的具体来源地，有待进一步确定。

简报推测，通过禹会遗址的大型祭祀台基可以了解当时礼仪性活动的一些情况，

祭祀活动的内容一定相当隆重和复杂，也可能具有一定的原始宗教色彩。台基可能是为祭天、祭地、祭神灵而修建。此项工程的实施，显然需要某些具有凝聚力的人物去组织，同时也应该有同样地位的人物去主持这种大型祭祀活动。一些陶器不便携带，有可能是在当地制作后丢弃的。

简报将禹会遗址发掘的意义归纳为以下几点：

第一，遗址分布面积较大，在淮河流域，应该是目前发现最大的较单纯的史前遗址。

第二，遗址的文化内涵较复杂，既有明显的地域特征，又体现了黄河和长江两大流域文化碰撞、交融的现象，禹会遗址既有北方龙山文化的特点，又融入了南方同时期文化的诸多因素。据此判断，淮河流域早在距今 4000 多年前，很可能就是南北方文明交汇碰撞的关键区域，淮河流域可能是中华文明的源头之一。

第三，遗址的地理位置与传说和文献记载的"大禹治水"或"禹会诸侯"相关。根据现有考古材料推断，大禹生活的年代应当在龙山文化中晚期，正是中国国家形成的关键时期。因此，禹会遗址的发掘，有助于探索古代文明关键时期的发展脉络，对解读大禹传说、研究夏代前期历史等，也可能提供有力的佐证。

淮南市

马鞍山市

淮北市

259.安徽濉溪县先秦遗址调查

作　者：安徽省文物考古研究所　张敬国、贾庆元、何长凤、胡欣民
出　处：《考古》1993 年第 7 期

濉溪县位于淮北市南。秦时属四水郡之相县、铚县、竹邑、蕲县。1950 年始设濉溪县，1977 年属淮北市。本县地势西北高东南低，仅东北部为低山区及少量小丘陵，其余为平原地区。水系有濉河、浍河、沱河、澥河、闸河、北沱河。1987 年 9 月～10 月，考古人员对该县重点考古调查，收获很大，共发现新石器时代和

商周遗址 11 处。简报重点介绍了石山子、华家湖、平古堆、尖古堆、安郎寺等几个主要遗址。

这次调查所发现的相当大汶口时期的文化遗物，与典型的大汶口文化遗物相比较，差异大于相同，就是说不是完全的大汶口文化内涵；是以地方特征为主的新的文化。采集的龙山文化时期的陶片，从器形、陶质、陶色的比较，都区别于山东龙山文化和河南龙山文化。

简报认为，淮北地区龙山时期的考古学文化可能是介于中原和江南良渚文化之间的一种新的文化类型。在龙山文化遗存的上层普遍存在商周文化遗存。这些商代文化与郑州二里岗商文化又有许多相似之处，这一东一西相距较远的地域，文化为什么如此相似，是值得研究的课题，同时也为商起源于东方说提供了新的考古资料。

铜陵市

安庆市

260.安徽枞阳出土一件青铜方彝

作　者：方国祥
出　处：《文物》1991 年第 6 期

1987 年，安徽省枞阳县文物管理所在周沄乡七井村征集到青铜方彝 1 件，据调查是附近 1 处商周遗址所出。简报配以照片予以介绍。

据介绍，方彝通高 44 厘米，重 11.5 公斤。盖作四阿屋顶形，中央突起四棱形纽，盖与器身以子母口扣合。器身上大下小，斜直壁。自盖至足四隅有钩状扉棱。圈足内底系一铜铃，铃高 9 厘米，有舌长 6 厘米，摇动时仍发出清脆的响声。方彝上的纹饰凝重细腻。纽上饰蕉叶纹。盖面有上下两鸟纹，下方的鸟侧有倒置的蝉纹。口沿下为直纹，腹部饰浮雕状饕餮纹。圈足饰夔纹。盖、腹、足均以雷纹衬地，扉棱饰云纹。

简报称，此方彝古朴庄严，从形制纹饰看应为商周之际器物，但有少见的自身特点，确是长江中下游地区不可多得的文物。

261.安徽枞阳县汤家墩遗址发掘简报

作　者：安徽省文物考古研究所

出　处：《中原文物》2004 年第 4 期

安徽枞阳县汤家墩遗址南距长江约 17 公里，现存面积 6700 平方米，1989 年 9 月至 10 月对该遗址发掘了 198 平方米，发现遗迹有灰坑、灰沟、柱洞，出土遗物有铜器、石器、陶器、原始瓷器和印纹硬陶五大类，时代相当于商代晚期。简报分为：一、遗址概况，二、地层堆积，三、遗迹，四、遗物，五、结语，共五个部分予以介绍，有拓片、手绘图。

据介绍，汤家墩遗址位于枞阳县周潭乡七井行政村菊山自然村南 300 米，西南距枞阳县城约 45 公里，是一处较典型的台地遗址，高 3 米多。发现有灰坑 4 个、灰沟 1 条、柱洞 16 个。遗物有铜器 6 件、石器 52 件、陶片 600 余片及陶器、原始瓷器等。

黄山市

262.安徽屯溪西周墓葬发掘报告

作　者：安徽省文化局文物工作队　殷涤非等

出　处：《考古学报》1959 年第 4 期

安徽屯溪市地当皖、浙、赣三省交通要冲，四面环山，是新安江上游山区的一大商业中心地。1959 年 3 月间，在屯溪市西郊发现了 2 座西周墓葬，出土有釉陶器和青铜器等珍贵资料。简报配以照片，介绍了这两座具有重要意义的西周墓，目次如下：

一、引言

二、墓地简述和发掘情况

三、墓葬结构

四、随葬的遗物

（一）陶器

（二）釉陶器

（三）青铜器

（四）玉件及漆皮残迹

据介绍，墓地在新安江南岸奕棋村南约 1 公里处，一大批釉陶的出土，为我们了解古代釉陶的来源和制作工艺提供了线索，出土的青铜器，也反映了当地青铜文化的发达。两墓的年代，简报推测为西周晚期。

263.安徽屯溪奕棋又出土大批西周珍贵文物

作　者：中共安徽休宁县屯光区委会　胡　文

出　处：《文物》1965 年第 6 期

安徽休宁县屯溪奕棋人民公社林塘大队最近在建砖瓦窑中，在窑址地下发掘到许多陶器和青铜器。有关部门进行发掘清理，出土了大批珍贵文物。简报配以照片予以介绍。

据介绍，这个古墓葬是西周时代的，与 1959 年 3 月间发掘的西周古墓地点同在 1 个处所。所不同的是，这座古墓规模庞大，出土文物多，其中以釉陶器和青铜器两类为大宗，共 200 余件。有许多文物比上一次还少见。青铜器方面有铜三足鼎、铜四足鼎、铜尊、铜卣、铜盘、铜壶、铜剑、铜斧、铜殳、铜俑、铜镇墓兽、铜方钟等，陶器方面有大陶罐、陶豆、陶尊、陶盂、陶盉、陶杯、陶盘、陶壶、陶钵、陶纺轮等，此外，还有石器工具、砺石等。这些文物式样美观、花纹细致，具有独特风格。这批文物的出土，对进一步研究我国南方西周时代物质文化和当时的釉陶工业、青铜器冶铸技术提供了更加丰富的资料。

264.黄山鸟石乡出土一件西周甬钟

作　者：黄山市文化局　程先通

出　处：《考古》1988 年第 5 期

1982 年 4 月，安徽省黄山市鸟石乡扬村搬运工人在自己住房旁的山坡地取土时，在距地面约 1 米处的黄土层中挖出 1 件西周甬钟。简报配以照片予以介绍。

据介绍，钟每面各有枚 6 组，每组 3 枚，作圆锥状。甬中空与腹腔相通。篆及隧部均有云雷纹，重 12.5 公斤。甬钟壁薄，用木槌敲击，能发出悦耳的声音。

从甬钟出土的地址看，简报推断很可能是西周时期土墩墓的随葬品。简报称，西周铜器在黄山市是首次发现，因此，对研究黄山地区的历史提供了极为重要的资料。

265.安徽屯溪周墓第二次发掘

作　者：殷涤非

出　处：《考古》1990 年第 3 期

继 1959 年第 4 期《考古学报》发表《安徽屯溪西周墓葬发掘报告》后，于屯溪西郊奕棋乡又发现周墓 2 座，其时间在 1965 年冬至 1966 年初。这两座周墓被编为 M3 和 M4。简报分为：一、墓葬形制，二、出土遗物，共两个部分予以介绍，有手绘图。

据介绍，两座出土有青铜器和釉陶器，另 M3 还出土有玉器、石器及黏在铜毁上的麻布片。简报推断，两墓时代 M3 可能为西周晚期，M4 可能稍晚。

滁州市

266.安徽嘉山县泊岗引河出土的四件商代铜器

作　者：葛治功

出　处：《文物》1965 年第 7 期

1953 年春，安徽嘉山县泊岗引河中出土了不少古代文物。其中有 4 件商代的青铜器，计：爵 1 件、斝 1 件、瓿 1 件、罍 1 件。这 4 件青铜器出土时都很残缺，南京博物院修复组将它们进行了修复。简报分为：一、4 件青铜器的形制，二、4 件青铜器的时代问题，共两个部分，有手绘图。

据介绍，4 件青铜器未见铭文，简报推断为商代遗物，认为这对研究商民族与"淮夷"族的历史应有所帮助。

267.安徽天长县出土西周青铜匜

作　者：陈建国

出　处：《考古》1986 年第 6 期

1984 年 10 月，考古人员在天长县于洼乡进行文物普查工作时，在该乡农民双兴华家发现西周青铜匜一只。这只匜是 1981 年冬季社员双兴华在于洼乡潭井村团结队开挖墒沟对，距地面 1.5 米深处挖掘出土的。简报配以照片予以介绍。

据介绍，青铜匜形状如熨斗，腹部呈椭圆形，无盖，口沿下部有一带状纹饰组合，上有鸟纹，鸟纹与其他纹饰相同，左右对称。从造型和纹饰上看，简报推断它是西周晚期的生活器具。

阜阳市

268.安徽颍上县出土一批商周青铜器

作　者： 颍上县文化局文物工作队　马人权
出　处： 《考古》1984 年第 12 期

1982 年 5 月，颍上县王岗区郑家湾生产队农民在稻场边垫路，在 2.3 米深处，发现一批青铜器和灰陶罐。考古人员前往现场清理。简报配以拓片予以介绍。

据介绍，郑家湾位于颍上县城东南 20 公里，颍河南岸，东靠唐家湖，南临淮河，全部土质是黄色沙淤，近似洛阳土质。历年来居民筑堤修路，垫台盖屋，不断挖出各个时代的古代遗物。1982 年初春，堤坝附近居民垫台基时曾挖出铜戈、铜锛、铜马蹄形饰。戈、锛与洛阳钢铁厂两周第 301 号墓的戈、锛相似。简报推断这批铜器的时代为商周。

简报称，这批青铜器的出土，为阜阳地区的殷周历史提供了实物资料。

269.安徽颍上王岗、赵集发现商代文物

作　者： 阜阳地区博物馆　刘海超
出　处： 《文物》1985 年第 10 期

颍上县王岗位于县城东南 20 公里，三面有颍河环绕；赵集在县城正南 25 公里，南临淮河。两地自 1972 年以来，多次发现商代文物。简报配以手绘图、照片予以介绍。

据介绍，1980 年秋，王岗公社郑小庄农民在庄东取土，发现铜、铅、陶器。考古人员进行了调查和征集。据取土农民追述，器物出自一长方形竖穴内，可能是墓葬。因取土太甚，竖穴（墓室）大小及其他情况已无法知道。出土文物共 18 件，还有一部分器物残片，已无法修复。1971 年 11 月和 1972 年 1 月，在离王岗 10 余公里的赵集王拐村，征集到铜器 7 件，据农民说是在淮河堤边出土的。

简报称，王岗、赵集发现有"月己"铭文的铜器，这应是一个活跃在颍河下游的氏族，或与淮夷族有关。此次发现，为我们今后探讨古代淮夷族活动范围、淮夷族文化以及淮夷与商人的关系，提供了宝贵的资料。

宿州市

270.安徽宿县谢芦村出土周代青铜器

作　者：李国梁

出　处：《文物》1991 年第 11 期

1987 年 12 月，安徽宿县褚兰区钰田乡谢芦村兴修水利时，在平山村附近深约 3 米的地下发现青铜器 5 件。简报配以拓片予以介绍。

简报介绍，5 件青铜器为鼎、簋、匜各 1 件，鬲 2 件。其年代应是西周晚期，也有可能晚至春秋早期。

巢湖市

271.安徽含山县孙家岗商代遗址调查与试掘

作　者：福建省省展览、博物馆　吴兴汉

出　处：《考古》1977 年第 3 期

1975 年 3 月，安徽省含山县仙踪公社西江淮大队在改土造田中，因找肥源，于孙家岗发现 1 处商代遗址，出土文物有石斧、石锛、陶鬲、陶罍、铜镞及卜骨等。同年 6 月，考古人员前往调查与试掘。简报配以照片予以介绍。

据介绍，孙家岗遗址位于含山县城的西北，距城约 16 公里，现属仙踪公社西江淮大队大苏生产队。遗址面积约 5000 平方米。遗址已被取土挖去一小部分，据当地人反映，当时除发现一些石器、陶器和骨器外，还发现一些重要的遗迹，即在 1 具完整成年人骨架周围，埋着 9 具约 10 岁的小孩骨架，在成年人骨架附近发现陶鬲及卜骨。这种遗迹，可能是奴隶殉葬墓。在该墓北约 4 米的地方，发现 1 处窑址，直径约 1 米，高约 1.2 米，窑内有很多陶器碎片，顶上有 3 个出烟的洞眼，周围都是红烧土块。出土陶片上千片及陶器多件，还有石凿 1 件、铜镞 1 件。简报初步认定

孙家岗是商代中晚期的 1 处村落遗址，此次试掘，为研究我国古代奴隶社会特别是长江中游北岸商代文化的发展提供了新资料。

272.安徽含山大城墩遗址第四次发掘报告

作　者：安徽省文物考古研究所、含山县文物管理所　张敬国等
出　处：《考古》1989 年第 2 期

大城墩遗址位于含山县城西北约 15 公里，是长方形的台地。依遗址的形状，分东区、中区、西区三个部分。该遗址 1979 年调查发现后，先后共发掘 4 次。第 4 次发掘 250 平方米，发现了较为丰富的新石器至商周时代遗存。简报分为：一、地层和分期，二、第一期，三、第二期，四、第三期，五、第四期，六、第五期，七、结语，共 7 个部分，有手绘图。

据介绍，大城墩遗址一期文化陶器以夹砂红陶为主，其次是灰陶和黑陶。二期文化陶器以夹砂灰陶为主，其次是红陶和黑陶。三期陶器以夹砂灰陶为主，其次是黄褐陶和黑陶，有极少的红陶和印纹硬陶。纹饰以细绳纹为主，纹饰细密而较浅。三期文化某些陶器与二里头文化一、二期同类器相似，其主要因素以地方特征为主。

四期文化陶器以夹砂灰陶为主，其次是黑陶和红陶，印纹硬陶比上期增多。该期文化某些陶器与郑州二里岗上层和殷墟一期文化同类器相似。反映江淮地区商文化与中原商文化有紧密联系。

五期文化陶器以夹砂灰陶为主，其次是红陶和黑陶，印纹陶比上期明显增多。纹饰精巧，造型美观，多为浇铸。该期文化与中原文化联系不多，主要以地方特点为主，某些陶器与湖北周代文化同类器相似。

273.安徽省含山县出土的商周青铜器

作　者：杨德标
出　处：《文物》1992 年第 5 期

1989 年秋，含山县仙踪镇孙戚村村民在村边取土时，发现铜戈、残铜觚各 1 件。简报配以照片，将此 2 件青铜器与 1984 年在邻近的孙家岗出土的戈 1 件、爵 1 件一并介绍。

据介绍，这两处出土的青铜器均为融和了中原地区因素的当地产品。孙戚村出土的 2 件青铜器简报推断为商代早期。孙家岗出土的 2 件青铜器简报推断为西周晚期，甚至迟至东周。

274.庐江大神墩遗址发掘简报

作　者：安徽省文物考古研究所、庐江县文物管理所　张钟云
出　处：《江汉考古》2006 年第 2 期

大神墩遗址位于安徽省庐江县金牛镇徐河村南，遗址基本呈南北向分布，平面因中间略向西边弯出而似弦月，北宽南窄，高出地面约 4～5 米。1998 年修建沪蓉高速公路时发现，1998 年 11 月至 1999 年 2 月进行了发掘。简报分为：一、地层堆积，二、文化遗物，共两个部分，有手绘图。

据介绍，出土遗物有陶器、铜器。陶器以鬲为大宗，其次有豆、盆、三足盘、盉等。尤其是盉颇具地方特色。该遗址的时代，简报推断为西周晚期或更晚。

六安市

275.安徽舒城县城关出土一件青铜面饰

作　者：舒城县文物管理所　汤　雷
出　处：《考古》2000 年第 8 期

1997 年 1 月下旬，舒城县文物管理所征集到 1 件青铜面饰。经调查，该器物是城关镇金敦村村民在冬修水利工程取土中发现的，简报配以手绘图、照片予以介绍。

据介绍，该器保存完好，整体仿人面形铸就。上宽 14 厘米，下宽 11 厘米，高 14 厘米，厚 0.2 厘米，重 250 克。据有关专家鉴定，这件器物疑为古代战马的头饰。该器物的出土地点金敦村，是舒城县文物分布的重点地区之一，曾出土过商代的直内戈和铜瓿、铜爵等。此面饰上的云雷纹与过去所出商代铜爵的纹饰相同，简报推断应为商代之物。

简报称，此器形制比较特殊，为研究该地区的商代文化提供了珍贵的实物资料。

276.安徽六安出土一件大型商代铜尊

作　者：安徽省皖西博物馆　李　勇、顾　岩
出　处：《文物》2000 年第 12 期

1999 年 3 月，安徽省六安地委党校教学楼施工工地出土 1 件大型青铜尊，考古人员前往现场时铜尊已被抬离现场，出土区域已基本挖到生土层，坑内尚散落部分

陶器残片。简报配以照片、拓片予以介绍。

据介绍，这件大口尊形体高大，古朴端庄，纹饰细密繁复，在安徽属首次发现。所出陶器均为残片，大多不能复原，陶片按质地分为泥质、夹砂两类，二者数量大体一相当。

简报指出，六安出土的这件大口尊，其形制、纹制都具有商代晚期风格，在同类器物中体形最大，承接了中原殷墟早期铜尊的特征而又兼具了南方大口尊的地方特色。它的出土，也将这类大口尊的流传区域由长江中上游扩展到长江中下游地区，为南方大口尊的研究提供了珍贵的实物资料。

亳州市

池州市

277.安徽省东至县发现一件青铜罍

作　者：张北进
出　处：《文物》1990 年第 11 期

1986 年 8 月，东至县文物管理所文物复查队在胜利乡胜利村征集到 1 件铜罍。经调查，这件铜罍是 1975 年开凿尧渡河时，在赤头段出土。简报配以拓片予以介绍。

据介绍，铜罍高 37.5 厘米，口径 16 厘米。侈口折沿，溜肩，鼓腹下收，短圈足。肩部有牛首形耳一对，腹下部有一牛首形鼻。颈部饰弦纹两周，肩上饰夔龙纹和浮雕涡纹，以云雷纹衬底。从其形制和纹饰看，简报推断应为商周遗物。简报称，这一时期的青铜器在东至县出土尚属首次。

278.安徽贵池市发现一件古代陶范

作　者：贵池市文物管理所　赵建明
出　处：《考古》1996 年第 12 期

该范是 1987 年 7 月 21 日坐落在九房朱商周遗址东边朱德春家屋后挖檐沟时，距地表深 30 厘米处出土的（此遗址未经发掘），现收藏在贵池市文物管理所。简报配以拓片予以介绍。

据介绍，贵池出土的这件陶范的特点是充分利用两侧空间，同时可铸造2件小型器物。1模铸3件器物的陶范，目前发现极少，它的发现对商周时期青铜铸造业的研究有重要意义。

宣城市

279.安徽郎溪县发现的西周铜鼎

作　者：宋永祥
出　处：《文物》1987年第10期

1985年5月，郎溪县文物部门征集到1件铜鼎，据调查，此鼎出土于宣郎广茶场的山地里。简报配以照片予以介绍。

据介绍，鼎为直口，深腹，圜底，扁锥形三足。耳呈绹索形立于沿上。沿下饰云纹一周，沿三足中部至中沿，各有1条扉棱。鼎腹内壁中部偏下有舌状支钉4个，很像箅承。简报推断年代为西周晚期器物。

简报称，鼎腹内有箅承，使这件鼎具有甗的功能，这可能是当地土著文化的反映。

280.安徽宣州市孙埠出土周代青铜器

作　者：徐之田
出　处：《文物》1991年第8期

1981年10月，安徽省原宣城县孙埠乡正兴村农民挖沙时，发现4件青铜器，随后献给国家。简报配以照片予以介绍。

简报称，计鼎2件、鬲1件、钲1件。这4件铜器在出土时堆放在一起，应属窖藏。简报推断当是西周后期至春秋初期的遗物。

281.安徽宁国市官山西周遗址的发掘

作　者：安徽省文物考古研究所　宫希成
出　处：《考古》2000年第11期

官山遗址位于宁国市河沥溪镇罗溪行政村。自1985年起，罗溪村在官山兴建轮窑厂，在取土过程中发现大批古墓，经文物部门现场勘察，确认这里是 1 处包含了旧石器时代和西周时期遗存的古文化遗址。由于遗址区上部大部分厚 3 ～ 3.5 米的堆积已被窑厂挖去，周代遗存的保存范围仅剩下约 100 平方米，因此考古人员选择其中保存较好的一块，于 1993 年 10 月 6 日至 11 月 7 日进行了发掘。此次实际发掘面积为 45 平方米。简报仅将其中的西周文化遗存分为：一、地层堆积，二、遗迹，三、遗物，四、分期与年代，共四个部分予以介绍，有手绘图、拓片。

据介绍，根据地层关系及出土陶器的特征综合分析，简报将官山遗址西周时期文化遗存分为两期，通过与周围地区所出同时期的同类器物相比较，简报初步推断官山遗址西周遗存的年代上限约在西周中期偏晚阶段，下限当不晚于西周晚期。

简报称，宁国官山西周遗址的发掘，填补了皖南东部地区考古工作的空白，对认识皖南地区商周时期的文化面貌具有重要意义，也为整个东南地区吴越文化的研究提供了新的资料和视角。

282.安徽宣城出土的青铜器

作　者：宣城市博物馆　王爱武
出　处：《文物》2007 年第 2 期

1981 年 10 月 21 日，宣城孙埠镇正兴村的村民在挖沙时，发现了 4 件青铜器。除了 1 件夔纹青铜铙外，另有铜鼎 2 件、鬲 1 件。其中铜容器的范铸痕迹清晰，器底遗留浓厚的烟炱，应属实用器。简报配以照片予以介绍。

据介绍，出土的青铜器有夔纹铙、重环纹鼎、弦纹鼎、绳纹附耳鬲。年代简报推断为西周晚期至春秋初期。简报指出，宣城西周、春秋时属吴国。这里的青铜文化始于商代，到了西周时期，创造出具有地方特色的青铜器。到了春秋时期，已形成既有中原文化影响又有吴越地方特色的青铜器。这 4 件青铜器，就是这样的不可多得的实物。

福建省

福州市

283.闽侯昙石山新石器时代遗址第二至四次发掘简报

作　者：福建省文物管理委员会、厦门大学人类学博物馆

出　处：《考古》1961 年第 12 期

昙石山遗址是 1954 年 1 月发现的，并曾进行过探掘。随后，考古人员又在昙石山附近沿闽江两岸继续发现榕岸庄边山、白沙溪头巷、恒心白头山等遗址。1959 年底，考古人员又进行了发掘，自 12 月 23 日起至 1960 年 1 月 5 日结束。同年 3 月 17 日至 24 日又作了第三次发掘和第四次发掘。简报分为：一、发掘情况，二、遗物，三、小结，共三个部分予以介绍，有手绘图、照片。

据介绍，探沟、探方共出土各类陶片 15000 余片，完整器物 321 件，此外，还有鹿角、兽骨、蚌类和麻龟版等。根据前后 3 次发掘的迹象和遗物观察，简报认为野石山遗址出土的印纹陶、砂陶、彩陶、轮制磨光陶等，同附近的榕岸庄边山、白沙溪头巷、福州浮村遗址下层、福清东张遗址极相类似，可能是一个共同的文化系统，它们之间的关系是相当密切的。从文化层出土遗物迹象观察，上层出土印纹硬陶多，下层渐少。一般堆积层的底部以橙黄色砂陶和轮制磨光陶占多数，而 T105 蛤蜊壳层之下又压着一个灰坑，出土物仅有橙黄色砂陶和轮制磨光陶。这些可能说明居住在这里的人们有前后延续的关系。

284.闽侯昙石山遗址第六次发掘报告

作　者：福建省博物馆　曾　凡等

出　处：《考古学报》1976 年第 1 期

闽侯昙石山，居于闽江下游，距福州 22 公里，是 1 个高出江面约 20 米的长形山岗，周围为闽江冲积区。1954～1963 年，考古人员曾先后对这处遗址作过五次发掘，成

果已发表。

简报分为：一、前言，二、地层堆积，三、遗迹，四、墓葬，五、文化遗物，六、自然遗物，七、结语。共七个部分。配以照片，介绍了第六次发掘。发掘工作从 1964 年 9 月 11 日至 1965 年 8 月 5 日止，历时将近 1 年。

据介绍，这次发掘，发现的遗迹有灰坑 59 个，火塘 2 个，烧坑和穴址各 1 处，墓葬 32 座。遗迹遗物之多，超出了以往的发掘。年代简报估计为距今 3200～2900 年左右。葬俗方面，小孩墓葬中，除个别外，均未发现小孩的手指骨和足骨。简报认为这是一种"割体葬仪"。陶器、石器也均有特色。简报最后将其命名为"昙石山文化"。

285.福建闽侯黄土仑遗址发掘简报

作　者：福建省博物馆　陈　龙、林忠干、杨先铢
出　处：《文物》1984 年第 4 期

黄土仑遗址位于闽侯县鸿尾公社石佛头村南部，或南距闽侯县城甘蔗镇 14 公里。黄土仑遗址是闽侯鸿尾中学于 1974 年夏天开辟操场时发现的，该校历史教员知允老师及时报告了有关情况并保存了出土的部分陶器。几年来共清理墓葬 19 座，出土或采集陶器、石器等文物标本近 200 件。

简报分为"地层堆积及重要迹象""墓葬及随葬器物""采集遗物""结语"，共四个部分予以介绍，有手绘图。

据介绍，共发掘 19 座墓葬，均为竖穴土坑墓，葬具及人骨均已无存。随葬品以陶器为主，个别墓随葬小型生产工具石镞、网坠等。各墓随葬品多者 21 件（M12），少者 4 件（M2、M6），个别墓不见任何器物（M19）。

此批墓葬的年代，经测定为商代晚期，距今 3500 年左右。

厦门市

莆田市

三明市

286.福建尤溪县古文化遗址调查

作　者：尤溪县博物馆　林洪湘
出　处：《考古》1993 年第 7 期

尤溪县位于福建省中部、载云山西北麓，东北界临闽江。1988 年 3 月，考古人员在尤溪县进行考古调查，发现古文化遗址 74 处，采集大量陶片和石器标本。简报分为：一、水尾墩遗址，二、虎路仑遗址，三、米斗山遗址，四、黄土山遗址，五、大坪山遗址，六、墟山，七、结语，共七个部分，先行介绍了其中比较有代表性的 6 处遗址，有手绘图。

据介绍，通过调查，对尤溪县古文化遗址有以下三点初步认识：

一是古文化遗址一般分布在尤溪河及其支系沿岸的山丘上，反映了古代先民"逐水而居，溯源而迁"的生产生活状况。

二是从遗物时代特征分析，上述遗址基本可归为两种类型。一类以水尾墩、虎路仑、米斗山、黄土山遗址为代表，泥质陶、夹砂陶和印纹硬陶共存。陶片纹饰中，拍印的云雷纹、方格纹与刻划的折线纹，是商末周初陶器的典型作风。此类遗址的年代大致在商代晚期至西周早期。

另一类以大坪山、墟山遗址为代表，印纹硬陶与原始瓷共存。陶片纹饰中，席纹盛行，云雷纹比方格纹多。其年代当在东周时期。

三是由于这些遗址均以几何印纹硬陶为主要特征，因而一般可诊断属南方青铜文化的范畴。

泉州市

287.福建南安大盈出土青铜器

作　者：庄锦清、林华东
出　处：《考古》1977 年第 3 期

1974 年 5 月，南安县水头公社大盈大队蔡盈村村民在村后寨山（俗称大盈寨山）

开建篮球场时，发现青铜器及玉器。考古人员于 1976 年 3 月前往调查。简报分为：一、地理环境及出土情况，二、出土遗物，三、几点看法，共三个部分，有手绘图。

据介绍，出土地点位于泉州市西南 25 公里。这批青铜器的出土在大盈寨山东面山坡，距地表约 2 米深的黄土层中。出土遗物有铜戈、戚、矛、匕首、锛、铃及玉戈、璜。这批青铜器具有显著的地方色彩，有着自己独特风格，可能为古越族遗存。但在某些方面，又受到中原青铜文化一定的影响。这批器物的年代上限可上溯到西周，下限可能延到春秋。

简报指出，南安大盈青铜器的发现，可以弥补文献资料的不足，对于研究福建省古代历史及文化与中原青铜文化的关系，具有重要的价值。过去古文献把古代南方描绘成荒无人烟，直到汉代才开发，看来也需重新认识。

288.福建惠安涂岭新发现的古文化遗址

作　　者：林聿亮、林公务
出　　处：《考古》1990 年第 2 期

1985 年秋，惠安县涂岭乡文阳村农民送交文物馆 1 件硬陶器，并告知当地山上还发现有陶片等情况。考古人员即前往调查。

据介绍，遗址位于涂岭镇东 1.5 公里处的蚁山（当地人称"马蝶山"），南距惠安城关约 20 公里。由于多年来当地农民开采石料，致使山上的文化层堆积遭受严重破坏；加之长年的水土流失，所以山坡中部和下部的文化遗物已荡然无存。及至山顶才散见乱石之中小面积的贝壳堆积多处。分布范围东西长约 80 米，南北宽约 50 米。个别地段从断面观察有厚约 30 ~ 40 厘米的贝壳层，但不见成片堆积。由于人为和自然的原因，大量遗物露于地表，俯拾皆是。

此外，位于蚁山之南 200 米的果合山，也采集到零星陶片。据农民介绍，送到文物馆的 1 件陶器即发现于此山上。

据介绍，福建省于 20 世纪 50 年代进行过较大规模的文物普查工作，曾于惠安东南部的崇武、涂寨等地的一些山头上发现过零星的贝丘堆积，并采集有少量的石器和印纹硬陶片。从陶片的质地、纹饰比较，与本简报提到的果合山所出的印纹硬陶带錾罐当属一类，其年代简报推断应与黄土仑遗存相当（商代晚期），而与蚁山遗存（新石器晚期，公元前 2300 年至公元前 1000 年左右）比较则应稍晚些。

又，据《考古》1961 年第 4 期报道，福建南安丰州社坛村狮子山，曾发现过石器 29 件、陶器 27 件、青铜器 3 件等。应是 1 处新石器晚期并已进入青铜时代的遗址。

289.福建晋江庵山青铜时代沙丘遗址 2009 年发掘简报

作　者：福建博物院、晋江市博物馆　黄运明、范雪春、吴金鹏、左子娟等
出　处：《文物》2014 年第 2 期

庵山遗址位于福建省晋江市深沪镇坑边村颜厝东北，北距深沪湾 1000 米，西距乌漏沟约 1000 米。庵山山顶海拔 27 米，相对高度 20 米，是 1 座风积形成的低矮沙丘，属海滨沙丘地貌。为配合晋江深沪镇工业园区建设，2007 年 5～10 月和 2009 年 1～4 月，考古人员对庵山遗址进行了 2 次抢救性发掘。2009 年发掘发现了贝壳坑、房基、土墩、活动面等遗迹，出土了一批富有特色的遗物。

简报共分为四个部分，一为地层堆积；二为遗迹，主要有贝壳坑、房基、土墩和活动面等；三为遗物，主要有陶器、原始瓷器、石器、玉器、铜器、骨角器、贝器等；四为结语。

据介绍，陶器，有夹砂陶、泥质陶、硬陶等，其中以夹砂陶最多，泥质陶和硬陶较少。夹砂陶有红褐色、灰色、灰黄色、灰褐色、灰黑色等，其中以红褐陶和灰黑陶数量最多，其次是灰褐陶和灰黄陶，灰陶最少。大部分夹砂陶火候较低，质地粗糙，陶胎存在夹心或内外胎色不一样的现象。夹砂陶以手制为主，并加以慢轮修整，一些夹砂陶内壁可见因手制而形成的凹凸不平的现象。可辨器形有罐、釜、甗、尊、壶、钵、支座、网坠、陶拍、环等。纹饰的装饰手法有拍印、施衣、堆贴、刻划、镂孔数种。拍印的纹饰有梯格填点纹、叶脉纹、曲折纹、方格纹、间断绳纹、栅篱纹、网格纹、席纹、绳纹等，其中以梯格填点纹、叶脉纹、曲折纹最多。施衣主要为红衣，零星陶片施黑衣或赭衣，施衣部位大多位于唇、颈部，少量施于腹部。施衣陶多见于素面陶，少量为拍印纹饰后再施衣。堆贴手法主要运用于器耳与罐的连接部位。刻划和镂孔仅在极个别陶器中出现。以上几种装饰手法有时在一个器物上组合使用。泥质陶大多为残片，制法多为轮制，可辨器形有壶、纺轮、网坠、环等。器表以素面为主，少量拍印方格纹等。印纹硬陶大多为残片，胎大多呈灰色，火候较高。可辨器形有罐、豆等，器表饰方格纹、席纹等。

原始瓷器，胎呈浅灰色、灰白色、灰黄色等，质地致密。火候较高，吸水性差。釉色有青色、绿色、青黄色等，胎釉结合不均匀，大多有脱釉现象。器形主要有豆、罐等，纹饰有弦纹、刻划纹等。

石器，有磨制石器、打制石器、凹石等。其中生产工具有斧、锛、网坠等，兵器仅见戈，装饰品有玦、环等。

玉器，有环、璜等。

铜器，有鱼钩、锛、矛、簪、短条等。

骨角器，骨器有镞、匕、锥、笄等，为动物肋骨或肢骨加工而成；角器有锥等，为鹿角或羊角制作而成。

贝器，主要为牡蛎壳制作而成，器形主要有铲和环。

简报认为，庵山遗址延续时间较长，大体在距今 3400～2700 年，相当于中原地区的商代中晚期至西周时期。

简报认为，该遗址具有丰富的地域特色和海洋文化特征。对于研究闽南地区青铜时代文明具有重要的意义。

文中有多幅黑白照片及手绘图。

漳州市

290.福建漳州市虎林山商代遗址发掘简报

作　者：福建博物院、漳州市文管办、漳州市博物馆　陈　兆、杨丽华
出　处：《考古》2003 年第 12 期

漳州市位于福建省的南部。虎林山遗址位于漳州市区东北郊，距市中心约 7 公里，隶属于龙文区朝阳镇后店村樟山自然村。由于早年平整土地，地表呈现大大小小的多级阶梯状台地，高差从 1.5～5 米不等。遗址在漳龙高速公路建设中被列入取土区范围。2001 年 7 月中旬，在调查中发现了石戈和印纹陶片等遗物，随后抢救性清理了 1 座土坑墓，获得石戈、锛和釉陶豆等遗物约 30 件。8 月 7 日起对其进行了正式发掘，到 9 月 28 日田野工作结束，历时近 50 天。本次发掘以山体马鞍形低处为界，将遗址分为东北区（虎林山）和西南区（山林山），计发掘面积 2314 平方米，简报分为：一、地层堆积，二、墓葬，三、出土遗物，四、结语，共四个部分，有手绘图、拓片。

据介绍，虎林山遗址最主要的收获在于所清理的 20 座墓葬，墓葬可分为腰坑墓和无腰坑墓两类，数量上后者稍多于前者，简报推测西南区可能属于贵族墓葬区，而东北区则主要为一般平民的埋葬区。

虎林山遗存简报推断可分为商代早、晚二期，即第一组为早期，第二组为晚期。

南平市

291.福建建瓯县出土西周铜钟

作　者：王振镛

出　处：《文物》1980 年第 11 期

1978 年 12 月，建瓯县小桥公社阳泽大队农民在阳泽村北黄科山开垦茶园时，发现 1 件古代青铜大钟。简报配以照片予以介绍。

黄科山是建瓯东南境梨山的支脉，距县城约 15 公里。这是 1 座南北走向的红壤土小山，东、南面是河谷小平原，阳泽溪贯穿而过。铜钟出土于黄科山的西坡，距地表仅 25 厘米左右，钟口朝下，附近没有发现其他遗迹、遗物。此钟双范合铸，两栾有明显的合范痕，干带内壁残留内模。钟体两面纹饰相同，无铭文。简报推断应是西周早期的作品。

简报称，这件大钟是中华人民共和国建立后出土的西周铜钟中形体最大的 1 件。像这样大型的西周乐器，在福建还是首次出土，在国内也很罕见。从形制和纹饰来看，中原商周文化的影响是明显的。其与浙江长兴铜钟的关系，则更值得注意。

又，据《文物》1996 年第 6 期报道，1996 年 10 月，建瓯县南雅镇梅村农民在梅村以西 1 公里的丘坑山东北面山腰处，距地表 0.1 米深处挖出 1 件甬钟。县博物馆闻讯后即派考古人员前往征集，并对出土地点进行了初步调查。甬钟双范合铸，甬呈圆筒状，上端残，中空，与腔体相通，有干，干上纹饰锈蚀不清。平舞，弧于。钲部分别饰枚 9 个，分三行，枚呈画锥状，篆间饰凸双线云雷纹。简报推断，甬钟应属西周中期偏晚的遗物。

近年来，建瓯地区陆续有西周甬钟出土，且分布范围较为集中。经调查，还发现了与甬钟时代相当的大量印纹硬陶片和完整陶器，以及原始青瓷器等，有待于今后新的考古发现和进一步的深入研究。

292.福建崇安武夷山白岩崖洞墓清理简报

作　者：福建省博物馆、崇安县文化馆　林　钊、吴裕孙、林忠干、梅华全

出　处：《文物》1980 年第 6 期

在武夷山的奇峰削壁上，多有自然裂隙和岩洞。不少洞中遗有木板和船棺，在

山岚崖霭中或隐或现。考古人员从 1978 年 9 月 5 日开始至 16 日结束，实地查看了崖洞构造和清理棺内遗物。简报分为：一、崖洞墓的位置和环境，二、船棺形制和清理情况，三、随葬器物，四、结语，共四个部分予以介绍，有照片、手绘图。

白岩崖洞墓位于武夷山西北部莲花峰西侧，属武夷公社黄柏大队太庙村，东北距崇安县城约 15 公里许。船棺放置在白岩西壁顶 1 个天然洞穴内，棺首朝外，底部用石头垫托，棺木如船形，木头上留有金属刀具加工过的凿痕。木料为当地产的一种楠木——闽楠。葬式为仰身直肢葬，出土有龟状木盘、纺织品残片、残竹席等。经测定，船棺距今约 3500 年，相当于中原地区的商代。墓主人应为百越族中某一部落中较有权力的人物。

同刊同期载有曾凡、杨启成、傅尚节先生的《关于武夷山船棺葬的调查和初步研究》一文，可参阅。

293.山林仔遗址的发掘

作　者：福建省博物馆　陈兆善、郑　辉
出　处：《考古》2002 年第 3 期

建阳市位于福建省北部、闽江上游，迄今已发现新石器时代至宋元时代遗址 100 余处。遗址位于小湖镇西北 1.8 公里处，西距建阳市直线距离为 14 公里，1985 年 5 月发现该遗址，后经两次复查，曾采集到青铜矛、原始瓷器和陶器等，现均收藏于建阳市博物馆。

据调查，遗物分布范围达 1.5 万平方米，以南部低处缓坡上分布最为密集。从 1984 年起，当地农民在遗址东部设置小砖瓦厂，连续不断地由遗址上取土，遗址中心地带已被挖掘一空。1995 年 10 月 2 日至 10 月 30 日，考古人员对该遗址进行了抢救性发掘。发掘面积 350 平方米。此外，在遗址地面和断坝边缘采集到部分遗物。发掘与调查收获简报分为：一、地层堆积及主要遗迹，二、遗物，三、结语，共三个部分予以介绍，有手绘图、拓片。

据介绍，发掘表明，山林仔遗址是一处古代墓地。简报推断：M1 的时代约为西周晚期或春秋早期；M2 的时代可定为西周早中期。简报称山林仔遗址的发掘收获，对研究闽江上游地区商周时期的考古学文化有重要意义。

龙岩市

宁德市

江西省

南昌市

294.江西南昌青云谱遗址调查

作　者：江西省文物管理委员会　郭远谓、陈伯泉
出　处：《考古》1961 年第 10 期

1959 年秋和 1960 年春，考古人员先后在南昌市南郊青云谱地区发现古文化遗址两处。简报分为：一、青云谱车站遗址，二、青云谱砖瓦窑遗址，共两部分，有手绘图、拓片。

据介绍，遗址位于青云谱车站南侧。遗址为一平坦台地，高出地面约 7 米。据调查所见，在取土至 2 米深处，仍发现许多陶片夹在土层中。在这里清理东汉墓葬时，亦见墓底压叠着红烧土块及陶片。这处遗址遗存相当丰富。今采集到各种石器及陶片多件，青云谱砖窑遗址位于青云谱砖瓦窑厂的南侧，与上一遗址相隔约 2 公里，遗址亦为平坦小台地。由于该处也是古代和近代的墓葬区，动土频繁，扰乱极重。采集遗物 31 件，陶器多为残片，以石器为多。

简报称，上述两遗址，就调查所见，文化性质不尽相同。故两遗址虽同处一个条形地带，而且相隔很近，但可能代表着早晚不同的两期文化。简报初步推断砖瓦窑遗址的时期可能早于车站遗址。

295.江西青山湖台山咀遗址调查

作　者：许智范
出　处：《考古》1985 年第 8 期

青山湖位于江西省南昌市东北隅，湖的西南端紧依城区，北面与赣江相接。1983 年秋天，为解决污染问题将青山湖水抽干后，在该湖湖床中央的台山咀高坡上发现 1 处古文化遗址。考古人员赶赴实地进行了调查，并采集到一批实物标本。简

报配以手绘图予以介绍。

据介绍，台山咀遗址因长年淹没在湖中，文化堆积冲刷严重，基本上没有保留文化层，在东西约300米、南北约500米的泥沙淤积土的地表散布有不少石器和陶片。现已采集到的遗物有：石斧10件、石锛35件、石刀8件、石戈1件、石矛3件、陶器、陶片等。台山咀遗址采集到的这批遗物同江西地区其他商周遗址的采集物和出土物有类似之处，如陶器上粗放的云雷纹、方格凸点纹、叶脉纹、菱形纹等都是西周常见的陶器纹饰，而陶罐的折肩、高领等特点及S形纹等，又带有吴城商代器物的风格；至于仿铜石戈、青铜镞等器物的时代特征则更为明显。简报据此推断，台山咀遗址的时代为西周，部分遗物也可能早至商末。

296.江西进贤县寨子峡遗址

作　者：刘诗中、高宁桂
出　处：《考古》1986年第2期

"寨子峡"因遗址西部边缘有一土寨子而得名。它处在捉牛冈、五里、下埠三公社（场）交界处。该遗址面积较大，大部分地方惜已冲刷严重，唯土城内文化堆积保存较好。简报配以拓片、手绘图予以介绍。

据介绍，此地为一西周时期遗址。生产工具有石斧、石锛、石铲、石刀、石镞、陶纺轮、陶网坠等，共计72件。生活用具均系陶器残片，可以辨认的器形有罐、鼎、瓿、豆等。值得注意的是陶器纹饰多达40余种，图案美观，拍印技艺较高，反映西周时期江西地区陶器生产确实进入了一个繁荣时期。

如对中国古代的陶器有兴趣，可参阅姚江波先生《中国古代陶器鉴定》（湖南美术出版社2009年版）一书。

景德镇市

萍乡市

297.江西萍乡市禁山下遗址的发掘

作　者：江西省文物考古研究所、萍乡市博物馆　王上海、余江安
出　处：《考古》2000 年第 12 期

萍乡市位于江西西部，东连宜春，南邻湖南攸县，西接湖南醴陵，北与宜春和湖南浏阳相毗邻。遗址位于萍乡市芦溪县宣风镇虹桥。

简报分为：一、地层堆积，二、第一期文化遗存，三、第二期文化遗存，四、第三期文化遗存，五、结语，共五个部分予以介绍，有手绘图、拓片。

从此次发掘所包含的文化面貌观察，第一期文化与湘乡岱子坪、长沙县同时期的诸文化遗址有一定的联系，但与江西樊城堆、广东石峡遗址中同时期文化关系更为密切，其文化总体应属于东部沿海系统的一种古文化。第二期文化虽吸收了部分北方中原文化因素，但就其文化总体面貌观察，应与一期文化一道划属同一文化范畴。第三期文化明显区别于第一、二期文化，两者之间存在明显缺环，它所体现的文化面貌与拍印几何纹不太发达的洞庭湖西岸地区商周文化有明显不同，受荆楚文化影响甚微，其文化内涵当属江、浙、皖、赣吴越文化圈。

简报称，禁山下遗址的发掘在赣西尚属首次，其典型的江西龙山期、夏—早商时期、西周时期的文化堆积，为我们研究赣西先秦文化面貌及完善江西先秦考古学编年序列有着重要价值。

九江市

298.江西都昌出土商代铜器

作　者：唐昌朴
出　处：《考古》1976 年第 4 期

都昌县大港公社云山大队林场石秀忠先生于 1974 年 3 月在乌云山东麓发现一批铜器。考古人员立即前往铜器出土现场进行调查。出土铜器有铜甗 1 件、铜锛 4 件、

铜斧 5 件。简报配以照片、拓片予以介绍。

据介绍，因现场已被破坏，这批铜器是窖藏还是墓葬随葬品已难确定。铜器上未见铭文。

时代简报推断为商代晚期。从器形上看，有较浓厚的地方特色。

299.江西湖口下石钟山发现商周时代遗址

作　者：江西省文物工作队、湖口县石钟山文管所　刘诗中、杨赤宇

出　处：《考古》1987 年第 12 期

石钟山位于湖口县城关南北两端，有上、下石钟山，合称双钟。下石钟山位置正当江湖汇合之点，面积约 0.2 平方公里。1983 年 8 月，考古人员对下石钟山作了考古调查，在山上的平坦处以及山壁洞穴内发现了不少古代遗物。简报配以手绘图，重点介绍泛舟岩洞穴旁一处堆积的清理情况。

据介绍，泛舟岩洞穴高出湖面 34.5 米，由于历年的动土，原在山顶上的遗物顺崖缝冲流而下，在其旁边形成了 1 个长约 3 米、宽约 2.2 米、深 4.15 米的淤积坑。该坑上面约有 1 米厚的黄灰土，含有少量近代瓦片，其下为灰褐土，淤积了为数不少的古代遗物，共计有 3152（件）片，内有陶片、原始瓷片、石器、骨器以及动物骨骼和红烧土块等。石器分打制石器和磨制石器两种。打制石器利用鹅卵石、砾石打制而成，其中 1 件为砍砸器，4 件为刮削器。磨制石器有石斧 1 件、石锛 2 件、石刀 2 件、石镞 1 件、砺石 2 件。石斧刃部作圆弧形，器体中部稍厚，断面椭圆形。石锛器形较小，刃部较宽，向上渐窄，背部缓平，有脊棱一道，系无段锛。石刀长方形，近背部有对穿小孔，刃部磨制精细。石镞作扁棱形。骨器共 15 件，大都经过磨制，器类分锥、镞、针、匕、坠、弹板等。陶瓷器残片的数量最多，约计 2146 片。以灰陶、红陶为主，也有少量的黑陶。陶质分夹砂、泥质、硬陶三大类，其中硬陶的比例占 36.4%。另有原始瓷 84 片，红褐釉色，占总数的 2.6%。纹饰有刻划与拍印 2 大类。另有兽骨 978 块，其中猪、狗、牛均为人工驯养。兽骨中有一些带有明显的人工砸击痕迹，有的有明显的火烧痕迹。有的长骨上刻有符号，刀法十分细腻，有十余种。

该遗址的时代，简报推断为晚商至西周时期。

300.记江西近年发现的商周水井

作　者：江西省文物工作队　诗　家、柯　水
出　处：《农业考古》1987 年第 2 期

1982 年和 1985 年，江西省考古工作者分别在德安县聂桥乡石灰山遗址、九江县新合乡神墩遗址发现 4 口商周时期的水井。简报配以照片予以介绍。

德安石灰山遗址发现水井 1 口，从井内填土中出的大盘粗把豆、分裆袋足鬲、石范、罐等器物分析，简报推断该井的时代当为商代晚期。

九江神墩遗址发现大小水井各 1 口，简报推断开掘使用时代应在商代晚期，同时出土的还有不少竹棍、烧土块。

神墩大水井，距地表 1.64 米，井体亦直接掘入生土层中，简报推断大井开掘和使用的年代属商末至西周早期。

简报称，江西商周水井的发现点石灰山和神墩 2 遗址，都系丘陵台地，地势较高，但当地的居民并不是在台地周围的平地低洼处掘井，而是在居住区内掘井，说明当时的挖井技术较高。

301.江西瑞昌市求雨垴遗址的调查

作　者：瑞昌市文化局　刘礼纯
出　处：《考古》1997 年第 5 期

1989 年 8 月，瑞昌市高丰乡业余文物通讯员朱正生先生在本乡李铺村求雨垴进行文物调查时，发现 1 处古文化遗址，市文物部门闻讯后，随即派员进行了调查。调查情况简报配以手绘图、拓片予以介绍。

据介绍，该遗址位于瑞昌市西南 18 公里的石灰岩山坡上，面积约 200 平方米。调查中采集的陶片，纹饰见有绳纹、方格纹、云雷纹、回纹、漩涡纹、圆点与菱形组合纹、附加堆纹、圆涡纹、网结纹、凸块纹、云雷与网纹组合、圆圈与曲折纹组合等。陶质有夹粗砂红（灰）陶、夹细砂红（灰）陶、泥质红陶、泥质灰硬陶、红褐陶、黑陶、泥质白（灰）硬陶等。陶片中能辨认器形的有罐、壶、甑、瓮、杯等。

该遗址出土的陶器在纹饰上与本省其他遗址的同时期遗物有相似之处，其时代简报推断应为西周中晚期。

302.江西铜岭铜矿遗址的发掘与研究

作　者：江西省文物考古研究所、广东省番禺市博物馆　刘诗中、卢本珊等
出　处：《考古学报》1998 年第 4 期

　　铜岭铜矿遗址位于江西北缘瑞昌市境内幕阜山东北角，居长江中游南岸，距城关 24 公里。遗址周围有武山、城门山、丁家山等数处现代铜矿，湖北的大冶铜绿山、阳新港下等铜矿遗址均在铜岭遗址数十公里范围内。1998 年春，铜岭村民在修筑矿山公路时发现了该遗址。经过调查获知，这是 1 处集采矿、冶炼于一地的铜矿遗址。古代采区分布面积约 7 万平方米；冶炼区则分布在矿山脚下附近的地区，分布范围约 20 万平方米，炼渣堆积层厚约 0.60 ～ 3.40 米不等。1988 ～ 1991 年，考古人员连续四个秋冬对采矿区进行了抢救性发掘，清理出矿井 103 口、巷道 19 条、露采坑 3 处、探矿槽坑 2 处、工棚 6 处、选矿场 1 处、斫木场 1 处，还有用于矿山管理的围栅设施等遗迹；发掘和征集铜、木、竹、石、陶等文物计 468 件。简报分为：一、矿山年代，二、采矿技术，三、选矿技术，四、文化性质，共四个部分予以介绍，有照片、手绘图。

　　简报指出，铜岭铜矿是商周时期一处重要的采矿、选矿遗址。仅凭中原地区铜矿，是难以支撑当时以十万计的青铜器生产需要的。简报甚至认为，商王朝为了牢固地掌握南方丰富的铜资源，在矿山通往中原的要冲长江北岸设立盘龙城据点，商人在那里建立了一座城邑，商旅可以盘龙城为据点，东征西线，控制了今鄂、豫、皖邻界的大片地区，同时越江南下，直达鄂东南、江西、湖南等地，征伐和镇压异族。盘龙城与大冶铜绿山一江之隔，而与港下、铜岭、铜陵、南陵古铜矿几乎在同一条长江运输线上，方圆不过数百公里。至于在古铜矿后方出现的江西吴城、大洋洲等均是商人为确保铜路安全而设立的后方据点，这些据点不是临时性的，而是维持了相当长时间，是带有城邑性质的军事据点。长江两岸的铜料正是通过江汉平原抵达南阳盆地。这是中原王朝始终控制的一条将南铜北输的生命线，这条运输线维系王都的青铜铸造业，堪称中国青铜文明之路。

　　简报强调，长期以来，国外学者认为中国殷墟青铜器如此成熟，是突然出现的，始终持有中国青铜文化是由外地（例如西亚）传入的观点。前苏联学者也认为殷墟文化是来自前苏联的索克文化，他们主张如果没有"外来信息"的那怕是"很小"的作用，就不可能在中国本土形成"铸铜生产"。上述论调仍是源于西方那种人类的物质文化起源于单一中心的传统观念，在论及冶金史研究时，福特斯就坚决主张，简单的技术创造可以出现多次，复杂、重大发明（如冶铜术）只能发明一次和由一个中心扩散，而不可能由其他地区重新发明。按照这种观点，就冶铜术来说，伊朗

腹地为第一中心，小亚细亚等地区为第二中心，然后传播到西欧、北非、印度和中国。然而，中国大量早期铜件、铜矿、铸铜作坊的发现表明，上古时期中国有着完整的采矿、冶炼、铸造青铜工业体系，中国的青铜文化是在本国土地上生长的，自成体系，富有独特的民族特色，在世界青铜文明中占有重要地位。

303.江西瑞昌市檀树咀商周遗址发掘简报

作　者：江西省文物考古研究所、瑞昌市博物馆　李荣华

出　处：《考古》2000 年第 12 期

檀树咀遗址位于江西瑞昌市西北夏畈乡檀树咀村西南部山坡上，南距城关约30 公里，北距长江约 5 公里，向西 2 公里为铜岭古矿冶遗址及大沙铁路，南部为南阳河支流。该遗址是 1992 年底在寻找铜岭古铜矿作坊区时发现的，当时对暴露在遗址西侧旱地断崖上的 2 个灰坑进行了清理。1999 年 3 月至 5 月，考古人员对其进行了正式发掘，发掘面积 254 平方米。此次发掘情况简报分为：一、地层堆积，二、商文化遗存，三、春秋时期遗存，四、结语，共四个部分予以介绍，有手绘图、拓片。

据介绍，檀树咀遗址的发掘，揭示出当地商代与春秋两个时期的不同文化面貌，特别是商文化遗存出土有与中原一致的鬲、豆、甗，使人们对铜岭古铜矿的族属以及江西地区的商文化类型有了比较明确的认识。

新余市

304.江西新余连续发现西周甬钟

作　者：余家栋

出　处：《文物》1982 年第 9 期

1980 年 4 月，新余县罗坊公社陈家大队第二生产队农民在邓家井丘陵地带的花生地开排水沟时，在距地表深 15 厘米左右处发现 1 件西周铜甬钟。新余县印刷厂业余文物通讯员及时向江西省博物馆反映，使这件文物得到妥善保存。经初步调查，甬钟可能出土于土坑木椁墓，附近地表散布有网纹、篮纹、平行弦纹、交错绳纹和凹菱纹等的几何印纹陶片。简报配以照片予以介绍。

据介绍，甬钟色泽碧绿，纹饰庄重。1981 年 4 月，新余县水西公社家山大队第

六生产队农民在农田生产中又发现 1 件甬钟，造型、纹饰都与上述 1 件相似。

根据形制特征，简报推断这两件甬钟为西周中期遗物。

305.江西新余市出土商代铜鬲

作　者：新余市博物馆　胡小勇

出　处：《文物》2002 年第 12 期

1995 年 11 月，新余市渝水区水西镇丰都头村农民将新出土的铜鬲和陶罐等文物送交市博物馆收藏。经考古人员实地调查，这批器物是在该村附近山地挖土坑栽种果树时，在距地表约 0.2 ~ 0.6 米深的几处不同地点的土层中发现的，其中铜鬲与 1 件陶罐同出，其余陶罐分散出土。简报配以照片予以介绍。

据介绍，新余出土的这件铜鬲，在江西省属首次发现。根据有关资料和同地出土陶器的形制、纹饰等特征判断，应是商代晚期的遗物。

鹰潭市

306.江西鹰潭角山窑址试掘简报

作　者：江西省文物工作队、鹰潭市博物馆　李家和、杨巨源、黄水根

出　处：《华夏考古》1990 年第 1 期

角山位于江西省鹰潭市区以东约 7 公里的月湖区童家乡角山徐家村傍。童家河由东南流经角山向西北注入信江。河南岸即为角山坡地，其北岸为河傍台地，俗称板粟山。窑址即坐落在角山西北坡及河傍台地上。此窑址 20 世纪 80 年代文物普查时发现，1983 年、1986 年进行了两次发掘，共出土和采集文物 400 余件。简报分为：一、地层堆积，二、出土遗物，三、刻划符号或文字，四、结语，共四个部分予以介绍，有照片、拓片、手绘图。

角山窑址的年代，简报推断为商代晚期。简报称，角山窑址面积之大、遗物之丰富，特别是制陶工具和刻符或文字的大量出土，废次品堆积和品种之多，是同时期文化遗址中罕见的。它的各种产品，既要满足本地需要，又要适应商品交换和贡献的特殊需要；所以，既要生产一般产品，又要大量生产高档次大型精美产品。

苏秉琦先生认为：角山窑址的发现，"活了赣闽两省一大片地区的青铜文化"。

赣州市

307.江西赣州市竹园下遗址商周遗存的发掘

作　者：江西省文物考古研究所、赣州地区博物馆、赣州市博物馆　杨　军、
　　　　李　昆、翁松龄
出　处：《考古》2000 年第 12 期

竹园下遗址位于江西赣州市市区西南约 10 公里的沙石镇新路村西南，高出河床约 53 米的平坦台地上。因自然冲刷和人为破坏，遗址现存南北长约 310 米、宽约 85 米，总面积约 20000 平方米。竹园下遗址于 1993 年 4 月由考古人员在京九铁路沿线考古调查中发现，此后进行了复查和钻探。为配合京九铁路工程建设，于 1993 年 10 月至 1994 年 1 月，对该遗址进行了抢救性发掘，发掘面积 900 平方米。此次发掘简报分为：一、地层堆积，二、遗迹，三、遗物，四、结语，共四个部分予以介绍，有手绘图、照片。

据介绍，竹园下早期遗存特点鲜明。在遗迹方面，带有灶坑的地面房屋建筑和烤壁墓具有突出的代表性。在遗物方面，陶器以夹砂或泥质灰软陶为主，流行方格纹、曲折纹、篮纹、复线长方格纹、菱形纹装饰，不见绳纹、附加堆纹和刻划符号。而作为主要炊器的鱼篓罐、支座则具有更明显的特色，与以鬲、甑形器为主要炊器的周邻考古学文化相区别。该遗存的发现，丰富了人们对赣南地区考古学文化基本面貌的认识。简报推断，竹园下早期遗存的年代与吴城遗址第三期和石峡遗址中文化层的年代相当，约在商末周初。

吉安市

308.江西新干县的西周墓葬

作　者：彭适凡、李玉林
出　处：《文物》1983 年第 6 期

1976 年冬，新干县农民在加固新干县中棱水库工程中，在坝址南端发现一批青

铜器。1977 年，江西省博物馆多次派人前往调查，得知青铜器系出自 1 个墓葬；并在距铜器出土地点西北约 1.5 公里处发现 1 处商周时代的城址。简报配以照片予以介绍。

根据调查，这批青铜器是在约 10 平方米范围内掘出的，计有青铜列鼎 5 件和残破的小铜鼎、甗、爵等，有大量陶器、釉陶器伴随出土。简报推断该墓年代为西周早期。

309.江西遂川出土一件商代铜卣

作　者：梁德光
出　处：《文物》1986 年第 5 期

1985 年 7 月 13 日，在遂川县泉江镇枚江乡洪门村公路施工中，一民工于地表下发现一裸露出一半的铜器，挖出见是 1 件完整的青铜卣，当即送交县文物保管部门收藏。简报配有拓片予以介绍。

据介绍，铜卣器身断面椭圆形，色泽碧绿，纹饰庄重。卣盖内壁和腹底上铸族徽铭文，非常清楚，简报推断为商代晚期的遗物。

简报称，商代铜卣在遂川县是首次发现，为研究江西省商代历史提供了宝贵资料。

310.江西新干大洋洲商墓发掘简报

作　者：江西省文物考古研究所、江西省新干县博物馆　彭　适、刘　林、詹开逊等
出　处：《文物》1991 年第 10 期

1989 年 9 月 20 日，江西省新干县大洋洲乡农民在程家村劳背沙洲取土时，发现十余件青铜器。考古人员闻讯后到现场勘察，认定是一极为重要的发现。正式的科学发掘工作从 11 月 6 日开始，12 月 4 日结束。目前，部分随葬品仍在保护、修复中。简报分为：一、墓葬概况，二、随葬品的分布，三、随葬品，四、结语，共四个部分，配以彩照、手绘图，先行介绍了墓葬及随葬品概况。

据介绍，大墓地处沙洲南端。据调查，此处原有 1 座东西长约 40 ～ 50 米、南北宽约 20 ～ 30 米、高 5 ～ 6 米的椭圆形沙土堆，上面曾有一些近现代小型墓葬。近几十年来，为维修赣江大堤，乡民逐年在此取沙，数年前已将沙堆推平。此次发掘出的墓室，正处于椭圆形大沙土堆的中央部位。

简报认为，此墓为相当于殷墟早中期的 1 座大型墓葬，距今约 3450 ～ 3150 年。族属应为古越民族的一支——杨越人。出土的造型奇特、纹饰瑰丽、铸工精细的青铜器，表明当时南方地区已有高度发达的青铜文明。这里应已建立奴隶主政权，与中原商王朝并存，或是商的方国之一。

311.江西新干商墓出土一批青铜生产工具

作　　者：江西省文物考古研究所　彭适凡、刘　林、詹开逊
出　　处：《农业考古》1991 年第 1 期

1989 年 9 月，江西省新干县大洋洲乡程家沙洲发现 1 座大型商墓。考古人员进行了科学发掘，取得一批珍贵的资料。墓中随葬品主要为青铜器、玉器、陶瓷 3 大类，还有部分骨器和漆器遗迹。在出土的 480 余件青铜器中，生产工具即有犁、锸、耒、耜、斧、斨、锛、铲、镰、铚、镬、刀、刻刀、凿、锥、砧 10 余种，127 件。简报分为农业生产工具和手工业工具 2 大类计以介绍，有照片。

据介绍，该墓为 1 棺 1 椁，椁室长 8.22 米，宽 3.6 米，共出土青铜器 480 余件，玉器 100 余件，陶器 300 余件。青铜器数量之多，造型之奇，品类之全，纹饰之美，铸工之精，为江南地区所罕见。该墓出土的青铜农具有犁、锸、耜、镰等，品种齐全，尤其是青铜犁和镰，在全国是首次发现，是我国农业考古的一大收获。

该墓的年代为吴城文化二期，相当于商代晚期，距今约 3200 ～ 3100 年。

宜春市

312.江西清江吴城商代遗址发掘简报

作　　者：江西省博物馆、北京大学历史系考古专业、清江县博物馆　彭适凡、
　　　　　　李家和
出　　处：《文物》1975 年第 7 期

吴城商代遗址是 1973 年秋季进行农田水利建设时发现的。从 1973 年冬至 1974 年秋，先后作了 3 次考古发掘工作。简报分为：一、文化堆积和分期，二、随葬器物，三、几点认识，共三个部分予以介绍，有手绘图、照片。

据介绍，吴城村位于清江县城（樟树镇）西南 35 公里，经初步调查和钻探，发现有文化遗物和堆积，此次发掘共清理出房基 1 座、灰坑（窖穴）48 个、墓葬 13 座

（大部分在土城外南面）、陶窑1座，出土青铜器、石器、陶器、原始瓷器、玉器以及铸造青铜器的石范等共达500余件。

简报称，吴城商代遗址范围较大，遗存较丰富，它的发现和发掘具有重要的意义。

313.近年江西出土的商代青铜器

作　　者：江西省博物馆、清江县博物馆　李家和、唐昌朴
出　　处：《文物》1977年第9期

1973年以来，随着农田基本建设大规模的开展，江西境内不断有商代青铜器出土，其中有的已作过报导。这些青铜器的发现，丰富了江南地区青铜文化的研究资料，对探索我国商代文化的分布也提供了极有意义的线索。尚未发表的材料经整理简报分为四个部分予以介绍，有照片。

据介绍，1973年冬，吴城正圹山发掘了1座商代墓葬（编号M3），出土铜斝1件，因残损过甚，未曾发表。后经多方查访，得残片32块，并于1975年夏在上海博物馆专家帮助下，修复成全形。这件铜斝，敞口，中腰微束，腹部略鼓，平底，角足中空，稍向外撇。简报推断其时代应相当于殷墟早期。

1975年8月，清江县三桥公社横塘大队农民在锄狮脑山丘上发现商代铜鼎2件，大队"革委会"随即派人交到清江县博物馆保藏。两件铜鼎形制精美，作风特异，简报认为是罕见的商代青铜器珍品，与吴城文化遗址关系密切。

1974年3月，都昌县大港公社云山大队林场职工石秀忠先生在乌云山东麓发现1组铜器，计有甗、斧、锛共9件，当即报告有关部门。博物馆闻讯后曾到现场调查。乌云山是1处丘陵起伏的山区，这组铜器埋藏于小山冈斜坡上，因雨水冲刷，铜甗显露于地表。出土时，铜斧、铜锛等置于铜甗内。坑土中尚见有少许云雷纹、人字纹、斜方格纹等陶片。由于坑土扰乱，究系墓葬或是窖穴难以确定。简报推断这组铜器时代为商代晚期。

1974年春，永修县吴城公社松峰大队二队和吉山大队六队的农民在兴修农田水利建设中，先后发现青铜镢2件，简报推断时代大概是殷商时期。

简报称，从以上介绍的商代青铜器看，特别是清江横塘出土的两件铜鼎，造型生动，制作精致，较中原地区并无逊色，说明商代江西地区在铸造青铜工艺方面有高度的创造智慧和才能，反映出南方地区远在3000多年前，青铜冶炼技术就已达到相当高的水平。

314.吴城商代遗址新发现的青铜兵器

作　者：江西省清江县博物馆　李玉林等
出　处：《文物》1980 年第 8 期

江西吴城商代遗址于 1976 年发现的 3 件青铜兵器，制作精美，纹饰纤细，风格独特，在江西省内是前所未见的发现；与中原出土的同类器物相比，也是弥足珍贵的。简报配以照片予以介绍。

据介绍，清江县山前公社林场知识青年在吴城商代遗址南面正塘山掘花生时发现了青铜戈、矛残片；根据这一线索，考古人员多次调查和清理，共得残戈 2 件、矛 1 件以及陶器残片若干。铜器经上海博物馆修复室修复，基本完整。

简报称，从勘察所见迹象判断，3 件铜兵器应是墓葬遗物。在出土地点收集到一些陶片，器型和纹饰有吴城二期文化特征。铜戈的形制与中原几处出土的殷墟早期铜戈大体或完全相同。因此，简报推断这 3 件铜兵器的时代属于吴城二期，相当于殷墟早期。简报认为，铜戈的形制显示了与中原青铜文化密切关系，又具有独特的地方风格。青铜铸造技术在中原和在南方的成熟时期是很接近的。3 件实用兵器出自 1 个墓葬，表明墓主身份属于掌握镇压权力的奴隶主阶级。从这里也看到，远在 3000 多年以前，我国南方和中原地区一样，处于奴隶制社会阶段，有相当发达的青铜文化，不同地区紧密联系，相互融合，形成祖国灿烂的古代文明。

315.江西清江筑卫城遗址第二次发掘

作　者：江西省博物馆、清江县博物馆、厦门大学历史系考古专业　李家添、
　　　　吴绵吉、钟礼强、吴　广、熊海棠、彭适凡
出　处：《考古》1982 年第 2 期

清江筑卫城遗址，是江西地区发现较早也是一处较为典型的新石器时代遗址。通过第 1 次发掘，证实它有着新石器晚期和商周两个时期的文化堆积。考古人员于 1977 年秋进行了第二次发掘。简报分为：一、地层堆积与文化分期，二、筑卫城遗址下层遗存，三、筑卫城遗址中层遗存，四、筑卫城遗址上层遗存，五、初步认识，共五个部分予以介绍，有手绘图等。

据介绍，筑卫城下层为一种以夹砂红陶和有段石锛为特征文化遗存的年代，经测定为距今 4500 年左右。中层是在下层基础上发展起来的，时间相对稍晚，处于新石器末期，距今 4000 年左右。而上层则属商周文化。在论及与周边文化的关系上，

简报称，"文化遗物上的这样相同，清楚表明，发展到东周时期，南方各地区的古代文化渐趋表现出其一致性"。

316.江西靖安出土西周甬钟

作　者：严霞峰

出　处：《考古》1984年第4期

1983年2月，靖安县林科所百姓在林科所北山背挖土栽树，距地表约80厘米的黄土层中，挖出1件古代铜钟。经鉴定，此钟系西周甬钟，是1件珍贵的文物。简报配以照片予以介绍。

据介绍，甬钟呈草绿色，其纹饰凹处刷净黄土后，出现了白色粉末，和钟体黏合颇紧。甬中空与腹腔相通。钲间作梯形，枚作圆椎状，干、篆及隧部均有云雷纹。通高46厘米，甬长15.5厘米，上面无旋，舞宽22厘米，两钲间宽28厘米，钲长18.8厘米，钟身高30.5厘米，重15.5公斤。甬钟四壁较薄，一次铸成，无合范铸的痕迹。用木棍或铁器击其音清越优美，抑扬悦耳。

抚州市

317.江西抚州市西郊商代遗址调查

作　者：江西省文物工作队、抚州市博物馆　李家和、程应林、刘　林

出　处：《考古》1990年第2期

1987年1月至6月，考古人员对抚州市西郊5公里、北火车站附近的抚州地区造纸厂基建工地暴露出的汉至明代150余座墓葬，进行了抢救性清理。同时在厂区基建动土范围之内，发现豺狗包、鱼骨山两处商代遗址，收集完整和可复原的陶瓷器、制造工具等50余件。在厂区附近调查发现同时期遗址3处，采集到一批陶瓷器残片和陶工具。5处商代遗址情况和采集的文化遗物简报分为：一、地理环境与遗址分布，二、文化遗物，三、结语，共三个部分予以介绍，有手绘图、拓片。

据介绍，简报根据上述5处遗址所采集的文化遗物推断，将其年代定在商代晚期，并同属万年肖家山—鹰潭角山类型商代文化晚段范畴，其中少量文化遗物的年代可晚到西周时期。抚州地区地处江西省东部，这次赣东区大批万年类型陶器的发现，或许是万年类型商文化传播的中转站，同时又受吴城类型文化的影响。

上饶市

318.江西余干黄金埠出土铜甗

作　者：朱心持
出　处：《考古》1960 年第 2 期

江西省文物管理委员会于 1958 年 10 月，接余干县黄金埠初级中学老师的来信，谓该校因平球场，挖出古代铜甗 1 件。1959 年 4 月 7 日，考古人员前往，翌日遂将该铜甗携回南昌。

简报称，据了解，铜甗系 1958 年 9 月 28 日黄金埠中学平球场取土时发现的，于其四周及以下，并未发现其他共存器物，似非墓葬中的殉葬品。据当地陈述，考古人员初步估计，该器系早年在别处出土。此器经过家藏，可能在某个时候，物主须暂离开黄金埠，携带不便，又埋于地下。在此次出土时，为了平整土地，而不知土内有物，致将该器上部挖破，受损三分之一，现已修复。铜甗系上下合铸，可以开合，器箅系另外铸制。口沿内壁有铭文 5 字，郭沫若考释应为"监作宝尊彝"。

从该器器形、纹饰，简报推断是商、周铜器。

319.江西万年县古文化遗址调查记

作　者：江西省文物管理委员会　刘　玲、红　中
出　处：《考古》1960 年第 10 期

1960 年 3 月下旬，考古人员在万年县发现古墓葬多座，古文化遗址 4 处。简报配以照片、手绘图，先行介绍其中遗址部分。

据介绍，扫帚岭、肖家山和杉松岭遗址紧靠一起，由南向北分布在万年县陈营镇西南面 2 公里许的连绵起伏的矮山岗上。山岗高 5 ~ 20 米左右。山岗东面有余家埠河自南向北穿过，河对岸则为陈营镇。雅岗遗址位于陈营镇东面 12 公里雅岗村西 1 公里处。采集到陶片、陶器、石器等。

简报指出，这几个遗址所见陶片纹饰具有浓厚的仿铜器风格。

320.江西铅山县曹家墩发现商周遗址

作　者：铅山县文化馆

出　处：《考古》1983 年第 2 期

1981 年 10 月，考古人员在陈家寨公社新建的办公大楼附近的地面发现一些花纹不同的陶片；1982 年 1 ~ 3 月，先后两次赴实地考察发掘，了解遗址的情况。简报配以照片、拓片予以介绍。

据介绍，陈家寨公社所在地叫"曹家墩"，是高出周围地面三四米的台地，南北 80 余米，东西 100 米，面积约 8000 平方米。简报推断为商周遗址。

山东省

321.山东长清、桓台发现商代青铜器

作　者：韩明祥
出　处：《文物》1982 年第 1 期

济南市博物馆于 1980 年 2 月征集到两批商代青铜器。一批是长清县归德公社前平大队农民在该村附近耕地时发现，有铜爵、铜斝各 1 件，伴出陶豆 1 件，出土地点距小屯村商代遗址 3 里许。另一批是济南市环境卫生处工人送交，有铜爵、铜觚各 1 件，据说在桓台县东北 12 里田庄公社史家大队西南崖头出土，崖头高出地面近 10 米，当地称南埠子。

简报介绍，长清出土的 3 个商代青铜器，铜斝、铜爵 2 器均作平底，腹部均饰粗笨的饕餮纹，凹槽较深，简报推断应属于早商晚期。桓台出土商代青铜器，铜爵和铜觚，简报推断为商代后期遗物。

322.鲁北—胶东盐业考古调查记

作　者：北京大学中国考古学研究中心、山东省文物考古研究所、中国社会科
　　　　学院考古研究所　李水城、兰玉富、王　辉
出　处：《华夏考古》2009 年第 1 期

2002 年 8 月至 9 月，考古人员对鲁北莱州湾和胶东半岛 16 个县市和出有盔形器的遗址进行了调查，对盔形器的形态演变、分布区域、使用功能等进行了初步研究，并与国内外有关遗址和类似器物作了比较分析，确认莱州湾沿海包含大量盔形器的遗址是商周时期的制盐作坊，而盔形器则是制盐的特殊用具。简报分为：一、莱州湾地区，二、胶东半岛，三、几点初步认识，四、简短的结语，共四个部分予以介绍，有拓片、手绘图。

据介绍，此次调查除了盔形器，还在莱州市博物馆发现有 1 件大铜印（馆藏号：YB 铜 8031），为古代制盐业的重要文物。此印出自莱州市西由镇街西头村，系当地村民挖沟时发现。印的个体甚大，长方形板状，中空，背部有曲尺形柄；铜印上

部刻一对相互抵牾的猛兽，右为猛虎，左为独角兽；下部篆刻"右主盐官"四字。印面长 25.5 厘米，宽 23.7 厘米，当为汉代或更晚官方盐官用印。至于盉形器，简报认为盉形器的年代大致应在商代晚期至西周时期。有些器形偏大或形态较特殊的盉形器很可能是更晚阶段的遗留。但这一推测还有待验证。

济南市

323.济南大辛庄遗址试掘简报

作　者：山东省文物管理处　李步青
出　处：《考古》1959 年第 4 期

大辛庄属历城县东郊人民公社，1958 年 11 月，考古人员在当地进行了试掘。简报分为：一、文化层，二、文化遗物，三、小结，共三个部分予以介绍，有照片、手绘图。

据介绍，共出土有石器、骨器、卜骨、陶器等，年代简报推断应与小屯殷墟差不多同时。

324.济南大辛庄商代遗址勘查纪要

作　者：山东省文物管理处　杨子范等
出　处：《文物》1959 年第 11 期

大辛庄在济南市东北约 8 里，遗址在庄东南，地势稍隆起。初步勘查，重点面积 10 万余平方米，遗址中心有宽约 30 米的南北斜向旱沟，当地人称为"蝎子沟"。沟两岸断面处露出清楚遗迹，过去采集的标本多在此沟内，南部是敌伪时期挖的护路沟，东西连续数里，两沟交叉，致遗址破坏严重。

1955 年冬，考古人员曾在蝎子沟东西两岸边沿上，开了两条探沟。大辛庄遗址勘查所得遗物有以下几类：

一、石器类：数量很多；二、陶器类：分泥质灰陶、细泥硬陶、泥质红陶、夹砂粗陶数种；三、骨角器类；四、蚌器类；五、金属类；另有铜矿石 1 块。

简报称，这次的勘查仅是初步摸索，面积也是局部的，所以不能作什么结论。但对于探讨龙山文化遗址的时代有一定帮助。因为，山东地区龙山文化遗址比较密集，而这个遗址，同章丘县龙山镇的文化遗址，相距只有 30 余公里，它们之间不无关系。从地区上分析，有些龙山文化遗址，在时代上似应向后延迟一点，而这一遗址，似应向前提一点。遗址中出土的器物，有一些接近郑州二里岗的殷代遗址，但在时代上，或有先后之分。

325.山东平阴县朱家桥殷代遗址

作　者：中国科学院考古研究所山东发掘队　赵　岚
出　处：《考古》1961 年第 2 期

1958 年夏季，考古人员在东平湖地区进行了一次普查，发现不少古代文化遗址和墓葬。朱家桥遗址便是其中较丰富的 1 处。

朱家桥遗址在平阴县（旧东平县）的西南，在山丘中央偏东的第二台阶和第三台阶梯田上。第一次试掘在 1958 年 11 月下旬至 12 月下旬。发掘墓葬 22 座，开探沟 3 条。第二次发掘在 1959 年的 5 月至 6 月间，开探方 8 条、探沟 1 条。两次发掘面积共 230 平方米，位置均在遗址的中心区。简报分为：一、殷代遗址及其文化遗存，二、墓葬，三、几点粗浅的认识，共三个部分予以介绍，有手绘图、照片。

据介绍，发现 21 座房基，3 个灰坑，遗物有铜器、石器、陶器、骨角蚌器。2次发掘墓葬 23 座，计殷代墓葬 8 座、汉墓 6 座、东周墓葬 9 座。

简报称，朱家桥遗址很可能是殷末奄国境内的 1 个小村落。朱家桥殷文化的时代，简报推断上限为晚殷，下限为西周武成时期。根据遗址很多迹象看，简报认为是因突然的迁徙而废弃的。

326.济南大辛庄商代遗址的调查

作　者：蔡凤书
出　处：《考古》1973 年第 5 期

济南市东郊大辛庄商代遗址，是山东省境内 1 处比较重要的遗址。1955 年及 1958 年考古人员曾进行过试掘与勘查，1955 年至 1963 年山东大学历史系曾在此遗址内调查。简报配以手绘图等，介绍了山东大学做的工作。

据介绍，调查所得的标本，多为陶片。陶片中以夹砂灰陶最多，泥质灰陶次之，这两类占总数的 60% 以上。再次为夹砂红褐陶与泥质红陶，夹砂红陶、黑陶都较少，印纹硬陶与釉陶极少见。以绳纹为最常见，其次是弦纹、小方格纹、圆圈纹、附加堆纹、回纹和镂孔等。器形中最多的是鬲，其次为豆、盆、罐、簋、爵、甗、尊等。简报指出，过去有人认为大辛庄遗址是属于商代早期的，也有人认为与安阳殷墟同时（殷墟遗址也可以再分成若干期）。由调查的资料来看，大辛庄遗址的文化遗迹很丰富，除了遗址上层有汉代、战国的遗物外，仅就殷代遗迹而论也不单纯，它包含了早商以至于殷末（或西周初）的东西。当然，遗址中有些器物是与河南等地殷商遗址不同，如该遗址中大量出豆，但很少与河南地区相同。

简报提到，硬陶片及釉陶片在遗址中也有出现，此次未作报导。它及有关遗址的确定时代都有待今后的发掘来解决。

327.山东济阳刘台子西周早期墓发掘简报

作　者：德州行署文化局文物组、济阳县图书馆　陈　骏等

出　处：《文物》1981 年第 8 期

山东省济阳县姜集公社刘台子大队以西半公里，北距徒骇河 2 公里处，为一台状高地，地表遍布商、周陶片，南部灰土层暴露清晰。考古人员曾于东南坡距地表约 2 米深处，以探铲探得属山东龙山文化的蛋壳陶 1 小片。几年以前，农民在台地东南端曾发现一批文物。根据上述线索，考古人员于 1979 年 3 月探查了这一台地，在北端与耕地交接处发现古墓葬一座。

简报分为：一、墓葬形制，二、出土器物，三、小结，共三个部分予以介绍，有拓片、照片。

据介绍，墓葬位于台地北端之二级台地上，去掉扰土后即露出墓口。墓为土坑竖穴式，棺内有完整人架 1 具。出土遗物有獐牙饰、铜器骨饰、蚌饰、玉龟。简报推断此墓为西周早期墓。

简报称，这一西周早期墓保存完好，出土一批精美玉器和带铭文铜器，对研究商周时期河、济一带的文化、历史是很珍贵的线索，对研究我国古代冶铜、琢玉工艺也有一定价值。

328.济南西郊发现古文化遗址

作　者：蒋宝庚

出　处：《考古》1981 年第 1 期

遗址位于济南市西郊历城县西郊公社田家庄的南面，面积约 30000 平方米。简报配以手绘图予以介绍。

据介绍，发现有石斧、石铲、石磨盘、石磨棒各 1 件，以及陶器、骨器等。简报推断为商代遗物。

329.山东济阳刘台子西周墓地第二次发掘

作　者：德州地区文化局文物组、济阳县图书馆　陈　骏
出　处：《文物》1985 年第 12 期

刘台子周墓群位于山东省济阳县姜集公社刘台子大队村西约 200 米处，分布在
1 个高出地面约 2.5 米的台地上。台地北端有一东西向水沟，周围是平坦耕地。高台
表面遍布商、周陶片。1979 年、1980 年、1982 年均进行过发掘。简报分为：一、墓
葬形制，二、随葬器物，三、结语，共三个部分配以照片、手绘图，介绍了 1982 年
发掘的 M3、M4 两墓情况。

据介绍，M3、M4 与 1980 年发掘的 M2，应为同一家族墓。年代简报推断为西
周穆王之时，属西周早期偏晚。M4 为二次葬，M3、M4 都出土有原始青瓷。这些青
瓷制作规整，工艺精巧，为我国北方所少见。两墓还均出土有带铭文铜器、精美玉器。
这都预示着刘台子西周墓地有着重大考古价值。

330.济阳邝冢遗址出土商代蚌鱼钩

作　者：山东济阳县图书馆　熊建平
出　处：《农业考古》1988 年第 2 期

邝冢遗址位于济阳县庙廊乡邝冢村西约 500 米处。1973 年夏，王尔俊先生在此
打一 2 米长，宽 1 米的探沟，出土了龙山—商周—战国—秦汉之遗物。在商周地层
中出土了一蚌制鱼钩。简报配以手绘图予以介绍。

据介绍，蚌钩轴外缘磨制圆滑，内缘有锯齿形状，外缘对称处亦有两微齿形，
似绳索捆绑之痕。高 6.8 厘米，宽 3.2 厘米。简报指出，根据目前发表资料所知，
商代蚌制鱼钩在我国发现是很少的。此件的发现，对于了解古代鱼钩的起源、发展
及品种、材料均具有一定的参考价值；同时也说明黄河中下游地区的渔猎经济在商
代已达到一定的水平。

331.山东济阳刘台出土的陶文等商代铭刻

作　者：王尔俊
出　处：《考古》1989 年第 6 期

刘台遗址位于济阳县姜集乡刘台村西 300 米处，面积 20368 平方米。自 1979 年
以来，曾进行过 3 次发掘（简报或报导分别刊载于《文物》1981 年第 9 期，1985 年

第12期，《人民日报》海外版1985年9月16日、《大众日报》1986年1月11日），出土了陶文、卜骨和有铭铜器。除上述报导外，简报配以手绘图、拓片，又作几点补充介绍。

补充介绍有三点：

1.在该遗址曾经采集到黑灰陶罐一件，腹上部与口沿上都刻有文字，经鉴定，腹部的是"戈"字，口沿上的是"三"字。

2.三次发掘中共出土32件青铜器，其中有铭文的16件。1件器物上最多有8个字，最少的有1个字。带有"夆"字的器物就有10件之多。夆即逢字，据记载，夆公为伯陵之后、太姜之侄，殷之诸侯，封于齐。《山海经》中说是北齐之国，姜姓。上述的记载，相信是有所本的。夆既为姜姓，其与姬姓也应有亲属关系。古文字"夆"，读"庞"读"逢"，2字通用，至六朝时才分别为2字，凡作姓者皆读"庞"。

3.1982年10月在发掘M3时，在商代地层中发现卜骨3块，经缀合为1块牛的右肩甲骨。骨臼部分残缺。经刮削磨制而成。这件卜骨从钻凿形态看，与殷墟所出很相近，但在骨的右下角削去一角在殷墟很罕见。简报称，经鉴定，该卜骨是商代较早的卜骨。

332.山东平阴洪范商墓清理简报

作　者：平阴县博物馆筹建处　杨书杰、乔修罡
出　处：《文物》1992年第4期

1984年10月，平阴县洪范乡臧庄一农民建房时，在距地表1.2米深处发现铜器。考古人员前往调查，证实为1处墓葬。简报配以手绘图予以介绍。

据介绍，此墓为长方形竖穴土坑墓，长约3.2米，宽约2.1米。3人合葬，骨架已腐烂，葬式不明。墓主人头向东，头端置陶罐3件，铜爵、觚、鼎各1件，上均附编织物痕迹。另据调查，腰部有铜戈（削）1件，足端有铜镞2件，均已遗失。墓底有板灰及衣服、尸体等。简报推断为商代晚期墓。

333.山东济阳刘台子西周六号墓清理报告

作　者：山东省文物考古研究所　佟佩华
出　处：《文物》1996年第12期

刘台子遗址位于山东省济阳县姜集乡刘台子村西约200米处，地处鲁北黄河冲积平原南部，南距黄河10余公里，北临徒骇河2公里。遗址高出地面2.5米，为一

阶梯状台地，面积约 2 万平方米。刘台子遗址是 1957 年文物普查时发现的。1967 年村民在此耕作时发现铜器和瓷器，推测可能出自同 1 座墓葬。1979 年 3 月，考古人员清理了 1 座西周墓。1982 年冬，考古人员在刘台子遗址进行了第二次发掘，发现西周墓葬 4 座，发掘了其中的两座。另外两座因地下水位较高未清理到底。1985 年 5 月，考古人员清理了 1982 年第二次发掘时未完成的 1 座西周中型墓（编号 M6）。此墓保存完好，出土了一批重要的资料。简报分为：一、墓葬形制和葬具，二、随葬器物位置，三、随葬器物，四、结语，共四个部分予以介绍，有彩照、手绘图。

据介绍，M6 是刘台子遗址目前发现的西周墓葬中规模最大的 1 座，墓室为长方形土坑竖穴，墓主葬具为 1 椁 1 棺。椁、棺盖均已坍塌。墓主仰身直肢，头向北。墓底未发现腰坑。出土有铜器、玉器、青瓷器等。铜器中 7 件有铭文，青瓷四系壶十分精美，极为罕见。

简报称，M6 墓室面积多达 26 平方米。推测墓主为西周早期偏晚的昭王时期逄国某一位国君夫人。从随葬器物看，逄国通过联姻与周王室保持着密切联系。该墓的发掘，对于研究山东地区西周时期的物质文化等，以及逄国的历史，具有十分重要的科学价值。

334.济南市博物馆收藏的一件邿国铜簋

作　者：济南市博物馆　李　晶
出　处：《文物》2002 年第 10 期

济南市博物馆收藏有 1 件重环纹铜簋，为 1975 年 9 月长清马山公社北黄崖大队村民在地里干活时，见到仙人台崖头边因雨水冲刷露出铜簋，取出后交济南市博物馆收藏。此地便是长清仙人台邿国贵族墓地遗址。简报配以照片予以介绍。

据介绍，仙人台邿国贵族墓地共发掘 6 座墓葬，除 1 座曾遭扰乱外，其他各墓均保存完好。墓葬中发现有铭文的铜器 7 件，其中明确属于邿国的就有 4 件。可见，这是 1 处属于邿国的贵族墓地。济南市博物馆收藏的这件重环纹铜簋，出土地点明确，原始资料也较为详尽，为长清仙人台遗址增添了新资料，具有较高的研究价值。

335.山东长清石都庄出土周代铜器

作　者：长清县博物馆　昌　芳
出　处：《文物》2003 年第 4 期

1986 年 4 月及 1991 年 7 月，山东省长清县万德镇石都庄和义灵关村村民在取土时先后发现周代铜器4件，后不久交县博物馆收藏。据发现者介绍，石都庄所见铜器发现于村东，义灵关所见铜器发现于村西，出土时都各自较为集中地摆放在一起，并且伴有板灰迹象。2村东西为邻，隔河相望，之间距离不足1000米。这2批铜器应各为1座墓葬的随葬器物，而且同属1个墓地。此墓地位于石都庄村东400余米处的北大沙河东岸，南距万德镇政府2.2公里，再往南2.5公里即是战国齐长城所经之地长城村，西北距县城约26公里。由于没有进行过细致勘探，所以墓地范围和墓葬的数量，以及葬制、棺椁等情况不详。简报分为：一、M1出土铜器，二、M2出土铜器，三、结语，共三个部分予以介绍，有彩照、拓片、手绘图。

据介绍，石都庄墓葬编号为M1，义灵关墓葬编号为M2。年代简报推断为西周晚期。出土铜器计8件。由于墓葬已被破坏，铜器的基本组合无法搞清，就现有铜器数量分析，简报推测可能M1为2鼎2簋；M2为五鼎四簋。可见墓主人属贵族之列。石都庄西北距仙人台邿国贵族墓地仅10公里，这无疑为仙人台邿国贵族墓地的深入研究提供了重要资料。

336.济南市大辛庄遗址出土商代甲骨文

作　者：山东大学东方考古研究中心、山东省文物考古研究所、济南市考古所
　　　　方　辉、党　浩、房道国
出　处：《考古》2003年第6期

大辛庄遗址位于济南市历城区王舍人镇大辛庄东南部，南距泰山余脉2公里，北距小清河3公里，胶济铁路从遗址南部穿过。该遗址发现于20世纪30年代中期，是1处以商文化为主要内涵的遗址。20世纪50年代以来，考古人员先后多次对该遗址做过调查和勘探，初步探明遗址面积为30余万平方米，这是山东省内已知面积最大的1处商代遗址。1984年秋，对该遗址进行了试掘，初步了解了遗址的文化内涵和年代，并为进一步发掘和研究工作打下了良好的基础。2003年3月17日起，再次对该遗址进行发掘。自3月18日起，陆续出土了商代甲骨文。此次发现的情况简报分为：一、地层堆积，二、出土卜甲，三、结语，共三个部分予以介绍，有彩照。

据介绍，学者们一致认为，大辛庄甲骨文为商代卜辞，不论是甲骨修整、钻凿形态，还是字形、文法，大辛庄卜辞都应与安阳殷墟卜辞属于同一系统，只是在行款和个别字的写法上存在着自身特点。根据文字和文法特征，大辛庄甲骨文的年代应介于殷墟二、三期之间，这一结论与简报根据地层关系和器物特征所推定的年代相吻合。简报称，这一发现为重新审视大辛庄遗址的性质，认识商王朝与周边地区特别是东方地区的关系，以及探索商代的政治制度和社会组织等，提供了重要的实物资料。

337.山东长清县北黄崖发现的周代遗物

作　者：长清县博物馆　吴桂荣等
出　处：《考古》2004 年第 4 期

1975 年及稍后，山东省长清县北黄崖村的村民在该村仙人台地收割高粱和修筑固山至万德公路时各发现一批周代遗物，后经征集并部分移交到长清县博物馆收藏。据调查，这些遗物大部分应为仙人台周代邿国墓地出土。长清博物馆收藏的这批遗物共有 8 件，包括铜器 5 件及陶器 3 件，其中铜器有鼎、簋、剑 3 种。简报介绍了相关情况，有彩照、手绘图等。

据介绍，仙人台位于北黄崖村南 300 米，西北距长清县城 20 公里，地处南大沙河上游。1995 年春季，山东大学考古系在这里发现并清理了 6 座周代邿国贵族墓葬，其中 1 座为国君墓。考古简报见《考古》1998 年第 9 期。简报认为此批周代遗物，似也出自这批邿国贵族墓葬。铜剑和陶豆，据说出土于仙人台以东 200 米处。

简报认为，这里也是 1 处周代墓地，但时代较仙人台晚得多，规格也没有那么高。这 2 件器物也应是墓葬随葬品。陶豆的形制较常见，年代属战国晚期。铜剑的筒状茎一端较粗，形制较特殊，年代似应略早。

338.济南市大辛庄商代居址与墓葬

作　者：山东大学东方考古研究中心、山东省文物考古研究所、济南市考古研究所　方　辉、陈雪香、党　浩、房道国等
出　处：《考古》2004 年第 7 期

2003 年 3 月至 6 月，考古人员对大辛庄遗址进行了为期 3 个月的考古发掘，发掘取得了重要收获，其中有关商代甲骨文的资料另行报道。简报分为：一、遗址与发掘简况，二、主要发现，三、学术意义，共三个部分，重点介绍有关商代遗址与墓葬发掘的收获，有彩照，手绘图。

据介绍，2003 年山东大学等对大辛庄遗址进行发掘，发现了 4 片商代甲骨刻辞、3 处商代墓地，以及房址、窖穴、灰坑等，出土了大量遗物，这对认识大辛庄遗址的性质、商王朝和东方地区的关系以及商代的政治制度和社会组织等提供了重要资料。

必须指出，商代甲骨文是此次发掘的重大收获。商代甲骨文过去只出土于安阳殷墟和郑州商代都城遗址，其中后者是采集品。因此，大辛庄遗址出土的甲骨文是在商代都城以外首次出土的商代卜辞，意义重大。从地层关系分析，大辛庄甲骨文

的年代不会早于殷墟三期晚段，也不会晚于殷墟三期晚段，属于殷墟二期晚段和三期早段的可能性最大。详情可参阅《考古》2003 年第 6 期的相关报道。

简报称，发掘中，考古人员对土壤过筛，并对 400 余个遗迹单位的土壤作了浮选，收集到包括动物、植物和土壤等在内的大量自然遗物标本，这为研究当时的生态环境、当地居民的食物结构和动植物遗存的文化含义提供了一批珍贵资料。

339.济南大辛庄遗址 139 号商代墓葬

作　者：山东大学历史文化学院考古系、山东省文物考古研究所　陈雪香、
　　　　史本恒、方　辉等
出　处：《考古》2010 年第 10 期

大辛庄遗址位于山东省济南市历城区王舍人镇大辛庄村东南，处于小清河冲积平原交界地带。继 2003 年发现商代甲骨卜辞和贵族墓地之后，2010 年 3 月至 6 月，考古人员对遗址进行了钻探与发掘，发现了一批重要的商代遗迹与遗物。所发现的 1 处商代墓地年代跨越商代前期后段至商代后期。简报分为：一、墓葬形制，二、随葬器物，三、结语，共三个部分，先行介绍此次发现的最大墓葬 M139 的情况。

据介绍，此墓为长方形土坑竖穴墓，现存墓口距地表 0.8 米，墓室内有多个盗洞进入，墓主人骨骼已不存，有殉人遗骨 3 具。

简报指出，此墓虽被盗扰，但从墓葬规模、葬具、殉人和出土随葬品仍不难判断，这是二里岗文化罕见的高规模墓葬。墓中出土的大圆鼎、铜钺器体硕大、厚重。随葬品中礼器、乐器、兵器和农具俱见，反映出墓主人应是一位集军事、政治权威于一身的高级贵族。

青岛市

340.青岛市郊区发现新石器时代和殷周遗址

作　者：孙善德
出　处：《考古》1965 年第 9 期

1964 年在青岛市郊区发现了两处遗址，简报配以照片和手绘图予以介绍。

据介绍，1964 年 5 月 10 日，在云头崮出土了一批古代遗物，考古人员前往调查，并对残存的部分进行了清理。云头崮位于青岛市东北郊 30 公里处的崂山脚下，遗址

在云头崮村与源头村之间的一个三角形的台地上。灰坑约五六个，均为圆形、直壁、平底，个别灰坑在底部放着椭圆形的大卵石，石面光滑而中间微凹，尚存打制痕迹。出土器物近 40 件，有石器、陶器、铜器。从器形来看，这批遗物简报推断大多是属殷周时代的，也有晚到战国时代的。

另一处遗址是 1964 年 9 月上旬青岛市博物馆筹备处在青岛市郊赵村发现的。遗址位于青岛北郊白沙河南岸，有大量灰土和文化遗物暴露于地表，考古人员采集到一些石器和陶器。石器共 5 件，均磨制。采集的陶器只有 3 件能复原。陶质以夹砂灰陶和红陶为主，泥质灰陶和红陶次之，"蛋壳陶"罕见。由以上遗物来看，简报推断这里为一处龙山文化遗址。

341.胶县西菴遗址调查试掘简报

作　者：山东省昌潍地区文物管理组
出　处：《文物》1977 年第 4 期

西菴遗址在山东省胶县城西南四十多公里，属张家屯公社西菴大队。遗址东濒胶河，为一肥沃高地。1975 年汛期，由于洪水侵蚀，岸边冲塌 1 墓，当地农民及时作了妥善保护。1976 年，考古人员对遗址作了调查，发现遗址上层有少量战国遗存，中层系商周墓地，下层属龙山文化。考古队于 6 月 13 日至 7 月 10 日在遗址东部断崖内作了发掘，清理了西周时期的 1 个车马坑和 2 座墓葬。简报分为：一、车马坑与墓葬，二、西菴遗址调查资料及有关遗址线索，三、结语，共三个部分予以介绍，有照片。

据介绍，车马坑内有 1 车 4 马及 1 殉人，墓葬出土有铜器，附近还采集到铜兵器等。简报认为西菴遗址应为西周早期一贵族墓地。距此墓地 1.5 公里处的张家屯公社逄家沟大队，又发现有大量同期遗存，简报怀疑是与西菴墓地相关的居住区。

淄博市

342.山东淄博南阳村发现一座周墓

作　者：张光明
出　处：《考古》1986 年第 4 期

1982 年 11 月，山东省淄博市淄川区太河公社南阳村社员邢宝华在村东挖土时发现 1 座古墓。考古人员前往调查，并收集了墓内出土的部分铜器和陶器。1983 年 6 月，又派员前往实地勘察，初步探明此处是 1 墓地，但因墓地的东、西、北三面被太河水库环抱，因库水侵蚀，墓地面积现仅存百余平方米。简报配以照片、手绘图予以介绍。

据调查，该墓为竖穴土坑，墓内人骨架 1 具，头向西，出土时基本完好。墓内出土铜器、陶器共 10 件，除铜戈和陶罐残破外，余皆完整。该墓的年代简报推断为西周晚期，下限或许会到春秋早期。

343.山东临淄齐国故城西周墓

作　者：齐国故城遗址博物馆、临淄区文物管理所　李　剑、张龙海
出　处：《考古》1988 年第 1 期

1984 年 11 月 30 日，齐国故城大城东北部的东古城村农民，在村西挖菜窖时，发现 1 座古代墓葬，出土一批重要文物，并将出土文物全部交送文物管理所。之后，考古人员到现场作了清理考察。简报配以手绘图、照片予以介绍。

据介绍，该墓（编号 M1）位于临淄齐故城东北部，北距城墙 150 米，西北 200 米左右有一城门，东南 1000 余米处，是著名的殉马坑，南面不远则为春秋、战国时期的制骨、冶铁作坊遗址和居住区域。清理时，其上部与北端俱已被破坏，棺木已朽，发现人骨 1 具。该墓中出土有铜器、陶器等共 30 余件。东古城村周围 0.5 公里的地面上，近年来经常发现西周、春秋、战国时期的青铜器。M1 出土的这组铜器，从形制和纹饰简报进行类比，推断墓葬年代当为西周晚期至春秋早期。

344.山东沂源县姑子坪遗址的发掘

作　者：山东大学考古系、淄博市文物局、沂源县文管所　任相宏、曹艳芳、
　　　　刘光霞、郑德平
出　处：《考古》2002 年第 1 期

姑子坪位于沂源县县城西北 0.5 公里处，北距西鱼台村 0.3 公里，隶属南麻镇西鱼台村。遗址西靠王家山、荆山；东北为历山；东南丘陵起伏，视野较为开阔。从 20 世纪 50 年代起，这里就不断发现陶器、石器、骨器等遗物，1998 年还曾发现过铜鼎等铜器。鉴于遗址的重要性，1990 年春季，考古人员曾对遗址进行过 1 次发掘。2000 年 6 月，村民取土时发现了 1 座周代贵族墓葬，闻讯后考古人员随即进行了抢救性发掘，在 2001 年 3 月至 4 月，对遗址进行了 1 次大规模的发掘，共揭露面积 984.5 平方米，发现并清理夯土建筑基址 2 座、墓葬 4 座、窖穴 87 个、灰坑 58 个，出土铜、陶、石、骨器等 150 余件（组）。这些遗存，分属龙山、岳石和周代等不

同的文化范畴或历史时期。除周代墓葬外，遗址地层堆积及其他发现按时代顺序简报分为：一、地层堆积，二、龙山文化遗存，三、岳石文化遗存，四、周代的文化遗存，五、结语，共五个部分予以介绍，有手绘图。

据介绍，山东腹地沂蒙山区的考古工作一直没有展开，姑子坪的发掘可以说是首次大规模的考古发掘，不仅为这一地区的考古研究提供了新资料，具有填补空白的意义，而且也为这一地区考古遗存的分期与编年提供了重要依据，特别是周代遗存的发现与清理，为这一地区周代历史的研究提供了较为珍贵的资料。简报推断：M3 的年代处在龙山文化早期偏晚阶段，H18 的年代处在岳石文化早期偏晚阶段，H1、H38 和 J19 属周代无疑。

345.山东高青县陈庄西周遗址

作　者：山东省文物考古研究所　高明奎、魏成敏、蔡友振、王　振等

出　处：《考古》2010 年第 8 期

陈庄遗址坐落于高青县花沟镇陈庄和唐口村之间，东北距高青县城约 12 公里。1 条西南—东北向的引水渠贯穿遗址东部，将遗址分成东、西两部分，南部压于小清河北大堤下。经钻探得知，遗址东西长约 350 米，南北宽约 300 米，总面积约 9 万平方米。文化内涵以周代遗存为主，其中西周时期的最为丰富，其次为春秋战国时期。此外，还有唐、宋、金等时期的文化遗存。为配合南水北调东线工程山东段的建设，2003 年秋季，沿工程线路调查时发现该遗址。后历经多次复查和初步钻探，确定其为重点发掘项目。2008 年 10 月至 2010 年 2 月，进行了大规模勘探和发掘。简报分为：一、地理位置及遗址概况，二、工作概况，三、地层堆积，四、重要发现，五、主要认识，共五个部分予以介绍，有彩照、手绘图。

经发掘，在高青陈庄发现西周时期的城址及东周时期的环壕，并在城址内清理房基、窖穴、夯土台基、水井、墓葬、马坑、车马坑等遗迹。同时出土陶器、铜器、蚌器、骨器等遗物，其中青铜器近 10 件有铭文，2 件有 70 余字的长篇铭文。陈庄城址是目前山东地区所见最早的西周城址，简报判断，为西周早中期的一个区域性中心。

346.山东高青县陈庄西周遗存发掘简报

作　者：山东省文物考古研究所　高明奎、魏成敏、蔡友振、王　振等

出　处：《考古》2011 年第 2 期

陈庄遗址位于鲁北平原的小清河北岸，隶属于高青县花沟镇。北距黄河约 18 公

里，东北距高青县城约 12 公里。遗址坐落于陈庄村和唐口村之间。西部边缘被部分陈庄民房占压，南部压于小清河北大堤下，并延伸到大堤内侧的河滩内，东部有 1 条西南—东北向的引水渠纵贯，将遗址分为东、西两部分。文化内涵以周代遗存为主，其中西周时最为丰富，其次为春秋、战国，也有少量唐、宋、金时期的遗存。

为配合南水北调东线工程山东段的建设，2003 年秋，调查发现该遗址。2008 年 10 月至 2010 年 2 月，进行了勘探和发掘，历经 17 个月，取得了重大收获。经发掘，确认该遗址为西周城址及东周时期的环壕聚落，发现大量灰坑、窖穴及房基、道路、水井、陶窑等生活遗迹，以及西周时期的贵族墓葬、车马坑、祭祀台基等重要遗迹。除出土了大量陶器、蚌器、骨器外，还有 50 余件青铜器，其中近 10 件有铭文，另有少量精美玉器及蚌、贝串饰等。此外，还清理了唐代的大型砖窑及金代的陶窑、道路、墓葬等遗迹。现主要将西周遗存报道如下。另外，关于遗址的地层堆积和祭坛等，此前已报道。简报分为：一、概况，二、遗迹，三、出土遗物，四、结语，共四个部分，有彩照、手绘图。重点介绍城址、一些新的遗迹和出土遗物。

据介绍，山东高青陈庄西周城址，发现了房基、祭坛、灰坑、窖穴、道路、水井、贵族墓葬、马坑、车马坑等遗迹。其中贵州墓葬位于城内，出土多件铜器，有 2 件铜簋的铭文各达 70 余字，并首次发现带"齐公"字样的金文材料。平民墓葬应在城外。城址始建于西周早期，至中期废弃，墓葬年代多属西周中期。该遗存的发掘，填补了早期齐文化的空白。另外，祭坛的发现，在全国也属罕见，为研究周代祭祀礼仪，提供了宝贵的实物资料。同期刊有李学勤、刘庆柱、李伯谦、李零、朱凤瀚、张学海、王恩田、王树明、方辉、郑同修、魏成敏、王青、靳桂云诸先生的《山东高青县陈庄西周遗址笔谈》一文，请参阅。

枣庄市

347.山东滕县井亭煤矿等地发现商代铜器及古遗址、墓葬

作　者：孔繁银

出　处：《文物》1959 年第 12 期

1958 年 12 月山东滕县官桥、薛城等筑路工地及煤矿工地兴工动土中发现了汉墓及铜器等文物。简报配以照片予以介绍。

据介绍，井亭煤矿（二号井）发现铜器等文物地点在城东南 54 里后黄家庄村西 200 米，紧靠村边果行。此地区南北近 30 里皆为煤矿工地，东部、北部、西北一带

系高山，发现古铜器地区就在一片地势稍高的大平原上。在去年11月初矿井动土时，先后发现铜器30余件、陶器8件、玉器2件。1959年1月间，在新掘的东南扒道的西壁深3米的地方又发现土高墓1座，出土物有铜爵、觚、戈各1件，铃2件，在扒道的东南部深1.8米处发现灰陶鬲1件，灰陶罐2件。发现的文物，就其纹饰和制作风格等看，简报推断时代大约是商代。

官桥露天煤矿发现兽骨。遗址在城东南40里孤山村南500余米地方动土中，在地下面4米左右灰黑土层中先后发现鹿角4件、鹿骨3件和兽骨、兽牙等。简报推测此处也应该是新石器时代早期的遗址。

官桥车站发现古墓葬。在城南42里、车站东约200米新修的公路旁发现汉代石墓1座。另外在车站旁约1公里许第五中学前约10米，新修的东西公路北沟内露出长方形的1座石墓的墓口。墓内满积淤土，墓室有3个口。其他筑路工地发现的单室石墓较多，据发现情况来看多系汉代墓葬，最晚不过六朝。

348.山东滕县出土西周滕国铜器

作　者：滕县文化馆　万树瀛、杨孝义
出　处：《文物》1979年第4期

1978年3月，滕县庄里西农民在该村西约200米处平整地土地时发现铜器3件，滕县文化馆闻讯后进行了清理。清理后证明器物出自1座墓葬中（编号78STM3）。墓南北向，尸骨1具，已零乱。

简报介绍，出土的铜器簋2件、鬲1件，均有铭文。从形制、花纹和铭文看，简报推断这3件铜器是西周早期器物。

简报称，滕国故城在今滕县西南7公里的东滕城村一带，庄里村与滕城村相毗邻，西周滕国铜器在这里出土是有重要意义的。

349.滕州前掌大商代墓

作　者：中国社会科学院考古研究所山东工作队　胡秉华等
出　处：《考古学报》1992年第3期

前掌大村位于滕州市南约25公里处，辖属官桥镇。该村西约1公里为著名的薛国故城遗址，两者之间贯穿着南北向京沪铁路。村北100余米处有1条魏河，沿北侧逶迤绕西而过，使村北成为一块突出的台地。北侧略高，向南渐与村舍地面平齐，俗称河崖头。东西宽约200米，南北长约100米。北侧河段南岸断崖耸立，多处暴露出灰土层，甚至墓葬中的夯土层也明显地呈现在眼前。该处包含有龙山文化、商代中晚期文化遗存。村南亦有一片高地，较周围平地明显隆起，俗称南岗子（也称瓦渣子地）。南北长约 300 米，东西宽约 200 米。地面散布有汉代、战国、西周和商代晚期陶片等遗物。1964 年春，考古人员在调查中首先发现了村北台地遗址。1981 年秋冬之际，在台地上进行了第一次发掘，此后于 1955 年、1987 年又进行了两次发掘。1991 年春季进行第四次发掘，在村北清理出商代晚期大、中型墓葬 7 座，小墓 20 余座。此外，尚揭露出龙山文化遗存及岳石文化遗物，主要以商代中晚期居住、沟壕等遗迹较为突出。在村南清理出西周时期的殉马、殉牛、殉犬、殉人等及与之相关的遗存。第四次发掘于村北台地东侧（Ⅰ区）清理出商代晚期大、中型墓葬各 1 座。大型墓编号为 M4，系有南北墓道的“中”字型墓。中型墓编号为 M3，为具有南墓道的“甲”字型墓。简报分为：一、地层堆积与周围遗迹概况，二、Ⅰ区 4 号墓（M4），三、Ⅰ区 3 号墓（M3），四、结语，共四个部分，介绍这两座墓葬资料，有照片、手绘图。

据介绍，这两座墓均属商代晚期。墓葬形制有自身的特点，棺下无腰坑，旁设殉狗坑。两墓出土的镶嵌蚌片牌饰及大量的蚌器，也为其他地区所少见。山东地区的史前文化以蚌器著称，前掌大墓地的蚌器继承了这一文化传统并有所发展。出土陶器也有其自身特点。地面遗存的建筑遗址，表明原墓地面似有一组以中心建筑为主体，配以前后廊道的中字形建筑，将墓室、墓道全部覆盖住。目前在其他商代墓地尚未见到，这为研究我国建筑史增添了一项新内容。至于墓主人身份，简报推测可能与薛国有关。

350.山东滕州出土商代青铜器

作　者：滕州市博物馆　陈庆峰、杜传敏、张柱才
出　处：《考古》1994 年第 1 期

1991 年 10 月，山东省滕州市位于级索镇的第十一中学师生，在校园内西南角“龙堌堆”遗址的东部 20 米处挖树坑时，在距地表 0.8 米处出土青铜器 7 件，及时上交国家文物部门。简报配以手绘图、拓片、照片予以介绍。

据介绍，据 1964 年中国科学院考古研究所山东工作队的调查，其时代定为龙山、商、西周文化时期。这次在遗址的东侧出土的青铜器，同时发现有板灰及漆皮等遗迹，故应为墓葬出土。这批器物和河南安阳殷墟三、四期的铜器大体相似，特别是爵长流短尾，饰蕉叶纹，腹饰饕餮并有扉棱，与罗天湖商周墓地出土的 A 型 I 式爵相近（《罗天湖商周墓地》，《考古学报》1986 年第 2 期），I 式戈与安阳小屯 M232 出土的戈一样（马承源《中国青铜器》），II 式戈与罗天湖商周墓地出土的 C 型 I 式铜戈相雷同，

Ⅲ式戈与安阳后岗圆坑墓出土的直内戈基本一致（马承源《中国青铜器》）。故这批铜器的年代推断为商代晚期。值得注意的是，爵上鋬内"子"字铭文在滕州市还是首次发现。简报称，这批铜器的出土为研究滕州市商文化的发展提供了重要的实物资料。

351.山东滕州市薛河下游出土的商代青铜器

作　者：滕州市博物馆　万树瀛
出　处：《考古》1996 年第 5 期

滕州市地处鲁中南丘陵与鲁西平原之间，全市境内古文化遗址分布十分密集。尤其是滕州市南部的官桥、柴胡店两镇，在古薛河下游约 20 平方公里的范围内分布着 10 处商代遗址和墓地，计有官桥镇大韩村、前莱村、西康留、大康留、吕楼、北辛、前掌大村河崖头、陆家林、南岗子，柴胡店镇后黄庄老寨子营等。在上述遗址内，近年来相继出土了一批商代青铜器。简报分为：一、出土青铜器，二、几点认识，共两个部分予以介绍，有手绘图、照片。

据介绍，计出土斝、爵、觚等青铜器 12 件，均有明确出土地点。时代从二里岗文化上层、商晚期不等。此地商代曾建有妊姓方国，滕县前掌大村又发现过商代大墓，出土商代青铜器绝非偶然。

352.山东滕州市前掌大商周墓地 1998 年发掘简报

作　者：中国社会科学院考古研究所山东工作队　梁中合、贾笑冰、王吉怀、
　　　　谷　飞
出　处：《考古》2000 年第 7 期

前掌大墓地位于山东省滕州市官桥镇前掌大村，于 1964 年在考古调查中首次发现，并于 1981 年秋季进行了初次发掘，此后又分别于 1985 年、1987 年、1991 年先后进行了 3 次不同规模的发掘，共清理商代晚期大、中型墓葬 7 座，小型墓 20 余座。自 1991 年开始对南区墓地进行钻探和试掘，清理了一些殉葬坑。在 1994 年进行的发掘中，清理了墓葬 11 座、殉马坑 2 座，出土铜器 200 余件，其中青铜礼器有 60 件。其后于 1995 年秋季又进行了 1 次发掘，清理墓葬 11 座、车马坑 3 座、殉马坑 1 座。1998 年 9 月底至 1999 年 1 月初，考古人员对前掌大墓地进行了大规模的发掘。发掘面积达 1000 平方米，共清理各类墓葬 40 座、车马坑 2 座，获得了一批墓葬资料。

据介绍，第一阶段从 9 月底至 11 月底，集中对南区墓地进行了全面的、大面积的钻探和发掘，第二阶段从 11 月底至 12 月底，对北区墓地进行了钻探和发掘。

简报称，南区墓地此次共发掘墓葬 30 座、车马坑 2 座。墓葬均为长方形土坑竖穴墓，未发现带墓道的现象，一般设有熟土二层台和腰坑。北区墓地紧靠村北，共发掘墓葬 10 座，其中 4 座墓葬为带一条南墓道的"甲"字形墓。不论其形制还是规模都大于南区墓地的墓葬，但仅 1 座小型墓葬保存较好，其余墓葬与以往发掘的情况大体相同，均大多被盗，有的还经多次盗掘。此次发掘的收获主要集中于南区墓地，这批墓葬保存完好，布局合理，结构清晰，随葬品丰富。简报将此次在南区发掘的第 119 号墓和 4 号车马坑的材料分为：一、南区墓地概况，二、第 119 号墓，三、4 号车马坑，四、结语，共四个部分予以介绍，有手绘图、照片。

据介绍，从墓葬的规格来看，M119 属于中型墓，是此次发掘中保存较好的墓葬之一，不仅结构清晰而且随葬品丰富。此墓的时代简报推断为西周早期。4 号车马坑出土的车马器，保存完好，结构清晰，简报称，这是研究山东地区商周之际车马器的重要资料，也是目前山东地区保存最为完好、时代最早的车马器，对方国车制的研究具有重要价值。

东营市

353.山东广饶县草桥遗址发现西周陶器

作　者：广饶县博物馆　王建国
出　处：《考古》1996 年第 5 期

草桥遗址位于广饶县花官乡南约 3 公里处的草桥村，为一地势较高的台地。1992 年 5 月，村民在该村西北角取土建房时发现了部分陶器。根据对现场的分析，这批陶器多数出自墓葬，墓葬均被破坏，情况不明。简报配以手绘图予以介绍。

据介绍，计有鬲 3 件、簋 1 件、豆 5 件、罐 5 件、壶 1 件、盔形器 1 件、熏炉（?）1 件。这批陶器的年代，简报推断为西周时期。

354.山东东营市南河崖西周煮盐遗址

作　者：山东大学考古系、山东省文物考古研究所、东营市历史博物馆　王　青、
　　　　荣子禄、王良智、赵　金等
出　处：《考古》2010 年第 3 期

南河崖遗址位于山东东营市广北农场（地处广饶县北部）一分场三队南河崖村

四周，西南距广饶县城 36 公里，东北距莱洲湾（羊口港）14 公里，小清河在遗址东南侧穿过。该遗址于 2007 年夏季发现。地表遗物以陶盔形器为大宗。2008 年 3 ~ 6 月进行了发掘。清理出 1 处西周时期的煮盐作坊，发现一批重要的煮盐遗迹和大量陶盔形器。简报分为：一、地层堆积，二、遗迹，三、出土遗物，四、初步认识，共四个部分予以介绍，有彩照、手绘图。简报称，另有少量东周遗存和汉初墓葬，将另行刊发。

据介绍，此次发掘，揭露出一处西周中期前后的煮盐作坊址，包括卤水坑、刮卤摊场、淋卤坑、房址、灶址等与煮盐有关的遗迹。出土陶器、石器、骨器、蚌器等遗物，以陶器为大宗，另有大量贝壳、蚌壳和少量兽骨等遗物。

烟台市

355.山东莱阳县出土己国铜器

作　者：李步青
出　处：《文物》1983 年第 12 期

1974 年冬，莱阳县中荆公社前河前村村民平整土地时，发现了一批己国铜器。计 8 件，1 件残器形已不可识，壶、甗有铭。简报配以照片予以介绍。

据介绍，出土地点高出平地 2 米，当地老人讲这片高地原来要高得多，1949 年前出土过铜器。年代简报推断最早不超过西周中期。

356.山东黄县庄头西周墓清理简报

作　者：王锡平、唐禄庭
出　处：《文物》1986 年第 9 期

1980 年 9 月，山东省黄县庄头村百姓取土时发现 1 座西周墓。出土铜器 17 件，其中 4 件有铭文。铭文中有内（芮）公、熊奚、小夫等名字。1981 年 11 月，考古人员对出土西周铜器的残墓进行了清理，编号为 M1。简报配以照片、拓片、手绘图予以介绍。

据介绍，庄头村位于黄县城东南约 20 公里，墓在庄头村东。M1 墓室大部分被挖掉，仅余东部一小部分。此墓为土坑竖穴墓，有椁、棺遗迹。墓内骨架已破坏。随葬遗物在墓室西部，挖土时多被砸毁。清理中见碎铜渣、陶片、残玉饰碎片等，陶器已不能复原。铜器中 2 件残器不识何器。此墓年代简报推断为西周前期。

357.山东栖霞县松山乡吕家埠西周墓

作　者：栖霞县文物管理所　李元章
出　处：《考古》1988 年第 9 期

1982 年 4 月 7 日，吕家埠农民在窑场西断崖修路时，于距地表 1.3 米处发现铜鼎、铜罍、铜匜 3 件文物。考古人员前去调查，发现出铜器处是 1 座古墓，编号 M1。1983 年 4 月 23 日，窑场工人在 M1 西侧 10 米处取土时，发现几件陶器，考古人员去调查，发现该处也是 1 座古墓，编号 M2。

两墓的清理发掘情况简报分为：一、M1，二、M2，三、墓葬年代，共三个部分予以介绍，有手绘图、照片、拓片。

据介绍，M1 古墓位于栖霞城北 15 公里，松山乡吕家埠村北背咀地窑场。M1 为长方形竖穴土坑墓，葬具已朽，板灰痕迹清晰，为 1 棺 1 椁，棺的范围不详。该墓出土文物共计 65 件。M1 东南角距 M1 西北角 10 米，为长方形土圹竖穴墓，葬具已朽，葬式为仰身直肢，随葬器物出土铜器、陶器、木器共 57 件。

吕家埠一、二号墓的形制、葬具、葬式及随葬遗物与栖霞县大北庄西周墓相似，两墓地相距仅 7 公里。根据上述情况，吕家埠一、二号墓的年代简报推断属西周时期。

358.山东黄县出土一件青铜鬲

作　者：李步青、林仙庭
出　处：《考古》1989 年第 3 期

铜鬲原出山东黄县（今龙口市），系 1958 年深翻土地出土，后蓬莱、黄县合县，因入藏蓬莱县文物管理所。简报配以照片予以介绍。

简报介绍，铜鬲是青铜时代的重要炊器，历来出土颇多。但此鬲的形制与通常所见者相比，十分特别。一般铜鬲的鬲足部分，都有较长的实足，而这件铜鬲却是袋足，其形如乳。这种形制在铜器中极为罕有，但在陶鬲中却十分习见。山东岳石文化遗址中，出土过大量陶鬲，鬲足全为乳形袋足，内中又分空足和带实足尖的两种。带实足尖的多是经过精工轮制，足尖呈蘑菇形。这种陶鬲足，目前仅见于胶东半岛的岳石文化遗址，而其他地区众多岳石文化遗址中至今尚未见一例，简报认为可能属于胶东半岛的地域性特点。岳石文化的绝对年代，据测定为公元前 1800 年至公元前 1600 年，约当史籍所载之夏代。

359.山东省龙口市出土西周铜鼎

作　者：李步青、林仙庭
出　处：《文物》1991年第5期

1984年10月，山东省龙口市（原黄县）芦头镇韩栾村农民在村旁的中村河东岸黄土地上整修农田时，挖出铜鼎1件，送交县文化馆。铜鼎现藏烟台市博物馆。简报配以拓片予以介绍。

据介绍，鼎通高20.2厘米，最大口径17.7厘米。圆口略呈三角形，平沿外折，方唇。圆角方形耳，分裆，柱足。鼎腹及足部遍饰花纹。腹部纹饰从鼎腹分裆处分为三组相同的兽面纹，角外卷而下勾，圆目，大耳，宽鼻，张口，口角露二獠牙。兽面两侧各有一倒立的夔龙。足横断面近圆形，内侧有较窄的平面。足根处饰横行勾线纹和蝉纹。纹饰中兽面纹的角、眉、眼、耳、鼻等主要部位均为高浮雕，以云雷纹填地。眉、耳之上及足部等处施以阴线纹。铜鼎口内有铭文，共2行6字，铜鼎年代简报推断为西周早期。

简报称，此鼎造型精致，纹饰华丽，是胶东地区出土青铜器中工艺水平较高的1件，尤其是此鼎有铭文，更是胶东历史研究方面的珍贵资料。

360.山东招远出土西周青铜器

作　者：李步青、林仙庭、杨文玉
出　处：《考古》1994年第4期

1958年春，招远县东曲城村农民在村南土崖处挖土修筑地瓜育苗床，挖深至1米时发现一批铜器。考古人员赴该村调查。铜器出土地点属山前河旁台地，以南30米为由东向西流的小河，以东300米处，有春秋战国遗址，河南岸为汉代曲成县故址，现有城墙等汉代建筑遗迹。城址区内，在农田生产中也曾发现过西周时期的墓葬及陶器等。这批铜器出土时，原地点也挖出过许多残碎陶器。根据这种情形，估计铜器属于窖藏的可能性较小，属于墓葬的可能性较大。但其地点的挖土范围是1处直径达十数米的大坑（育苗床基础），故该处可能非止1座墓葬。陶器当时已被农民丢弃，铜器共8件，现分藏于烟台市文管会及招远县文管所。简报配以手绘图、拓片予以介绍。

据介绍，这批铜器有：簋2件，有铭文；鼎2件；盆、盘、壶、甑各1件。简报推断这批铜器，鼎、簋等主要器物，可以确定为西周中期，其余的或可稍晚。墓铭中的"齐"应即齐国之齐，"齐中"即为器主，简报认为他可能是与姜齐统治集团关系密切的贵族，受封或驻守于曲城，若此，齐国的疆域至西周中期时就已到达临淄以东 170 公里的胶东曲城了。简报指出，齐中簋的出土，证明约在西周中期时，莱国的领土已大大退缩到曲城东北方向的黄县一带去了。另外，也有可能齐中其人其族是齐国贵族中在内乱纷争中的失势者，携重器东迁至曲城，死后葬此。

今有《青铜器与山东古国学术研讨会论文集》（上海古籍出版社 2017 年版）一书，可参阅。

361.山东海阳市上尚都出土西周青铜器

作　者：海阳市博物馆　张　真、王志文
出　处：《考古》2001 年第 9 期

上尚都村位于山东省海阳市，东南距海阳市 30 多公里。1959 年在此修水库时曾发现一批铜器，这些铜器出土后即流失，后经县文物部门追缴收回一部分。据调查，这批铜器的出土地点即在上尚都村南的山坡上。这批铜器系 1 个土坑中出土。铜器表面都留有清晰整齐的人字形席纹锈痕，可知其入土前都经苇席包装。推测这是 1 座墓葬，但其形制、葬具、随葬品组合等均已不清。新收回的铜器有盘、壶、甬钟和纽钟等，简报配以照片、拓片予以介绍。

据介绍，从这几件铜器的形制、纹饰看，简报推断为西周铜器。简报称，胶东半岛至今尚未发现商代青铜器，西周早期青铜器的发现也为数甚少，因而上尚都的这批青铜器就显得格外重要；上尚都的铜器与周文化面貌基本一致，对研究这一区域内周文化与东夷文化的关系等提供了重要资料。

潍坊市

362.益都苏埠屯商代晚期墓

作　者：不详
出　处：《文物》1972 年第 1 期

1965 年迄"文化大革命"初期，考古人员在山东省益都苏埠屯发掘的 4 座商代晚期墓葬。4 座墓中的第一号墓，墓室面积 165 平方米，深 8.25 米，开 4 条墓道，南墓道全长 26 米。有殉人 48 人、殉狗 6 个。该墓早年被盗，随葬品不多。但发现的铜器与 1930 ~ 1931 年间被盗流失国外的青铜器似出于同一墓葬。

363.山东益都苏埠屯第一号奴隶殉葬墓

作　者：山东省博物馆
出　处：《文物》1972年第8期

考古人员于1965～1966年，调查了山东省益都县苏埠屯（村）属于奴隶社会时期的1处墓地，并发掘了4座奴隶殉葬墓。简报配以手绘图等介绍了其中的第一号墓的材料。

据介绍，墓地在山东省益都县城东北20公里，南距胶济铁路约4公里，东距河1.5公里的苏埠屯（村）东的一个隆起的土岭上。岭高出地面约5米。耕土层以下即到原生土，未见文化层。由于长期取土，在岭中部形成了一条东西沟，当地称沟北为"北岭"，沟南为"南岭"。一号大墓即位于北岭，为"亚"字形椁室墓，有"T"形腰坑。该墓曾被盗，但仍出土有青铜器、金箔、玉器、绿松石等，有10人左右殉葬。墓主人应为仅次于商王的方伯一类人物。

364.山东临朐发现齐、郭、曾诸国铜器

作　者：临朐县文化馆、海坊地区文物管理委员会　孙　博、孙敬明
出　处：《文物》1983年第12期

1977年秋和1981年春，山东临朐县嵩山公社泉头村农民在村东取土时先后发现两座西周晚期至春秋早期的墓葬。共出土青铜器21件，其中6件铸有铭文。考古人员多次到现场进行调查。

简报分为三个部分予以介绍，有照片、拓片、手绘图。

据介绍，泉头村东有一条通往九杰寨村的大路，路北是高出路面5～6米的黄土断崖，上部暴露出汉代的灰坑和墓葬。百姓在断崖下部墓坑中发现了铜器。甲墓于1977年10月发现，乙墓于1981年4月发现，还有残墓1座，3墓大致成"品"字形。简报认为甲、乙两墓的时代应为两周之际。根据铭文推断可能是齐𬭤父夫妇之墓。这批铜器的铭文涉及齐、郭、曾诸国的史实。特别是曾、郭铜器首次在山东临朐出土，这为研究曾国的历史文化、古之斟郭的延续及其与齐国之间的关系增添了新的史料。

简报称，铭文中有的文字尚属首见，这也为古文字研究提供了资料。

365.山东安丘发现两件青铜器

作　者：安丘县博物馆
出　处：《文物》1989 年第 1 期

1987 年 4 月，安丘县部山乡贾孟村农民在取土时，发现 2 件青铜器。这 2 件铜器出土于 1 墓中，同出有陶器。此墓已被破坏，所出陶器及其他情况不详。简报配以照片予以介绍。

据介绍，2 件铜器，1 鼎 1 鬲。鼎，立耳，方唇，折沿，腹较浅，下部微鼓，圜底，蹄足。沿下饰一周云雷纹，腹部饰变形窃曲纹、腾波带纹，足上部起扉棱，饰卷云纹，中部有一箍状棱。鬲，侈口，圆唇，折沿，溜肩，瘪裆较高，实足根。肩部饰夔纹和两道凹弦纹。简报推断两件铜器年代为西周后期，下限不会晚于春秋早期。

366.山东安丘老峒峪出土一件商代青铜戈

作　者：安丘县博物馆　贾德民、徐新华、郑　岩
出　处：《考古》1992 年第 6 期

1989 年 4 月，安丘县雹泉镇老峒峪村农民在取土时发现 1 件铜戈，现存县博物馆。简报配以拓片予以介绍。

据介绍，该铜戈为直内式，援部宽肥，前锋圆钝，上下刃皆为双面刃，中部起脊，阑部稍凸起，内末方齐，两面皆边缘高起，后部各有 4 组平行直线或折线条纹，无穿。通长 22.3 厘米。从其形制看，简报推断应是商代遗物。

367.山东潍坊地区商周遗址调查

作　者：潍坊市博物馆　曹元启
出　处：《考古》1993 年第 9 期

经过多年努力，潍坊市共发现 2000 余处古代遗址，其中商周遗址 300 余处，获得了一批铜器、陶器、石玉器和骨蚌器。其间又配合各种工程建设，发掘了部分商周遗址和墓葬，出土了一些较珍贵的文化遗物。简报分为：一、商周文化遗存，二、商周文化遗物，三、时代，共三个部分予以介绍，有照片。

据介绍，商周时期的遗址和墓葬主要分布在白浪河流域的昌乐县和坊子、寒亭区，淄河流域的临朐、寿光县和青州市；次为潍河流域的五莲、安邱县和诸城市。胶莱河流域亦有发现，但数量较少，而且内涵也不丰富。主要遗址和遗存有：昌乐县的宇家

等 20 余处、坊子区的院上等近 10 处、潍城区的东上圩河等 5 处、寒亭区的央子等 7 处、诸城市的齐家近戈庄等 7 处、寿光县后王等 20 余处、青州市的北高村等 20 余处、五莲县的留村等 5 处、安邱县的石崖子等 10 余处、临朐县的苏家庄等 20 余处以及昌邑县的石埠子等 3 处。简报附有表格列举了遗址的名称、位置、概况、年代等主要信息。

简报称，遗址的年代从商代至西周、春秋战国不等。由考古材料可以看出，潍坊地区相当于商代时期的文化，受到了中原地区商文化的影响。潍坊地区发现的相当于商文化的遗物，其年代绝大部分是商代晚期，没有发现早期遗物，可以推想，商王朝的势力直到商代晚期才达到这一地区。

368.山东青州市苏埠屯墓群出土的青铜器

作　者：夏名采、刘华国
出　处：《考古》1996 年第 5 期

苏埠屯墓群，从 20 世纪 30 年代初期发现文物以后，又陆续出土了不少文物。1965 年秋至 1966 年春、1986 年春，考古人员先后对该墓群进行了钻探和发掘，主要资料已见报道。1973 年、1978 年，昌潍地区（今潍坊市）、益都县（今青州市）博物馆分别征集到一批出于该墓群的青铜器。简报分为：一、出土铜器，二、小结，共两个部分予以介绍，有拓片、手绘图。

据介绍，这批青铜器以车马器为主，也见有兵器和工具。车马器如踵、车軎、车辖、车軏、镳等，在安阳等地也出土不少，其中有些器物的样式几乎完全相同。但值得注意的是其中某些器物，如轴饰、銮、衡末饰等，为以往发现的商代车马器中所少见。简报推断苏埠屯墓群的年代为商代晚期。

369.山东青州市发现商代铜爵

作　者：青州市博物馆　周庆喜
出　处：《考古》1997 年第 7 期

1994 年 4 月，青州市于家庄农民挖土时发现 1 件商代铭文铜爵。简报配以照片予以介绍。据介绍，爵为深腹，腹壁较直，腹部饰云雷地纹一周，上饰饕餮纹，圆底下有 3 个三角形刀状足，一侧有兽面錾，錾内有铭文"父己"阴文。重 735.2 克。

此爵与安阳出土的商代铜器中"父己"觯、"父己"鼎的铭文一样（齐泰定：《安阳出土的几件商代青铜器》，《考古》1964 年第 11 期），再根据此爵的形制，简报推断其年代为商代后期。

370.山东青州市发现"鱼伯己"铜瓿

作　者：青州市博物馆　周庆喜
出　处：《考古》1999 年第 12 期

1973 年 5 月 26 日，山东青州市弥河涝洼村出土 1 件带铭文铜瓿，简报配以手绘图、拓片予以介绍。

据介绍，此瓿从其形制和纹饰观察，尤其是腹腰部所饰横置蝉纹，简报推断应属西周早期之物。

371.山东寿光市大荒北央西周遗址的发掘

作　者：山东大学东方考古研究中心、寿光市博物馆　王　青、李瑞成、郑滨海等
出　处：《考古》2005 年第 12 期

大荒北央遗址位于山东省寿光市卧铺乡郭井子村西南 2 公里处，新塌河从遗址东侧流过。该遗址发现于 1980 年开始的全省文物普查，原调查报告称"郭井子荒北央遗址"。该遗址在发现时，地表散布有大量陶盔形器残片。2001 年 2 月复查时仍然如此，地表采集的陶片中，盔形器可占 98% 以上。2001 年 3 月至 5 月，考古人员对该遗址进行了发掘。简报分为：一、地层堆积，二、遗迹，三、遗物，四、结语，共四个部分予以介绍，有照片、手绘图。

据介绍，本次发掘的收获主要有两方面：即出土了大量陶盔形器和发现了一些重要遗迹。

首先，盔形器在鲁北地区沿海的很多遗址都有大量出土，本次发掘与盔形器同出的陶器尽管数量不多，但时代特征比较明显，可把该遗址的时代定在西周前期，年代在公元前 1000 年至公元前 900 年。这对分析盔形器的形态演变有一定参考价值。

其次，目前学术界对盔形器的作用还存有较大分歧，原因在于缺乏明确的发掘资料和分析数据。本次发掘出土的盔形器，大多数在内壁附着有白色或灰绿色凝结物硬层，经中国科技大学采样检测，这种白色凝结物的含盐量在 10% 左右，应该还是用于采盐。

简报指出，大荒北央遗址应是鲁北沿海西周前期生产海盐的聚落，其功能与鲁北内陆的农耕聚落显然不同。但必须指出的是，本次发掘作为鲁北古代制盐聚落址的首次考古发掘，受发掘面积等的局限，有些问题仍未解决。用盔形器煎卤成盐的盐灶设施，此次也未发现确切线索。

372.山东寿光市北部沿海环境考古报告

作　者：山东大学东方考古研究中心、寿光市博物馆　王　青、黄爱华、袁庆华
出　处：《华夏考古》2005 年第 4 期

2001 年，考古人员对寿光市沿海进行了 1 次环境考古调查和试掘，认为海水的涨退，对先民的生活造成了巨大的影响。认为鲁北地区海盐生产的历史，至少可上推到商代晚期。当时寿光北部和鲁北沿海地区，应有众多生产海盐的聚落，这些聚落，正是利用海水退潮时裸露的大片滩地发展起来的。

373.山东寿光市双王城盐业遗址 2008 年的发掘

作　者：山东省文物考古研究所、北京大学中国考古学研究中心、寿光市文化局
　　　　燕生东、党　浩、王守功、李水城、王德明等
出　处：《考古》2010 年第 3 期

双王城水库位于山东寿光市羊口镇（原为卧铺乡）寇家坞村北、六股路村南、林海公园西南，东北距今海岸线 27 公里。双王城一带属于古巨淀湖（清水泊）东北边缘，古代曾称盐城、霜王城。自 2003 年夏这一带发现盐业遗址后，先后于 2003 年、2004 年、2007 年和 2008 年进行了 7 次较大规模的田野考古调查、钻探和试掘工作，目前已基本搞清双王城盐业遗址群的规模、分布范围、遗址数量及年代。双王城盐业遗址群应是渤海南岸地区目前所知规模最大的商周时期盐业遗址。从时间上看，盐业遗址群大体从殷墟第一期延续至西周早期前段。在空间上看，盐场群整体上由早及晚逐步向北位移。大约在西周早期前段，双王城商周时期盐场群作为一个整体开始消失。东周和宋元时期，双王城一带又分别出现盐业遗址（群）。

简报分为：一、盐业遗址群概况，二、学术目的与研究方法，三、发掘经过及遗址堆积情况，四、商周时期制盐遗存及相关问题，五、宋元时期制盐遗存，六、相关认识，共六个部分予以介绍，有彩照、手绘图。

据介绍，发掘发现了殷墟晚期至西周早期的完整制盐作坊单元，其结构和布局较为清楚，卤水坑井、盐灶、灶棚以及附属于盐灶的工作间、储卤坑等位于地势最高的中部，以之为中轴线，卤水沟和成组的沉淀池、蒸发池对称分布于两侧。

简报称，结合历年来的调查、钻探、试掘资料，对渤海南岸地区商代晚期和西周早期的制盐流程已基本了解。制盐原料应为浓度较高的地下卤水，从井内取出卤水后经卤水沟流入沉淀池过滤、沉淀，卤水在此得到初步蒸发、净化，再流入蒸发池内风吹日晒，形成高浓度的卤水。在这个过程中，部分碳酸镁钙析出，卤水得到

了纯化。盐工将制好的卤水放入盐灶两侧的储卤坑。在椭圆形和长方（条）形灶室上搭设网状架子，网口内铺垫草拌泥，其上置放盔形器。在工作间内点火，往盔形器内添加卤水，卤水通过加热蒸发后，再不断向盔形器内添加卤水。煮盐过程中还要除去撇刮出来的碳酸钙、硫酸钙、碳酸镁等杂质。盐块满至盔形器口沿时，停火。待盐块冷却后，打碎盔形器，取出盐块。最后将生产垃圾（盔形器、烧土、草木灰）倾倒在一侧。

简报指出，双王城同时存在着至少 50 座盐灶，也就是说，仅双王城一带每年的产盐量就达四五万斤。而在渤海南岸地区至少有 10 个像双王城这样的盐业遗址群，可见当时的年产量是相当可观的。可以说商周时期该地区制盐业已存在着统一的组织和管理。

威海市

374.胶东半岛上发现的古代独木舟

作　者：王永波

出　处：《考古与文物》1987 年第 5 期

1982 年 9 月，考古人员在考查胶东地区原始文化的分布时，于胶东半岛的最东端——龙须岛以西约 30 公里的泊于公社松郭家村，调查到 1 只独木舟。这只独木舟是松郭家村民在村西南约 1 公里的毛子沟挖蓄水池时发现的。简报配以手绘图予以介绍。

据介绍，出土地点距海岸线约 2 公里。独木舟保存基本完好，全长 3.9 米，系用原木凿空修整而成。简报估计，这 1 独木舟的年代亦当不会晚于商周时期，即应当在公元前 2000 年至 1000 年之间。若真如此，则该舟为国内发现的年代最早的水上交通工具。

375.山东乳山县南黄庄西周石板墓发掘简报

作　者：北京大学考古系、烟台市文管会、乳山县文管所　王锡平

出　处：《考古》1991 年第 4 期

南黄庄位于乳山县城东 24 公里，属南黄乡。墓葬比较集中地分布在南黄庄村东、西、北三面坡地上。墓地是 1977 年 6 月首先在南斜山发现的，被称为南斜山墓地。

1979～1981 年间，考古人员多次进行调查进行了发掘。简报分为：一、墓葬概述，二、墓葬举例，三、随葬器物，四、墓葬的年代与性质，共四个部分，有手绘图、照片。

据介绍，共发掘墓葬 22 座，出土有陶器及铜镞 5 件、石器 1 件等。年代简报推断为西周中、早期。墓主人应为当地夷人。

376.山东威海市发现周代墓葬

作　　者：郑同修、隋裕仁
出　　处：《考古》1995 年第 1 期

威海市地处黄海之滨，山东半岛的最东端。自 20 世纪 70 年代以来，这里陆续发现、清理了几座周代墓葬，出土了一批青铜器、陶器及其他遗物，现存威海市文物管理所。简报配以手绘图予以介绍。

据介绍，墓葬共发现 3 座，分别位于威海市区、田村镇及羊亭镇。为叙述方便，按墓葬发现的先后顺序依次将其编为 M1～M3。M1 的时代简报推断为西周中期，M2 的时代简报推断为西周晚期或春秋初期，M3 保存最好，时代为战国时期。

简报称，过去学界一般认为，有周一代，半岛地区属莱夷的文化范围，迄至西周晚期，周人的政治势力及文化影响最东只到达烟台、蓬莱一带。上述西周墓葬的发现证明，西周时期本地区已与内地周文化发生了接触并受到了较大的影响，而到了战国时期，则已经与以临淄为腹心地区的齐国文化面貌没有太大的差别了。

377.山东乳山市寨山商代遗址调查

作　　者：乳山市文物管理所　姜书振
出　　处：《考古》2000 年第 5 期

1983 年秋，考古人员在乳山市小管村遗址进行考古发掘时，发现了寨山商代遗址。其后对寨山遗址进行了 3 次复查，并采集到一批遗物，简报分为：一、遗址概况，二、遗物，三、结语，共三个部分予以介绍，有手绘图。

据介绍，寨山遗址采集的陶器虽多为残片，但仍可看出较为明显的商文化特征。陶器多为夹云母的夹砂红褐陶，有少量黑褐陶，器形以鬲、甗、罐、鼎为主，简报推断寨山遗址的时代大致为商代晚期。

378.山东荣城市学福村商周墓葬的清理

作　　者：威海市博物馆、荣城市文物管理所　刘晓燕、孙承晋等
出　　处：《考古》2004 年第 9 期

1990 年夏，在荣成市埠柳镇学福村的西南修建公路时发现了 1 座古墓葬（编号为 M1），考古人员进行了抢救性清理。简报分为：一、墓葬形制，二、出土器物，三、结语，共三个部分予以介绍，有手绘图。

据介绍，学福村位于荣成市崖头镇以北 30 公里处，其东面约 2.5 公里就是汉代不夜城旧址。墓葬坐落在村西南 1 公里的水库东岸台地上，这一带土壤贫瘠，地表下 0.3 ～ 0.5 米处就暴露出沙石层。墓葬已遭部分破坏。

该墓为土坑墓，墓口略呈椭圆形，两侧壁为便于放置棺椁又各对称向外扩出两块，墓壁为弧形，圆底。其内的葬具为连成一体的 1 棺 1 椁，上部已朽，下部保存尚好。椁四壁用圆木横卧叠垒，四角交叉处砍出凹口而互相咬合，俯视呈 "井" 字形；棺也用圆木卧叠而成，南、北两侧壁与东、西端的椁木咬合在一起，棺的东、西两端则用圆木封堵；棺、椁的底部和盖顶皆以圆木纵列铺就。在西侧棺、椁之间发现随葬的铜尊、壶，棺内出土有铜戈、镞和砺石等。

简报称，M1 属于小型墓葬，葬具也比较原始，但其形制很有特点。墓中随葬精美的青铜器，并见铭文，说明墓主人生前有一定的社会地位。简报推测此墓的时代为商末周初。这是当时威海地区目前所见时代最早的一座随葬铜器的墓葬。

济宁市

379.山东曲阜发现两处周代遗址

作　　者：曲阜县文物管理委员会
出　　处：《考古》1965 年第 6 期

1964 年在曲阜城东及东北各发现 1 处周代遗址，简报分两个部分并配以手绘图予以介绍。

据介绍，1964 年 3 月 21 日，曲阜城北孔林以东地区发现很多陶器，考古人员前往调查。出土陶器地点在曲阜县城东北 3 公里处，西距孔林东墙约 400 米，南距洙河约 200 米。遗址就在黄沙土的丘陵、高埠上，顶着地形往西直到孔子墓北旁约 2 公里处。根据暴露出来的地层断面，从地面至深 2.9 米全是密集的陶片层，再下 1.4

米为灰胶泥土层，陶片越少，再下 1.63 米为灰黄土即到水面，还有陶器出现，再下即为生土。出土类型有双耳盘形器、簋形器豆、盆、罐、半圆形器、盖形器、鬲足、透孔圆轮、纺锤。从当地收集完整陶器有盆、小罐。1964 年 5 月 6 日，在曲阜县城东关以东 400 米处，发现 1 处周代遗址，东距古城村 1 公里，北距颜翰博林 1 公里，就地面暴露情况来看，遗址南北 200 米、东西 300 米，由路沟暴露出的断面可见大量的碎骨堆积和陶片等物。

采集的标本有加工过的骨料 27 件，都是锯剖或磨制过的半成品，有扁形、方形、三棱形、尖形等。又有经加工锯过的鹿角根 1 件、残蚌锯一件。陶器有灰陶豆柄和鼎足。其他还有灰陶弹丸 1 件，划网纹灰陶盆口沿等陶片。

简报称，根据出土大量锯剖、磨制的半成品骨器和废骨块，以及磨石、蚌锯等判断，当年此地似乎是 1 处制骨器的小手工业工场。

380.山东邹县七家峪村出土的西周铜器

作　者：王　轩

出　处：《考古》1965 年第 11 期

1965 年 2 月 17 日，邹县田黄公社七家峪村第五生产小队的农民，在村西北昌平山支脉南端寺顶子的坡地上，平整田地时发现了十几件铜器。考古人员于 19 日前往调查时，又出土了铜盘和铜匜，后又陆续出土和采集到铜器、陶罐等。简报配以手绘图、拓片予以介绍。

据介绍，七家峪村位于邹县县城的东北方向，距城约 25 公里，邻近曲阜县界，处于丛山之中。此次共出土铜器 23 件、玉器 3 件，还采集到部分陶器，2 件石器。4 件铜器上有铭文。简报认为这批铜器应属西周早期或更早一些的 1 处西周墓地，铜器为随葬品。

381.山东曲阜考古调查试掘简报

作　者：中国科学院考古研究所山东工作队、曲阜县文物管理委员会　高广仁、
　　　　　孔敏银、薛金度

出　处：《考古》1965 年第 12 期

曲阜县位于山东省中南部，境内地势平坦，仅在东南和西北的县界上有些起伏的小山。主要河流有泗水、沂水、蓼河。遗址多分布在河流近旁。考古人员曾于 1956 年和 1957 年进行过文物普查，1958 年夏又复查了部分遗址，并发表了简报。

1962 年夏进行了全面复查，并选 2 处遗址做了试掘。简报分为：一、新石器时代遗址，二、汉代遗址，三、结语，共三个部分介绍，有手绘图、照片。

据介绍，新石器时代遗址共发现 21 处。其中包含大汶口文化和龙山文化两种遗存的有东魏庄、西夏侯、大果庄、中王庄、西白村、小雪 6 处，包含龙山文化遗存的有店北头、凫村、韩家铺、八里庙、店子村、余村、大苑庄、孔家村、刘官庄、前孟庄、书院村、曲家村、前夏庄。刘家庄和尼山两遗址的内涵与龙山文化和大汶口文化均有所不同。此外，还在 14 个地点采集到石器。汉代遗址有凫村、西白村、毕家村等，年代简报推断为西汉前期。

382. 山东省邹县又发现商代铜器

作　者：王言京
出　处：《文物》1974 年第 1 期

1971 年 4 月，在邹县化肥厂基建工程中出土了一批商代铜器，有觚、爵、觯、戈、削、弓形器 6 件，共存的尚有陶器 10 件（见《文物》1973 年第 5 期）。继化肥厂出土这批铜器之后，1973 年 5 月，小西韦大队生产队平整土地时又发现了商代铜器爵、觯各 1 件，出土地点距化肥厂很近，只有一河之隔。简报配以照片、拓片予以介绍。

据介绍，发现的铜爵，鋬内有铭文 3 字，第 1 字右上角笔划中缺一点；铜觯，圈足内有铭文"父戊" 2 字。

在邹县化肥厂一带出土商代遗物，还有商代遗址数处。这两批铜器的出现对研究商代劳动人民在邹县地带的活动情况以及之后有计划地进行发掘提供了很好的资料。

又据《考古》1996 年第 11 期，1970 年，山东邹城市城关镇郭庄村民在村南挖井时，挖出铜钟 1 件。此钟现藏于邹城市文管所。据介绍，钟两面各饰枚 6 组，每组 3 个。枚呈圆乳状，按上、中、下排列，两铣间成弧形。甬作柱状，上有旋及兽首。据测音表明，此钟上为低音，下为高音。钟高 33 厘米，重 6.7 千克。制造年代应为西周晚至春秋早期。

383. 山东泗水尹家城第一次试掘

作　者：山东大学历史系考古专业　蔡凤书、于海广、赵平文、宋爱华
出　处：《考古》1980 年第 1 期

尹家城在山东泗水之最西部，与曲阜相邻，东距泗水县城 10 公里，隶属金庄公

社。试掘的地点在尹家城村南 150 米处，遗址为一高出周围田地约 10 米之台地，面积 4000 多平方米，东西长约 100 米，南北最宽处近 50 米，平面呈一不规则之椭圆形。遗址的南北两侧均有小河流过。由于该遗址高出周围地面，远望有如城堡，故当地人习惯称之为"尹家城子"。其实，无论在调查和发掘中均未见城墙遗址。1963 年，中国科学院考古研究所山东队曾对该遗址进行过调查，并有简报发表。1973 年 3 月 20 日至 4 月 14 日进行了 1 次小规模的试掘。简报分为：一、地层与遗迹，二、文化遗物，三、结语，共三个部分予以介绍，有照片、手绘图。

据介绍，尹家城遗址遗物可分三期：第一期为典型的龙山文化；第二期晚于龙山文化，但早于商代中期文化；从文化面貌上讲既不同于它之前的龙山文化，也不同于它之后的商文化，年代据测定为公元前 1595±140 年，已在"夏"王朝存在时间之内，值得重视。第三期应属商周文化。

384.邾国故城出土的两件陶量

作　者：邹县文物保管所　朱承山
出　处：《文物》1982 年第 3 期

1980 年 5 月，峰山公社张庄大队农民将前几年在邾国故城宫殿区以南挖出的 2 年陶量捐献给国家。简报配以照片予以介绍。

简报介绍，2 件陶量的形式、大小相同。直口，微鼓腹，平底，通饰细绳纹，近口部饰瓦纹，腹中部有波浪形堆纹一周。腹部左右各有一圆柱形把手，底部内表有陶文字。根据中国科学院计量研究所的测定，该陶量容积为 19520 毫升。简报推断这两件量器似应为鲁器。

385.山东泗水发现一批商代铜器

作　者：解华英
出　处：《考古》1986 年第 12 期

1975 年冬，在泗水县县城东南 15 公里的张庄公社窖堌堆的高台地上，村民在平整土地时发现一批铜器，已难以辨认是否出于墓葬，考古人员将文物收藏。简报配以拓片、手绘图予以介绍。

据介绍，这次出土的青铜器有觚、尊、爵、觯共计 5 件。觚、爵上有铭文。这批青铜器，简报推断为商代晚期遗物。

386.山东泗水尹家城遗址第四次发掘简报

作　者：山东大学历史系考古专业　栾丰实、崔大勇、于海广
出　处：《考古》1987年第4期

1985年8～12月，考古人员对泗水尹家城遗址进行了第4次发掘，共清理房屋基址16座，墓葬44座，灰坑（窖穴）500多个，水井1眼，沟8条，灶址2个，出土石、骨、蚌、铜、铁、陶等各种质料的生产工具、生活用具、装饰品、工艺品、货币等，共有2000多件，获得一批重要的实物资料。与前三次发掘对比，这次发掘面积较大，并有一些新的重要发现，这对全面认识尹家城遗址各个时期的文化面貌，提供了充分的科学依据。简报分为五个部分予以介绍，有手绘图等。

据介绍，此次发掘的M145的发现，将整个遗址的时代向前推进了一步。该墓是1座双人合葬墓，头向东，死者手握獐牙，所随葬的器物都具有大汶口文化的特征。龙山文化地层是尹家城遗址的主要堆积，这次发现的数座龙山文化的房基，对了解这个时期的建筑方法提供了新的重要资料。F129平面形状比较规整，基槽较深，柱洞密集，尤其四角柱洞大且深，充分反映了当时人们在建造房屋时已注意到角部的承重力较大。发掘资料表明，尹家城遗址的岳石文化层不仅分布范围广，而且堆积比较厚，出土物也比较丰富。从H527、H508内出土的陶器如罐、盒、器盖的特点来看，进一步密切了岳石文化和龙山文化的关系。岳石文化是继承龙山文化发展起来的，应已进入夏商时期。

387.山东泗水发现商代青铜器

作　者：赵宗秀
出　处：《考古》1988年第3期

1982年12月，泗水县寺台村一百姓在挖窖时，挖至距地表约3米处，发现了3件青铜器。此外，还零星出土了一些人骨。据现场观察，应是1座古墓葬。但因破坏严重，无法弄清该墓的具体情况。出土的3件青铜器简报配以照片予以介绍。

据介绍，3件铜器为觚、爵、钺。觚的体形细长，爵腹部加深、底呈椭圆形、柱饰于口上流和鋬之间。这种形制明显带有晚商特点。而随葬品以爵、觚为主，爵、觚的组合形式，也符合商代晚期墓葬中青铜礼器的随葬特点。这和安阳大司空村以及后冈等地商代小型墓葬的随葬情况基本一致（分别见《考古学报》1953年第9期，《考古》1972年第3、5期）。因此，简报推断应属于商代晚期的遗物。

简报称，这3件青铜器总的特点是轻巧素雅，但风格略显草率。其中钺的形制

最为特殊。这种细长内，孔饰于内上并与钺身同向，其形制在出土的同类器物中尚属罕见。它可以在安装时直接把柄插入孔内，即不需要绑缚，并且又十分牢固。这为解决钺（包括斧）的安装使用情况，提供了新的实物依据。

388.山东泗水尹家城遗址第五次发掘简报

作　者：山东大学历史系考古专业　任相宏、杨爱国、方　辉
出　处：《考古》1989 年第 5 期

继 1973 年、1979 年、1981 年、1985 年对泗水尹家城遗址 4 次发掘后，1986 年 3 ～ 5 月，对该遗址又进行了第五次发掘。共发掘出房址 6 座，墓葬 19 座，灰坑 110 个，获得陶、石、骨、蚌、铜质器物近千件。简报分为：一、地层堆积，二、龙山文化遗存，三、岳石文化遗存，四、商代遗存，五、小结，共五个部分予以介绍，有手绘图。

据介绍，龙山文化的 F205 虽然遭到破坏，但面貌基本清晰，是 1 座半地穴式的房屋建筑遗迹。值得注意的是，屋内地面发现有残人骨架、头骨和肢骨与摆放有规律的 40 余件器物共存，所反映的性质和代表的含义值得探讨。简报叙述了代表龙山文化三个发展时期的陶器特点，指出岳石文化是承龙山文化而起的一种土著文化。陶器的基本特征是厚重稳固，和轻巧新颖的龙山文化的陶器相比，有着明显不同。商代遗物的时代应与郑州二里岗上层相同。

389.山东济宁潘庙遗址发掘简报

作　者：国家文物局考古领队培训班　李　季、何德亮
出　处：《文物》1991 年第 2 期

潘庙遗址位于山东省济宁市郊区南张乡潘庙村西约 300 米，东距济宁市区约 9 公里，西距京杭运河约 2 公里，南距济（宁）嘉（祥）公路 0.5 公里。遗址现存地貌较平坦，略高于周围农田。据调查，此处原文化堆积很高，呈堌堆状，近代曾在其上建庙，庙废圮后，土堆被历年取土削平。遗址现存面积为东西 160 米，南北 140 米，总计 22400 平方米。地面散布陶片多数为商代的陶鬲、罐、盆等碎片。发掘后得知此处还有汉代和唐代的墓群。简报分为：一、地层堆积，二、遗迹，三、遗物，四、分期，五、结语，共五个部分，配以照片、手绘图，介绍商代文化遗存。

据介绍，此遗址是在 1980 年的文物普查中发现的。1986 年 9 月至 11 月，对此遗址作了发掘。遗迹主要有灰坑、房屋和水井。遗物以陶器为主。简报认为，潘庙

遗址有商代房屋、水井、墓葬等遗迹，应是1处聚落。可惜汉、唐时期辟为墓地，破坏严重，但仍为研究商文化在山东的遗存提供了实物资料。

390.山东济宁凤凰台遗址发掘简报

作　者：国家文物局考古领队培训班　李　季、何德亮等

出　处：《文物》1991年第2期

凤凰台遗址位于济宁市郊区南张乡凤凰台村内，东距济宁市区约7公里，北距济嘉（祥）公路0.5公里，西北距潘庙遗址约2公里。遗址原是1处堌堆，现存堌堆比周围地面高10米左右，顶部曾有一小道观，俗称凤凰台，现已不存。从断崖下面仍可看到高出现地面1米余的文化层堆积。堌堆周围也因取土将四周削掘陡峭，并已被民房环绕，仅北侧存1块南北长28米、东西宽13米的空地，且已被挖成低于现村内地面1.8米的大坑。坑壁可看到周至汉代的文化堆积，所布探方即在此坑内。此遗址系1980年在文物普查中发现。1986年10月，考虑到此遗址与潘庙遗址毗邻、与商代遗存很相近，地貌与潘庙遗址破坏前也相似，便进行了抢救性发掘。简报分为：一、地层堆积，二、出土器物，三、分期，四、结语，共四个部分予以介绍，有照片、手绘图。

据介绍，此遗址商代遗存的陶器组合与潘庙遗址基本相同，主要有鬲、甗、盆、豆、簋、爵、罐、瓮等，年代也基本相当。凤凰台遗址的突出特点，仅在于出土了更多的鹿角和兽骨，或许发掘区域正是当时废弃物堆积所在。

391.山东邹县南关遗址发掘简报

作　者：国家文物局考古领队培训班　李　季、何德亮等

出　处：《文物》1991年第2期

南关遗址位于邹县县城东约1公里，胡家山下的高台地上。沙河从山与台地之间流过，下游汇接白马河入微山湖。县棉纺厂就坐落在遗址上面，厂址过去为化肥厂，一些调查资料曾以此命名。附近出过商代铜器墓，遗址已遭到严重破坏。考古人员于1987年9月14日至10月4日进行了小规模发掘，揭露龙山文化灰坑1个，商代灰坑21个，墓葬1座。简报分为：一、地层堆积，二、龙山文化遗存，三、商代文化遗存，四、商代文化分期，五、结语，共五个部分予以介绍，有手绘图。

据介绍，发现的龙山文化遗存，应属于山东龙山文化早期。商文化遗存是南关遗址的主要文化遗存。通过这次发掘，使我们进一步了解该地区商代晚期的文化面

貌和编年序列，以探讨这里商周之际的文化传承谱系问题。

简报指出，从总体看，商代文化堆积的延续时间不太长，属于商文化晚期在本区域的地方类型。

392.山东济宁市南赵庄商代遗址调查

作　者：济宁市博物馆　田立振
出　处：《考古》1993 年第 11 期

1988 年，济宁市文物普查中，于济宁市市中区南赵庄村北发现 1 处商代遗址。其后又经 2 次复查，采集到一批遗物标本。简报分为：一、遗址概况，二、采集遗物，三、结语，共三个部分予以介绍，有手绘图。

据介绍，南赵庄遗址位于济宁市市中区济安桥南路东侧，前进砖瓦厂院内一片高地上。据当地人介绍，原高地为 10 米左右，面积约 10000 平方米，与其北面的另一高地（现基本夷为平地）合称"双堌堆"，仅此高地俗称"单堌堆"。由于历年来砖瓦厂取土，遗址已遭严重破坏，堌堆高度仅剩 5 米左右。现存遗址东西宽约 50 米，南北长约 150 米，总面积约为 7500 平方米。发现灰坑 3 个，暴露残陶窑红烧土一段。遗址范围内地面凹凸不平，到处可见商文化的残陶片，尤以东南部最为集中，还采集到兽骨、鹿角及残石器。

简报推断时代应属商代晚期，遗物有一定地方特色。

393.山东省济宁市出土一批西周青铜器

作　者：田立振
出　处：《文物》1994 年第 3 期

1991 年 7 月，济宁市商业局基建施工时，在距地表 8 米深处挖出青铜器 9 件。考古人员前往勘查，出土现场已被破坏，经调查，这批青铜器可能出自 1 座墓葬。简报配以照片予以介绍。

据介绍，铜器有鼎 2 件、簋 1 件、方彝 1 件、爵 2 件、盘 1 件。此外，铜器出土地点附近发现陶鬲 1 件。简报推断这批铜器的时代应为西周中期偏早，应是西周早期的遗物。

简报称，这批青铜器制作简单，通体无纹饰，且形体较小，应为明器。

394.山东邹城市商周遗址调查简报

作　者：邹城市文物管理局　郑建芳
出　处：《考古》1998 年第 2 期

考古人员于 1964 年和 1973 年分别对邹城市全境进行了考古调查，发现一批古文化遗址。在以往工作的基础上，于 1988 年又对全市 20 个乡镇、近千个自然村进行了深入细致的第三次文物普查工作，新发现古文化遗址 60 处，其中商周遗址 34 处。1990 年和 1991 年，又对部分重点遗址进行了复查。8 处商周遗址简报分为：一、岳庄遗址（编号 1），二、西丁遗址（编号 2），三、苗山庄遗址（编号 3），四、护驾山西遗址（编号 4），五、南齐庙台子遗址（编号 5），六、白山庄遗址（编号 6），七、后南宫遗址（编号 7），八、骑岭遗址（编号 8），九、几点认识，共九个部分择要介绍，有手绘图。

据介绍，这一地区的文化遗存有着自身的发展特点，同周围地区的文化遗存相比，又有着相似之处。各遗址的陶器多系地表采集品，没有可靠的文化层位，这次调查，没有发现商代早期二里岗时期的文化遗存，岳庄遗址和苗山庄遗址有商代中晚期文化遗存。西周和春秋时期的遗存相当丰富，各遗址都有西周早、中、晚期文化和春秋文化时期的特征。

简报称，通过这次调查，对全市古文化遗址的分布和概况有了更为明确的认识，为全面认识和综合研究邹城商周时期的文化面貌和文化内涵提供了新的资料。

395.山东邹城市西丁村发现一座商代墓葬

作　者：邹城市文物管理局　王　军等
出　处：《考古》2004 年第 1 期

1990 年 5 月，邹城市北宿镇西丁村村民在村西约 200 米处取土时，在距地表 1.5 米深处发现一批文物。考古人员前往调查。根据现场勘察，这批器物应出自 1 座土坑竖穴墓内，墓已被破坏。根据当事人叙述，该墓无葬具，葬式头东脚西。简报推断此墓年代为商代晚期。

简报指出，值得注意的是，该墓所出陶器的造型及红饰均具有明显的地方特征，凹弦纹其间加饰乳丁纹在邹城市区殷墓出土陶器上出现较多。这些器物的出土，为进一步研究商代晚期该地区的社会习俗、文化面貌、经济状况提供了重要的实物资料。

泰安市

396.山东宁阳县堡头遗址清理简报

作　者：杨子范

出　处：《文物》1959 年第 10 期

该遗址是在修建津浦铁路复线时发现的，1959 年 6 月至 8 月进行了清理。共清理墓葬 120 余座，窑址 1 座。均为长方竖穴墓，葬式多样，葬具中有木椁。随葬品有灰陶 331 件、红陶 194 件、黑陶 87 件、白陶 60 件、彩陶 25 件、彩绘陶 30 件。另有石器、玉器、骨角器上百件。时代简报初步认定为新石器时代末期和商代前期。

397.泰安城前村出土鲁侯铭文铜器

作　者：程继林、吕继祥

出　处：《文物》1986 年第 4 期

1982 年 10 月，山东省泰安市城前村出土一批铜器，考古人员前往现场作了调查，简报配以拓片和照片予以介绍。

据介绍，城前村位于泰安市东南 20 公里，村北是 1 处商周至汉代的古文化遗址，当地群众称之为"燕语城"，城前村即因此得名。遗址南北长 350 米、东西宽 310 米，高出地面达 10 米多。文化层堆积近 6 米。它北靠泰（安）新（泰）公路，西接丘陵。铜器就出在遗址东南角的一座长方形竖穴土坑残墓中。棺椁已朽，从板灰痕迹可清楚看出是一棺一椁墓。随葬铜器放置在墓的西南角上，有鼎、簋、壶、镦等。具体为鼎 2 件、簋 2 件、壶 1 件。此墓的年代简报推断为西周晚期至春秋初期。简报称，铜器铭文中的"姬翏"当为人名。姬姓，翏名。姬翏当是某一代鲁侯之女，这批铜器应是鲁侯用作陪嫁的器物。

398.山东新泰出土商周青铜器

作　者：魏　国

出　处：《文物》1992 年第 3 期

1984 年 10 月，新泰市政工程处在府前街市政府门东约 120 米处施工时发现青铜器等文物。因地层已被严重扰乱，从残存痕迹看，出土地点为一长方形土坑，未发现葬具，有几段小碎骨，可能是 1 座墓葬。器物出土点距地表深约 1.2 米，从扰土中又清理出残铜镞、石镯等。该遗址共出土文物 15 件，其中青铜器 8 件，锈蚀较严重，有的上有简单的铭文，为商、周时期遗物。

399.山东新泰雁岭关遗址调查

作　者：山东大学东方考古研究中心　惠夕平
出　处：《华夏考古》2011 年第 1 期

雁岭关遗址位于山东省新泰市羊流镇雁岭关村，现存面积约 1 万平方米。文化堆积以岳石文化遗物为主，中心区域发现少量周代遗物。岳石时期的典型陶器遗物为夹砂褐陶罐和甗，未见蘑菇型器盖、尊形器等；岳石文化典型石器工具及坯料的发现是该遗址遗存的一大特色，推测可能与石器的生产有关。鲁中山区的岳石文化遗存此前尚未见诸报道。

简报分为：一、地理位置，二、文化遗物，三、小结，共三个部分予以介绍，有照片、手绘图。

据介绍，2009 年，考古人员赴当地调查。采集标本主要以陶器残片和石器工具及坯料为主。陶器以夹砂褐陶和泥质灰陶为主，前者居多。夹砂陶均为素面，陶色以黄褐陶、灰黑陶居多；泥质陶以灰陶为主，器表纹饰以素面和绳纹为主。陶片多为器物的口沿、腹片、器底、器足等。可辨识器形有陶甗、陶罐、陶盆、陶鬲、器盖、陶珠（管）等。

简报称，该遗址是以莱芜为中心的鲁中山区所发现的为数不多的岳石文化遗址。所采集的大部分器物具备岳石文化的典型特征。周代遗存的发现是另一收获，尽管此次采集到的陶片不多，但考虑到遗址在沟通南北交流方面的重要性，其地位仍不可低估。

一般认为，岳石文化的年代为公元前 2000 年至公元前 1500 年左右。

日照市

400.山东日照崮河崖出土一批青铜器

作　　者：杨深富
出　　处：《考古》1984 年第 7 期

崮河崖村位于日照县县城南 7.4 公里处。1976 年 3 月上旬，崮河崖大队农民在崮河东岸、崮河崖村东南 720 米处之东岭（又名下林）取土时发现一批青铜器。考古人员到文物出土地点作了清理。其地是 1 座墓葬，编号为一号墓。出土铜器 14 件，小玉环 2 个（残损）。简报分为：一、一号墓，二、二号墓，三、结语，共三个部分，有手绘图、拓片、照片。

据介绍，该墓为土圹竖穴墓，墓口呈长方形，东西向。崮河崖一号、二号墓出土的这批青铜器主要纹饰有：鱼纹、龙纹、变形蟠龙纹、重环等。M1 出土的四件鬲，口沿上都有铭文，每个鬲的铭文有 13 个字。根据两墓器物的形制和纹饰其年代大致相同，简报推断均可定为西周晚期到春秋早期。

401.山东莒县西大庄西周墓葬

作　　者：莒县博物馆　刘云涛、夏兆礼、张开学、王　健
出　　处：《考古》1999 年第 7 期

1996 年 4 月 20 日，山东莒县店子集镇西大庄村民在窑场取土时挖出一批青铜器，莒县博物馆闻讯后，将出土的铜簋、铜匜、铜盘、铜舟等几十件文物运往县博物馆收藏。随后，考古人员前往店子集镇西大庄对出土青铜器的地点进行了调查，从被破坏的墓壁观察，确定该地点是 1 座古代墓葬（编号为 96M1，以下简称 M1）。4 月 22 日，对该残墓进行了抢救性发掘。简报分为：一、墓葬位置，二、墓葬形制，三、随葬遗物，四、结语，共四个部分予以介绍，有手绘图、照片、拓片。

据介绍，西大庄墓地位于莒县城东北 12 公里处，距店子集镇西大庄村约 500 米，该墓为长方形土坑竖穴木椁墓，墓底的葬具因人为破坏，故棺椁与人骨架的详细位置不清。该墓出土和收集的青铜器、陶器、石器共计 44 件，其中主要的器物种类有礼器、生活用具、兵器、车马器等，简报推断上墓的时代为西周晚至春秋初期，其下限不晚于春秋初期。

简报称，西大庄西周墓出土大批精美的青铜器，为研究西周至春秋时期吉国与其他诸侯国在政治、经济、文化、军事等方面的关系以及青铜器的制作工艺、当时的丧葬礼俗等诸多相关问题提供了新的实物资料。

莱芜市

402.山东莱芜西上崮出土青铜器及双凤牙梳

作　者：刘　慧
出　处：《文物》1990 年第 11 期

1973 年 12 月，莱芜市西上崮村农民在村西南 120 米处的南寨顶取土时，发现一批青铜器。考古人员赶到时，现场已被破坏。经了解，铜器出自几座墓葬。简报配以手绘图予以介绍。

据介绍，收集到的有鼎、豆、舟、壶、带钩、马衔、曹等 51 件铜器及 2 件双凤牙梳。简报推断，西上崮南寨顶当是春秋战国时期的墓地，时代可能在战国初期或中期。简报称，与铜器一并出土的牙梳是较为少见的工艺珍品。

临沂市

403.山东苍山县出土青铜器

作　者：临沂文物收集组　张鸣雪、刘心健
出　处：《文物》1965 年第 7 期

1963 年 10 月间，苍山县层山公社东高尧生产大队在村前平台地挖地瓜窖子时，发现一批古代青铜器和釉陶。简报配以拓片、照片予以介绍。

据介绍，计有双柱铜爵 2 件、铜觚 2 件、铜尊 1 件、铜毁 1 件、铜甗 1 件、铜觯 1 件、铜钟 1 件、铜戈 2 件、釉瓷罐 1 件等。出土的具体地点在东高尧村南 200 余米，南北入村道以东，面积不过亩许，稍高于村道的平台上。简报认为可能属于商代的窖藏遗物。从爵、觚、毁、甗等的铭文来看，大同小异，同属于"立戈子孙"之样式。

404.平邑蔡庄出土一批青铜器

作　者：李常松
出　处：《考古》1986 年第 4 期

1976 年 12 月，山东省平邑县东阳公社蔡庄村在村西 400 米处推土时，发现古墓 1 座，出土一批青铜器，墓葬已被破坏。简报配以照片等予以介绍。

据介绍，计出土鼎 2 件、鬲 1 件、簋 1 件、盘 1 件、匜 2 件。其中簋、盘有铭文，简报录有全文。这批青铜器的年代，简报推断为西周晚期。

405.山东沂水发现一座西周墓葬

作　者：马玺伦
出　处：《考古》1986 年第 8 期

1982 年 5 月，在沂水县黄山铺区河北村村北一高台，因施工发现 1 座古墓。考古人员前往调查，证实为一西周墓葬，墓上部已被破坏，底部有残存的白膏泥，出土有鼎、鬲、舟、戈、削等铜器及罐、豆、鬲等陶器。时代简报推断为西周中期或稍晚。

406.山东临沂中洽沟发现三座周墓

作　者：临沂市博物馆　冯　沂
出　处：《考古》1987 年第 8 期

1984 年 8 月，临沂市汤河乡中洽沟村取土烧砖时，发现了一批青铜器和陶器，考古人员前往调查，发现 3 座残墓，共出土铜器 8 件，均出自 1 座墓（M1）。还有 1 件象牙梳，值得注意。3 墓年代，简报认为应为西周晚期，甚至可晚至春秋早期。

407.山东沂水发现商代青铜器

作　者：马玺伦、孔凡刚
出　处：《文物》1989 年第 11 期

1982 年 7 月，山东省沂水县黄山铺公社信家庄大队社员在村南平地时，发现铜爵、瓠、剑各1件,即送交沂水县文物管理站。经现场调查得知,铜器出土在1个深80厘米、口径65厘米的灰坑中。在填土中杂有红烧土块、残碎铜片、铜兵器残锋和1件陶簋碎片。简报配以照片予以介绍。

据介绍,铜瓠,残甚。圈足,喇叭口,腹微鼓,圈足较矮。腹部饰饕餮纹两组,圈足部饰云雷纹一周。铜剑,剑刃锋利,有脊,脊两边有血槽,茎断面扁圆形,剑首残缺。通体呈深绿色,无纹饰。陶簋,残甚。深灰黑色,陶质细腻,火候较高,轮制,外表光滑。侈口,圆唇,束颈,鼓腹,圈足略外侈。腹上、下部各饰绞纹二周,近底部和圈足内底都有拍印绳纹。另外,还出土铜兵器残锋1件。简报推断这批器物应是商代。

简报称,沂水县出土商代铜器还是第一次,尤其商代短剑特别值得注意。

408.山东沂水县出土商代铜器

作　者:沂水县文物管理站　马玺伦、孔凡刚
出　处:《考古》1990年第8期

1982年7月,山东沂水县盆山乡信家庄百姓在村南菜园地翻土时,在离地表0.35厘米处,发现一直径65厘米、深74厘米的灰土坑。内有铜爵、铜瓠各1件,还有1件黑灰色陶簋和一些残铜片、铜镞。同年10月,在出土铜爵坑的北侧20米处,百姓挖瓜窖,在离地表1米深处又出土铜剑1件。简报配以照片、拓片予以介绍。

在介绍的爵、瓠、剑、镞、陶簋中,简报推断铜爵、铜瓠及陶簋属商代,铜剑为西周时代遗物。

409.山东沂水新发现一件带鸟形象形文字的铜戈

作　者:马玺伦
出　处:《文物》1995年第7期

1991年元月,山东省沂水县柴山乡信家庄农民在村南菜地翻土时,在距地表0.5米处发现铜戈1件。又在出土铜戈地点以西6米处,挖出石磬1件。两件文物已由沂水县博物馆收藏。简报配以照片予以介绍。

据介绍,信家庄位于沂水县城西北10公里处,东距沂河约500米,南面为平原地带。经调查,文物出土地点散布少量陶片,有粗绳纹和素面2种,黑陶和灰陶最多,少数为夹砂陶。此处曾出土过商代文物。据了解,这里在建房、推土时经常

发现粗陶器。这次出土铜戈处还发现了人骨。钢戈1件，锈蚀严重，呈墨绿色。上有一鸟形象形文字；石磬1件，残碎，赭石色，砂岩质。简报推断铜戈应为商二里岗期的遗物。

据史料记载，居住在沿渤海湾一带的先民以鸟为图腾，史书中称其为鸟夷。铜戈上的鸟形象形文字为这一问题的进一步研究，提供了新的资料。

德州市

410.山东禹城、齐河县古遗址调查简报

作　者：李开岭

出　处：《考古》1996年第4期

禹城、齐河两县，位于鲁西北的黄河北岸，两县总面积约2500平方公里。徒骇河、赵牛河呈西南—东北流向穿过禹城，经齐河北部流入济阳。两县地形皆为平原，地势西南略高于东北。由于古黄河由河南及山东聊城至高唐北折，经山东德州至河北入海，故两县境内遭受黄河泛滥淤积较轻，早期遗址发现相对较多。简报配以手绘图等予以介绍。

据介绍，两县共发现先秦时期以前的遗址22处，简报附有表格，列举了这22处遗址地点、时代等。历年调查的结果表明，在禹城、齐河两县境内目前没有发现北辛文化和大汶口文化早期遗存，目前所见时代最早为龙山文化遗存。唯一进行过发掘的禹城邢寨汪遗址，也因地下水位过高而未能发掘至生土，是否存在早于龙山文化的遗存不得而知。龙山文化遗存少且多属晚期，岳石文化遗存不少，商周时期遗存，应属商文化晚期以后。

411.山东乐陵、庆云古遗址调查简报

作　者：山东省德州市文物管理室　张立明、王玉芝、刘金亭

出　处：《华夏考古》2000年第1期

乐陵市和庆云县位于鲁西北边缘。北有漳卫新河与河北省为界，东邻无棣县，南隔德惠新河与阳信、商河两县相望，西与临邑、陵县、宁津三县毗邻。两市县面积约1697平方公里。境内为黄河下游冲积平原，自北向南分别有漳卫新河、马颊河和德惠新河自西向东流入渤海。由于历史上黄河水文变化较大，使该地区黄泛淤积

地层较厚，古代人类活动遗迹大多被深埋地下不易发现。经历次文物普查，先后发现商周时期以前文化遗址 10 处。

几处重要遗址简报分为：一、乐陵冢上遗址（LZ），二、乐陵惠王冢遗址（LH），三、乐陵五里解遗址（LWX），四、乐陵五里冢遗址（LWZ），五、庆云姚千遗址（QY），六、庆云孟张遗址（QM），七、结语，共七个部分予以介绍，有手绘图。

据介绍，乐陵市和庆云县是德州市境内早期古人类遗址发现较多的地区之一，但目前所见最早为龙山文化时期，尚未发现早于龙山文化的遗存。发现岳石文化遗存是调查的主要收获。岳石文化遗存在本地区的发现，扩大了岳石文化在山东省的分布范围，对于研究岳石文化提供了新的资料。商周时期文化遗存在和遗址中均有发现，陶器以灰陶为主，次为红陶；纹饰以绳纹为主，时代为商晚期以后。

一般认为，岳石文化的年代为公元前 2000 年至公元前 1500 年。

聊城市

412.山东省荏平县南陈庄遗址发掘简报

作　者：山东大学历史系考古专业、聊城地区文化局、荏平县图书馆　马良民等
出　处：《考古》1985 年第 4 期

南陈庄遗址位于荏平县城东南郝集公社南陈庄以西，距县城 7.5 公里，地面到处散布着商周和龙山文化的陶片。遗址由荏平县图书馆调查发现，1980 年秋在遗址北部边缘进行了试掘。

简报分为：一、地层堆积与分期，二、龙山文化，三、商周文化，四、墓葬，五、结语，共五个部分予以介绍，有手绘图、照片、拓片。

据介绍，龙山文化遗址有房基 3 座、灰坑 3 个，遗物有石、骨、蚌器、陶器。简报认为该层为龙山文化晚期，其绝对年代应与安阳后冈二期的灰坑 H2 相同。这个灰坑的碳十四测定年代是公元前 1960±90 年，经树轮校正为公元前 2340±140 年。鲁西是山东龙山文化与河南龙山文化的接触地带，是探索两文化间关系的重要地点。南陈的绳纹深腹罐与后冈二期的 H2:3 深腹罐如出一人之手，无疑为同时之器，从而使两个文化有了一个共同的时间刻度，这对进一步研究二者的关系是重要的。岳石和二里头陶片的发现，在鲁西尚属首次，特别是两种陶片在一个遗址同出是个新情况，对研究东夷、夏二族的关系提供了新线索。

滨州市

413.山东邹平丁公遗址试掘简报

作　者：山东大学历史系考古专业、邹平县文化局　马良民、蔡凤书
出　处：《考古》1959 年第 5 期

丁公遗址位于山东省邹平县苑城乡西南，东北距苑城乡驻地约 1 公里，西南距邹平县城约 13 公里。整个遗址原先隆起较高，后因农民历年取土，上层堆积大部遭到破坏。1985 年秋，山东大学历史系考古专业师生对该遗址进行了试掘。简报分为：一、地层堆积，二、龙山文化遗存，三、商周遗存，四、结语，共四个部分予以介绍，有手绘图、照片。

简报推断丁公龙山文化第一期相当于龙山文化早期，第二期相当于城子二期文化的晚期，第三期与平尚庄三期文化相近；商文化的遗存，简报推断时代属殷末到西周早期。

414.山东惠民县发现商代青铜器

作　者：山东惠民县文化馆
出　处：《文物》1972 年第 3 期

1973 年 8 月 20 日，惠民县麻店公社大郭大队的农民在挖土积肥时发现一批青铜器。简报配以照片予以介绍。

据介绍，该地是 1 处商、周、汉时期的居住遗址。出土的青铜器有鼎、小方彝、爵、觚、铙、戈、矛、刀、钺、锛，还有石斧和玉环，以及商、周、汉时期的陶片。在青铜器出土处还发现有殉葬人和殉葬狗。简报推断为商代遗物。

415.山东邹平县古文化遗址调查

作　者：山东大学历史系考古专业、邹平县文化局　许　宏、方　辉、栾丰实
出　处：《考古》1989 年第 6 期

邹平县位于黄河下游，东邻桓台，南接周村，西界章丘，北毗高青，西北隔黄

河与济阳、惠民相望，面积1252平方公里。考古人员于1987年10月至11月，对邹平、青阳、韩店、好生、礼参、长山、苑城和焦桥8个乡镇进行了全面普查，复查和发现新石器时代至汉唐时期的遗址68处，采集到一批文物标本。1988年春，又对其中23处重点遗址进行过复查。这次调查的68处遗址，主要包括了以下几个时期的文化遗存：北辛文化或称前大汶口文化、龙山文化、岳石文化以及商、周和汉（汉代资料待另外发表）。绝大多数遗址都存在两个或两个以上时期的堆积。简报分为：一、龙山文化遗存，二、商文化遗存，三、周文化遗存，四、结语，共四个部分予以介绍，有照片，附有"邹平县古遗址登记表"。

据介绍，这次调查的68处遗址，在空间分布上有一定规律。丘陵与平原的接触地带遗址发现最多，约占总数的80%，而邻近黄河和小清河的冲积平原地区则较少发现，尤其少见新石器时代遗址。概括起来，调查所见遗址可分为三类：一类是高台地式；第二类是土丘式；第三类是平地式。这次调查没有发现大汶口文化的遗存。岳石文化遗物也发现甚少，仅在好生店遗址采集到1件方孔石器，在大刘遗址发现1件浅盘豆残片。

商周时期遗址数量较多，采集的遗物也比较丰富。分析这一时期的文化内涵，可以看到，其中存在着两种有明显不同的文化因素。一种是与中原地区商周文化相同或相似的因素，当直接来自中原地区，并在本区得到繁衍发展；另一种是以褐色陶系（包括素面鬲、罐等器形）为代表的土著文化因素，它的存在表明，这里的商周时期文化是植根于大汶口—龙山—岳石文化体系的传统文化因素与来自中原文化因素的有机结合和统一。

简报称，这些资料的发现，为今后探索和研究商周时期本地区两种文化因素的消长和融合，无疑提供了有益的线索。

416.山东阳信县古文化遗址调查

作　　者：山东滨州市文物管理处、阳信县文物管理所　徐其忠、郭世云、范玉文
出　　处：《华夏考古》2002年第4期

通过文物普查，在山东省北部阳县境内新发现古文化遗址30余处，有些遗存为鲁北地域的新发现。普查之后还得知，县境内商周时期及早于商周时期的古文化遗址相对集中地分布在该县的东南部。阳信县境内新发现的古文化遗址和所采集的文化遗物，为研究海岱地区北部的商周时期及之前的古文化面貌，提供了一批新的研究资料。

简报分为：一、遗址堆积，二、文化遗物，三、小结，共三个部分予以介绍，

有手绘图。

简报重点介绍了商周时期及之前 5 处遗址的调查情况，这 5 处遗址为：小韩村遗址、三崔村遗址、棒槌刘遗址、秦家村秦台遗址、台子杨村遗址。简报称，此次发掘为海岱地区考古学文化的区系研究，尤其是为徒骇河下游地带的考古学文化研究，提供了新的线索，扩展了研究的时空范围。

417.山东阳信县李屋遗址商代遗存发掘简报

作　者：山东省文物考古研究所、北京大学中国考古学研究中心、山东师范大学
　　　　齐鲁文化研究中心、滨州市文物管理处　燕生东、张振国、佟佩华等
出　处：《考古》2010 年第 3 期

李屋遗址位于山东阳信县水落坡乡李屋村东南 1 公里，地处阳信、沾化、滨城三县（区）交界处。2002 年，文物部门为配合滨州至大高的高速公路建设开展工作时发现该遗址。遗址所在地属黄河三角洲，地表被黄河、徒骇河等河流泛滥带来的淤泥、淤沙层所覆盖。2003 年夏，对李屋遗址进行了钻探和发掘。

简报分为：一、遗址堆积情况，二、商代主要遗迹，三、出土遗物，四、商代遗存的分期与年代，五、几点认识，共五个部分予以介绍，有彩照、手绘图。

据介绍，遗址分为南、北 2 个聚落单元，北部聚落单元可划分出 3 个社群单元，各有自己的房屋和院落、窖穴、墓葬、生产和生活垃圾倾倒区，时代从殷墟第一期延续至第四期。据出土陶盔形器和石器、骨器、蚌器的特点以及动物遗骸，还由于发现了大量煮盐工具——盔形器，简报推测李屋遗址是盐工在夏、秋、冬三季及亲属人员全年的居住地。

简报提及，遗址出土的动物遗存表明当时居民的肉食来源较庞杂，除家养的牛、羊外，野生动物占的比例较高，在 40% ～ 50% 左右。动物的种类多样。居民的食肉量也较内陆地区同时期农耕聚落高，这显示动物饲养和渔猎活动在生计活动中所占比重较高。值得注意的是，牛、猪、鹿类动物骨骼缺少头骨、肢骨等部位，部分可能运至专门的骨器作坊加工骨器，部分与将屠宰好的肉带到盐场消费有关。

菏泽市

418.菏泽安邱堌堆遗址发掘简报

作　者：北京大学考古系商周组、山东省菏泽地区文展馆、山东省菏泽市文化
馆　邹　衡、邹生龙、王　讯、宋豫秦等

出　处：《文物》1987年第11期

菏泽市在山东省西南部，由于历年黄河泛滥，古代遗址多被洪水浸没，深埋于积沙之下，不易寻找。1984年春，考古人员在安邱堌堆进行发掘。遗址位于菏泽市区东南12公里，在佃户屯乡曹楼村东南的安邱堌堆上。堌堆高出附近地面2.5～3.5米，现存面积约45米×55米，文化堆积达4米以上。1976年和1981年，山东省博物馆和菏泽地区文展馆曾分别在此进行过试掘，初步确定了此处为龙山文化和晚商文化遗址。1984年秋，在以前工作的基础上，再次进行了发掘，发现了龙山文化、岳石文化、早商文化和晚商文化遗存。简报配以照片、手绘图予以介绍。

据介绍，安邱堌堆的龙山文化应该属于河南龙山文化系统。安邱堌堆龙山文化的房子遗迹比较密集，是研究龙山文化聚落构成比较典型的材料，尤其是门道下发现了类似后世的人祭现象，对进一步了解当时的社会面貌提供了极其重要的线索。

安邱堌堆的商文化层是从早商到晚商连续堆积的，几乎没有间断，这在全国其他商文化遗址中尚属少有，由此进一步证实了学术界以往关于商文化的分期是可靠的；同时也说明了商人从早商时代的偏晚阶段开始就一直牢固地占有鲁西南地区，这一地区在商人对东方的全面开拓事业中自然具有显著战略地位。若与全国其他各地的商文化相比较，则可看出，安邱堌堆的早商文化与郑州的早商文化是相似的，基本上属于同一类型。安邱堌堆的晚商文化与安阳殷墟文化也是相似的，但稍有些地方特点。如陶鬲、陶甗的胎体极厚，颜色以红褐居多。这类陶器在安阳殷墟就极少见到。

简报还提到所谓岳石文化，指出"岳石文化"的年代是介于山东（或河南）龙山文化和早商文化二里岗期之间，约相当于河南省和河北省境内的二里头文化和先商文化。那么，在二里头文化或先商文化时期的山东省境内占统治地位的考古学文化是岳石文化，而不是其他。这一考古现象的被确认，对于研究夏商文化的重要意义是不言而喻的。

河南省

郑州市

419.郑州商代遗址的发掘

作　者：河南省文化局文物工作队第一队　赵全古、韩维周、裴明相、安金槐等
出　处：《考古学报》1957 年第 1 期

1950 年，郑州城郊发现商代文化遗存，1953 年起为配合基本建设进行了重点发掘。简报分为：一、前言，二、遗址，三、墓葬，四、结语，共四个部分，配以照片，介绍了 1955 年以前商代遗址的发掘情况。有折页表格"卜骨统计表"。

据介绍，发掘地点有二里岗、南关外、白家庄、铭功路西侧、紫荆山北和人民公署计 6 处，出土有陶器、石器、玉器、象牙梳、金饰、海贝、绿松石等。可知先民已是以农业为主，畜牧业、渔猎仍有重要地位。有殉人，应已进入奴隶社会。

420.郑州上街商遗址的发掘

作　者：河南省文化局文物工作队　刘胡兰小队
出　处：《考古》1960 年第 6 期

上街遗址是 1958 年发现的。通过试掘，证明这处遗址对研究龙山文化和商代文化的关系是很重要的。1959 年 2 月起，继续进行 1 个月的发掘。清理出房基 9 座，窖穴 16 个，和遗址同时期的墓葬 5 座、战国墓 3 座、宋墓 1 座。简报配以照片，先行介绍其中的商代遗存。

据介绍，遗址北靠陇海铁路，北部约 5 公里是黄河，东约 0.5 公里是蒙阳廿里铺。部分器形如陶罐、石刀、石铲和龙山文化极为接近，特别是陶器表面所饰方格纹和绳纹更为近似。出土的卜骨多是猪的肩胛骨直接用火灼。值得注意的是，遗址中没有发现铜器，很多器形和郑州商代洛达庙期也有不少相同之处。因之简报认为，上街遗址应早于郑州商代洛达庙期文化而晚于龙山文化，如果说是属于商代也应属于商代的早期。

421.郑州市铭功路西侧的两座商代墓

作　者：郑州市博物馆　于晓光、陈立信
出　处：《考古》1965 年第 10 期

郑州市铭功路西侧是 1 处郑州商代二里岗期的制陶窑场遗址，1955 年河南省文化局文物工作队曾进行过部分发掘，发现大量制陶遗物和陶窑，清理了几座商代墓葬。1965 年 2 月，郑州第十四中学在制陶窑址以南植树，发现铜斝 1 件和铜爵 2 件。考古人员证明该遗址是 1 座商代墓葬，随后又陆续在这里发现 4 座墓葬，对这 5 座墓葬都进行了发掘。简报分为：一、墓 2，二、墓 4，三、灰坑 21，共三个部分，整理发表随葬器物较多的墓 2 和墓 4 以及灰坑（H21）的材料，有手绘图。

据介绍，墓 2 位于 1955 年发掘的制陶窑场以南 10 米左右。为长方形竖井墓，人骨架 1 具，俯身直肢。在人骨架的周围随葬有铜器、玉器、骨器、陶器、绿松石和釉陶尊等。在人骨架的上部有成串的蚌珠 1000 余枚。墓 4 在墓 2 西南约 20 米处，也为长方形竖井墓，墓底距地表 0.55 米。人骨架 1 具，仰身直肢，出土有铜器、玉器、圆形陶片等。简报推断两墓为商墓，墓 4 的年代可能比墓 2 稍晚。墓主人应为商代奴隶主。

422.河南郑州上街商代遗址发掘报告

作　者：河南省文化局文物工作队　王与刚、王绍英、李淑珍、陈焕玉、罗桃香
出　处：《考古》1966 年第 1 期

上街位于河南省荥阳县西约 10 公里，现属郑州市的一个区。1957 年秋，考古人员在上街区二十里铺村西约 300 米的地方作考古调查，并于 1958 年 8 月开始发掘。发掘的遗址和墓葬有新石器时代的仰韶文化遗址和龙山文化遗址、商代遗址、周代遗址以及战国、汉代和唐代等时期的墓葬（发掘简报见《考古》1960 年第 6 期）。其中商代遗址的发掘面积约为 400 平方米。简报分为：一、文化层堆积，二、窖穴的形制，三、文化遗物，四、墓葬，五、结语，共五个部分，整理发表商代遗址和墓葬的材料，有手绘图。

据介绍，共发掘窖穴 34 座，墓葬 5 座。上街遗址的分布范围虽然不大，但包含的遗物确是相当丰富的。从包含的各种遗物看，说明当时的生产工具石器还占着相当大的比重，其中石铲、石刀和石镰应为主要农业生产工具。简报认为上街文化遗址时代的上限晚于龙山文化，而下限则早于郑州商代洛达庙期下层文化。

423.新郑出土西周铜方壶

作　者：杨宝顺

出　处：《文物》1972 年第 10 期

1968 年 11 月，河南省新郑县城关公社小高庄生产大队农民平整土地时，在春秋战国时代郑国和韩国的都城——"郑韩故城"城址内的端湾村附近，发现两件器形、纹饰相同的铜方壶。简报配以照片予以介绍。

据介绍，这两件铜壶的器形和纹饰极似颂壶。郭沫若先生据颂壶铭文定其为恭王时器物，因此，可据以推知此两壶的年代约当颂壶之年即周恭王时。

424.郑州南关外商代遗址的发掘

作　者：河南省博物馆

出　处：《考古学报》1973 年第 1 期

1952 年至 1955 年间，考古人员在郑州旧城的南城墙以南、陇海路以北、二里岗大道以西和南关大街与郑新公路以东进行发掘。本简报报告的是其中第五区的发掘情况。该区发现了较郑州商代二里岗期还要早的商代遗存。

425.郑州商城遗址内发现商代夯土台基和奴隶头骨

作　者：河南省博物馆

出　处：《文物》1974 年第 9 期

1973 年夏，考古人员对距今 3500 多年的郑州商城遗址内进行钻探和发掘。通过近一年的工作，在商城内东北部一带，发现了大面积的商代夯土台基。这片商代夯土台基和郑州商代夯土城墙的时代是相同的（都是属于商代二里岗期），其结构也是一致的（都是用土分层夯筑起来的建筑遗址，说明这里的夯土台基是商代修建的大型房屋的台基，应是商代奴隶主阶级聚居的重要区域，也许是商城内的宫殿遗殿。台基处壕沟里，有人头骨近百个。

简报认为，特别值得注意的是，不少的人头骨上遗留有明显的锯痕，一般是从人头骨的眉部和耳部上端横截锯开。这些人头骨主要是人的头盖骨，兼有少量的人头骨下部，而没有 1 个完整的人头骨。

426.郑州新出土的商代前期大铜鼎

作　者：河南省博物馆
出　处：《文物》1975 年第 6 期

1974 年 9 月，在河南省郑州市张寨南街施工过程中，出土了两件商代前期大铜鼎。简报分为四个部分予以介绍，有手绘图、照片。

据介绍，张寨南街位于商城西墙外约 300 米杜岭土岗的南段，大铜鼎出土在地下深约 6 米处。两鼎均为方形，青铜质。形制和纹饰基本相同，均为双耳，斗形方腹，四个圆柱形空足。器表饰饕餮纹与乳丁纹。同时出土的还有鬲、罐、盆、塨、缸、瓮等。从伴随的遗物说明这两件铜方鼎应是在商代二里岗期上埋入的。根据铜方鼎的纹饰结构和布局，简报推断这两件铜方鼎应属于商代前期二里岗期上层的遗物。

简报称，商代前期的方形铜鼎在郑州还是首次发现，为我国目前所发现的商代前期青铜器中罕见的重器。这两件铜方鼎究竟是奴隶主墓内的随葬品还是窖藏，有待进一步发掘证明。

427.郑州商代城址试掘简报

作　者：河南省博物馆、郑州市博物馆
出　处：《文物》1977 年第 1 期

1955 年秋，在郑州二里岗文化层下发现有夯土层，1956 年春进行了调查、钻探，发现了商代城墙。简报分为：一、商代城墙的发现与发掘，二、商代城墙的地层叠压关系，三、确定郑州商代城墙时代的证据，四、城墙的筑法与结构，五、城内的重要发现——商代夯土台基和房基，六、结束语，共六个部分，有照片、手绘图。

据介绍，此次考古发现了商代城墙遗址，在南城墙外约 500 米处的南关外和北城墙外约 200 米处的紫荆山北地，分别发掘出两处冶铸青铜器的手工业作坊遗址。在北城墙外约 300 米处发掘出 1 处用人骨和兽骨作原料的磨制骨器的手工业作坊遗址。在西城墙外约 1300 米处的铭功路西，发掘出了 1 处烧制陶器的手工业作坊遗址。在西城墙外约 300 米处的杜岭后街出土了 2 件大型铜方鼎。在城内东北部还发现了大面积的夯土台基和建筑遗迹，应当是商代奴隶主居住过的场所，也有可能是宫殿遗址。简报称，郑州商城的发现，填补了安阳殷墟前二三百年商代前期历史的空白。

428.郑州商代遗址

作　　者：杨育彬

出　　处：《河南文博通讯》1977 年第 1 期

郑州商代遗址是 1950 年春天发现的，面积达 25 平方公里。简报配以手绘图等予以介绍。

据介绍，1955 年在遗址中部发现一座周长近 7 公里的商代二里岗期下层时建筑的城垣。在南北城垣外各有 1 处铸造青铜器作坊遗址，西城墙外有制骨作坊遗址。在西城墙外出土 2 件大型铜方鼎，在商代墓内出有原始青釉瓷尊。在商代城内东北和北部有大面积的宫殿区。

简报指出，这些考古资料表明，郑州商代遗址属商代前期的文化遗存。

429.一九七七年上半年告成遗址的调查发掘

作　　者：河南省博物馆登封工作站

出　　处：《河南文博通讯》1977 年第 2 期

告成遗址位于河南省登封县，1977 年，考古人员在此发现有 1 段夯土墙及 1 处大型建筑基址的东北角。夯土墙应属龙山文化晚期，建筑基址东北角应为二里头文化或更早一些。另外，考古人员还对告成镇夏商遗址进行了调查，对进一步探索夏代文化有一定价值。

430.中牟县黄店、大庄发现商代铜器

作　　者：赵新来

出　　处：《文物》1980 年第 12 期

1974 年 2 月，河南中牟县黄店村村民劳动中，在距地面两米深处挖得完整的青铜器 2 件、一些破碎铜片和绳纹陶片，当即将两件完整铜器送交省博物馆。1978 年春，中牟县大庄村农民在平整土地时也发现一些青铜器及一堆陶片，铜器中觚、爵、戈各 1 件，于 1979 年 5 月送交省博物馆保存。简报配以照片予以介绍。

据介绍，黄店出土的两件为：夔盉、饕餮纹爵；大庄出土的为饕餮纹爵、饕餮纹觚、目纹戈。

简报称，黄店、大庄 2 地出土的上述青铜器，根据其形制及纹饰特征判断，全属商代二里岗期的遗物。据发现者叙述的情况，出土地点可能是两座商代墓葬。黄店和大庄分别距郑州只有 30 公里、20 公里，这里是商民族活动的主要地区，商代墓葬曾不断发现，随葬品中往往有早期铜器。黄店、大庄出土的上述青铜器，可能是一个线索，意味着中牟一带有重要商代奴隶主墓群。

431.新郑望京楼出土一批商代铜器和玉器

作　者：新郑县文化馆
出　处：《河南文博通讯》1980 年第 1 期

望京楼在新郑县新村公社，南距县城约 6 公里，黄水河从西侧由北向南不远折而向东流去，在这里形成了河湾高台地。1974 年冬，当地农民在望京楼东南附近平整土地时发现一批商代铜器和玉器。

据介绍，器物有铜爵 1 件、铜鬲 1 件、铜觚和铜鼎及铜斝各 1 件、玉器 4 件。望京楼出土铜器、玉器后，考古人员前往现场进行了钻探调查，发现出土地点为 1 处商代遗址。灰层内包含物丰富，有陶片、兽骨等，还发现有墓葬，面积约 50000 平方米。同时，在地面上还采集到不少陶片、石斧、石铲等。

432.密县古文化遗址概述

作　者：魏殿臣、谷洛群
出　处：《河南文博通讯》1980 年第 3 期

密县位于嵩山东麓，境内山峦起伏，岗丘连绵，属于半丘陵地域。在七八千年以前这里就有人类的频繁活动，发展到西周初年，密县还保存有几个小国，其中最大的是郐、密 2 国。郐国古城在今县城东面的大樊庄东北，密国古城在今县城东南大隗镇附近。郐、密 2 国在春秋时皆被郑国所灭，密城改为新城，又名新密。战国时属韩，后属楚，秦统一后属颍川郡。西汉初年开始设密县，县治在古密城，为河南郡所辖，至隋大业十二年（616 年）县署才从古密城移到今县城。综观密县沿革，八千年历史连续不断，埋藏在地下的古代文化遗址极为丰富。简报分为：一、裴李岗文化遗址，二、仰韶文化遗址，三、龙山文化遗址，四、二里头文化遗址，五、小结，共五个部分予以介绍，有手绘图。

据介绍，目前裴李岗文化遗址在河南省境内发现最多，其中以高山附近分布更为密集。在嵩山附近几个县又以密县的数量居于首位，最近几年已发现有 7 处，较密县的仰韶文化、龙山文化和二里头文化遗址的数量都多。

简报称，以后有可能在此处找到裴李岗文化的渊源。仰韶文化遗址有 5 处，早、晚期都有。龙山文化遗址有 5 处，时代为龙山文化晚期。二里头文化有新寨、程庄、曲梁等处，时代有的比二里头文化一期略早，有的相当于二里头文化一、三期。

433.中牟出土商代铜器

作　　者：赵新来

出　　处：《河南文博通讯》1980 年第 4 期

1974 年 2 月，中牟县黄店公社黄店村村民张彦兴，在田间劳动中发现商代青铜器 2 件，出土后及时送交省博物馆保存。1978 年春，中牟县郑庵公社大庄村村民李抓妞在该村东地平土时，发现商代青铜器 3 件，于 1979 年 5 月专程送到省博物馆。

据介绍，黄店出土铜盉 1 件、爵 1 件。大庄出土爵 1 件、瓿 1 件、戈 1 件。根据器型特点及花纹装饰判断，黄店、大庄两村发现的青铜器全属郑州二里岗期的遗物。据当地人讲，中牟县南和县东等地不断发现商代陶器和铜器。该县与郑州交界，当是商民族活动的主要区域，可能与郑州商城有一定关系。

434.河南密县新砦遗址的试掘

作　　者：中国社会科学院考古研究所河南二队　赵芝荃

出　　处：《考古》1981 年第 5 期

河南中部的双洎河发源于嵩山的东麓，流经密县、新郑、长葛、鄢陵诸县，至周口镇注入颍河。河两岸分布着多处古文化遗址，其中以密县的莪沟、新砦，新郑的裴李岗、唐户，长葛的石固和鄢陵的故城遗址最为重要，有的具有一定的代表性，值得进一步勘查和研究。1979 年 3、4 月间，考古人员调查了新砦遗址。发现龙山文化灰坑 6 个，二里头文化灰坑 5 个、墓葬 1 座，以及一批文化遗物。简报分为：一、龙山文化，二、二里头文化，三、结语，共三个部分予以介绍，有手绘图。

据介绍，新砦遗址位于密县的东南部，距县城 22.5 公里，年代经测定为公元前 1925 年左右。正是从相当晚的龙山文化发展而来。有许多共同的因素，在时间方面是紧密衔接的，前后的承袭关系也是十分清楚的。简报认为，河南龙山文化晚期的遗存和二里头文化早期的遗存，应是探索夏文化的主要对象。

435.河南新郑县望京楼出土的铜器和玉器

作　者：薛文灿

出　处：《考古》1981 年第 6 期

1974 年冬，当地农民在河南新郑望京楼东南百余米附近平整土地时发现铜器和玉器。简报配以照片予以介绍。

据介绍，此次出土的文物计有铜爵 1 件、铜鬲 1 件、铜觚 1 件、铜鼎 1 件、铜斝 1 件、玉戈 4 件。其中玉戈十分精致，戈柄由青铜铸成。

简报称，望京楼遗址面积约 50000 平方米，灰层包含物丰富，有陶片、兽骨等，还发现有墓葬。同时，在地面采集到不少陶片、石斧石铲等。从铜器、玉器、陶器、石器的形制、纹饰看，这个遗址当属于商代。

436.近几年来在郑州新发现的商代青铜器

作　者：杨育彬、赵灵芝、孙建国、郭培育

出　处：《中原文物》1981 年第 2 期

20 世纪 70 年代，在郑州商代城址内东北部一带（今东里路南北两侧附近），又发现了 3 座商代墓。这些墓葬虽然在人防工程或基建中已被挖乱破坏，但墓内出土的遗物，除几件陶器和玉器之外，还有一批青铜器，却有着相当重要的价值，对于郑州商代青铜器的分期提供了不可多得的标准断代资料。简报配以手绘图、照片予以介绍。

据介绍，1975 年 3 月底，在东里路东端北侧黄河医院修建房屋挖地基时，发现了 1 座商代竖穴土坑墓，编号为 CSM32。骨架无存。出土弦纹铜爵 1 件、弦纹铜斝 1 件、陶器 4 件。

1979 年 6 月，在东里路和城北路之间，水利部黄河委员会挖防空洞时，发现了一座商代竖穴土坑墓（C8M39），骨架已乱，出土有饕餮纹铜斝 1 件、目纹铜鼎 1 件、残玉戈 2 件。

1971 年 9 月，在东里路东头路南河南省中医院家属院挖防空洞时，出土了 2 件商代青铜器盂和爵，其现场已被扰乱，当是商代墓葬，但已看不出原貌了。

简报称，以上 3 座商代墓虽然残破，但其出土的青铜器却有独到之处。尤其是 C8M32 出土的青铜器，应为商代中期二里岗下层时期，以往未见。

437.河南登封程窑遗址试掘简报

作　者：赵会军、曾晓敏

出　处：《中原文物》1982 年第 2 期

1977 年夏，考古人员由告成镇西上，沿颍河南北两岸进行了实地考古调查。相继发现了西范店、高马、程窑、油坊头、毕家村 5 处河南龙山文化和二里头类型文化的遗址。1979 年春，对程窑遗址作了初步试掘。简报分为：一、地层堆积情况，二、出土遗物，三、结语，共三个部分予以介绍，有手绘图。

据介绍，程窑遗址位于登封县城东南约 6 公里的东金店公社程窑村东北地一带，南临颍河，西傍书院河，遗址就分布在两河夹角的高台地上。遗址南北长约 300 米，东西宽约 250 米。出土遗物主要为陶器。简报认为程窑遗址和王城岗遗址应同属一个文化类型。从地域来看，两遗址同处在颍河上游沿岸，间距仅有 5 公里许，又都在历史记载和古代传说的夏人活动区域内。因此，程窑遗址的发掘为探索夏文化，提供了一批新的地下实物资料。

438.郑州二里岗发掘一座商代墓

作　者：王彦民、赵　清

出　处：《中原文物》1982 年第 4 期

1979 年 9 月，河南省商业局仓库在其西墙外栽电线杆挖坑时，发现铜爵、铜斝各 1 件，考古人员前往调查，发现此处是 1 座商代小型土坑墓，遂进行了清理发掘。

据介绍，墓葬平面呈长方形，电缆沟从墓中部通过，墓葬多处被挖破，可见散断人腿骨。出土铜爵 1 件、铜斝 1 件、玉柄形器 1 件，未见铭文。简报推断其时代为商代二里岗期上层。

439.登封王城岗遗址的发掘

作　者：河南省文物研究所、中国历史博物馆考古部　安金槐、李京华

出　处：《文物》1983 年第 3 期

王城岗遗址位于河南省登封县告成镇八方村东侧的台地上。"王城岗"是当地人对告成镇、八方村一带传之已久的称呼，似有一定历史含意。1956 年春，文物普查时发现这个遗址，当时曾定名为"八方村龙山文化遗址"。1961 年，公布为河南省第一批重点文物保护单位。此后 1975 年、1977 年、1980 年、1981 年，考

古人员多次调查、发掘。简报分为：一、遗址的状况和发掘方法，二、地层、分期和文化遗物，三、古城遗迹，四、遗物，五、结语，共五个部分予以介绍，有照片、手绘图。

据介绍，文献记载登封嵩山一带是夏王朝初期活动的中心区域。王城岗城址地望与文献记载相吻合，简报认为王城岗城址可能就是夏王朝初期城垣遗迹，或许就是夏的都城——阳城。

440.郑州新发现商代窖藏青铜器

作　者：河南省文物研究所、郑州市博物馆　杨育彬、于晓兴
出　处：《文物》1983 年第 3 期

自 20 世纪 50 年代以来，在郑州二里岗、杨庄、白家庄、东里路、铭功路、张寨南街、人民公园和南关附近熊耳河一带，先后发现不少商代青铜器，引起学术界的注意。1982 年，在郑州向阳回族食品厂内又出土了一批商代窖藏青铜器，数量较多，器形较全。简报分为：一、发现和发掘经过，二、地层叠压关系和遗迹现象，三、窖藏坑内出土的青铜器，四、结语，共四个部分予以介绍，有照片、拓片。

据介绍，1982 年 7 月 11 日，该厂基建工地，距商代城址东南角外侧约 54 米处，工人施工时在地下约 5 米深处发现 7 件商代青铜器，包括饕餮纹大方鼎、饕餮纹大圆鼎、羊首罍、涡纹中柱盉、素面盘各 1，牛首尊 2。除盘已残破外，其余的都很完整。考古人员在清理过程中又发现了 6 件青铜器。共计 13 件。简报推断为商代中期遗存。专家检测了其中 2 件，熔化温度要求在 1000 度至 1150 度。商代中期青铜器饕餮纹大方鼎、饕餮纹大圆鼎的发现是不多的，涡纹中柱盉也是少见之物。特别是提梁卣和羊首罍，通身满饰精美的纹饰，这在商代中期青铜器装饰艺术上是一个大的突破，为商代晚期繁缛的铜器纹饰开了先河。

441.郑州北二七路新发现三座商墓

作　者：河南省文物研究所　杨育彬、郭培育
出　处：《文物》1983 年第 3 期

1982 年 11 月 7 日，在郑州北二七路东侧基建工程中，发现了商代文物。考古人员于 8 日至 23 日进行了考古发掘。发现了 3 座商代墓和其他一些遗迹，出土了铜器、玉器、石器、陶器等一批文物。简报分为：一、地层叠压关系，二、三座商墓，三、结语，共三个部分予以介绍，有照片、手绘图。

据介绍，一、二号墓未被破坏，墓下又有腰坑，像这样保存完好的商代铜器墓，在郑州过去的发掘中还为数不多。墓内出土的青铜器有鼎、斝、爵、觚，墓主人的身份当为奴隶主。三号墓为仰身直肢葬，无随葬品。简报指出，郑州北二七路3座商墓的发掘，为研究商代的青铜铸造工艺、玉石磨制工艺、社会生活和埋藏习俗等提供了新的资料。

442.郑州商代城内宫殿遗址区第一次发掘报告

作　者：河南省文物研究所　安金槐、杨育彬
出　处：《文物》1983年第4期

1955年秋，考古人员在郑州白家庄附近进行考古发掘时，揭露出1段商代二里岗期的夯土墙。1956年初，沿着这段夯土墙的走向进行考古钻探，几段夯土墙连接起来，构成1个周长约7公里的纵长方形夯土建筑遗迹，这就是著名的郑州商城遗址。商城内是今日郑州的居民区。在商代城址近郊，曾发现几处商代手工业作坊遗址。1973年夏到1978年春，在商城内东北部东西长约750米、南北宽约500米的范围内，又发现商代二里岗期夯土台基数十处之多，其面积小的100余平方米，大的2000多平方米。通过部分试掘，得知它们是与商代城墙大致同时修建的。五年来，在这个范围内共发掘出3座大型房基，其中1座（C8G10）带有柱窝；2座（C8G15、C8G16）规模较大。这种迹象证明它们是商代宫殿建筑遗存的一部分，而郑州商代城东北部一带，有很大的可能是宫殿遗址区。简报分为"前言""结语"等几个部分介绍这个区域的第一次发掘材料，有照片、手绘图。

据介绍，10号房基（C8G10）遗址位于郑州市东里路1号院内，靠近商代宫殿遗址区中部，因周边条件限制，未能展开发掘。16号房基（C8G16）遗址南北长38.4米，东西宽31.2米，是1座规模巨大的宫筑遗迹，原建筑可能也有较宽的回廊和重檐，也许就是"堂"一类的建筑。但由于中部、北部、东部破坏甚多，整体格局已无法复原。15号房基（C8G15）遗址位于城内东北部。郑州商代城内宫殿遗址的初步发掘说明，郑州商城是商代中期重要都邑。将郑州商城遗址与黄陂盘龙城遗址相对比，不论城墙的构筑、宫殿的格局、墓葬的习俗，还是出土铜器的形制、纹饰，陶器的种类、质地、造型、纹饰，以及玉器的磨制技术等方面，都有很多相似之处。这些共同点说明郑州商城与黄陂盘龙城的商代文化存在着密切的联系。黄陂盘龙城是商代中期长江中游一个方国的都邑，郑州商城有人认为是商王朝六迁国都中的"亳都"，也有的说是六迁国都中的"隞"，有待于考古发掘的进一步发现解决。

443.近年来郑州商代遗址发掘收获

作　者：河南省文物研究所郑州工作站　杨育彬、郭培育、曾晓敏
出　处：《中原文物》1984 年第 1 期

简报分为：一、黄河医院，二、东里路东端商代东城墙，三、省中医研究所，四、郑州变压器厂家属院，五、郑州市中级人民法院，六、德化街商业大楼，七、郑州市木材公司，八、其他考古发现，九、几点收获，共九个部分，介绍了与郑州商代城址有关的遗迹、遗物，有拓片、手绘图。

据介绍，这些发现地点大部分位于郑州商城城内，少量位于城外。尤其黄河医院、黄委会水文局商代夯土基址，增添了研究宫殿遗址区的新资料。而郑州变压器厂家属院发掘出的商代夯土建筑基址，是迄今郑州商代城内所发现最靠南的一处，可能也是城内重要的建筑遗迹之一，对了解郑州商代城内布局提供了新的线索。该遗址中还发现了一些少见的陶器器形、修补过的陶器及陶器上的刻划符号。郑州木材公司出土的一批石镰，其形制之大、数量之多也是少见的，为研究商代中期的农业生产又找到了一批实物资料。

444.郑州商代遗址发掘简报

作　者：郑州市博物馆　赵　清、郭书莹
出　处：《考古》1986 年第 4 期

1982 年 11 月至 1983 年 11 月，考古人员在配合城市基本建设过程中，先后在郑州北二七路黄泛区园艺场、郑州电力学校、经五路省保险公司和郑州十五中学 4 处，钻探出商代灰层或灰坑，分别进行了发掘清理。由于条件所限，发掘的范围和面积均受到不同程度的限制。此次共发掘出商代灰坑 22 个，灰沟 2 条，小型墓葬 2 座，水井 1 眼，还分别出土了一些生产工具和生活用具，补充了商代二里岗期文化的内容。简报分为：一、经五路的发掘，二、电力学校的发掘，三、北二七路的发掘，四、郑州第十五中学的发掘，五、结语，共五个部分予以介绍，有手绘图。

据介绍，经五路遗址在商城北墙外约 600 米处。电力学校在商城遗址内。北二七路位于商城西墙外。十五中学位于商城南墙外。简报推测商城四周六七百米范围内，有平民或奴隶居住区；北二七路发现有一处墓葬，这一带或有商代墓葬区。

445.郑州出土商代早期铅器座

作　者：杨国庆

出　处：《中原文物》1986 年第 4 期

1985 年 8 月，郑州西郊师家河农民在平整土地时挖出一铅质器座，同年送交河南省博物馆收藏。简报配以照片予以介绍。

据介绍，该器物整体略呈方形，平面为"凹"字形，高 21 厘米，正面宽 21.5 厘米，侧宽 18 厘米，重 8.5 公斤。器座正面饰单线饕餮纹，两侧饰相同的夔龙纹。线条松疏流散，当属商代早期之物。具体用途尚不能断定，有待进一步研究。铅器虽说早有发现，不过像商代早期用铅铸的较大型器座，在国内还是首次发现。它为研究我国古代铅的冶铸和使用提供了宝贵的实物资料。

446.巩县发现西周早期青铜鬲

作　者：陈立信

出　处：《中原文物》1986 年第 4 期

1984 年春，巩县城关小沟村居民崔宏志先生捐献西周早期铜鬲 1 件，是他不久前打窑洞时在窑洞门口上部挖出来的。简报配以照片、拓片予以介绍。

据介绍，该青铜鬲分裆柱足，鼓腹束颈，侈口尖唇，口沿上有对称的两个绹索竖耳，断面呈圆角方形。在两耳之间的一侧口沿内，有铭文 7 字"用作父辛宝尊彝"。出土时器外表锈蚀成铜绿色，但铜锈下为棕红色，底部灰烬甚厚，有明显的使用痕迹。通耳高 22.5 厘米，口径 18.8 厘米，重 1825 克。简报称，这是在郑州地区首次发现的西周早期带铭文青铜器。

447.河医二附院等处商代遗址发掘简报

作　者：郑州市文物工作队　赵　清

出　处：《中原文物》1986 年第 4 期

在郑州市内，京广铁路以东，分布着面积达 25 平方公里的商代遗址。遗址中部是周长 6960 米的郑州商城。经八路河南医学院第二附属医院、纬三路省委家属院、文化路二轻厅等处遗址，都在商城北部或西北部的数百米处。后两处文化层较差，有的只残存灰坑，河医二院的文化层较厚。简报分为：一、河医二附院的发掘，二、纬三路的发掘，三、文化路的发掘，共三个部分予以介绍，有照片、手绘图。

据介绍，河南医学院第二附属医院位于郑州经八路东侧，东南距商城西北角约500米。发掘出土残破房基地面1处，灰坑13个，灰沟3条，出土陶、石、骨、蚌等生活用具和生产工具50余件。纬三路的发掘地点在纬三路之北省委家属院内，南距商城北墙约700米。1984年3月13日至27日进行了发掘，共出土并复原商代陶器11件，另出土石器3件、骨器7件、蚌器1件。文化路的发掘地点位于文化路的河南省二轻厅在基建施工中，清理残破灰坑3个，残破小墓1座。简报称，这3处均是配合规模的小规模发掘，出土遗物不够丰富。然而，这些发掘对了解郑州商城之外的遗址分布与文化面貌是很有益处的。在纬三路的发掘中，发现有黄色或灰色淤土层；文化路发现一层厚达数米左右的黄色淤土层。这些对研究郑州商城的兴衰，也将是有帮助的。

448.郑州岔河商代遗址调查简报

作　者：郑州市文物工作队　陈立信
出　处：《考古》1988 年第 5 期

1986 年 8 月，郑州古荥供销社在收购废铜中，发现了古代残破铜器，在问清了这些古代残破铜器碎片是出土于岔河砖瓦窑场后，就通知了文物部门。考古人员得悉后，遂前往调查了解。简报配以手绘图介绍此次调查情况。

据介绍，岔河（又称西岔河）位于郑州市西北 25 公里处，村东南隅是西来之索河与南来之须水河交汇处（交汇后称索须河）。遗址即位于岔河村东北 200 米左右的索须河北岸，面积约 3 万平方米。遗址南端部分已被破坏。从断崖看，文化层堆积在三四米以上，断崖上暴露墓葬和灰坑等。出土遗物比较丰富，有铜、陶、石器等。

据介绍，岔河商代遗址灰层较厚，遗物也比较丰富，时代属商代前期（二里岗期）。以 3 个陶鼎足看，可能还会更早一些，出土的几件铜器，可能与商代墓有关。简报称，郑州西北是商代遗址分布比较密集的地区之一。在此范围内，已知面积较大的商代遗址就有石河、师家河、郑庄等 10 余处，都属于商代前期的文化遗址。和郑州商代城址时代相当。所以，这一地区商代遗址的调查和发掘，将对郑州商代城址的研究和夏商文化的探讨有着重要意义。

449.郑州市石佛乡发现商代青铜戈、刀

作　者：陈焕玉
出　处：《华夏考古》1988 年第 1 期

1980 年在郑州市郊区石佛乡，发现商代二里岗期的青铜戈、青铜刀各 1 件，同

时出土的还有 1 件铜器残片。简报配以拓片、手绘图予以介绍。

据介绍，出土的青铜戈、青铜刀造型比较精美，纹饰也很别致，简报推断为商代前期青铜器。

450.郑州市木材公司商代遗址发掘简报

作 者： 郑州市大河村遗址保管所　李昌韬
出 处：《华夏考古》1990 年第 4 期

1983 年元月，为配合郑州市木材公司基建，考古人员对所属范围进行了钻探和发掘。发掘点位于二里岗西端，北距郑州商城南墙约 1 公里，东邻时令河。清理商代灰坑 7 个、墓葬 6 座、灰沟 1 条、狗骨架 1 具。完整或能复原的陶器、石器、骨器、蚌器、铜器等共计 80 余件。简报分为：一、地层堆积，二、商代二里岗上层文化遗存，三、商代二里岗下层文化遗存，四、结语，共四个部分予以介绍，有手绘图。

据介绍，该遗址发现有商代墓葬 5 座，葬式和方向虽各不相同，但均为竖穴土坑墓，皆无葬具。除其中 M4 随葬 1 件骨匕外，余者均无随葬品。死者有男有女、有老有少，再参考以往此处的出土情况，可以推测这一带很可能是 1 处商代较大的平民墓葬区。此次出土的还有铜片、冶铜坩锅残片及 40 余件卜骨。简报称，这次发掘虽无重大发现，但仍为研究郑州二里岗商代遗址和郑州商城遗址提供了一些资料。

451.郑州商城外夯土墙基的调查与试掘

作 者： 河南省文物研究所　陈嘉祥、曾晓敏
出 处：《中原文物》1991 年第 1 期

确认郑州商城城址之前，1953 年，考古人员在郑州老城东南郊二里岗地下曾发现 1 段东西向的夯土遗迹。1986 年 6 月，在郑州商城西南方，一马路中段路东地区振兴商场建设工程中，地下也发现一段南北向的夯土遗迹。1986 年 11 月在郑州商城南城墙外，依据《郑州二里岗》一书中提供夯土的资料进行核对，于市木材公司货场南部找到了夯土，并顺其走向西南所经过的南仓西街南头、二轻局仓库进行调查，也都验证了夯土的存在，再向西南延伸通过烟厂街南端的陇海铁路闸口，至铁路以南国棉二地带，经过钻探调查，没有发现夯土遗迹；1986 年 6 月，在商城西城墙外振兴商场发现夯土之后，按照夯土南北走向的延伸线上进行调查，在以南的铁路一中动土工程中未发现夯土。以北到兴隆街、福寿街北段发现有夯土。1986 年、1987 年对郑州商城以南及以西发现的夯土进行试掘，为记述方便，将郑州商城南城墙外

夯土以 CS0W 为代号，郑州商城西城墙外夯土以 CW0W 为代号。简报分为：一、郑州商城外夯土墙基的发现，二、郑州商城外夯土墙基的试掘，三、郑州商城外夯土墙基的试掘，四、结语，共四个部分予以介绍，有照片、手绘图。

据介绍，发掘发现的夯土墙基应不晚于二里岗下层时期。简报又称，找到的夯土墙很可能有因不适用或由于其他临时变迁原因，未建成而放弃的现象，也可能是防护堤的遗迹。

452.荥阳县高村寺商代遗址调查简报

作　者：陈立信、马德峰
出　处：《华夏考古》1991 年第 3 期

1986 年 8 月 6 日，考古人员在荥阳县高村寺村瓦窑场发现了 1 处商代遗址，并采集了一些陶片。这次调查情况简报分为：一、遗址概况，二、出土遗物，三、小结，共三个部分予以介绍，有手绘图、照片。

据介绍，高村寺商代文化遗址位于荥阳县城北 15 公里的高村寺村南约 0.5 公里，枯河（古旃然河）北岸，峨嵋岭的南侧。遗址东西长 300 余米，南北宽约 150 米，已暴露的文化层厚度约 3 米。断崖上暴露的遗迹有墓葬和灰坑等。出土遗物有石器、骨器、陶器等。在荥阳高村寺遗址采集的遗物，与商代前期的同类器物有许多相同或相似之处，并且，在遗址中没有发现比二里岗上层晚的器物。因此，简报推断荥阳高村寺遗址应为商代前期文化遗存。简报称，它的发现为研究夏商文化提供了重要资料。

453.郑州市商代制陶遗址发掘简报

作　者：河南省文物研究所　裴明相
出　处：《华夏考古》1991 年第 4 期

郑州商代制陶遗址位于郑州市铭功路西侧第十四中学院内，南北长 800 米，东西宽 150 米。1955 年至 1956 年，为配合第十四中学的基建工程，在该遗址进行了发掘，发掘面积 1500 余平方米，发现有陶窑、房基、墓葬、灰坑、储陶器坑、白灰地坪（制作陶器场地）等遗迹，还有制陶工具、陶方框、漏斗形器及各类遗物数千件。简报分为：一、地层堆积及遗迹间的叠压打破关系，二、二里岗期下层文化遗迹，三、二里岗期中期文化遗迹，四、二里岗期上层文化遗迹，五、人民公园期文化层，六、结语，共六个部分予以介绍，有手绘图、照片。

郑州市铭功路二里岗期制陶遗址是 1 处重要的制陶作坊遗址。简报称，它的发现和发掘，为商代制陶业的工作程序——陶土的选择、陶泥的捣杵、陶坯的塑制、纹饰的翻印、陶窑的建造、陶坯的烧制等方面的研究提供了较系统和完整的资料；尤其是这处遗址的发掘，为商代二里岗期陶器的再分期找到了新的线索。

454.河南省新郑县新发现的商代铜器和玉器

作　者：赵炳焕、白秉乾
出　处：《中原文物》1992 年第 1 期

简报配以照片，介绍了新郑县文物保管所采集的一批商代铜器和玉器。

据介绍，这次发现的玉器共 5 件，均为新郑县望京楼出土，有璋 1 件，戈 2 件，钺 1 件，瑗 1 件。铜器有铜爵 9 件、铜罍 1 件、铜盘 1 件、铜斧 2 件、铜戈 3 件、铜矛 1 件。简报推断以上遗物多为商代二里岗期遗存。

455.巩义市坞罗河流域二里头文化、商、周文化遗存调查

作　者：巩义市文管所　刘洪淼
出　处：《中原文物》1992 年第 4 期

考古人员于 1991 年 10 月初至 11 月底，对巩义市境内坞罗河流域，包括其支流圣水河两岸进行了考古调查。除发现新石器时代遗址近 20 处外，也同时对坞罗河下游的稍柴二里头文化和商、周文化遗存作了调查。发现了清易镇的金山坡、西村的鏊坡、芝田的喂庄等处的商代遗存，以及南石、北石等处的周代遗存，采集陶、石、骨、蚌、角等不同质料的文物标本近百件。简报分为：一、二里头文化遗存，二、商代文化遗存，三、周代文化遗址，四、结语，共四个部分予以介绍，有照片、手绘图。

据介绍，二里头遗址位于巩义市西南 10 公里的稍柴村周围及小訾殿村附近，属二里头文化二、三、四期。商代文化遗存除调查发现金山坡、鏊坡两处商遗址外，在稍柴遗址也发现了商代文化层，并在龙谷堆、喂庄等新石器时代遗址，以及南石周代遗址的地面上也散见商代文化遗存。出土的商代角戈较罕见。但总的来说坞罗河流域商代遗存较少。坞罗河流域的周代文化遗存相当普遍，主要分布在中游、下游及其支流圣水河两岸。文化堆积层之厚，烧制陶器作坊遗址以及陶制输水管的发现，都表明周代的坞罗河流域，特别是下游地带，是一处物产丰富、人烟稠密的地方。

456.河南巩县稍柴遗址发掘报告

作　　者：河南省文物研究所　陈焕玉、罗桃香、王绍英、李淑珍
出　　处：《华夏考古》1993 年第 2 期

巩县位于黄河南岸，京广铁路以西。现属郑州市管辖。

稍柴遗址位于巩县芝田乡西稍柴村南、小訾殿村东 1.5 公里处，北面紧临伊洛河，坞罗河从遗址东南向西北流去汇入伊洛河。遗址即在坞罗河与伊洛河交汇的台地上，1959 年考古人员发现这处古城遗址，总面积约 100 万平方米。1960 年 4 月至 9 月，考古人员进行了试掘，发掘面积为 620 平方米。1963 年 10 月，进行了考古实习试掘，两次发掘面积共 690 平方米。清理房基 5 座、灰坑 45 个、墓葬 7 座。出土陶、石、骨、蚌等各类遗物 500 余件。

简报分为：一、地层堆积，二、第一期文化遗存，三、第二期文化遗存，四、第三期文化遗存，五、第四期文化遗存，六、结语，共六个部分予以介绍，有手绘图、照片。

据介绍，稍柴遗址面积较大，遗存也比较丰富。大致可分为四期。其中稍柴一、二、三期相当于二里头一、二、三期文化，稍柴四期相当于郑州二里岗上层文化。简报根据碳十四测定数据，认为稍柴的绝对年代当在公元前 20 世纪至前 17 世纪之间，均在夏王朝的纪年之内。简报称，稍柴遗址曾经是夏代先民生活、居住过的地方，也是探索夏文化应当关注的一处重要遗存。

457.河南密县黄寨遗址的发掘

作　　者：河南省文物研究所　樊温泉、赵新平、李卫东
出　　处：《华夏考古》1993 年第 3 期

黄寨遗址位于密县新县城东南 9 公里处，属来集乡黄寨村。1991 年春进行了抢救性发掘。发现二里头文化灰坑 8 个。

简报分为：一、前言，二、地层堆积与分期，三、第一期文化遗存，四、第二期早段文化遗存，五、第二期晚段文化遗存，六、结语，共六个部分予以介绍，有手绘图。

据介绍，该遗址一期相当于二里头一期或偏早。二期早段相当于二里头文化二期范畴。二期晚段相当于二里头二期偏晚。二期早段出土的卜骨，对探讨中国文字起源有一定价值。

458.郑州化工三厂考古发掘简报

作　者：河南省文物考古研究所郑州工作站　曾晓敏、宋国定、宋长安
出　处：《中原文物》1994 年第 2 期

1990 年 10 月，配合郑州化工三厂家属楼建设，考古人员对该基建区进行了抢救性发掘。简报分为"地层堆积与文化分期""结语"等六个部分予以介绍，有照片、手绘图。

据介绍，该区位于河南省郑州市商城路中段南侧、法院东街东段以北，属郑州商城东南部。商代前期，这里已是 1 处较繁华的聚居区，此次发掘发现有灰坑 2 个、水井 1 眼。出土的陶鬲、鬲形鼎、鬶足、簋、盆、罐形制独特，具有明显的早期特征，似应与先商文化的源流有关。它所代表的第 I 段应相当于先商文化的较晚阶段，略早于商代二里岗下层时期。商代文化期的第 II 段，其年代应相当于二里岗下层时期。

459.1995 年郑州小双桥遗址的发掘

作　者：河南省文物考古研究所、郑州大学文博学院考古系、南开大学历史系
　　　　博物馆学专业
出　处：《华夏考古》1996 年第 3 期

小双桥遗址位于河南省郑州市西北约 20 公里的石佛乡小双桥村西南部，因邻近小双桥村而得名。遗址分布于小双桥、岳岗、于庄 3 个自然村之间，1989 年发现并确定为商代遗址。1995 年进行了发掘。

简报分为：一、前言，二、文化堆积，三、文化遗迹，四、文化遗物，五、结语，共五个部分予以介绍，有手绘图。

据介绍，发现夯土建筑基址、祭祀坑、与冶铸青铜有关的遗存、灰坑、灰沟等文化遗迹及陶器、青铜礼器残片、石器、原始瓷器、绿松石及玉饰品、骨饰、牙饰、海贝币、孔雀石等一大批珍贵遗物，并发现有朱书文字。在小双桥遗址发掘的同时及其后，对岳岗西南地及"周勃墓"东北地进行了试掘，发现 4 个灰坑，出土不少陶、石、骨、铜等器。这些器物的特征和小双桥遗址中心区域出土器相近，但就器类讲，试掘区域和中心区域稍有差别，如试掘区内长方形穿孔石器及缸类器少见。简报推断，试掘区与中心区域的文化堆积年代一致，遗址中所处的位置及所起的作用有别。此次发掘，对研究商代早期商城以及夏商交替等均提供了线索。

460.郑州南关附近商代灰坑发掘简报

作　者：郑州市文物考古研究所　郝红星、张松林、汪　旭、陈　萍
出　处：《中原文物》1998 年第 2 期

　　郑州南关位于郑州市旧城南侧，北依郑州商城，东临二里岗，西靠京广铁路，南连陇海铁路，中部有熊耳河穿过。在南关附近的郑州市通用机械厂等地，均发现有二里岗文化时期的遗址。由于施工条件所限，仅清理了一些遗存单位。简报分为：一、郑州市通用机械厂灰坑，二、烟厂西街灰坑，三、亚细亚大楼工地灰坑，四、结语，共四个部分予以介绍，有照片、手绘图。

　　据介绍，郑州市通用机械厂位于陇海路东段、熊耳河南侧，北距商代城墙 300 米。1990 年 6 月，该厂三号家属楼施工中发现两个灰坑，编号 92ZLTH1，90ZLTH2。1992 年 8 月，考古人员在烟厂西街与南关街之间的三角地带发掘时，发现 1 个商代灰坑，编号 92ZLYH1。灰坑虽然不大，但出土多件完整器物。1987 年，亚细亚集团在二七广场东侧拆建旧房时，发现长方形灰坑 1 个。简报称，三处发掘虽无重大发现，但单位灰坑内出土如此众多的陶器和较多的完整器，通用机械厂出土大口尊、骨器上的刻划符号，对研究郑州二里岗期商文化均具有一定参考价值。

461.郑州南顺城街青铜器窖藏坑发掘简报

作　者：河南省文物考古研究所、郑州市文物考古研究所
出　处：《华夏考古》1998 年第 3 期

　　1996 年 2 月 6 日，郑州市中实房地产开发公司在郑州南顺城街西侧的民族食街 1 号楼工地施工过程中，发现了 1 个商代青铜器窖藏坑。民族食街 1 号楼位于郑州市西大街以南，南顺城街以西，西邻河南省武警总队医院，窖藏坑即位于郑州商城西城墙外侧约 40 米处。1996 年 2 月至 3 月进行了发掘。简报分为：一、窖藏坑的形制与结构，二、窖藏坑内的遗物，三、结语，共三个部分予以介绍，有手绘图。

　　据介绍，出土青铜器均为礼器，依用途又可分为食器、酒器和兵器等。另有陶器、蚌器等。此次发掘，对商城的研究提供了新的实物资料。

　　今有张巍主编《郑州商城研究》（河南人民出版社 2006 年版）、郑杰祥先生《郑州商城与早商文明》（科学出版社 2014 年版）、河南省文物考古研究院《郑州商城遗址考古研究》（大象出版社 2015 年版）等书，均可参阅。

462.河南郑州商城宫殿区夯土墙 1998 年的发掘

作　者：河南省文物考古研究所　曾晓敏、李素婷、宋国定
出　处：《考古》2000 年第 2 期

1998 年 3 月至 9 月，为配合"夏商周断代工程"考古课题科研工作，考古人员在水利部黄河水利委员会一号高层住宅楼基建工地进行了抢救性考古发掘，发现 1 段残长 24 米左右的夯土墙基槽及一些重要文化遗迹，出土遗物十分丰富。夯土墙遗存位于郑州市偏东部的东里路与顺河路之间、黄河水利委员会家属区中部，北距金水河 100 余米，属郑州商城东北部宫殿区的一部分。1985 年至 1986 年，在黄委会青年公寓大楼的西北部，曾发现一段东北—西南走向的夯土墙基，从其位置、形制、结构与方向等分析，与此次发掘的夯土墙基应为同一道夯土墙。简报分为：一、层位关系，二、文化遗迹，三、文化遗物，四、结语，共四个部分介绍与夯土墙基有关的地层关系、遗迹、遗物，有手绘图。

据介绍，经过 1998 年的发掘，简报认为打破夯土墙的两个灰坑 H56、H114 的出土物可能要早于二里岗下层，最晚可至二里岗下层偏早阶段 H9 的时期。另外值得注意的是，这两个灰坑打破的是夯土墙的基槽部分，H114 打破墙基的中部，表明在这个阶段这段城墙已完全废弃，否则这些灰坑就不可能坐落在墙基的中部。夯土墙下面发现的陶窑和较多的灰坑，说明夯土墙建造以前，这里已是 1 处具有相当规模的聚落遗址。从夯土墙打破遗迹中的出土物和打破夯土墙基遗迹的包含物分析，简报推断夯土墙基的始建年代不早于二里头文化第四期晚段，亦不晚于郑州二里岗下层一期，其建筑及使用时间应大体相当于二里岗下层的 H9 阶段。关于这段夯土墙基的性质，简报认为它不大可能是宫城的围护墙。

简报称，此次发掘，对了解郑州商城初期的文化面貌、遗址布局并进一步探讨郑州商城的性质及文化分期等提供了重要资料。

463.郑州市银基商贸城商代外夯土墙基发掘简报

作　者：郑州市文物考古研究所　姜　楠、陈　萍、汪　旭
出　处：《华夏考古》2000 年第 4 期

1994 年 11 月，考古人员在位于郑州市一马路以东、西三马路以北的银基商贸城，配合基建进行了考古发掘。发掘工作从 11 月 23 日开始，至 12 月 24 日结束。共发掘探方 4 个，发掘面积 706 平方米。清理商代外夯土墙基一段和数个商代灰坑，出土一批商代陶、石器，取得了较为丰富的成果。简报分为：一、地层堆积与夯

土墙基，二、文化遗存，三、结语，共三个部分介绍此次发掘的主要收获，有手绘图、拓片。

据介绍，商代外夯土墙基发现于 20 世纪 50 年代，考古人员多次在不同地段对外夯土墙进行过发掘。从其修筑方法和夯层、夯窝的特征分析，并参考已发表的资料，简报推断属于商代二里岗期。但限于发掘的资料限制，尚无法讨论此夯土墙基的具体年代，对其修筑年代和其废弃年代还不能作出明确的判断。值得注意的是，在外夯土墙基内侧约 10 米处发现商代二里岗期的堆积，其是否为当时修筑外夯土城墙时的取土处是应当引起注意的。同时，由于这些商代二里岗期遗存的发现，对进一步讨论郑州商城外夯土墙基的年代提供了较为重要的资料。

464.郑州市洼刘村西周早期墓葬（ZGW99M1）发掘简报

作　者：郑州市文物考古研究所　张松林、张文霞、姜　楠、刘彦峰等
出　处：《文物》2001 年第 6 期

1990 年 10 月下旬，洼刘遗址保护区内挖排污管道沟，发现西周早期青铜器，考古人员进行了抢救性发掘。经发掘清理，从排污管道沟挖毁的西周墓葬（编号 ZGW99M1）内出土了一批青铜礼器、兵器、车马饰、贝币等。简报分为：一、地理位置与遗址概况，二、ZGW99M1 的形制与随葬器物，三、几点认识，共三个部分予以介绍，有彩照、拓片、手绘图。

据介绍，洼刘遗址位于郑州市区西石佛乡洼刘村北。该墓为 1 棺 1 椁，出土大量青铜礼器等，年代简报推断为西周早期武王灭商后至成王时期。墓主应为大夫以下、元士以上的贵族。

简报认为，此次发掘的意义在于寻找古管国。郑州是商王朝的政治、经济、文化、军事重地。周灭殷后，周王朝十分重视这一地区，先后分封了东虢国、管国，还封有邻国、崇伯周、古密国、康叔国等。其中尤为重要的莫过于周灭商后，武王封其弟管叔鲜于管。封国后不久武王崩，管叔、蔡叔等疑周公有不臣夺国之心，遂共同谋反，管国旋灭。管国历史很短，然在西周初期的地位却极为重要。但文献关于管国封地的记述很少，仅载位于郑州。简报认为洼刘西周墓地发现的这些出有青铜器的墓葬就是西周早期管国贵族后裔的墓葬，为寻找这一地区西周时期的封国提供了重要线索。

465.郑州洼刘西周贵族墓出土青铜器

作　　者：郑州市文物考古研究所

出　　处：《中原文物》2001 年第 2 期

洼刘西周贵族墓葬位于郑州市洼刘遗址内，墓内随葬有一批珍贵文物。其中青铜礼器 10 余件，还有一批车马饰、蚌饰、贝币等。尤其是青铜礼器制作精美，造型奇特，在考古发掘中极少见到，是郑州地区近几年来西周考古的重要发现。简报配以照片、手绘图予以介绍。

据介绍，此西周贵族墓位于郑州市洼刘遗址东南中部，其上部在 20 世纪六七十年代砖厂取土和平整土地中被挖去一层，墓坑南部已被排污管道所毁，墓内随葬品多已被施工队擅自取出。墓为长方形竖穴土坑墓，出土的铜鼎、铜觚、铜盉等青铜器中，绝大部分器物的盖内顶部、底部、器外底部或鋬下铸有铭文或族徽等。铭文字数不多，主要为"陆作父丁宝尊彝"和族徽等。该墓的年代，简报推断为西周早期。

466.郑州商城北大街商代宫殿遗址的发掘与研究

作　　者：河南省文物考古研究所　曾晓敏、宋国定等

出　　处：《文物》2002 年第 3 期

1998 年 9 月至 1999 年 5 月，河南省文物考古研究所配合国家"夏商周断代工程"，在郑州市管城区北大街农业队居民住宅楼小区基建工地进行了大规模抢救性发掘，发现商代前期宫殿建筑基址多处，出土遗物十分丰富，在确定夏商分界和建立郑州商城宫殿区的年代学标尺方面取得重大突破。简报分为：一、地理位置及发掘经过，二、地层关系，三、重点遗迹介绍，四、出土遗物，五、结语，共五个部分予以介绍，有照片。

据介绍，发掘区位于郑州市东里路东段北侧、郑州商城的东北部，东距郑州商城东城墙约 200 米。北侧为黄河中心医院商代建筑基址和二里岗上层时期的蓄水池。东侧为商代石砌供水管道和商代宫殿城墙。南侧为东里路 38 号院发现的商代大型宫殿建筑基址、夯土水井等。西侧约 30 米远为在省文物考古研究所郑州工作站院内发现的宫殿遗址和商代人头骨壕沟等。考古发掘工作分二期进行（一期：1998 年 9 月至 11 月；二期：1999 年 3 月至 5 月），发掘面积 2600 余平方米。发现的商代宫殿遗址保存相对完好，出土遗物丰富。从时代上可作为夏、商分界的界标。

467.郑州市铭功路东商代遗址

作　者：郑州市文物考古研究所　姜　楠、丁兰坡、张松林等
出　处：《考古》2002 年第 9 期

　　在今郑州市人民公园一带，分布着丰富的商代文化遗存。20 世纪 50 年代初期，考古人员曾在此进行过发掘，并确立了郑州商代文化的"人民公园期"。1995 年 5 月，为配合郑州市九洲房屋开发公司的拆迁建设住宅小区工程，又在此进行了考古发掘。

　　发掘位置位于铭功路与西太康路交叉处的东北部，北与人民公园南围墙紧邻，园内靠围墙有 1 条沟渠。由于受场地条件的制约，仅发掘 8 米 ×8 米和 5 米 ×5 米的探方各 1 个。在发掘过程中，T1 又向南外扩 4 米，共揭露面积 120 多平方米。发掘工作从 5 月 11 日开始至 6 月 30 日结束。发现商代灰坑、壕沟和墓葬等遗迹并出土了较丰富的遗物。简报分为：一、地层堆积，二、商代文化遗存，三、结语，共三个部分介绍发掘收获，有手绘图、拓片。

　　据介绍，第一期的整体文化内涵，具有郑州商代文化比较早的特点；第二期整体上可归为商代二里岗上层；第三期文化遗存即郑州商城的"人民公园期"，其整体文化面貌与殷墟文化一致。另外，此次发现的 H3，出土遗物丰富，器类组合比较完整，大部分器物形态稳定，表现出总体文化面貌的一致性。

468.郑州市董寨遗址发掘简报

作　者：郑州市文物考古研究所　姜　楠、于宏伟、于宏彬
出　处：《华夏考古》2002 年第 3 期

　　董寨村位于郑州市西北部，陇海铁路以北，桐柏路以西。2000 年初，在配合郑州市中原区董寨村委会住宅楼工程中，于董寨村西北、郑州工程机械厂东南墙外 100 米处，发现西周时期灰坑 3 个，编号 00ZDH1 ～ H3，出土一批陶器。简报分为：一、遗迹，二、遗物，三、结语，共三个部分予以介绍，有手绘图。

　　据介绍，遗迹出土遗物基本为陶器，另有少量兽骨。陶质可分为夹砂陶和泥质陶。器型种类不多。简报推断为西周早期遗存。简报称，在郑州市西北郊，有多处大面积的商周时期遗址和西周早期贵族墓葬。据史料记载，郑州地区为西周早期封国管国封地，具体位置尚未确定。此次发掘为了解郑州地区西周时期文化面貌及管国地望的探讨，提供了珍贵的实物资料。

469.郑州商城新发现的几座商墓

作　者：河南省文物考古研究所　曾晓敏、宋国定、韩朝会等
出　处：《文物》2003 年第 4 期

　　郑州商城遗址自 20 世纪 50 年代发现以来，不断有新的考古发现。近年来陆续发现了一些商代墓葬，这些墓葬分布范围较广，有的墓葬出自城内和城内的宫殿区，有的位于西城墙处，还有的位于内外城之间的地带。其葬俗和随葬器物也都各有不同，简报配以彩照、手绘图，重点介绍了其中几座商墓的发掘情况。计有：97:ZSC8IIT143M1、97:ZSC8IIT166M6、2001:ZSC8IIT61M1、99:ZSDWT17M2、99:ZSCWT22M4、87:ZSC5M1。

　　据介绍，从目前掌握的资料，在郑州商代遗址范围内经过正式发掘和有随葬器物的商代墓葬有 50 余座，这些墓葬可分为以随葬青铜器为主的墓葬和以随葬陶器为主的墓葬两类。这次所发表的这几座商代墓葬中，5 座以随葬青铜器为主，1 座以随葬陶器为主。从其规模来看，2 座应属中型墓，4 座属小型墓。而这几座墓的特点也各有不同。其中 T166M6 的墓葬形制较大，应属 1 座中型贵族墓。这座墓葬的葬式较为特殊，首先是 3 人合葬，而且均为俯身葬，这是以往郑州商墓中所未见的。中间的男性全身遍涂朱砂，颈项处挂有产自海岛的海贝项饰，而且姿态较为舒展，应处于主要地位。北侧的女性两手向上，在其头部偏南放置 1 件铜鬲，应为从属地位。南侧的 1 具骨架应为 1 个十五六岁的青少年，所占位置较为狭窄，2 只手臂在头顶向上交叉，为被捆绑状，腰部有一堆骨镞和 1 件铜戈，简报判断应属陪葬者。

470.河南省新密市新砦遗址 2000 年发掘简报

作　者：北京大学古代文明研究中心、郑州市文物考古研究所　赵春青、张松林、
　　　　顾万发、王文华、李卫东等
出　处：《文物》2004 年第 3 期

　　2000 年 4 ～ 7 月，考古人员对新砦遗址进行了第 3 次发掘。简报分为：一、地层堆积，二、王湾三期文化遗存，三、新砦期文化遗存，四、二里头文化遗存，五、结语，共五个部分，配以照片、手绘图，介绍了 2000 年第三次发掘的情况。

　　据介绍，2000 年新砦遗址发掘的出土物表明，该遗址的文化遗存可分为王湾三期、新砦期和二里头早期三个阶段。龙山文化遗存有灰坑、陶器，可归入王湾三期。新砦期又可分前后两期，前期龙山文化遗风较浓，后期与二里头文化早期接近。二里头文化遗存应归入二里头文化一期或稍早。

简报指出，新砦期介于王湾三期文化晚期与二里头文化一期之间。二里头文化已经被大多数学者公认为夏文化，也有人主张二里头文化一至四期应是由"后羿代夏"开始形成的夏文化。那么，早于二里头文化一期的新砦期的上限，有可能提前到"后羿代夏"之前的夏代早期，从而使新砦期成为探索早期夏文化的重要对象。所以，本次发掘的新砦期文化为探索早期夏文化提供了新的重要资料。

471.河南荥阳大师姑遗址 2002 年度发掘简报

作　　者：郑州市文物考古研究所、荥阳市文物保护管理所　王文华、陈　萍、丁兰坡等

出　　处：《文物》2004 年第 11 期

大师姑遗址位于河南省荥阳市广武镇大师姑村和杨寨村南。北距黄河、西南距荥阳市区均为 13 公里，东南距郑州市区 22 公里。考古人员在郑州西北郊开展夏商周考古专题调查时，发现该遗址的夏、商文化遗存都很丰富，而且遗址面积较大，四至清楚。为了搞清遗址的准确范围，对遗址进行了初步钻探，在遗址的北、东、南三面都发现了环绕遗址的壕沟，东壕较直，北壕和南壕都通入今索河河道。同时在南壕的内侧发现有一段东西走向、与南壕平行的硬土。在索河西岸今杨寨村南的台地上，也发现了与河东岸相同的堆积。2002 年 10 月进行了发掘。简报分为：一、遗址概况及发掘经过，二、地层堆积，三、二里头文化城址，四、早商环壕，共四个部分予以介绍，有彩照、手绘图。

据介绍，2002 年 10 月，考古人员对该遗址进行了试掘，试掘面积 540 平方米。2003 年上半年又对其进行了重点钻探，证明大师姑遗址是一处二里头文化时期的城址。该遗址是我国迄今为止发现的唯一一座年代和文化性质都十分明确的夏代城址，结束了我国夏代考古"夏代无城"的历史。同时在夏代城址外侧发现的早商二里岗文化下层阶段的大型环壕，说明这里在早商时期仍是一处重要的聚落。

472.郑州商城外郭城的调查与试掘

作　　者：河南省文物考古研究所　袁广阔、曾晓敏、宋国定、贾连敏等

出　　处：《考古》2004 年第 3 期

1955 年，郑州商城内城发现后，考古界的主要目标集中在对郑州商城内城的研究上。外郭城此时虽然已经被发现，但真正认识和调查是从 20 世纪 80 年代中期开始的。1986 年 6 月，考古人员在郑州市一马路中段路东地区发现了 1 段南北向

的夯土遗迹，对夯土南北走向的延伸线进行调查，向南在现市木材公司货场南部找到了夯土，向北在现兴隆街、福寿街发现了夯土。1987 年，又对郑州商城以南及以西发现的夯土进行了试掘。1991～1992 年，在现三德里和花园新村发掘时，又发现了 1 段略呈西北—东南走向的拐角形夯土墙基，这里距郑州商城内城西南城角1100 多米。1993 年，在现福寿街西侧与兴隆街北侧的交汇处，发现商代外郭城西城墙从基建区中部呈南北向穿过。2000 年、2001 年，为配合现郑州紫荆山路拓宽改造工程，在现郑州南仓西街南段（后改为紫荆山南路）郑州商城外城南城墙以南，即现陇海铁路以北这一地段进行发掘，发现了 1 段城墙和护城河。2002 年，考古人员又对城西、东、北三面进行了考古钻探和发掘，证明了郑州商城的外郭城是商城的重要组成部分。简报分为：一、南墙的调查与试掘，二、西墙的钻探与试掘，三、北墙的钻探，四、东墙的调查，五、郭城北部的试掘，六、结语，共六个部分，以南、西、北、东墙的顺序，介绍 1986 年至 2002 年以来对城墙的考古调查与试掘情况，有手绘图等。

据介绍，1986 年至 2002 年，根据考古资料对郑州商城外郭城墙进行了全面的考古钻探，发现郑州商城的南、西部大多只剩下城墙基槽部分，北部只剩下护城河，东部有湖泊。通过分析夯土墙内出土的陶片和护城河的出土物，确定外郭城在二里岗下层时期已经建成。简报结语较简单。同期有"论郑州商城内城和外郭城的关系"一文，指出，郑州商城是 1 座拥有宫城、内城和外郭城的规模庞大的城址，其防御体系由郭城和护城河与东部湖泊内的大面积水域构成。郭城墙的走向是围绕内城依照地势而设计的，内城规划规整。二者的关系是唇齿相依，相辅相成。内城的兴建年代接近洛达庙期，郭城的年代接近或略早于二里岗下层一期，它是在内城发展的基础上建立的。

473.河南巩义市花地嘴遗址"新砦期"遗存

作　　者：郑州市文物考古研究所、北京大学考古文博学院　顾万发、张松林等
出　　处：《考古》2005 年第 6 期

花地嘴遗址位于河南省巩义市站街镇北瑶湾村南侧较为平坦的台地上，其东、南面为猴山等嵩山余脉，西面紧临伊洛河，北为断崖。遗址中现存"新砦期"遗存的面积约 30 万平方米，是在 1992 年对洛汭地区进行文物普查时发现的。据后来观察，调查时认定属龙山时代和二里头文化的陶器绝大多数非常近似"新砦期"器物，考古人员在 2001 年 6 月对该遗址进行了复查，结果证实了相关的判断。2001 年 9 月，考古人员清理了位于花地嘴遗址西段的温县—站街黄河桥工程取土区内发现的数个

灰坑。2003年3月至5月，为配合基本建设，又对该遗址进行了普探和小规模的试掘。2004年6月至8月，对该遗址进行正式发掘。经过数次发掘，一些重要的"新砦期"遗存相继被发现。简报分为：一、遗迹，二、遗物，三、花地嘴遗址发现"新砦期"遗存的意义，共三个部分予以介绍，有彩照、手绘图。

据介绍，经过勘探和发掘，共发现4条环壕、3个祭祀坑、10余座房址、数个灰坑及2座陶窑。祭祀坑主要位于遗址的西北部；房址在西北部也有发现，但主要集中在遗址的中、南部；灰坑主要集中在房址周围。遗物有石器、陶器、骨器、蚌器等。

关于这一发现的意义与价值，简报指出至少有以下几点：

一是一般所谓的"新砦期"是否需要分期，大家的看法也不一致，但是从花地嘴遗址中"新砦期"遗存的文化面貌看，将所谓的"新砦期"分为两期比较合适。

二是花地嘴遗址的"新砦期"遗存中存在明显的关中、晋中南甚至东方龙山文化因素，这一重要的发现一方面有助于探讨二里头文化的起源问题，另一方面也有助于说明"新砦二期早段"肯定早于二里头文化一期。再者，这一发现也非常有助于确定学术界多年来语焉不详的西、北周边地区有关文化相对于中原地区二里头文化而言的确切考古学年代。

三是《史记·夏本纪》等文献中都有与"五子之歌"这一夏代早期历史事件有关的记载，有学者在有关文章中也曾将位于洛汭地带的花地嘴遗址"新砦期"遗存与之联系，从2003年至2004年度在该遗址发现的重要遗迹、遗物及相关材料来看，这是很有可能的。

474.河南新密市新砦城址中心区发现大型浅穴式建筑

作　者：中国社会科学院考古研究所、郑州市文物考古研究所　赵春青、张松林、张家强、张巧燕、钱立森、魏新民等

出　处：《考古》2006年第1期

新砦城址的中心区位于遗址的西南部，这里是整个遗址海拔最高的地方，东、北三面被内壕所围，系新砦城址的"内城"。2002年发现的位于遗址中心区的"大型建筑"，经2003年、2004年的持续发掘和2005年春季的解剖，目前已基本可以肯定是一处新砦期晚段的、多次使用的大型浅穴式露天活动场所。其规模之宏大，居同时期同类建筑之首。它的发现对于探索新砦城址中心区的建筑布局、判定新砦遗址的性质、研究华夏文明的起源均具有十分重的意义。

据介绍，这一大型建筑的年代已经确定。这一建筑建造、使用于新砦期晚段，

废弃于二里头文化早期。

简报称，这一大型建筑不仅边缘部位不见柱洞，而且在主体范围内也没有柱洞，这说明这个浅穴式大型遗迹原本就没有承重的柱子，很可能原来就是1处大型的露天活动场所。

这一大型建筑位置重要，规模宏大，建造得颇为讲究，并非普通建筑。关于这一大型建筑的性质，或可联系古籍中关于"坎"和"墠"的记载，坎、墠均为祭祀之处。新砦遗址中心区发现的这座浅穴式大型建筑位于整个遗址的最高处，其浅穴式的形成，总体正符合"高而入于下"的"坎"的特征。联系到在这一大型建筑附近发现有同时期的整猪骨架和盛放较多兽骨的小灰坑，或许说明这一大型建筑遗迹的确与坎、墠之类的祭祀遗迹有关。

475.河南登封市王城岗遗址 2002、2004 年发掘简报

作　者：北京大学考古文博学院、河南省文物考古研究所　方燕明、刘　绪等
出　处：《考古》2006 年第 9 期

王城岗遗址位于河南省嵩山南麓的登封市告成镇西部。王城岗遗址发现于 1977 年，经过近 5 年（1977～1981 年）的考古工作，发现了属于龙山文化晚期和二里头文化的遗存，引起夏商周断代工程的关注。2002 年、2004 年再次发掘，发现了 1 座面积在 30 万平方米的龙山文化晚期大城址，这是目前在河南发现的最大的龙山文化城址。龙山文化晚期的遗迹还有祭祀坑、灰坑等。出土遗物有陶器、石器、骨器等，以陶器为主。王城岗大城的发现，为早期夏文化研究和禹都阳城的确认提供了重要资料。简报分为：一、前言，二、遗址分区与布局，三、地层堆积，四、分期，五、遗迹，六、遗物，七、结语，共七个部分予以介绍，有彩照、手绘图。

在同一期发表的《登封王城岗城址的年代及相关问题探讨》一文，指出大城和城壕的年代初步推断为龙山文化晚期。王城岗小城可能为"鲧作城"，而王城岗大城可能即是"禹都阳城"。

476.河南登封南洼遗址 2004 年春试掘简报

作　者：郑州大学历史学院考古系、郑州市文物考古研究所　韩国河、张继华、
　　　　许俊平
出　处：《中原文物》2006 年第 3 期

南洼遗址隶属河南省登封市君召乡南洼村，南临郑洛公路，向北约 1 千米即为

君召乡政府所在地,面积约 30 万平方米,现为登封市文物保护单位。20 世纪六七十年代已受到一定破坏。2004 年 3 月至 6 月,考古人员进行了调查、勘探与试掘。简报分为:一、地层堆积,二、遗迹,三、遗物,四、结语,共四个部分予以介绍,有手绘图。

据介绍,发现了 1 处二里头文化聚落。该聚落发现有灰沟、水井、灰坑和墓地等,出土了较为丰富的白陶遗存。其中,网坠形白陶器为首次发现,另有白陶鬶、爵、盉等。时代从二里头一期偏晚至二里头二期、三期。这些为深入探讨二里头文化聚落形态提供了重要资料。

477.郑州商城宫殿区商代板瓦发掘简报

作　者:河南省文物考古研究所　宋国定、曾晓敏、韩朝会
出　处:《华夏考古》2007 年第 3 期

1986 年以来在郑州商城宫殿区三个地点的考古发掘中曾多次发现弧形板状陶器残片。简报分为:一、引言,二、2000 年河南中医学院家属院的发掘,三、1997 年郑州丝钉厂的发掘,四、1996 年河南省文物考古研究所郑州工作站发现的板瓦,共计四个部分予以介绍。

郑州商城是商代早期一处重要的王都遗址。郑州商城的宫殿区位于内城中部偏北,面积超过郑州商城内城面积的三分之一,先后发现了数十处成组排列且结构复杂的大型商代夯土建筑基址,有的夯土基址面上,还保存有墙基槽和成排的柱洞、柱础石等。1986 年以来在宫殿区 3 个地点的考古发掘中曾多次发现弧形板状陶器残片。从形制看与两周时期的板瓦雷同。随着材料的不断增多,简报大胆推测认为这类遗物极有可能就是早期的建筑材料——板瓦。商代板瓦的发现,是中国建筑史研究上的重要突破,它将我国使用瓦的历史从西周时期提早到了距今 3500 年前后的商代早期晚段。

478.河南荥阳市薛村遗址 2005 年度发掘简报

作　者:河南省文物考古研究所
出：处:《华夏考古》2007 年第 3 期

薛村遗址位于河南省荥阳市王村乡薛村村北。1987 年发现,2005 年发掘。为一小型聚落,有大量的灰坑,另有少量祭祀坑、窖穴、水井、陶窑、房子、墓葬等。时代简报断为二里头文化晚期到二里岗文化时期。简报称,此次发掘对了解夏、商两种势力的兴衰等问题,有一定价值。

479.河南荥阳市关帝庙遗址商代晚期遗存发掘简报

作　　者：河南省文物考古研究所　李素婷、李一丕、丁新功、牛慧珍、侯彦峰等
出　　处：《考古》2008 年第 7 期

关帝庙遗址位于河南省荥阳市豫龙镇关帝庙村西南部。为配合南水北调中线工程的建设，2006 年 7 月至 2008 年 12 月，对关帝庙遗址进行了连续的大规模发掘，发掘区集中在遗址中、北部东段的引水渠线规划范围内。在该遗址发现仰韶文化晚期、商代晚期，以及西周、东周、汉代、唐代、宋代、清代等不同时期的文化遗存，尤其以商代晚期遗存最为丰富。简报分为：一、地层堆积，二、文化遗迹，三、出土遗物，四、结语，共四个部分，先行介绍了商代晚期文化遗存的发掘情况，有彩照、手绘图。

据介绍，该遗址的商代晚期遗存年代以殷墟第二期为主，包括众多房址、灰坑、灰沟、水井、陶窑、祭祀坑、墓葬等遗迹，出土大量遗物。该遗址是一处保存较完整的商代晚期聚落，存在明确的功能分区。

简报指出，荥阳关帝庙遗址是在黄河南岸地区完整揭露的一处商代晚期聚落遗址，该遗址功能齐全，并经过比较具体的规划。居址、墓葬区、手工业作坊址、祭祀区等布局清晰，表明了聚落内部区域之间功能的差异。陶窑遍布。该聚落主体外有围沟，兼具居住区、祭祀区、墓葬区及多座零散分布的陶窑作坊，功能完备。大部分商代晚期遗存均分布在围沟以内，此围沟的宽度、深度都不大，不具备防御的功能。很可能是一条用来区分某种活动区域的界沟。保存完整的商代晚期陶窑在目前考古发现中并不多见，男女并置于一穴的商代晚期合葬墓也较为少见。该遗址对于研究商代晚期聚落的功能分区、布局以及当时生活状况、宗教习俗、村社组织及管理、人们依托地理环境对村社的规划思维、房屋建筑结构、陶窑结构及陶器烧造过程、手工业的分工及形式、墓葬制度等都具有重要的意义。对地质地貌、动物、植物、人骨、石制品以及各类测试土样等考古信息的全面采集，也有助深入开展聚落考古、古代环境复原、生业、人类行为等学术课题的综合研究。

480.河南荥阳娘娘寨城址西周墓葬发掘简报

作　　者：郑州市文物考古研究院　张家强等
出　　处：《文物》2009 年第 9 期

娘娘寨城址位于荥阳市豫龙镇寨杨村西北，西南距荥阳市 4 公里，东南距郑州市 18 公里。2004 年 8 月，考古人员在此发现两周时期城址。简报分为：一、墓葬形

制，二、随葬器物，三、结语，共三个部分予以介绍，有彩照、手绘图。

据介绍，该城址分为内城和外城，面积近100万平方米。外城以西为该城址的墓地，已发现墓葬近500座。已发掘的西周时期19座墓葬，均为小型长方形竖穴土坑墓，部分有殉狗的腰坑。随葬器物普遍较少，主要有陶扁、豆、罐等。唯一座墓葬（M13）随葬器物较多，有玉璜、玦、冲牙及玛瑙串珠等。娘娘寨城址是郑州地区迄今能够确认的首座西周时期城址，19座墓葬的时代从西周早期延续至西周晚期，为研究中原地区西周时期的文化、族属等提供了重要资料。

481.河南新密市新砦遗址2002年发掘简报

作　者：中国社会科学院考古研究所河南新砦队、郑州市文物考古研究院　赵春青、张松林、顾万发、谢　肃、钱立森等

出　处：《考古》2009年第2期

河南新密市新砦遗址已经1979年、1999年及2000年三次发掘。自2002年起，新砦遗址的发掘研究工作被列为"中华文明探源工程"预研究和第一阶段研究聚落课题组的子课题，由中国社会科学院考古研究所河南新砦队和郑州市文物考古研究院共同承担。简报分为：一、工作缘起，二、地层关系，三、遗迹，四、出土遗物，五、结语，共五个部分予以介绍，有彩照、手绘图。

据介绍，遗存为龙山文化晚期和新砦期。遗迹主要为灰坑，遗物以陶器为主，还有石器、骨器等。此次发掘确认遗址各区有可能是同步发展的同1个大聚落，而非相互分离的4个小聚落。各区的多组地层关系也再次表明，龙山文化晚期早于新砦期，新砦期又可分为早、晚两段。

482.河南新密市新砦遗址东城墙发掘简报

作　者：中国社会科学院考古研究所河南新砦队、郑州市文物考古研究院　赵春青、张松林、谢　肃、张家强、魏新民等

出　处：《考古》2009年第2期

新砦遗址的城墙与壕沟发现于2002年春季，2003年秋开始发掘。整座新砦城址均掩埋在今地表以下，平面形状基本呈圆角长方形，南以双洎河为自然屏障，现存东、北、西3面城墙及靠近城墙下部的壕沟（护城河）。东墙南半部已被双洎河故河道冲毁，现存南北长160米，高4米，未到底部；北墙东西长924米，高5～6米；西墙及其护城河的南端抵达双洎河的北岸，现存现北长470米，墙高2.5米。残存城墙墙

体宽度通常在 9 米以上，护城河宽 10 余米至数十米不等。简报分为：一、地层堆积与城墙结构，二、出土遗物，三、结语，共三个部分，先行介绍东城墙发掘情况。有彩照、手绘图。

据介绍，龙山文化时期将原已存在的自然沟填平修建城墙，外侧扩建护城河。新砦期早段，修整龙山晚期城墙，并在此基础上夯筑早段城墙。新砦期晚段，城墙向外扩展并得以新建，同时向外扩建了新的护城河。新砦期晚段的城墙和护城河毁于二里头文化时期。

简报指出，除了城墙和护城河以外，新砦遗址还发现了外壕和内壕。按照复原面积计算，新砦城墙内面积约为 70 万平方米。如果将外壕与城墙之间的占地面积也计算在内，新砦城址的总面积将达到 100 万平方米左右。新砦城址是目前发现的河南内面积最大的龙山文化和新砦时期城址，它的发现对于研究中原地区中国古代文明的起源与形成具有重要意义。

483.河南新密市新砦遗址浅穴式大型建筑基址的发掘

作　者：中国社会科学院考古研究所河南新砦队、郑州市文物考古研究院　赵春青、张松林、谢　肃、黄卫东、张巧燕等
出　处：《考古》2009 年第 2 期

2002 年春，考古发现了浅穴式大型建筑。简报分为：一、发掘方法与过程，二、地层关系，三、基址的形成与建筑程序，四、其他遗迹，五、出土遗物，六、结语，共六个部分予以介绍，有彩照、手绘图。

据介绍，基址位于遗址内城的中部，平面呈条形，东西现存长 99.2 米。基址墙壁和内部均未发现承重柱留下的柱洞和隔墙之类的遗迹，活动面上遗留有层状的砂质土层。这说明基址可能是 1 座露天的浅穴式建筑，推测或许与文献记载的"埠"或"坎"这类的活动场所有关。

484.郑州市老坟岗商代遗址发掘简报

作　者：郑州市文物考古研究所　姜　楠、吴　傅、李根枝
出　处：《中原文物》2009 年第 4 期

2008 年 8 月至 12 月，考古人员在郑州市老坟岗区域发掘了 1 处仰韶文化—商代遗址。其中发掘的商代遗存中有文化层、灰坑和 1 段郑州商城的外夯土墙基。出土遗物数量不多，但种类较为丰富，时代为商代二里岗期，多数属于二里岗下层较早阶。

在一些陶器的特征上可以看出有商文化辉卫型、盘龙城型等文化因素。发现的夯土墙基为了解郑州商城外夯土墙的分布与走向提供了新的材料。简报分为：一、文化堆积，二、商代文化遗存，三、夯土墙基，四、结语，共四个部分予以介绍，有照片、手绘图。

据介绍，老坟岗区域2002年就由郑州市文物考古研究院做过小规模发掘，首次发现有仰韶文化遗址，且发现了1段夯土墙基。2008年因旧城改造而进行的发掘，包含了前次的发掘范围。发现最丰富的仍是仰韶文化遗存，遗迹、遗物丰富。商代遗存遭后期破坏严重，堆积不丰富。夯土墙的建造、走向等问题还有待进一步的发掘解决。

485.河南登封南洼遗址殷墟文化遗存发掘简报

作　　者：郑州大学历史学院考古系、郑州市文物考古研究院　韩国河、朱　津
出　　处：《中原文物》2011年第5期

2004年至2006年，考古人员对登封南洼遗址进行了全面的调查、勘探和发掘，清理了大量的二里头时期至金元时期的遗迹，其中殷墟文化的遗存有房址3座、墓葬12座、灰坑87座、陶窑1座，出土了较为丰富的遗物，对研究殷墟文化的分布和内涵提供了新资料。简报分为：一、遗迹，二、遗物，三、结语，共三个部分予以介绍，有手绘图。

据介绍，殷墟时期的遗物可分为陶器、石器、骨器。陶器有鬲、簋、盆、豆、小口罐、瓮、甗、盘、钵、碗等，另外还有陶纺轮。石器有石刀、石凿、石斧、石锛、石纺轮等。骨器有骨锥、骨簪、卜骨等。仅陶鬲就有133件。这些遗存，大多属殷墟二期，但也有自己的一些特征。

486.一件精美的晚商铜爵

作　　者：郑州市博物馆　谢　婷
出　　处：《中原文物》2011年第5期

2011年，于郑州商城遗址外东面某地，荥阳王某替别人拾取骨骸（迁坟）时，在近现代墓旁得到1件色泽淡雅、品相俱佳的青铜爵，尾、流长14.1厘米，宽8.5厘米，通高16.7厘米；口近圆，流长而窄，尾短而宽，流、尾上翘；是商晚期青铜爵中难得的精品。简报配以照片予以介绍。

据王某讲，铜爵出土于4米深的黄沙土中，旁边有骨骸，手一捏即成粉状。

由此推知，此爵应为商代晚期墓葬的随葬品，当不止 1 件。铜爵是酒器，也是商代贵族墓葬最常见的器物之一。晚商时期殷人尚酒，随葬铜器以爵、觚为核心；周人灭商后禁酒，才逐渐形成随葬铜器以鼎簋为核心的"重食组合"。根据考古资料，在黄河以南的河南省境内发现的商代晚期青铜爵并不少，但多集中在信阳等地，郑州地区发现的屈指可数。能够在郑州早商都城东部的中牟境内，出土做工上乘的贵族用器，实属不易。它至少表明，在商代政治中心迁移安阳之后，商王在郑州的统治力量并非真空，仍有一些贵族驻节故都郑地附近，替商王镇守着都畿的南大门。

487.登封南洼 2004 ~ 2006 年二里头文化聚落发掘简报

作　者：郑州大学历史学院考古系、郑州市文物考古研究院　张继华、韩国河、朱君孝

出　处：《中原文物》2011 年第 6 期

2004 年 3 月至 2006 年 12 月，考古人员对河南登封南洼遗址进行了全面的调查、勘探和发掘，清理了大量的二里头时期至金元时期的遗迹，其中二里头文化的遗存最为丰富，有壕沟 2 条、墓葬 13 座、灰坑 700 余座、水井 3 处、陶窑 7 座，出土了大量的遗物，其中有较为丰富的白陶遗存。这些对研究二里头文化的聚落形态提供了重要资料。简报分为：一、遗迹，二、遗物，三、结语，共三个部分予以介绍，有手绘图。

据介绍，南洼遗址出土有丰富的遗物。从功能来看，包括生产工具、生活用具和饰品等。从质地来看，有石器、骨角器、蚌器、陶器和少量铜器等。其中发现的白陶器有爵、盉、鬶、罐、铃形器和项饰等。简报认为这些白陶器有可能用来与外界交流。

488.河南荥阳市官庄遗址西区发掘简报

作　者：郑州大学历史学院考古系　韩国河、朱　津等

出　处：《考古》2013 年第 3 期

荥阳官庄遗址位于河南省荥阳市高村乡官庄村西，地处平原地带，索须河从遗址南部自西向东流过。遗址地势平坦，中部比周围稍高，面积超过 100 万平方米。该遗址在第一次全国文物普查时已经发现。2009 年，为配合荥阳国家基建工程，曾对该遗址进行了小规模的发掘。2010 年 11 月，为配合南水北调中线工程的建设，对

该遗址进行了考古勘探与发掘。这次发掘的区域位于遗址的西南部，清理出大量西周晚期至春秋中期的遗存，发现灰坑、墓葬、陶窑等。出土有陶器、石器、骨器、蚌器、铜器等，以陶器为最多。

简报分为：一、地层堆积，二、遗迹，三、遗物，四、结语，共四个部分进行介绍，有彩照和手绘图。

简报称，官庄遗址的时代是从西周晚期持续至春秋中期，但从数量上看，西周晚期至春秋早期是该遗址的繁盛时期，春秋中期已开始没落，且该时期的文化面貌有了很大的改变。据官庄遗址东区的发掘情况和目前的钻探资料，遗址可能存在内、外三重城壕，该遗址应是 1 座具有一定规模的城址。

此遗址考古详报由河南省文物局编著，16 开精装一册，书名为《荥阳官庄遗址》，2015 年已由科学出版社出版。

489.河南荥阳市官庄遗址西周遗存发掘简报

作　　者：郑州大学历史学院考古系、河南省文物局南水北调文物保护办公室
　　　　　陈朝云、刘亚玲

出　　处：《考古》2014 年第 8 期

河南荥阳官庄遗址于 1981 年第一次全国文物普查时发现。2004 年 8 月，为配合南水北调中线干渠工程建设，考古人员对其进行了复查和试掘。2009 年 8 月，为配合国电荥阳电厂基建工程，又在遗址中北部进行了小规模发掘。2010 年 10 月至 2011 年 1 月，为配合南水北调中线干渠工程建设，对该遗址干渠占压部分进行了抢救性发掘。此次发掘发现了两周、汉唐及清代等时期的遗迹和遗物，以西周时期的遗迹分布最广泛且出土遗物丰富，有灰坑、墓葬、房址、环壕、灰沟等，其中墓葬多分布于环壕以内。西周文化遗存简报分为：一、地层堆积，二、遗迹，三、出土遗物，四、结语，共四个部分予以介绍，有彩照、手绘图。

据介绍，墓葬分布较为散乱，似乎没有经过统一规划。随葬品较少，简报认为应是平民墓。从整体情况看，简报推断官庄遗址西周遗存的相对年代大体在西周晚期，但也不排除有些遗存的年代晚至春秋早期的可能。据出土材料，简报初步推定其始建年代不晚于西周晚期，最终淤平年代不早于春秋晚期，后来发掘材料表明，其最终的填平年代或可晚至战国早期。

简报称，官庄遗址是继娘娘寨遗址之后在郑州西部地区发现的两周时期的又一大型聚落，对研究该地区两周时期考古学文化和聚落布局以及一些重要历史问题皆具有一定意义。

490.荥阳娘娘寨遗址二里头文化遗存发掘简报

作　者：郑州市文物考古研究院、河南省文物管理局南水北调文物保护办公室
　　　　张家强、鲍颖建等
出　处：《中原文物》2014 年第 1 期

娘娘寨遗址位于荥阳市豫龙镇寨杨村西北。2005 年 4 月至 2010 年 1 月，为配合南水北调中线工程的建设，对遗址进行了考古发掘。简报分为：一、二里头文化遗存，二、水井，三、灰坑，四、结语，共四个部分予以介绍，有彩图、手绘图。

据介绍，这次勘探与发掘，共发掘面积 15000 余平方米，发现一批二里头文化时期的水井、灰坑等遗迹，同时出土一批陶、石、骨器等。

简报称，荥阳娘娘寨遗址主要是一座两周时期的城址，二里头文化遗存的发现，说明先民们早在二里头文化时期便于此地活动。此外，它的发现还丰富了对距此仅 5 公里左右的荥阳大师姑二里头文化城址性质与地位的认识。这次发掘为夏文化研究提供了新资料，也对探讨该遗址与荥阳大师姑二里头文化城址的关系有所帮助。

今有许宏、袁靖先生主编的《二里头考古六十年》（中国社会科学出版社 2019 年版）一书，可参阅。

开封市

491.介绍一件商代青铜钺

作　者：赵文玺
出　处：《中原文物》1988 年第 4 期

开封文物商店于 1972 年收购了一件巨型青铜钺。后经多次了解调查，该钺是早年在河南新郑县城北望京楼附近 1 座古墓中出土的。简报配图予以介绍。

据介绍，该钺呈梯形，方内，平肩，两肩各有近似长方形的小穿孔作为穿绳系柄而用，两侧斜直，刃部平直。器体饰镂空饕餮纹，纹饰四边有 11 个连接点，铸造工艺精湛。根据该钺体质较薄、纹饰古朴和同墓出土器物看，它与偃师二里头、郑州二里岗期文化，都有许多类似因素，因此该钺的时代应早于郑州二里岗上层，晚于偃师二里头三期。简报指出，这是我国目前发现商代最早的青铜钺，对研究商代的青铜器增添了新的珍贵实物资料。

492.河南杞县朱岗遗址试掘报告

作　者：郑州大学考古专业、开封市博物馆、杞县文物保管所　雷兴山、余新宏、
　　　　　刘春迎

出　处：《华夏考古》1992 年第 1 期

　　杞县位于豫东西部，由于历史时期河、济泛滥，这一带的古文化遗址也屡遭湮没，淤土广厚，曾长期被视为无古可考或有古难觅之地，以往尚未进行过任何早期遗址的发掘工作。1989 年 9 月至 11 月，考古人员在杞县县城西南 6 公里的段岗遗址进行了正式考古发掘时，也调查了朱岗遗址，对该遗址进行了抢救性发掘。

　　据介绍，朱岗遗址为距今 3700 ~ 3600 年的二里头文化遗址。简报称，朱岗遗址二里头文化的发现，部分地填补了该地区考古学文化的空白，使我们了解到在陇海铁路沿线，该文化的东向发展曾达杞县一带。这对于了解二里头文化的分布范围不失为重要资料。

　　简报认为，朱岗二里头文化遗存的发现，对探索夏时期夏夷商三族文化的关系等一系列学术课题，也具有一定的重要意义。

493.河南杞县牛角岗遗址试掘报告

作　者：郑州大学历史系考古专业、开封市博物馆考古部、杞县文物保管所

出　处：《华夏考古》1994 年第 2 期

　　包括杞县在内的豫东西部地区，是著名的黄泛区，淤沙沉沉，有古难觅，以往未曾进行过早期古文化遗址的发掘工作。自 1988 年冬开始，考古人员在杞县、通许、尉氏诸县多次进行了田野考察，并于 1989 年秋冬首次在杞县境内进行了正式发掘与试掘清理工作。杞县乃商周杞国属地，《禹贡》豫州之域，今开封市辖区。其地东距商丘约 90 公里，西距郑州约 120 公里，北依黄河，南近涡水，惠济河通贯其境，古文化遗址多分布在被称为"岗"的高台之上，牛角岗遗址即其一。简报分为：一、遗址概况和发掘方法，二、地层关系，三、文化遗迹，共三个部分予以介绍，有手绘图。

　　据介绍，牛角岗遗址位于杞县西南约 12 公里的高阳乡牛角岗村北，原高于现今地表约 2.5 米。此次试掘清理灰坑 17 个，遗物有其自身特色，属周文化、商文化交汇地区。

洛阳市

494.洛阳东郊西周墓发掘简报

作　者：傅永魁

出　处：《考古》1959 年第 4 期

该墓发现于洛阳东郊郑州铁路局钢铁厂工地。简报配以照片予以介绍。

据介绍，该墓为一长方竖井墓。出土铜器、陶器、玉器、石器共 20 余件。铜器包括铜甗 1 件、铜鼎 2 件、铜尊 2 件、铜簋 1 件、铜觚 1 件、铜觯 1 件、铜爵 2 件、铜戈 1 件、铜斧 1 件，有的有铭文。

又，据《文物》1962 年第 1 期，1960 年年初，洛阳市区开始文物普查工作时，在收集到的许多历史文物中间，发现一件非常珍贵的铜方彝。

据介绍，这件铜方彝是在洛阳马坡村南出土的，与"矢令方彝"的形式大小差不多。通体以回纹为底，饕餮纹为主体，底部附有两组夔凤纹，盖和器角均有棱脊突起，盖纽纹饰布局谨严，刻划精致。器身和盖内有相同的铭文各 1 组，每组 12 字。从器形及铭文看来，简报推断这件铜方彝应属于西周时期遗物。现陈列在洛阳市博物馆内。

495.1958 年洛阳东干沟遗址发掘简报

作　者：考古研究所洛阳发掘队

出　处：《考古》1959 年第 10 期

1958 年秋，考古人员在洛阳东干沟村东约 50 米处进行了大面积发掘，简报分为四个部分予以介绍。

据介绍，发现灰坑 40 座、瓮棺葬 1 座、陶窑 1 座。出土有石器、陶器、骨器等。简报推断为商代遗存。

496.河南偃师县灰咀商遗址的调查

作　者：河南省文化局文物工作队　刘胡兰小队

出　处：《考古》1961 年第 2 期

灰咀村位于偃师县南约 20 公里，遗址在灰咀西侧约 0.5 公里。1959 年 5 月，考古人员在灰咀进行了考古发掘工作。同时，又对该遗址的周围环境进行了详细的调查。并发现 1 处面积约 25000 平方米的商代文化遗址。在遗址中发现很多制作石器的石料、石器和半成品，同时还有为数不少的陶片。调查中所采集的标本简报配以照片予以介绍。

据介绍，遗址的地表散布着许多陶片，能看出器形的不多，有罐、鼎、盆、瓮、簋、缸、尊、器盖、大口器、甑和研磨器。而陶器的纹饰，有绳纹、附加堆纹、方格纹和条纹，其中以绳纹为最多。从这些陶器的形制和纹饰看，都很接近郑州上街商遗物，没有晚期的，因此，简报推断这个遗址的时代应属于商代。同时，发现的石材很多，而陶器较少，说明这里当年可能为加工石器的场所。

497.1959 年河南偃师二里头试掘简报

作　者：中国科学院考古研究所洛阳发掘队

出　处：《考古》1961 年第 2 期

二里头位于偃师县城西偏南 9 公里处，洛河从村北流过，遗址在村南。此次试掘共清理出房基 1 座、灰坑 38 个、墓葬 12 座。简报分为：一、地层与分期，二、文化遗迹，三、文化遗物，四、墓葬，五、结语，共五个部分，有照片、手绘图。

据介绍，此次找到了从龙山晚期到商代早期的三层文化堆积。早期与常见的河南龙山文化还不能衔接，尚有缺环。中期虽尚留有若干龙山文化因素，但基本上已接近商文化。晚期则已确定无疑为商文化。

498.河南偃师商代和西周遗址调查简报

作　者：中国科学院考古研究所洛阳发掘队　赵芝荃、高天麟

出　处：《考古》1963 年第 13 期

偃师县与洛阳市同位于洛阳平原。平原四面环山，境内有伊、洛、瀍、涧四水。伊河以南是 1962 年的主要调查地区。这里地势平坦，从富山北麓流下来的小河颇多，小河两岸有许多二里头类型、商代和西周遗址。二里头类型遗址计有 8 处，偃师的程氏沟、砦湾、夏后寺、高崖、灰咀、沙沟、孙家湾和巩县的稍柴；商代二里岗期遗址有偃师的高崖、西口孜、滑城和巩县的赵城、稍柴 5 处；商代晚期遗址有偃师的盆窑 1 处；西周遗址有偃师的苗湾、西口孜、夏后寺、孙家湾与巩县赵城 5 处。共 19 处。简报分为：一、"二里头类型"遗址，二、商代晚期遗址，三、西周遗址，四、小结，共四个部分予以介绍，有手绘图。

据介绍，二里头类型遗址有稍柴、灰咀、高崖、程氏沟、夏后寺、孙家湾、砦湾、沙沟、西口孜、赵城、滑城村等，均为仰韶、龙山文化系统遗存。商代晚期遗址为盆窑，西周遗址有 5 处，均较小。可见"二里头类型"为偃师及周边地区主要遗存。洛阳平原相传是夏人活动区域，相传为太康、仲康、夏桀和商汤的建都之地。"二里头类型"遗址是早于商代二里岗期和晚于河南龙山文化的一种文化遗存。"二里头类型"文化又有早晚之分，其与夏和商的关系还有待于继续作深入的探讨。

499.河南偃师二里头遗址发掘简报

作　者：中国科学院考古研究所洛阳发掘队　方国生
出　处：《考古》1965 年第 5 期

偃师二里头遗址位于洛阳平原的东部，偃师县西南 9 公里的二里头村南。北面紧邻洛河，南面距伊河 5 公里，东、西两面是较低的平地。遗址所在地势平坦而较高亢。面积东西约有 2.5 公里，南北约有 1.5 公里。遗址是 1957 年冬季发现的，1959 年夏天徐旭生先生等作过调查，指出这里有可能是商汤的都城西亳，始引起学术界的注意与重视。同年秋季，河南省文化局文物工作队和中国科学院考古研究所洛阳发掘队都分别在此进行过试掘。考古所洛阳队从 1960 年至 1964 年春季共作了 8 次正式发掘。简报分为"引言""遗址的地层堆积情况""遗迹""结语"，共四个部分予以介绍，有照片。

据介绍，1960 年在遗址的中部，钻探出一片面积约有 10000 平方米的夯土台基，通过发掘工作，已经能够肯定它是 1 处宫殿的基址。二里头遗址范围广大，遗存十分丰富，从出土有大量的刀、镰、铲等农业生产工具来看，当以农业经济为主。陶器上有 24 种刻划记号，不知是否为原始文字。卜骨大都有灼痕，无孔，个别有凿，较原始。遗址中酒器的大量存在，也是农业生产发展的一个标志。随着农业经济的发展，牛、羊、马、猪等家畜饲养业也很繁盛。捕鱼和狩猎（出土有鹿骨、鹿角等），也是一种辅助性的生产。同时，手工业生产相应地也有了发展和分工，如铸铜手工业、制骨手工业、纺织手工业、编织手工业和制陶手工业等。交通和贸易方面这时也有了发展，如遗址中出土的玉、贝和绿松石等物，非本地所产，应该是通过交换和贸易得来的。其他属于上层建筑部分的文化艺术，这时也都有了杰出的创造和发展。

简报指出，位于遗址中部的宏伟宫殿建筑，是大量被奴役者的血汗与智慧凝结成的。发现的 48 座墓葬，其随葬品多寡不一。有的墓中殉人绑着双手被活埋，说明其时应已进入奴隶制时代。二里头类型遗址的相对年代，上限晚于河南龙山文化，下限早于郑州二里岗期的商文化。简报认为，此处是商汤都城西亳的可能性很大。

500.洛阳庞家沟五座西周墓的清理

作　　者：洛阳博物馆
出　　处：《文物》1972 年第 10 期

庞家沟西周墓地，位于洛阳老城北 1 公里的瀍河西岸。庞家沟村纵贯墓地的中部，将其分为东西两区。墓葬分布密集，面积约 25000 平方米，但百分之九十以上在 1949 年前被盗掘，墓里的遗物多被洗劫一空。考古人员从 1964 年 4 月开始，清理了西周墓 300 余座。由于破坏严重，遗物很少。简报分为：一、墓葬形制，二、随葬器物，三、关于墓葬的年代，四、几个问题，共四个部分，配以手绘图等，先行从 300 余座墓葬中选择 5 座出土有一定数量的西周瓷器的墓葬予以介绍。

据介绍，这 5 座西周墓都是长方形土圹竖穴墓，出土有铜器、瓷器、蚌饰等。M1、M202、M54 三墓均为西周早期墓，M139 的年代上限为西周早期，下限不会晚于西周中期。M410 的年代下限也不会晚于西周晚期。墓中出土的原始瓷器值得重视。M410 出土的漆器，上有镶嵌，也值得注意。

501.洛阳北瑶西周墓清理记

作　　者：洛阳博物馆
出　　处：《考古》1972 年第 2 期

1971 年 5 月，洛阳博物馆清理了 1 座西周墓。该墓位于洛阳旧城东北 1 公里许，北瑶村南、瀍河西岸的陇海线上，与 1964 年开始发掘的庞家沟西周墓群相隔仅三四百米。简报配以拓片予以介绍。

据介绍，这是 1 座长方形土圹竖穴墓，墓室中间有 1 木椁，已朽，仅存灰痕。椁内有人骨架 1 具，已朽成粉末，葬式为仰身直肢。随葬器物除人骨架枕骨后有 1 件玉饰、嘴内含贝 12 枚外，其他器物均有秩序地排列在椁内北端。计有：铜鼎 1 件、铜簋 1 件、铜卣 1 件、铜尊 1 件、铜罍 1 件、铜觚 1 件、铜爵 2 件、铜觯 1 件，以及铜锛、陶罐、蚌饰等。随葬铜器中饮酒器占了大多数，正是反映了殷末周初奴隶主贵族酗酒的风气。7 件有铭文的铜器中，卣、尊、罍、觚、爵 5 件铭文相同，而且质地一样，花纹简约，当是同时铸成的。铭文中的"登"可能是这座墓的墓主人姓名。

根据上面的分析，简报推断该墓的年代应属西周前期。

502.河南偃师二里头早商宫殿遗址发掘简报

作　者：中国科学院考古研究所二里头工作队
出　处：《考古》1974 年第 4 期

河南偃师二里头遗址，是中国科学院考古研究所的重点发掘地点之一。二里头遗址自 1959 年春季发现以来，至 1964 年春季先后发掘 9 次。1972 年秋季和 1973 年春秋两季，在过去工作的基础上，又进行了 3 次发掘，得到一些新的收获。简报分为：一、宫殿基址，二、地层、灰坑和墓葬，三、文化遗物，四、结语，共四个部分予以介绍，有照片。

据介绍，1960 年通过发掘已经可以肯定找到 1 处宫殿基址。此外在宫殿基址的周围还发现有相当数量的房基、窖穴、灰坑、水井、窑址，以及铸铜陶范、坩锅碎片、石料、骨料等。由此看来，二里头遗址已具有古代早期都邑的规模，而不是一般的自然村落。1964 年以前，发掘了宫殿基址的东南部，揭露面积约 6000 平方米，在基址表面发现 1 段墙基、数十块柱础石和柱子洞。现又发现基址中部有殿堂、四周有廊庑、南部有大门的痕迹。宫殿基址为 1 座大型的夯土台基，整体略呈正方形，仅东北部凹进一块。台基东西长约 108 米，南北宽约 100 米，方向 352 度。台基面已被毁掉，下部保存完整。现存台面平整，高出当时地面约 80 厘米，上面有成排成行的柱子洞和完整的墙基，局部的柱子洞和墙基稍有破坏。宫殿建筑的形制、结构、层次和时代等问题基本上清楚了。时代简报推断为早商时期。

503.河南偃师二里头遗址三、八区发掘简报

作　者：中国科学院考古研究所二里头工作队
出　处：《考古》1975 年第 5 期

1972 年 10 月，偃师县翠镇公社圪垱头大队农民上交一批玉器。这批玉器是1967 年农民在村北、西距二里头早商宫殿基址约 500 米的地方挖建砖瓦窑时发现的，玉器出土时全部被裹在朱砂里面，距现地面深 2 米余。圪垱头村附近曾多次发现玉器，其中有刀、戈、圭、琮、镶嵌绿松石的铜容器等，器物出土时也是裹在朱砂里面。1973 年 3 月平整土地时，在二里头早商宫殿基址西北面约 150 米的地方又发现一件铜爵。1973 年春，考古人员在圪垱头村北砖瓦窑附近，即考古发掘第三工作区和出土铜爵的第八工作区进行了发掘。在第三工作区发现房基 9 座、灰坑11 座、墓葬 3 座、石南路 1 段和陶、骨、蚌器等。在第八工作区清理灰坑 2 座、墓葬 1 座。此外，在第三工作区进行铲探，探得夯土基址 3 座。1973 年秋季，又

在宫殿基址东北 200 米附近地方进行铲探，探得夯土基址 3 座。简报配以手绘图予以介绍。

据介绍，本次发掘房基 9 座，铲探发现夯土基址 6 座，共计 15 座。发掘的房基，一组在坨垱头村北砖瓦窑的东北侧，一组在砖瓦窑以东。时代为二里头文化二期。其中有规模较大和建筑讲究的房基，还出土有青铜酒器、玉器等。

504.偃师二里头遗址新发现的铜器和玉器

作　者：中国科学院考古研究所二里头工作队
出　处：《考古》1976 年第 4 期

1975 年秋，考古人员在河南偃师二里头发掘了 1 个土坑（编号 75YLVIK3，简称 K3），清理了 2 个被盗过的土坑（编号为 K4、K5），发现了一批铜器、玉器等文物，此外还采集到铜戈 1 把。这批文物的数量、质量及其价值都较高，简报配以手绘图、照片予以介绍。

据介绍，K3 位于早商宫殿遗址北面约 550 米处，为 1 个南北长 2.3 米、东西宽 1.26 米的大坑，发掘过程中在附近又发现 1 个南北长 1.7 米、东西宽 0.74 米的小坑。简报认为大坑是墓穴，小坑是棺室，很可能是奴隶主的墓坑。简报判定时代属二里头第三期，即与早商宫殿遗址同时。出土遗物有铜戚、铜戈、铜爵等铜器，玉戈、玉铲形器、玉钺等玉器，陶盉、圆陶片等陶器及石磬、骨串珠、绿松石、贝等计 21 件，均较精美。北京玉器厂的老艺人认为，它的玉器制作水平跟现代差不多，代表了当时制玉工艺的最高水平，推断当时已有铜制的圆形旋转工具，否则不能加工出如此精细流利的花纹来。石磬是研究中国音乐史的重要实物。遗址中镶嵌圆铜器上包裹的四种布中，除最细者未确定性质外，其余都是麻布。它们也是我国现已发现的年代最早的纺织品实物之一。K3 中出土贝 12 枚，当是早商时期的货币。这些都可以反映出当时社会生产、交换和社会生活等方面一些情况。

505.洛阳矬李遗址试掘简报

作　者：洛阳博物馆　隋裕仁
出　处：《考古》1978 年第 1 期

矬李遗址位于洛阳市南郊约 12 万公里的古城公社矬李大队，遗址区是 1 处南北约 700 米、东西约 500 米的台地，矬李村就坐落在遗址上。遗址表层保存不好，根据地形，台地从下至上可分三层：第一层多仰韶文化遗存；第二层多河南龙山文化遗存；第三层多二里头类型文化遗存。考古人员对该遗址进行过多次的调查，并于 1975 年冬和次年春先后两次在村北第二层和第三层台地上开挖了三条探沟（编号 T1—T3）进行试掘。

两次试掘情况简报分为：一、地层堆积与文化分期，二、第一期文化遗存，三、第二期文化遗存，四、第三期文化遗存，五、第四期文化遗存，六、第五期文化遗存，七、结束语，共七个部分予以介绍，有手绘图。

据介绍，通过这次试掘，简报认识到矬李遗址的文化堆积与临汝煤山遗址的文化堆积大致相同，它再次证实了二里头类型文化是由河南龙山文化发展来的。同时也弄清了矬李遗址的文化堆积是由仰韶文化到河南龙山文化再到二里头类型文化，三者是连续发展的。矬李遗址面积大、文化层丰富。其中第三、四、五期是其主要文化堆积。据中国科学院考古研究所实验室放射性碳素测定年代：矬李遗址第四期为公元前 1695±130 年（树轮校正年代为公元前 2010±145 年），与二里头遗址第一期的绝对年代相近。因此，简报认为洛阳矬李遗址的进一步发掘可能为解决夏文化补充宝贵的科学资料。

506.洛阳东马沟二里头类型墓葬

作　者：洛阳博物馆　方孝廉
出　处：《考古》1978 年第 1 期

东马沟村位于洛阳市老城西南约 10 公里的秦岭（亦名周山）北麓，东距孙旗屯村约 1.5 公里。该遗址位于村东北约 1 公里的台地上，遗址东西长约 200 米，是 1 处面积较大的二里头类型遗址的墓葬区。1966 年 1 月，洛阳市因修建排水工程由西向东通过墓葬区，发现有墓葬和大量的灰坑，考古人员前往配合清理，经过 20 多天的工作，在墓葬区东西长 100 米、南北宽约 10 米的范围内清理出墓葬、灰坑和房基等遗迹。

墓葬部分简报分为：一、墓葬形制，二、随葬品，三、采集器物，四、结语，共四个部分予以介绍，有手绘图、照片。

据介绍，这些墓葬均属小型墓，用木棺作葬具，随葬品中不见炊具。酒器较多，器物造型美观、制作精致，这说明在当时饮酒已相当普遍。从随葬陶器的形制考察，简报推断东马沟遗址的墓葬与二里头遗址第二期年代相当。

简报称，东马沟遗址的发掘为探索夏文化增添了新的资料。

507.二里头遗址出土的铜器和玉器

作　者：偃师县文化馆
出　处：《考古》1978 年第 4 期

1975 年夏，偃师县翟镇公社四角楼大队农民，在大队部南约 20 米二里头遗址附近，发现青铜器和玉器。简报配以手绘图、照片予以介绍。

据介绍，器物有：铜爵 1 件，玉钺 1 件，玉立刀、七孔玉刀、柄形玉饰各 1 件。其他还采集有圆陶片，直径 2.8 厘米，一面带有朱砂棒，红痕迹；小绿松石数十个，有的雕成小动物，或为装饰品。

简报称，这些器物可能出自墓葬，估计这一带还会有墓葬遗存。

有学者认为，二里头玉器制造并不发达，更未形成等级制的用玉制度。

508.洛阳北窑村西周遗址 1974 年度发掘简报

作　者：洛阳博物馆　徐治亚
出　处：《文物》1981 年第 7 期

1973 年秋，为配合洛阳铁路中学的基建工程，考古人员清理了一批西周墓葬。墓葬填土中发现了破碎的铸铜陶范。经调查，这里是 1 处重要的西周遗址。遗址位于北窑村外西南，东傍瀍水，西及孟洛公路，北倚邙山，南距洛阳老城东关一公里，于同年冬开始发掘，至 1974 年夏结束，共开探方 11 个，面积 800 平方米。

关于此次发掘收获，简报分为：一、文化堆积和年代分期，二、遗迹和文化遗物，三、结语，共三个部分予以介绍，有手绘图、照片。

据介绍，该遗址有唐代和东周文化堆积，简报从略。西周遗迹包括房址、窖穴（灰坑）、墓葬和祭祀坑等。出土陶器 4 件、铜器 10 件、铅器 2 件、玉石器 32 件。简报认为，附近西周贵族墓出土的铜器是这里青铜器作坊的产品，而且推断这里作坊是在西周王朝直接控制之下的。

简报称，北窑遗址是我国迄今发现的 1 处规模最大、包含物最丰富的西周青铜器作坊遗址。北窑遗址的发现和发掘为进一步了解洛阳地区西周文化面貌、探索西周青铜器工艺发展提供了重要资料。

509.伊川白元遗址发掘简报

作　者：洛阳地区文物处　郭引强、宁景通
出　处：《中原文物》1982 年第 3 期

白元遗址位于伊川县城西南约 7 公里伊河东岸的台地上。遗址面积南北约 500 米、东西 400 余米，大部分被现在白元村所压。1979 年 4 月至 8 月，为配合农田基本建设，考古人员先后两次对该遗址进行发掘，发掘面积 200 余平方米。共发现灰坑 37 个，房基 4 座，墓葬 12 座，并获得了一批石器、骨器、陶器等文化遗物。简报分为：一、地层堆积与分期，二、出土遗物，共两个部分予以介绍，有手绘图。

据介绍，白元遗址遗存大致可分四期：一期属河南龙山文化晚期，二期属二里头文化一期，三期属二里头文化二期，四期属二里岗期。简报称，通过对白元遗址的发掘，进一步证明了河南龙山文化与二里头文化的前后发展关系。一二期之间虽然变化较大，但通过甗、罐等主要遗物的变化仍可看出，二期是在一期的基础上发展起来的。

简报指出，白元遗址位于伊河沿岸，正处于史书记载的夏人活动区域，因此，白元遗址的发掘，将为探索夏文化提供一份重要资料。

510.河南洛阳吉利东杨村遗址

作　者：洛阳市文物工作队　隋裕仁
出　处：《考古》1983 年第 2 期

东杨村遗址位于洛阳吉利公社东杨村南，它北倚太行山支脉（当地人称之为北邙山），南距黄河约 3 公里。这一带地势北高南低，整个遗址被冲积土所覆盖。经铲探，在遗址附近发现 1 条故河道，由东向西又拐向南，遗址正坐落在河弯处，总面积约 160000 平方米。东杨村遗址是 1978 年发现的，为了弄清该遗址的文化内涵，当年秋季和转年春季，考古人员在遗址的西部和南部进行了小型发掘。简报配以手绘图予以介绍。

据介绍，东杨村遗址可分四期，一期相当于河南龙山文化中期；二期相当于河南龙山文化晚期；三期属于二里头文化二期；四期应属二里头文化四期。简报称，东杨村第三期地层中发现的一排墓葬，其葬式虽有仰身和俯身之别，但他们的墓穴形制和随葬品无明显差别，反映了死者生前的社会地位基本相同。为探讨俯身葬的身份问题，提供了重要的材料。

简报指出，河南洛阳吉利东杨村遗址的发掘，不但使我们对于这一地区的河南龙山文化有了进一步的认识，而且也填补了二里头文化在这一地区考古上的空白。对于探讨夏文化及有关问题，提供了重要的实物资料。

511.河南偃师二里头二号宫殿遗址

作　者：中国社会科学院考古研究所二里头队　赵芝荃、郑　光
出　处：《考古》1983 年第 3 期

　　二号宫殿遗址位于二里头遗址的中部，西南距第一号宫殿遗址约 150 米（简报见《考古》1974 年第 4 期）。二号宫殿遗址的发掘工作从 1977 年 10 月开始，到 1978 年底结束。简报配以手绘图予以介绍。

　　据介绍，二号宫殿遗址是包括廊庑、大门、中心殿堂、大墓的一组建筑。全组呈长方形，东西约 57.5 ~ 58 米，南北以东墙计长 72.8 米。遗址的四边包括北墙、东墙、东廊，西墙、西廊，南面为复廊和大门。北墙与三面廊围成一个广庭。广庭中央偏北是中心殿堂，中心殿堂与北墙之间有一大墓。

　　简报称，二里头二号宫殿遗址是继一号宫殿遗址之后，又一重要发现。它在建筑方法上与一号宫殿有许多相似之处，如宫殿基址、廊子及部分墙的做法，柱子的立法等基本是相同的。它的规模不如一号宫殿遗址，形制、结构也有相异之处，最主要的不同是，二号宫殿遗址北部有一与之同时的大墓。大墓规模与殷墟妇好墓相当。它在整个建筑中所处的地位，它们之间有无主从关系，二号宫殿遗址是否属宗庙之类的建筑，都是值得思考的。此外，二号宫殿遗址还有不少一号宫殿遗址所没有的建筑设施，如其东、西、北三面较大型夯筑的墙，其南面带东西塾和穿堂的庑式大门，宫殿内地下水道设施，墙槽内置横木作连接柱础的做法，都加深了我们的认识。这不仅在考古学上，而且在建筑史上都是十分重要的。

　　简报最后指出，此次发掘，或许会促使我们重新思考夏、商之间的界限。目前学界一般认为，这里就是夏王朝最后的都城——斟鄩所在地。

512.1980 年秋河南偃师二里头遗址发掘简报

作　者：中国社会科学院考古研究所二里头队　杨国忠、刘忠伏
出　处：《考古》1983 年第 3 期

　　1980 年秋季考古人员在河南偃师二里头遗址Ⅲ区发掘建筑遗址，同时在Ⅲ区及Ⅴ区清理墓葬 3 座。发现房基 1 座、石子路面 1 段、灰坑 6 个、水井 1 口、墓葬 6 座。简报分为：一、文化层堆积和遗迹，二、墓葬，三、小结，共三个部分，配以拓片、手绘图，先行介绍了Ⅵ区发掘材料和Ⅲ、Ⅴ区墓葬（80YLⅢ M2、4、80YLVM3）情况。

夏商西周卷
Xia Shang Xi Zhou Juan

据介绍，在Ⅲ区、Ⅴ区、Ⅵ区共发掘墓葬9座。其中ⅢM2、ⅢM4、VM33座墓形制较大，除分别出有漆棺、铜器、玉器外，随葬品也较丰富。墓主人身份当较高。Ⅵ区的6座均为形制较小、随葬陶器的墓。其他如半地穴房基（ⅥF1），契刻鱼形的骨片（或为文字），两种形式的铜刀，Ⅱ式铜爵，漆器，特别是雕花漆器，还有玉器。其中有些遗物的形制以前还没有发现过。有的墓随葬器物的组合和腰坑，比较少见。

513.1975～1979年洛阳北窑西周铸铜遗址的发掘

作　者：洛阳市文物工作队
出　处：《考古》1983年第5期

洛阳西周铸铜遗址位于洛阳东北郊北窑村的西南，洛阳火车东站正北约200米的地方。遗址自1973年发现并试掘之后，1974年冬1975年春又经过全面的钻探，探明遗址范围东西长约700米，南北宽约300米，估计面积可达10余万平方米。自1975年下半年开始，考古人员又陆续在此进行了发掘，至1979年为止共发掘面积2500平方米。

简报分为：一、地层关系，二、遗迹，三、遗物，四、结束语，共四个部分予以介绍，有手绘图。

据介绍，该铸铜遗址大概始于西周初年而毁于穆王、恭王以后，也就是说，洛阳北窑西周铸铜遗址是西周前期的青铜器铸造作坊遗存。洛阳北窑西周铸铜遗址范围大，出土遗物丰富，很可能是当时西周宗室的铸造作坊。

简报指出，洛阳北窑西周铸铜遗址的发现，是继郑州南关外商代铸铜遗址、安阳苗圃北地殷代铸铜遗址和山西候马东周铸铜遗址之后的又一重大发现；该遗址的发掘将为研究我国西周前期青铜铸造工艺提供极为珍贵的实物资料，从而丰富对我国古代青铜铸造业的认识。

比如据分析，当时熔炉温度一般达到1200℃～1250℃左右，若无鼓风设备似乎难以达到。而鼓风口的发现表明用于冶炼的鼓风设备"橐"至迟在西周时期就已出现，因而可证史书记载的"具炉橐、橐以牛皮""伎童女童男三百人鼓橐装炭"等文献记载是客观的历史事实，是完全可靠、可信的。此外，遗址中出土的卜甲（骨）以及许多非正常死亡的人葬和兽坑，则表明在每逢开炉浇铸之前很可能存在有占卜和人祭、牲祭之类的宗教祭祀活动。

· 349 ·

514.1981 年河南偃师二里头墓葬发掘简报

作　者：中国社会科学院考古研究所二里头工作队　杨国忠

出　处：《考古》1984 年第 1 期

1981 年考古队在二里头遗址 V 区发掘夯土基址的同时，于圪垱头村西北公坟旁，清理了 6 座墓葬。其中 M1 和 M2 是春季清理的；M3、M4、M5、M6 是秋季清理的。M1 与 M2 位于夯土基址南面；M3、M4、M5 三座位于夯土基址的北面，M6 位于夯土基址东面约 50 ～ 60 米处。位于夯土基址南的 M1，墓穴大部分被盗扰。M6 是农民挖菜窖时发现的，随后考古人员进行了清理。简报配以手绘图予以介绍。

据介绍，随葬品共 29 件。其中铜器 2 件、玉器 3 件、绿松石管饰 2 件、绿松石串珠 87 枚、陶器 17 件、骨笄 1 件和圆陶片 4 件。二里头遗址 V 区清理的六座中、小型墓，其中的 M4、M5、M6 略较 M1、M2、M3 大些。M3、M4、M5 三座墓自东向西分别排列在夯土基址的北面。距夯土基址很近，只有十几米。根据地层叠压关系及随葬品分析，M4、M5 属二里头三期偏晚，M1、M3 则属二里头三期，M6 属二里头四期或更晚。M2 合葬墓的骨骼保存最完整，可能是母子合葬，这是二里头遗址历年发掘的墓葬中罕见的。

515.偃师商城的初步勘探和发掘

作　者：中国社会科学院考古研究所洛阳汉魏故城工作队　段鹏琦、杜玉生、
　　　　　肖淮雁

出　处：《考古》1984 年第 6 期

1983 年春，考古人员勘察河南省偃师县城西一项西藏建设工程拟选厂区的地下文物。勘察中，在城关公社大槐树村西南发现 1 座古城址的西北角，探出该城部分北城墙和西城墙，并在城内探到大面积商代地层堆积，据此，对该城的时代和学术价值作出了大略的估计。4 月 22 日开始，共用了 1 个月左右的时间。通过考古钻探和小型发掘，取得了必要的科学资料，从而使又 1 座大型商代城址在湮没数千年后得以重新面世。简报分为三个部分予以介绍，有手绘图、照片、拓片。

据介绍，偃师商城地处城关公社大槐树村与洛河之间，南北对应的塔庄村和偃师化肥厂适居城址南北两端，偃（师）登（封）公路、偃（师）洛（阳）公路纵横穿过城址，在城址中部偏北处成丁字形连接。考古队通过钻探和发掘，基本查清了偃师商城的范围、形制，摸到了城内建筑布局的大致情形，并从地层堆积和出土文物两个方面找到了足以证明其为商代城址的可靠证据。根据现有勘察资料，简报认为，

偃师商城始建年代的确定虽然有待于南部城区的全面考察和发掘，但有理由断定，商文化的二里岗期当是该城历史上的兴盛时期之一；在与二里岗上层相当的某段时间里，城墙曾作过修补；该城废弃的年代，约相当于二里岗上层晚期或更迟一些的时期。因此，简报推断偃师商城是商代前期的城址。

516.偃师二里头遗址 1980～1981 年Ⅲ区发掘简报

作　者：中国社会科学院考古研究所二里头工作队　郑　光、张国柱
出　处：《考古》1984 年第 7 期

1980 年秋至 1981 年春，考古人员在二里头遗址Ⅲ区一生产队的起土地进行发掘。发掘面积约 910 平方米，清理中型房基 1 座、灰坑 23 个、墓葬 5 座。简报分为：一、地层，二、遗迹，三、遗物，四、小结，共三个部分予以介绍。

据介绍，通过发掘，此处的文化堆积为二期文化堆积较普遍且较厚，这里有此期的夯土建筑基址，有此期的丰富的文化遗物；三期有较大面积的建筑遗存，有等级较高的朱砂墓，如已发表的Ⅲ M2 及 1976 年在此发掘的两座较大的朱砂墓（资料未发表），反映三期文化已臻鼎盛；四期的文化堆积虽不如二、三期丰富，但从其灰坑较多这点看，此时当也不是人烟稀少。

简报称，Ⅲ区的发掘为二里头遗址文化遗存增加了新鲜的材料，增进了我们对其总体的认识，特别是对其分期的认识；二、三期文化之间的材料较以前更多了，反映出两者之间的联系十分紧密，其间的演变是渐进的；四期偏晚的这批陶器更加深了在二里头二号宫殿遗址发掘时所证实的认识：二里头四期是与二里岗期下层同时的，并直接发展为二里头Ⅴ期（二里岗期上层）。

517.1983 年秋季河南偃师商城发掘简报

作　者：中国社会科学院考古研究所河南第二工作队　赵芝荃、徐殿魁
出　处：《考古》1984 年第 10 期

偃师商城是中国社会科学院考古研究所洛阳汉魏故城工作队于 1983 年春季发现的。之后，组成河南第二工作队，负责勘察发掘这座城址。秋季工作自 10 月末开始，至 12 月上旬结束。在此期间发掘了商城的西城门 1 座；试掘一号夯土建筑基址和城南灰土遗址各 1 处；钻探勘察发现东、西城门各三座和城内主要大道若干条；复查城内一、二、三号大型夯土建筑基址，基本弄清了夯土基址的范围和内部建筑的布局。简报分为：一、城门，二、"马道"，三、文化层，四、墓葬，五、结语，共五个

部分予以介绍，有手绘图、照片。

据介绍，这批墓葬都是小型墓，墓穴窄长，无一定方向，从地层上说，经历较长的时期。M12出土的3件陶器相当于二里岗上层偏晚，M7和M18出土的6件陶器与二里岗下层大约相当，M18又似早于M7。Ml的铜斝相当于二里岗上层。这批小墓虽开口于不同的层位，但都叠压或直接打破城内的路土，这就从地层上表明，城墙的建造年代早于这批小墓，简报推断，城址应当是商代早期兴建的，这座城址就是商汤所都的西亳。

简报称，这座古城规模宏大，城墙宽厚，结构谨严，布局合理，而且全部被埋在地下，保存完整。它是目前所知我国都城遗址中年代最早的1座。这座商城的大规模发掘，对于我国古代文明和城市发展历史的研究，无疑有十分重要的贡献，同时也极大地促进了夏文化问题的进一步解决。

518.洛阳东关五座西周墓的发掘

作　者：洛阳市文物工作队　余扶危、叶万松、李德方
出　处：《中原文物》1984年第3期

1983年10月，考古人员在洛阳老城东关清理了5座西周墓。简报分为：一、墓葬形制与结构，二、随葬器物，三、结语，共三个部分并配以手绘图予以介绍。

据介绍，5墓均为长方形竖穴土圹墓，出土随葬品104件，其中陶器44件、石器14件、贝46枚。简报称，这5座墓葬，从陶器组合看，同为鬲、簋、豆、罐，而不见西周晚期的典型器物盂，故墓葬时代当不会晚于西周中期。墓主人身份应为平民，属殷遗民墓。

519.1984年春偃师尸乡沟商城宫殿遗址发掘简报

作　者：中国社会科学院考古研究所河南二队　赵芝荃、刘忠伏
出　处：《考古》1985年第4期

河南省偃师尸乡沟商城是1983年发现的，当年及1984年春，进行了发掘。

1983年发现了7座城门、若干条大道及3处大面积房基。房基有可能是宫城内建筑。1984年，考古人员又发掘了房基中的一处（编号简称D4）。简报配以照片等，介绍了1984年的发掘情况。

据介绍，这处基址位于J1建筑群的东部，是1处以正殿为主体，东、西、南三面有庑的封闭式宫殿建筑。D4建筑基址平面为长方形，东西全长约51米（以

东、西两庑外缘计算），南北宽约 32 米（北以正殿北缘、南以南庑南缘计算），正殿朝南，基址全系夯土筑成，包括正殿、东庑、西庑、南庑、南门、庭院和西侧门等建筑，自成一体。使用年代早于二里岗上层。简报指出疑为宫城建筑的 J1 规模宏大，总面积达四万平方米以上，而 D4 基址面积约 1600 平方米，仅占 J1 的二十五分之一。简报称，随着 J1 整体的揭露，一座宏伟的商代前期宫城基址终将展现在人们的面前。

520.1982 年秋偃师二里头遗址九区发掘简报

作　　者：中国社会科学院考古研究所二里头队　刘忠伏、杜金鹏
出　　处：《考古》1985 年第 12 期

1982 年夏、秋季，二里头大队在其村南取土建房，地面暴露出较多的灰坑、墓葬、夯土基址和陶器等遗迹遗物，考古人员于 10 月至 12 月在此进行了发掘清理。遗迹发现有较大型夯土建筑基址残部，保存较好的小型房基 1 座，灰坑（包括窖穴、水井）29 座，墓葬 19 座。1983 年春季又在此清理了灰坑、墓葬各 2 座，获得较为丰富的实物资料。简报分为：一、地层堆积，二、遗迹与遗物，三、结语，共三个部分予以介绍，有手绘图、照片。

据介绍，此次发现的较大型夯土建筑基址，显然不是一般性居址。墓葬区应为二里头二、三期小型墓葬区的重要分布区。小型房基 F1、彩绘陶器等，也都是二里头遗址不可多得的新材料。

521.1984 年秋河南偃师二里头遗址发现的几座墓葬

作　　者：中国社会科学院考古研究所二里头工作队　杨国忠、张国柱
出　　处：《考古》1986 年第 4 期

1984 年秋，考古人员在 VI 区二里头村南进行了发掘，清理了几座灰坑和 10 余座墓葬及 1 座大房基，暂不作报导。简报分为：一、墓葬形制，二、随葬器物，三、小结，共三个部分予以介绍，有手绘图。

据介绍，这次清理的墓葬皆为长方形竖穴土圹墓，墓坑里的填土为灰土，头皆向北，骨架一般保存较差，只有个别墓葬如 M3 的骨架保存较好。年代属二里头文化四期，M3、M5 两墓或许还要晚些。这批墓葬的葬俗与二里头二、三期无甚差别，墓底多有朱砂，随葬品的基本组合与二、三期没有根本的差别，它保持了很强的延续性，如爵、盉相配，以豆、盆或炊具鼎、圆腹罐随葬，从二到四期皆很普遍，另

外规格较高者有柄形饰、铜铃、绿松石饰、绿松石镶嵌兽面纹铜牌饰、圆陶片、漆器等随葬，简报称，这也从一个方面反映二里头二至四期文化的一体性。

522.郾城县出土一批商代青铜器

作　者：河南郾城县县志总编室　孟新安
出　处：《考古》1987 年第 8 期

1979 年 8 月，郾城县孟庙乡拦河潘村农民潘建荣等 4 人在拉沙时，发现一批商代青铜器。计有罍、鼎、觚、爵、斝等 12 件。简报配以照片予以介绍。

据介绍，铜器出土地点在拦河潘村南 200 米处，紧靠柳河（颍河支流）北岸。据当地人反映，此处原是一片坟地，高出周围地面 1 米，距地面 50 厘米，有积沙层约 2 米。当挖至地下 30 厘米时发现了这批青铜器。器物放置比较集中，总共不足 1 平方米。此外，没有发现别的遗物。由此推断，器物不是随柳河水冲积而来，而属窖藏器物。计罍 2 件、斝 2 件、鼎 4 件、爵 2 件、觚 2 件，未见铭文。简报认为属商代早期遗物。

简报称，关于奄的地望，历代颇有争论。有人认为奄的地望在河南郾城县境，南庚迁奄的地方不应该是曲阜，而是郾城。这批青铜器，制作精致，非一般奴隶主所享用，很可能与奄亳商王有密切的关系。

523.洛阳老城发现四座西周车马坑

作　者：中国社会科学院考古研究所洛阳唐城队　冯承泽、杨焕新
出　处：《考古》1988 年第 1 期

1985 年，考古队配合洛阳市基本建设，在洛阳老城中部，中州路北侧清理了 4 座车马坑。

4 座车马坑均受到晚期遗迹的严重破坏。2 号车马坑车舆部分只残存底部，马骨架也不完整。3 号车马坑只存半个马骨架。简报分为：一、形制，二、遗物，共两个部分予以介绍，有手绘图、照片。

据介绍，1 号、2 号、3 号车马坑位于发掘区的北部东侧，呈南北向一排，1 号车马坑北距 2 号车马坑 1.55 米，南距 3 号车马坑 1.35 米。4 号车马坑在 3 号车马坑的西边，相距约 13 米。1 号车马坑，坑近似方形，南北长 3.32 米，东西宽 3.10 米，坑口距地表深 2.2～3.05 米，坑底距地表 3.38 米。坑内填黄褐色夯土，土质纯净，较硬。2 号车马坑形制与 1 号坑基本相同；3 号车马坑上部分被破坏，西半部被晚期

灰坑打破；4 号坑近长方形，四角为圆形，南部稍窄，北部稍宽，后部东西各凸出一小槽，安放轴头。4 座车马坑出土遗物主要是青铜马佩饰和车饰。就其形制、车子结构和车马器来看，简报推断时代应属西周早期。

简报称，这一发现为研究西周早期的车制及车马具的形制增添了一批新资料。

524.河南偃师尸乡沟商城第五号宫殿基址发掘简报

作　者：中国社会科学院考古研究所河南第二工作队　赵芝荃、刘忠伏
出　处：《考古》1988 年第 2 期

河南省偃师县尸乡沟商城自 1983 年春季发现至 1984 年底，先后发掘了西二城门、东二城门和第四号宫殿基址。1985 年和 1986 年考古队又发掘了第五号宫殿基址，除去南部未发掘之外，其余部分已清理完毕。

简报分为：一、第五号宫殿基址，二、文化层堆积、灰坑和水井，三、文化遗物，四、结语，共四个部分予以介绍，有照片。

偃师商城南部有 3 座方形小城。居中的 1 座面积最大，南北长约 230 米，东西最长为 216 米。四周环绕 2 米厚的夯土墙，南面正中设有门道。墙内正中是主体宫殿基址（D1），基址前面有大路直通小城以南。第四号宫殿基址（D4）位于主体宫殿的东侧，东距小城东墙约 2 米。第五号宫殿基址（D5）位于小城的东南隅，北距第四号宫殿基址（D4）约 10 米，西边接近宫城中部的南行大道，东边接近小城的东墙，南面距小城南墙亦不甚远，保存相当完好。据介绍，正殿居中，两侧各有长约 25 米或 28 米的北房基址，正殿基址四周有 48 个柱础石或柱子洞，柱础石一般直径为 55 厘米，最大柱子洞的直径为 42 厘米，平均间距为 2.5 米。东西全长 54 米，南北宽 14.6 米，可以推想当时建筑相当宏伟。建筑与使用时代应在商代早期。

525.洛阳瀍水东岸西周窑址清理简报

作　者：洛阳市第一文物工作队　杨洪钧
出　处：《中原文物》1988 年第 2 期

1986 年秋季，考古人员在配合基建施工中，清理了 1 座西周窑址，它位于瀍水东岸，隋唐东都外郭城内东北部，西距洛阳老城约 0.5 公里的原洛阳地区供销学校院内。简报分为：一、结构，二、遗物，三、结语，共三个部分予以介绍，有手绘图。

据介绍，该窑（编号 Y1）坐落在生土层中，直接迭压在唐宋文化层之下。坐北朝南，

方向 100 度，全长 4.56 米，除顶部毁去外，其他结构保存完好，由操作坑、火门、火膛、窑箅、窑室五部分组成。在清理时，窑室火膛及操作坑填土中皆含有陶器残片，灰陶约占 95%，其中以泥质陶为主，夹砂陶次之，红陶约占 5%，仍以泥质陶为主，纹饰以细绳纹为主，粗绳纹、弦纹次之，陶器多为陶制。据这些陶片口沿与足来看，器形主要为簋、鬲、罐。简报称，该窑的始建年代应在西周初年，下限不晚于西周中期，如果此说不误，那么它的发现就填补了中原地区西周前期有箅窑这个空白，为我们研究西周时期的陶器烧造工艺提供了新的资料。

526.河南偃师二里头遗址发现新的铜器

作　者：中国社会科学院考古研究所二里头工作队　郑　光
出　处：《考古》1991 年第 12 期

1987 年春，在二里头遗址 V 区的东缘，圪垱头村偃师第二橡胶厂工人在厂内建水泥池子挖土时，发现 3 件铜器和 1 件残石玉器，还有残陶器（皆被遗弃）。当事人已将此批铜器卖出。经公安人员的努力，追回了铜鼎和铜斝，另 1 件铜觚尚待继续追查。简报配以手绘图予以介绍。

据介绍，根据二里头遗址的一般情况看，这批铜器应出于 1 座墓中（编号 87YLVMI）。铜鼎当属首次出土，给二里头遗址的铜器增添了新的品种。它也是我国有明确出土地的最早的铜鼎。因而这是重要而有意义的发现。此 2 件铜器的时代，应属于二里头第四期。从铸造工艺看，此两件铜器制造较为粗糙，甚至不如某些三期的铜器，如爵、戈、刀等，可见其所有者的社会地位并不是很高。

527.洛阳市东郊发现的两座西周墓

作　者：洛阳市文物工作队
出　处：《文物》1992 年第 3 期

1991 年春，考古人员在配合市东郊洛阳铁路分局和洛阳林校基建考古发掘工作中，清理了 2 座西周墓（编号 C3M196、C3M200）。简报分为：一、C3M196，二、C3M200，三、结语，共三个部分予以介绍，有手绘图。

据介绍，此 2 墓均为长方形土圹竖穴墓中的小型墓，均为 1 棺 1 椁。C3M196 随葬品有陶器、铅器、玉器、石器 15 件；C3M200 随葬品有陶器 22 件、贝币 15 枚。这类墓在洛阳发现的西周墓中很常见。

528.1987 年偃师二里头遗址墓葬发掘简报

作 者: 中国社会科学院考古研究所二里头工作队 杜金鹏
出 处:《考古》1992 年第 4 期

为了配合基建工程,1986 年秋季和 1987 年春、秋两季,考古队在偃师二里头遗址第 VI 区进行了 3 次发掘,揭露面积共计 1200 多平方米,清理出二里头文化房基 8 处、墓葬 58 座、灰坑(含水井、灰沟)93 个,出土的铜、玉、骨、蚌、石、竹、漆器等各种遗物相当丰富。1987 年春季发掘的 9 座墓葬简报分为:一、墓葬概况,二、出土遗物,三、结语,共三个部分予以介绍,有手绘图、彩照。

据介绍,1986 年至 1987 年度在偃师二里头遗址所发现的二里头文化墓葬,虽然相对集中地形成墓区,但它们一般都分布在以前,甚至当时的居住区内,即死者的葬地与当时人们的居住地相距很近。有的墓葬成排在坐落在尚在使用的房基内,婴幼儿埋葬在房屋墙根下,这类现象以前在二里头遗址 N 区曾有所发现,是一种值得注意的埋葬现象。

墓中随葬的陶器一般都是死者生前的实用品,有的还遗留有明显的使用痕迹。多数陶器都是先行打碎,然后零散地放入墓中。M28 随葬罕见的涂朱大龟甲,这在二里头墓葬中还是首次发现。木柄长铜刀、圆柱体柄形玉器和镶嵌绿松石的月牙形玉器,也都是以前在二里头遗址未曾见过的新器类。在这批墓葬的随葬品中,以兽纹铜牌最为珍贵。从某些陶器本身的特征来看,有的墓葬的年代处于两个文化期之际,为研究二里头文化各期之间的关系提供了有用材料。

529.河南伊川县发现商墓

作 者: 宁景通
出 处:《文物》1993 年第 6 期

1986 年春,河南省伊川县高山乡坡头寨村村民在村东取土时,挖出 1 座商代墓葬。当考古人员闻讯赶到现场时,墓葬已被破坏,仅收回了出土文物,并对现场作了简单记录。简报配以拓片和照片予以介绍。

据介绍,墓葬为长方形竖穴土坑,南北向,深 1.5 米,长度和宽度不明。据挖出的人头骨数,可知墓内有人骨架 5 具。另出有狗骨架 1 具。出土文物有铜爵、铜鬲、玉柄形器、铜凿、铜觚、玉环、陶豆、陶簋等 16 件。此墓的时代简报推断为武丁时期或更早一些。

据《考古》1996 年第 12 期袁广阔先生文,1990 年至 1991 年,在伊川县南寨,又发掘了二里头文化墓葬。共发掘有房基、陶窑、灰坑、墓葬等。为二里头文化研究提供了新的资料。

530.洛阳东郊 C5M906 号西周墓

作　者：洛阳市文物工作队　赵振华、申建伟
出　处：《考古》1995 年第 9 期

1993 年 7 月，考古人员在配合交通部二局四处基地住宅楼工程的考古工作中，发掘了一批墓葬，C5M906 是其中的 1 座。该墓位于洛阳市东郊部山南麓，焦枝铁路杨文站西边约 350 米处。简报分为：一、墓葬形制，二、随葬器物，三、结语，共三个部分予以介绍，有照片、手绘图。

据介绍，墓为长方形竖穴土圹墓，距地表深 7.4 米。上部被唐墓破坏，葬具为 1 棺 1 椁，已朽。棺内有骨架 1 具，头北足南，仰身直肢。随葬品中的铜礼器放在墓室南边的棺外椁内，车马器散置于棺外西侧。铜礼器 6 件中 1 件有铭文。

据铭文，简报认为这座墓很可能是召伯虎之父幽伯之墓，则作器的时间必晚于珮生簋。墓中的铜器约在宣王前后。此墓所在马坡村和北窑村一带，应是两个西周贵族墓。

531.偃师商城第 II 号建筑群遗址发掘简报

作　者：中国社会科学院考古研究所河南第二工作队　王学荣
出　处：《考古》1995 年第 11 期

偃师商城南部发现有 3 处大型建筑群遗址，编号为 J1、J2 和 J3。其中居中的 J1 已被部分发掘，而位于 J1 东北的 J3 和位于其西南的 J2，过去只是以钻探材料得知其外围有一周围墙，墙内有成组、成排的夯土建筑基址。J3 由于距村子较远，保存较好，而 J2 的大部分则已被现代民宅所压。1991 年 10 月、1992 年春进行了 2 次发掘。共发掘出商代大型建筑夯土基址 12 座（其中较完整的 2 座）、灰坑 22 座、墓葬 7 座（其中商代墓 2 座）和早期建筑遗迹 3 处。1993 年 10 月初至 1994 年 5 月中旬，又发掘出大型建筑夯土基址 3 座。3 次共揭露出大型建筑夯土基址 15 座，其中完整的有 5 座。简报分为七个部分予以介绍，有手绘图。

据介绍，第 II 号建筑群遗址作为一个整体，其外有宽近 3 米的围墙环绕包围，与外界隔开，足见其封闭性极强。在已发掘的 3400 平方米范围内，无论是在下层建筑的使用时期，还是中层建筑或上层建筑的使用时期，还是中层建筑或上层建筑的

使用时期，整个遗址围墙范围以内皆整洁异常，无零乱杂物散落或堆积，也无用火痕迹，说明第 II 号建筑群遗址绝非当时人活动频繁和集中之所，也非普通人能够进入和使用。遗址内踩踏的路土相对而言较薄，较纯净，也说明了这一点。再者，第 II 号建筑群遗址位于商城的西南隅，和宫殿区（第 I 号建筑群遗址）同处地势较高的南部地带，其东北部距宫殿区不足百米，足见其与宫室关系密切。简报认为第 II 号建筑群遗址绝非一般的建筑群体，而是带有极浓厚的专用色彩和封闭色彩，应该是当时国家最高级别的仓储之所。能拥有和控制如此大规模的专属库所，可以想见其所有者的权势之大、地位之高，这些建筑与附近规模庞大的宫殿群建筑及外部高大坚固的城垣相映衬、相匹配。将这些因素综合起来考虑，偃师商城无疑为王都之所在。简报推断 II 号建筑群遗址的废弃时间，应不晚于郑州二里岗上层时期，即商代中期偏前。

532.洛阳五女冢西周墓发掘简报

作　者：洛阳市第二文物工作队　史家珍、褚卫红等
出　处：《文物》1997 年第 9 期

1997 年 1 月，考古人员在配合洛阳市部城房屋开发公司建楼时，在市纱厂西路五女冢村附近发掘清理了 2 座西周时期的墓葬（编号 HM362、HM359），两墓相距约 40 米。简报分为：一、HM362，二、HM359，三、小结，共三个部分予以介绍，有照片、手绘图。

据介绍，2 墓墓室均为覆斗形，出土有陶器、铜戈等。简报推断 2 墓年代为西周中期前段。HM362 出土陶罐上刻划有字符。属首次发现。

533.洛阳东郊 13 号西周墓的发掘

作　者：洛阳市文物工作队、洛阳高第二文物工作队　张　剑、蔡运章
出　处：《文物》1998 年第 10 期

1972 年来，洛阳博物馆在配合洛阳东郊机车工厂托儿所基建工程的考古发掘中，清理了 1 座西周时期的墓葬（编号 M13）。简报分为：一、墓葬形制，二、随葬遗物，三、结语，共三个部分予以介绍，有照片、手绘图。

据介绍，M13 为中型竖穴土坑墓，曾被盗，劫余遗物有铜器、陶器等 30 余件。该墓简报推断为西周初年殷遗民墓。有的铜器上有铭文。

534.洛阳白马寺三座西周晚期墓

作　者：洛阳市文物工作队、洛阳高第二文物工作队　张　剑、蔡运章
出　处：《文物》1998 年第 10 期

1953 年春，考古人员在配合洛阳市白马寺寺院东侧荣校的基建工程时，发掘了 5 座西周晚期墓葬。由于此处地下水位较高，发掘到 2 米多深时出现地下水，使发掘时的考古资料不够齐全。简报分为：一、墓葬形制，二、随葬器物，三、墓葬的时代，共三个部分予以介绍，有照片、手绘图。

据介绍，这 5 座西周墓均属中小型土坑墓，大多有长方形腰坑，随葬品有陶器、铜器、玉器等。年代简报推断为西周晚期。墓主人有可能是殷遗民的后裔。

535.河南偃师商城东北隅发掘简报

作　者：中国社会科学院考古研究所河南第二工作队　王学荣、张良仁、谷　飞
出　处：《考古》1998 年第 6 期

1996 年春季至 1997 年春季，考古队在偃师商城东北隅进行了一项考古发掘。发掘地点位于偃师商城遗址第 II 发掘区内，东距偃师商城东北城角约百米，即今偃师市民主西街西端南侧、商都北路北段东侧、偃师化肥厂东大门外，探沟纵贯偃师商城北城墙及城壕。经发掘，发现这里的地层堆积自上而下依次是：近年铺垫土—现代耕土层—汉唐以来的淤积层—东周层—商代早期堆积。计发掘出商代早期城墙、城壕、道路、车辙、排水沟、墓葬、夯土围墙、陶窑、灰坑和与铸铜作坊有关的遗存，出土有陶器和铜器等遗物。简报分为：一、主要遗迹及层位关系，二、出土遗物，三、结语，共三个部分介绍商代早期文化遗存，有手绘图。

据介绍，根据地层关系，简报推断这段城墙的建造及初始使用时间早于偃师商城商文化第二期晚段，而不早于偃师商城商文化第一期晚段，应在偃师商城商文化第二期早段。简报称，通过整体揭露，把偃师商城城墙内外丰富的遗存，如城墙、城壕、护城坡和墓葬、陶窑、路土、排水沟等重要遗迹一并揭露出来，这在偃师商城考古发掘中尚属首次，从而提供了偃师商城城墙及相关遗迹的直观、形象的资料。

今有杜金鹏、王学荣先生《偃师商城遗址研究》（科学出版社 2004 年版）等书，均可参阅。

536.洛阳林校西周车马坑

作　者：洛阳市文物工作队　俞凉亘等
出　处：《文物》1999 年第 3 期

1993 年 3 月至 6 月，考古人员在配合洛阳市林业学校综合楼的基建中，发现清理了 1 座西周车马坑（编号 C3M230）。该坑位于瀍河以东，中州东路路北的洛阳林校校园内。简报分为：一、地层及形制，二、随葬器物，三、结语，共三个部分予以介绍，有彩照、拓片、手绘图。

据介绍，车马坑为长方形竖穴土坑，南北长 4.4 米，东西宽 3.8 米，坑深 1.8 米，坑口距地表深 1.5 米，坑底距地表深 3.3 米。坑中部有 1 个长方形盗洞，该墓被盗，无任何遗物。车马坑分两层，上层（A 层）出土瓷瓮、瓷尊及铜尊、铜铙、铜提梁卣、铜四足器座，另有漆器等，下层（B 层）埋葬 1 车 4 马及铜兵器、蚌饰等。车置于坑后半部，车前驾 4 马，头均朝南，骖马在前，服马稍后。由于被盗掘，仅东边骖马完整。从发掘结果看，马应是杀死后放于车辕两侧预先挖好的土槽内。车箱前半部堆放矛、刀、剑、戈等铜兵器，后半部放置铜甲、铜镞等。车箱后部压着一脖系铜铃和海贝的小狗。出土遗物中铜铠甲、镶嵌有蚌饰的漆器与瓷器均制作精美，值得重视。

西周时期车马殉葬比较盛行，也时有发现，但这次发现的林校西周车马坑是保存比较完整、随葬品比较丰富的 1 座。这一发现，为研究洛阳地区西周时期的车马葬制、车制结构、车马坑特点及西周的物质文化，提供了重要资料。

537.洛阳东郊西周墓

作　者：洛阳市文物工作队　谢虎军、司马国红等
出　处：《文物》1999 年第 9 期

1997 年秋冬二季，为配合交通部二局四处基本建设，先后 2 次发掘、清理了西周时期的马坑 3 座、墓葬 9 座，出土了一批器物。墓地位于洛阳东郊邙山南坡的杨文镇交通部二局四处家属院内。南距洛阳约 5 公里。简报分为：一、马坑及墓葬，二、出土器物，三、结语，共三个部分予以介绍，有照片、拓片、手绘图。

据介绍，马坑 3 座均为长方形竖穴土坑，均受到不同程度的盗扰和破坏，保存状况较差。3 座马坑中葬马摆放无规律，但马的头向较一致。C5M1146 土坑的东北角有一长方形盗洞，一直伸到马坑的中部，扰乱较甚。根据现有马头个数，能辨别出殉马 4 匹，推测为 6 匹，大体呈南北横向排列，部分马骨之间有重叠。马头大体向东，坑内不见随葬品。C5M1296 殉马 5 匹，其他情况与 C5M1146 大体相同。墓

葬 9 座，均为长方形竖穴土坑，出土有陶器、铜器等。此遗址的年代，简报推断为西周晚期。简报怀疑此地为一重要的西周晚期茔城。

538.洛阳涧滨 AM21 西周墓

作　　者：洛阳市第二文物工作队　梁晓景、马三鸿等
出　　处：《文物》1999 年第 9 期

1987 年春，在配合洛阳铜加工厂家属楼基建工程时，考古人员清理了 1 座西周中期墓葬（编号 AM21）。简报分为：一、墓葬形制，二、随葬器物，三、结语，共三个部分予以介绍，有照片、手绘图。

据介绍，该墓为土坑竖穴墓，墓口距地表 1.9 米，棺木已朽，有人骨骼 1 具，头在北，仰身直肢，双臂弯曲，双手交叉在胸前，躯干下肢稍屈。在墓室北端的二层台下出土铜器、陶器共 27 件，在东南部出土有破碎的蚌饰。陶器制作粗糙，应为专供随葬用的明器。年代简报推断为西周穆王时期。

539.河南偃师商城小城发掘简报

作　　者：中国社会科学院考古研究所河南第二工作队　王学荣、杜金鹏、洪　彬
出　　处：《考古》1999 年第 2 期

1996 年夏，根据对以往偃师商城考古勘探和发掘中若干线索的综合分析，推测偃师商城在原先发现的城圈（暂称大城）内，还存在一个时代更早的商代城圈（暂称小城）。同年秋季即组织钻探进行验证，结果表明小城确实存在。为了解决小城的年代、城墙结构以及小城与大城的关系等学术问题，考古人员采取配合基建和主动发掘相结合的方式，有选择、有目的地进行了发掘。简报分为：一、发掘概况，二、主要遗迹现象及层位关系，三、出土遗物，四、结语，共四个部分予以介绍，有手绘图。

据介绍，偃师商城的宫殿区，尤其是早期宫城的位置恰好位于城内正中略偏南，府库位于城西南隅，铸铜作坊则安置于城外东北部。尤其是体现布局特征的城址主要建筑，诸如城门、大型水道、主体宫殿建筑等，大都采用左右对称方式布局。这种设计构思简报认为在中国古代城市建设史上，具有一定的开创性意义。简报推断：小城城墙的修筑与初始使用时间应不晚于偃师商城商文化第一期晚段；小城城墙废弃，与大城的修建有密切联系，废弃时间始于偃师商城商文化第二期早段。

简报称，小城的发现将偃师商城的建城年代提前一步，是夏商分界研究上的突破之一。

540.河南偃师商城宫城北部"大灰沟"发掘简报

作　　者：中国社会科学院考古研究所河南二队　张良仁、杜金鹏、王学荣
出　　处：《考古》2000 年第 7 期

偃师商城宫城北部，有一条东西向的"大灰沟"。1983 年及 1986 年，考古人员曾在此作过两次发掘，发现有商代早期的文化堆积。为了深入研究偃师商城的年代与文化分期等问题，于 1996 年秋、1997 年春，对上述遗迹又进行了两次发掘，揭露面积 195 平方米。1999 年秋冬季，为彻底弄清"大灰沟"的性质，再次对其进行了考古勘察和发掘。目前，发掘工作仍在继续当中。1996～1997 年度两次发掘的主要收获简报分为：一、地层堆积，二、遗迹，三、遗物，四、结语，共四个部分予以介绍，有手绘图。

据介绍，简报根据现已掌握的考古材料，认为"大灰沟"很可能是取土后形成的沟状遗迹，之后，又被用来作为专门储存宫殿区内生活垃圾的场所。因"大灰沟"的发掘还在进行之中，关于其性质的最终确认有待新的考古发掘结果来证实。简报认为，以偃师商城商文化第 1 段为代表的早商文化，是在将二里头文化和下七垣文化有机融合的基础上，发展产生的一种新文化；下七垣文化是先商文化，二里头文化的主体是夏文化，已是学术界的共识。根据偃师商城和二里头遗址的有关考古发现，简报称，商文化的上限，已进入二里头文化第四期，在此基础上，深入探讨夏商文化界限，必当较前又有新的高度。

541.河南偃师商城商代早期王室祭祀遗址

作　　者：中国社会科学院考古研究所　王学荣
出　　处：《考古》2002 年第 7 期

1998 年以来，中国社会科学院考古研究所河南第二工作队有计划、分步骤地对偃师商城宫城遗址进行了大规模发掘，取得了许多重要成果，商代早期商王室贵族祭祀遗址群的发现与发掘就是其中之一。简报分为：一、分布范围，二、祭祀遗迹，三、基本认识，共三个部分予以介绍，有照片。

据介绍，发掘的情况表明，祭祀区由偃师商城商文化第一期 1 段一直延续使用到第三期 6 段，祭祀区内堆积形成的时间前后相连，紧密衔接，无脱节或跳跃迹象。其中，B 区和 C 区的使用时间为偃师商城商文化第一期 1 段至第三期 5 段；A 区的

使用时间为第二期 3 段至第三期 6 段。由各阶段祭祀遗迹的分布状况判断，第一期和第二期时，祭祀活动主要集中在 B 区和 C 区；第三期 5 段时，A、B、C 三个区域内的祭祀遗迹分布都比较普遍；到第三期 6 段时，由于 B 区和 C 区的堆积已经饱和，故祭祀主要集中于 A 区。通过研究祭祀区的文化堆积，简报发现上述祭祀区域除用于祭祀活动外，还用于贮存生活废弃物。

简报称，偃师商城宫城遗址是目前我国夏、商、周三代所发现的时代最早的，也是迄今唯一被全面科学发掘的宫城遗址。

542.河南偃师市二里头遗址发现一件青铜钺

作　者：中国社会科学院考古研究所二里头工作队　许　宏、陈国梁
出　处：《考古》2002 年第 11 期

2000 年 6 月中旬，河南省偃师市圪头村农民在村北建房时发现了 1 件青铜钺，并于当年秋季上缴工作队。这件器物的情况简报配以手绘图予以介绍。

据介绍，铜钺的出土地点位于二里头遗址东部偏北，属于遗址Ⅲ区南部。据发现者介绍，这件铜钺是在夯筑宅基基槽时发现的，出土于距地表深约 1.4 米至 1.5 米处，出土前已断为两截，与二里头遗址的墓葬中随葬品在下葬时常被有意打破的情况相吻合。同时，该器物周围的土色为黄褐色而非一般灰坑中常见的黑灰土。鉴于此，简报推断：该器出土于墓葬的可能性较大；由该铜钺的材质成份及刃部较钝等特征分析，此器应非实用性兵器，而属于礼仪用器；这件铜钺的年代属二里头文化晚期。

543.洛阳市唐城花园 C2M417 西周墓发掘简报

作　者：洛阳市文物工作队　安亚伟等
出　处：《文物》2004 年第 7 期

2002 年 7 月，在配合唐城花园建设项目的发掘过程中，考古人员清理了一批两周时期的墓葬。其中编号 C3M417 的西周墓出土铜器、陶器以及玉石器等。简报分为：一、墓葬形制，二、随葬器物，三、结语，共三个部分予以介绍，有照片、拓片、手绘图。

据介绍，该墓为一座长方形竖穴土坑墓，有腰坑，中有殉狗，葬具为 1 椁 1 棺。随葬器物中的铜、陶器置于棺椁之间的头箱内；玉器则置于墓主头部和上肢附近；铜兵器等置于椁上。出土的一组保存较为完好、纹饰精美且带有铭文的青铜器以及玉器等，为洛阳地区同等规格的西周墓葬所少见。

544.洛阳瀍河东岸西周墓的发掘

作　者：洛阳市文物工作队　俞凉亘、高金照等
出　处：《文物》2006 年第 3 期

2003 年 10 月，洛阳市文物工作队在配合瀍河东岸中窑村住宅楼的基建中，清理 1 座西周墓，编号为 C3M575。该墓位于中窑村北，西距瀍河约 500 米。简报分为：一、墓葬形制，二、随葬器物，三、结语，共三个部分予以介绍，有照片、手绘图。

据介绍，该墓为竖穴土坑墓，长约 3 米、宽约 1.8 米，墓底距现地表深 4.2 米，墓内填土为花土，经夯打。人骨头朝北，严重朽乱，葬式不明。从葬具朽痕看，为单棺。随葬器物置于棺内，多在墓主头后两侧。器物共 11 件，其中铜器 7 件、陶器 1 件、玉器 2 件、海贝 1 件。该墓的年代简报推断为西周早期。

简报指出，洛阳西周墓主要分布于瀍河两岸、洛阳东郊塔湾—杨文一带的涧河两岸三个区域。目前瀍河两岸这一墓区出土有铭文铜器的墓葬均在瀍河西岸，该墓是在瀍河东岸首次发现的出土有铭文铜器的墓葬，为研究瀍河两岸这一西周墓区提供了新材料。

545.河南洛阳市王城大道发现西周墓

作　者：洛阳市文物工作队　安亚伟等
出　处：《考古》2006 年第 6 期

2004 年 5 月，在配合洛阳市王城大道公路建筑项目的发掘中，考古人员在西小屯村的东南部清理了 1 座西周墓葬，编号为 C1M8307。简报分为：一、墓葬形制，二、随葬品，三、结语，共三个部分予以介绍，有手绘图。

据介绍，此墓为长方形竖穴土坑墓，葬具 1 棺，墓主头向北，葬式仰身直肢。墓底中部有一长方形腰坑，坑底部有 1 具狗骨骸。随葬品有铜鼎、铜器、陶器和玉器等。

此墓的年代，简报推断为西周晚期前段。墓主身份，简报推测为殷遗民。简报指出，在涧河两岸，北起东干沟、西干沟，南至瞿家屯一带，历年来时有西周墓葬被发现，但数量不多。这些西周墓葬均为小型墓葬，大部分以随葬陶器为主，随葬青铜器的墓葬较为少见，已知目前发表的青铜器墓葬仅有 3 座。

简报指出，这些西周墓葬的发掘，为该地区西周文化遗存的聚落形态、组织结构、族属以及墓葬的断代等课题的研究提供了线索。

546.河南偃师商城宫城池苑遗址

作　者：中国社会科学院考古研究所河南第二工作队　王学荣、谷　飞、曹慧奇、
　　　　李志鹏等

出　处：《考古》2006 年第 6 期

1999 年至 2000 年春季，为配合国家文物局全国大型古代遗址文化保护项目"偃师商城宫城遗址保护和复原展示"，考古人员对位于宫城北部的"池苑"区进行较大规模的发掘。简报称，关于对池苑遗址的认识曾经历了一个过程。1983 年秋季复查勘探宫城时，认为宫城北部比较空旷，无建筑基址。1984 年冬季，偃师商城东一城门（原编号"东二城门"）发掘结束后，为弄清通过城门道路土下的水道走向等，沿东一城门向西勘探，发现水道由东一城门向西几经拐折后从北部进入宫城，进入宫城约 30 米后，水道又向南北两侧分叉，形成"T"字形。1993 年春季，为寻找宫城北墙的具体位置，在宫城东北部勘探，推测宫城北部可能有水池一类的遗存。1998 年冬季，发现并确认了水池的位置、范围、基本结构及水池东、西两端的水道。1999 年春季试掘水池的东段、东部水道和西部水道，2000 年春季对水池及其两侧的水道进行了全面发掘，对水池和水道的结构、用途及修建、使用、改建和废弃年代等有了比较全面的了解。简报分为：一、地层堆积，二、主要遗迹及遗物，三、其他遗迹及遗物，四、结语，共四个部分予以介绍，有彩照、手绘图。

据介绍，池苑遗址位于宫城北部，由水池和其东、西两侧的水道组成，水池呈长方形斗状。池苑始建于偃师商城商文化第一期，第二期晚段进行了改建，废弃于第三期中段。它是目前所知我国年代最早的人工凿池引水造景的帝王池苑设施，由水池和排水、引水道等组成的城市循环水系，也是我国目前年代最早的城市人工水利系统。这些发现将我国帝王御用池苑及辟园造林的建造历史上溯至商代早期，对研究我国都城制度、宫室制度、园林史、水利史等都具有重要意义。

547.河南偃师商城宫城第八号宫殿建筑基址的发掘

作　者：中国社会科学院考古研究所河南第二工作队　曹慧奇、王学荣、
　　　　谷　飞、李志鹏等

出　处：《考古》2006 年第 6 期

2000 年来，为配合国家文物局全国大型古代遗址文化保护项目"偃师商城宫城遗址保护和复原展示"，考古人员重点发掘了位于宫城中西部的大型建筑基址群。简报分为：一、基本情况，二、第八号宫殿建筑基址，三、其他遗址，四、灰坑及

出土物，五、结语，共五个部分介绍第八号宫殿建筑基址（编号简称 YSJ1D8）的发掘情况，有彩照、手绘图。

据介绍，第八号宫殿建筑位于宫城西北部，是偃师商城宫城宫殿建筑区西组建筑群中最北部的大型建筑。

第八号宫殿建筑基址最早发现于 1984 年春季，随后在 1985 年春季、1986 年秋季和 1997 年春季共经过 4 次发掘。由于历次发掘的重点是"大灰沟"，加之地理条件所限，每次发掘都只发掘到基址的北部边缘的极少部分，故对其了解甚少。该夯土基址绝大部分被叠压在一条东西向现代道路之下，道路北侧是混凝土修造的水渠，南侧是宽近 15 米、深逾 3 米的路沟，当地人称之为"老官道"。在 20 世纪五六十年代平整土地时路沟被填平，其上又堆放了大量煤渣和炼渣。由于基址埋藏浅，被现代遗存破坏严重。

简报认为第八号宫殿建筑基址其功用为居所。该建筑基址是坐北朝南的单体建筑，平面形状为长方形，东西全长 71 米、南北宽约 7.7 米，始建年代为偃师商城商文化第二期早段，废弃于第三期中段，当是第十号宫殿建筑的替代性建筑。可参见同期发表的《偃师商城第八号宫殿建筑基址初步研究》一文。

548.河南偃师商城 IV 区 1999 年发掘简报

作　者：中国社会科学院考古研究所河南第二工作队　李志鹏、王学荣、
　　　　谷　飞、曹慧奇等

出　处：《考古》2006 年第 6 期

1999 年 4 ~ 10 月，为配合偃师市洛神路西段建设，考古人员对偃师商城遗址第 IV 发掘区东部进行了发掘。发掘地点北距偃师商城遗址东北城角约 700 米，即今偃师市洛神路西段东端，东面新星路。发掘取得了重要收获，对了解该地域城墙、道路、护城壕、墓葬和灰坑等文化遗存之间的年代及相互关系等起到了促进作用。简所分为：一、地层堆积，二、主要遗迹，三、出土陶器，四、结语，共四个部分予以介绍，有照片、手绘图。

据介绍，IV 区位于偃师商城大城东城墙北段，在该区曾发掘出城墙、道路、护城壕、墓葬和灰坑等。此次发掘确认了偃师商城大城城墙的修建年代为偃师商城商文化第二期早段。

此外，在偃师商城大城使用时期，近东城墙中段内侧附近有延续使用一定时间的陶器作坊。就偃师商城目前的发掘材料表明，有些盆类器形在城内比较少见，简报猜测其产品或有外销的可能。

简报指出，此次发掘的地点靠近城墙，位置虽然偏南，但估计窑址也应在其附近。它与以往所发现的陶器作坊是否能联成一片，目前还不得而知。但可以肯定的是，偃师商城大城使用时期，城址东北部一带的广大地区应是陶器作坊的分布区，加之发现于这一地区的石器加工点（作坊）、小型居住址和众多水井等，推测这里也同样是其他简单手工业和平民的主要聚居区。

549.洛阳涧河东岸西周晚期墓

作　者：洛阳市文物工作队　郑　莉、王　炬、范新生等
出　处：《文物》2007 年第 9 期

2004 年 12 月底，洛阳市文物工作队配合泉舜房地产公司盛世唐庄第三期工程进行考古调查，发掘了一批古代墓葬。其中 1 座（C1M8633）位于上阳路西南，涧河与洛河交汇处东北角，西距涧河约 300 米。简报分为：一、墓葬形制，二、随葬器物，三、结语，共三个部分予以介绍，有手绘图。

据介绍，C1M8633 为长方形竖穴土坑墓，墓底距地表深 6.6 米。葬具为 1 棺 1 椁，置于墓室中部，已朽。棺内骨架已朽，为单人仰身直肢，有一椭圆形腰坑，坑内殉葬 1 狗。出土随葬品 31 件组，其中陶器 24 件，另外还有铜器、玉器、蚌器。年代简报推断为周晚期。

550.河南洛阳市唐城花园西周墓葬的清理

作　者：洛阳市文物工作队　安亚伟等
出　处：《考古》2007 年第 2 期

2002 年 7 月，在配合位于洛阳火车站以南的唐城花园建设项目的过程中，考古人员发掘清理了 70 多座西周时期的贵族墓葬。简报分为：一、墓葬形制，二、随葬器物，三、结语，共三个部分，先行介绍了其中 C3M434 的清理情况。

据介绍，该墓为长方形竖穴土坑墓，葬具 1 棺 1 椁。葬式为侧身直肢，墓底中部有一长方形腰坑，腰坑底部见狗的碎骨渣。随葬品置于墓主头前的棺、椁之间。计有陶器 5 件，均为泥质灰陶，其中簋 2 件、罐 3 件。

该墓的年代，简报推断为西周晚期早段。

特别重要的是，出土陶簋内壁上刻划的"田猎图画、筮数易卦和刻划符号"等，在西周陶器中极为罕见。其中 5 组筮数易卦的内容，按奇阳阴偶的原则。简报分别译为《周易》的巽卦、蹇卦、既济卦、睽卦和无妄卦，在无妄卦下还刻一

"雨"字。

简报指出,商周时期刻铸在甲骨、金文、陶、石、玉、骨和竹简上的筮数易卦是我国古代"筮占"习俗的产物,多单独存在或与文字相连属。而此次发现筮数易卦却与成组的田猎图相连属,这是极为罕见的。这次发现丰富了我们对商、周时期刻划于陶器上的筮数易卦的认识,为我们对西周时期的社会生活、卜筮、葬制的研究提供了新的实物资料。

551.河南洛阳市南陈遗址西周文化遗存的发掘

作　者：河南省文物考古研究所　宋国定、王　涛、席永征
出　处：《华夏考古》2008 年第 3 期

南陈遗址群位于河南省洛阳市吉利区向西约 5000 米的黄河北岸,黄河小浪底西霞院工程区内,西霞院坝址的北端,由南陈遗址、南陈墓地及南陈城址三部分组成。2004 年 3 月至 6 月,考古人员对位于黄河小浪底西霞院反调节水库工程区内的南陈遗址群进行了抢救性考古发掘,发现仰韶文化晚期的环壕聚落遗址和西周中晚期村落遗址各 1 处、西周墓地 1 处;同时对遗址北部的战国晚期城址以及城址南侧的人工构筑沟也进行了解剖,发掘工作取得了重要收获。南陈遗址区发掘的西周时期文化遗存情况,简报分为:一、遗址概况与地层堆积,二、文化遗迹,三、文化遗物,四、结语,共四个部分予以介绍,有手绘图、照片。

据介绍,南陈遗址西周时期的文化遗存十分丰富,除发现大量的窖穴、灰坑和墓葬外,还发现了形制和营造方式均具有一定特点的建筑遗迹,为研究和复原西周时期这一地域房屋建筑的程序、形状以及火膛的使用方法等都具有十分重要的意义。遗址中 19 座西周时期的中小型墓葬的发现,为研究洛阳地区西周时期平民墓葬和葬俗提供了新的考古资料。

从遗物及组合情况来看,简报推断这批资料的年代约当西周中期或偏晚。

552.洛阳老城北大街西周墓

作　者：洛阳市文物工作队　俞凉亘等
出　处：《文物》2010 年第 8 期

2007 年夏,洛阳亚威房地产开发有限公司在洛阳老城北大街以东地块取土时,发现数件青铜器。考古人员前往现场调查,最终确定为 1 座西周墓葬(编号 C2M130)。该墓位于洛阳老城北大街北端以东约 280 米处,其北紧邻洛阳市幼儿师

范学校。由于取土时造成墓葬严重破坏，墓室形制等均已不清楚，简报分为：一、随葬器物；二、小结，共两个部分予以介绍，有照片、手绘图。

据介绍，该墓葬存陶器、铜器、蚌器17件，年代简报推断为西周早期。简报指出，洛阳地区西周墓已发掘近千座，但这是出土西周铭文铜器最偏西的一处，会帮助我们重新确定西周墓葬区的范围。

553.洛阳北窑西周车马坑发掘简报

作　者：洛阳市文物工作队　周　立、顾雪军等

出　处：《文物》2011年第8期

2009年7月至9月，为配合铁路分局税务员小区建设工程，考古人员对该工地进行了考古钻掘。发掘地点位于洛阳北窑西周铸铜遗址区范围内，西邻五四小区，南邻陇海铁路。发现马坑4座、车马坑1座和西周时期道路1条。简报分为：一、地层堆积及出土遗物，二、车马坑的形制与车的结构，三、车马坑内出土的器物，四、结语，共四个部分，配以彩照、手绘图，先行介绍车马坑的清理情况。

据介绍，此车马坑为1葬坑，埋有1车2马以及车马器、兵器等，年代简报推断为西周早期。简报指出，此次发现的车马坑保存基本完整，是目前洛阳发现的同时期车马坑中保存最好的1座。车马坑内出土的器物除了车马器以外，主要是一些实用兵器，种类有戈、矛，这些兵器表明这个车马坑殉葬的是1辆战车。同时，车上的漆皮和一些装饰构件表明，当时的车还是一种身份的象征。洛阳北窑西周车马坑的发现为我们研究洛阳地区西周时期的车马埋葬制度、车马的结构、车马坑的特点和作战的方式提供了重要资料。

554.河南偃师商城西城墙2007与2008年勘探发掘报告

作　者：中国社会科学院考古研究所河南第二工作队　曹慧奇、谷　飞等

出　处：《考古学报》2011年第3期

2007年春，偃师商城遗址保护展示工程中的西城墙工程正式启动，为配合这项工作，考古人员分别在2007年春季和2008年春季，分两次对整个偃师商城西城进行了全面的复查和勘探，发现了新的遗迹现象。简报分为：一、西城墙勘探，二、西城墙发掘，三、结语，共三个部分，介绍了勘探结果和发掘情况，有彩照。

据介绍，偃师商城始建年代还有待进一步的考古发掘，但偃师商城城址定为商代前期是没有问题的。偃师商城大城城墙上原来认为共有6座城门：东、西城墙各二，南城墙、北城墙各一。此次发现西城墙有3座门。其中的西二城门使用了一段很短的时间就不知何故废弃了。与西城墙相对称，目前怀疑东城墙也有3个城门。这样就是8个城门，与《考工记》中的记载相符。

简报指出，西一城门外的发掘意义重大，一是找到了商代早期的桥梁遗迹，为了解当时人们的过河方式提供了新资料。二是改变了以往认为护城壕河水是宫城内池苑用水水源的认识，宫城池苑的水源应该来自新发现的石砌水道西端的南北向古河道。三是西一门外护城壕内清理出来的土台、柱坑等遗迹现象则为进一步研究、复原护城壕东西两侧石砌大道的连接方式提供了可以依据的资料。

555.河南洛阳市汉魏故城 M175 西周墓发掘简报

作　者：中国社会科学院考古研究所洛阳汉魏城队　宋江宁、陈国梁、钱国祥、
　　　　肖淮雁

出　处：《考古》2014 年第 3 期

2007 年 2 月至 11 月，为配合国家文物局组织实施的大遗址保护工程，有关部门在洛阳汉魏故城北魏宫城阊阖门遗址附近进行考古勘探，在以阊阖门遗址为中心的区域内发现古代墓葬 521 座、遗迹 1361 处。为了解这批墓葬的时代、保存状况以及与城址的关系，考古人员在不同区域分别选择少量墓葬进行了发掘。两次发掘清理墓葬 24 座。这两次清理的墓葬时代集中在西周中晚期到战国时期，其中西周墓葬 9 座，东周墓葬 10 座，因无随葬品或出土遗物不足暂难以确定时代者 5 座。I 区 T12 内的西周墓葬编号为 M175（勘探编号 B 区 M147）。

简报分为：一、地层堆积，二、墓葬形制，三、出土遗物，四、结语，共四个部分予以介绍，有彩照、手绘图。

据介绍，简报根据出土器物形制及组合进行类比，推断 M175 的年代为西周晚期。

简报称，此次勘探及发掘发现的西周墓葬数量较多，进一步丰富了相关资料，这对于我们研判该区域内早期城址的性质以及文献中所载的洛邑、成周、王城的地望及关系均有重要意义。

平顶山市

556.临汝夏店发现商代文物遗址

作　者：倪自励
出　处：《文物》1959 年第 1 期

夏店位于临汝县西北约 36 里的荆河南岸，1958 年秋在村对岸的河旁台地上，发现了商代文化遗址 1 处，初步调查遗址面积约为 10000 平方米。简报配以手绘图予以介绍。

简报介绍，从遗址周围的沟壑中所暴露出的文化层看到有相当厚的文化层和圆形圜底的窖穴，其中包含遗物极为丰富，红烧土块和陶片极多。调查中采集有：石刀、陶罐、陶鼎、短颈大口尊等残片，陶质有粗泥夹砂和细泥光面陶片等。火候一般较高。纹饰有绳纹、附加堆纹和素面。根据所采集的陶片的质料、形制和纹饰来看，和郑州商代洛达庙遗址所出土的遗物极为相似，其时代简报推断应为商代早期。

557.河南临汝煤山遗址调查与试掘

作　者：洛阳博物馆　方孝廉
出　处：《考古》1975 年第 5 期

煤山遗址位于河南临汝北刘庄西南面的台地上，东南距县城约 0.75 公里，东距洗耳河约 0.5 公里。遗址面积南北约 200 米，东西约 150 米。台地表面全部是黑灰土，当地人把这个台地叫做煤山。1970 年 11 月，煤山因工程动土，考古人员前往清理。获得近百件石、骨、蚌、陶器；同时还采集了相当数量的文化遗物，收获相当丰富。简报分为五个部分予以介绍，有手绘图、照片。

据介绍，这次对煤山遗址的调查和试掘，最大的收获是找到了"河南龙山文化"和"二里头类型文化"的重叠层。煤山第一期，属于河南龙山文化范畴，煤山第一期可能晚于郑州旭旮王龙山文化，而早于偃师二里头遗址的第一期，从而填补了偃师二里头遗址的第一期与河南龙山文化之间的缺环。煤山第二期文化，属于二里头类型文化的早期遗存。在器形上是第一期文化的延续，煤山第二期相当于偃师二里头遗址的第一期。煤山第三期文化，为二里头类型文化的中期遗存。

简报指出，煤山遗址的调查和试掘，证实了二里头类型文化是由河南龙山文化直接发展而来的。据测定：属于河南龙山文化的洛阳王湾三期，为公元前 2000±95 年；而二里头遗址第一期为公元前 1620±95 年，两者的绝对年代比较接近。从文化面貌上看，煤山一期更接近于二里头类型文化的早期，这就为解决商代文化以前的夏文化与河南龙山文化的关系提供了一定的实物资料。

558.河南平顶山市发现西周毁

作　者：平顶山市文管会　耿殿元
出　处：《考古》1981 年第 4 期

在平顶山市郊区薛庄公社南约 2 公里的原滍阳镇西门外，有 1 道土岗，南北长约 1000 米、东西宽约 250 米、高约 5 米。1979 年 12 月，该公社北滍大队砖瓦厂，在此烧砖取土时，在深约 3 米处发现了 1 件铜簋，有铭文 12 字。简报配以照片、拓片予以介绍。

据铭文，此簋为邓（国）女嫁应（国）时的陪嫁礼器。此条土岗，历年来不断有文物出土，1977 年出土过 1 件战国铜剑。简报认为滍阳镇很可能是应国都城所在地。此铜器的年代，简报推断为西周时期。

559.河南临汝县李楼出土商青铜器

作　者：临汝县文化馆　张久益
出　处：《考古》1983 年第 9 期

李楼在河南临汝杨楼公社，东距县城约 18 公里。村北 500 米处有一圆土丘，俗称"柏树圪垯"。1978 年冬，李楼村村民平整土地时，曾两次出土青铜器。据了解，第 1 次出土爵、觚、斝 3 件。器物旁边有人骨架 1 具，该器物应属于墓葬殉品。第 2 次出土爵、斝、盉。墓葬情况不明。简报配以照片、拓片予以介绍。

据介绍，青铜器均未见铭文，有修补痕迹。时代简报推断为商代早期。

560.河南平顶山市又出土一件邓公簋

作　者：宋　建
出　处：《考古与文物》1983 年第 1 期

1980 年 5 月 18 日，河南平顶山市郊区薛庄公社北滍大队砖瓦场，在白龟山水库淹没区的原浩阳镇西门外土岗取土，又挖出了 1 件西周铜簋。这是继 1979 年 12 月在同一地点出的邓公簋后的再次发现。简报配以照片、拓片予以介绍。

据介绍，这次出土的邓公簋与之前的器形、大小、纹饰、铭文均基本相同。略轻，重约 3.18 公斤。与这件铜簋同时出土的还有纹饰精美的车马铜饰，计有铜銮铃 4 件、铜辖、軎各 1 副、马镳 3 件以及马辔上的饰件 10 只，另外还有 1 件玉笄，已残。

简报称，邓公簋两件是邓国国君为其女嫁应国时所作的陪嫁礼器，时代应为西周中晚期。

今有吴晓筠先生《商周时期车马埋葬研究》（科学出版社 2009 年版）一书，可参阅。

561.河南宝丰收集到两件别致的青铜戈

作　者：宝丰县文化馆　邓城宝
出　处：《考古与文物》1983 年第 3 期

河南省宝丰县文化馆最近收集到两件制作工艺别致的青铜戈。简报配以照片予以介绍。

1 件是商晚期的銎内戈。出土于前莹公社前莹村商代遗址内，是农民在翻地中发现的。一面纹饰应为族徽，一面可能是使用者的姓氏铭文。商代晚期青铜戈上出现铭文者极少，仅有少数铜戈出现族徽，而这种既有族徽又有铭文者更为罕见，且铜戈制作工艺相当精美。

另 1 件是春秋时期的镂孔镶嵌三穿戈，是从废品收购单位的杂铜中拣选而得。这件铜戈工艺之精、纹饰之美，在青铜器中比较少见。

562.临汝县李楼出土商代青铜器介绍

作　者：张久益
出　处：《中原文物》1983 年第 2 期

1978 年，临汝县李楼村农民在村北柏树圪瘩平整土地时，2 次挖出商代青铜器 6 件。简报配以照片予以介绍。

据介绍，青铜器有铜爵 2 件、铜罍 2 件、铜觚 1 件、铜鬲 1 件。简报称，李楼村所出土的这批青铜器，与郑州出土的商代青铜器相对比，造型与花纹都比较接近。

563.河南平顶山市出土西周应国青铜器

作　　者：平顶山市文管会　张肇武
出　　处：《文物》1984 年第 4 期

1982 年 11 月，河南省平顶山市郊区农民在原滍阳镇西门外土岗上取土时，发现了一批西周应国青铜器。简报配以手绘图等予以介绍。

据介绍，有鼎、簋、爵、觯 4 件带铭文青铜器，以及斧、戈、辖、饰件等不带铭文的青铜器。据铭文，这批青铜器应为西周时应国祭器。

564.河南临汝县出土西周铜匜

作　　者：临汝县文化馆　杨小栓
出　　处：《考古》1984 年第 2 期

1980 年，临汝县小屯公社朝川大队农民在挖土时掘出铜匜 1 件。口呈椭圆形，短流，腹部饰三条弦纹，沿部饰一周象纹，后附一兽形鋬，下附四涡纹扁足。高15.5 厘米，口 13.5 厘米 ×20.5 厘米，流 6 厘米 ×5 厘米。匜底内有铭文"盥公大正叔良父作淳匜其眉寿万年子子孙孙永宝用"。简报配有照片。该匜从器形、文饰和铭文字体看，简报推断当属西周晚期。

565.河南临汝柏树圪垯遗址出土的遗物

作　　者：临汝县文化馆　杨　澍
出　　处：《考古》1985 年第 3 期

河南临汝柏树圪垯遗址位于杨楼公社马庄村西，东距县城约 18 公里，北距李洼村约 0.5 公里，东南距李楼村亦约 0.5 公里。遗址呈圆形土丘。1975 年中国科学院考古研究所曾对该遗址进行过调查、采集了一些遗物（见《考古》1978 年第 1 期），1978 年李楼村农民在平整土地时，先后发现两组 6 件青铜器（见《考古》1983 年第9 期）。以上器物的发现，引起考古人员对该遗址的重视，并对此进行了几次详细的调查，采集了若干文化遗物，简报配以照片予以介绍。

据介绍，采集文化遗物陶器 6 件、石器共 4 件，均为青石磨制而成。6 件陶器中，陶高领罐和斜腹碗外，其他 4 件均为过去所未见。其中的圈足碗形似二里头文化常见的三足盘；筒形杯和束腰杯与河南龙山文化晚期的陶杯相似；扁腹壶的器形别致，与屈家岭文化的圈足壶比较相似。简报认为这批陶器与这里过去发现的陶器一样，基本属于河南龙山文化晚期陶器的形制，但已出现明显的二里头文化的因素，接近于新砦期二里头文化的陶器。

566.平顶山市出土周代青铜器

作　者：张肇武

出　处：《考古》1985 年第 3 期

1984 年 4 月 20 日，平顶山市薛庄乡北滍砖瓦厂，在原滍阳镇义学岗取土时，发现了 3 件青铜器。考古人员赶到现场，将 3 件器物运回，移交给市文管会收藏。简报配以照片、拓片予以介绍。

据介绍，3 件铜器为铜簋两件、铜鼎 1 件。1980 年 5 月，在这里先后发现了 2件西周铜簋（《河南平顶山市发现西周铜簋》，《考古》1981 年第 4 期；《河南平顶山市又出土一件邓公簋》，《考古与文物》1983 年第 1 期），市文管会以其铭文前两字为"邓公"，故定名为"邓公簋 A""邓公簋 B"。这次出土的 2 件，因铭文与 A、B 两簋相同，故依次定名为"邓公簋 C""邓公簋 D"。四簋形制完全相同。

根据铭文可知，4 件铜簋皆为周代邓国的国君为其女儿嫚毗嫁给应国时所特意制作的媵器，嫚毗死后又作为随葬品埋入地下。与 A、B 簋伴出的还有铜车马器、饰与贝币、蚌饰、玉饰等，简报推测此处是嫚毗与其丈夫的合葬墓。

铜鼎上的铭文，前两字难以辨认。据中国社会科学院考古研究所刘雨和河南大学历史系王子超先生初步辨识，疑为"封虎"，简报推测此鼎为封父国所铸。简报据《左传·定公四年》等史料所述，证明封父为夏商时期的诸侯国，被周所灭，其都城在今河南封丘县境，距今平顶山市滍阳应国都城有数百里之遥。"封虎"究系何人？此鼎如何流传至应都？又如何随同 4 件邓公簋一齐埋入墓中？这些问题尚待进一步研究。

567.河南临汝出土一批商周青铜器

作　者：临汝县文化馆

出　处：《考古》1985 年第 7 期

近两年来，临汝县文化馆先后收集到一些青铜器，其中小屯、陵头一带出土最多，可能出自墓葬。简报配以拓片、照片予以介绍。

据介绍收集的青铜器有：

爵 3 件。1 件骑岭公社大张村出土。流口残，尖尾，直腰，腹微鼓，平底。1 件小屯公社张庄出土。鋬内有铭文"口父"2 字。另 1 件，杨楼公社李楼出土。器形同上，鋬内有铭文"祖庚"2 字。

鼎 1 件。陵头公社前户村出土。平沿外折，立耳，蹄足，沿下饰一周重环纹，体外有烟炱痕。

簠，仅存盖。陵头公社前户村出土。盖口有二兽形扣，通体有纹饰。

凿 10 件。尚庄公社榆树陈村出土。空首，单面刃，面部饰树叶纹，间饰数小乳钉纹。

锛 3 件。小屯公社虎头村出土。空首，圆刃。

戈 1 件。小屯公社史庄出土。援呈等腰三角形，锋较圆钝，援中部有一圆孔，阑侧二穿，内为长方形，上有一椭圆形孔。

以上青铜器，简报推断第 1 件爵最早，属二里岗期，余两件属商末周初。鼎、簠为春秋早期。

568.平顶山市新出土西周青铜器

作　者：平顶山市文管会　廖佳行、孙清源
出　处：《中原文物》1988 年第 1 期

1985 年 4 月，平顶山市薛庄乡北滍村村民修鱼塘时，在路基旁发现了 4 件青铜器。考古人员进行了调查和清理，据现场情况看，青铜器均出自 1 座土坑竖穴墓，墓坑大小和器物的位置已被搞乱。这 4 件铜器为鼎 2 件（形制不同），提梁卣和簋各 1 件。简报配图予以介绍。

据介绍，出土地点应属西周早期应国的贵族墓葬区。因此这 4 件青铜器也应是西周早期应国遗存。两件青铜器上有铭文。

569.平顶山市北滍村两周墓地一号墓发掘简报

作　者：河南省文物研究所、平顶山市文管会　王龙正、孙新民、王胜利
出　处：《华夏考古》1988 年第 1 期

平顶山市位于河南省中部的伏牛山东麓。1986 年 3 月，为配合砖厂生产，考古人员前往现场进行考古调查和钻探，发现墓葬数十座，这些墓葬主要分布在滍阳岭的中脊上，大多是两周时期的土坑竖穴墓和两汉时期的砖室墓（空心砖墓、小砖券墓和少量土坑墓）。

滍阳岭呈南北方向，长约2000米，宽100米，高出周围地面15米左右。一号墓（M1）位于滍阳岭的中部。1986年5月至6月进行了发掘。简报分为：一、墓葬形制与葬具，二、随葬器物，三、结语，共三个部分予以介绍。

据介绍，该墓形制为长方形土坑竖穴木椁墓，仰身直肢。简报推测，墓主人可能系一中年男性。随葬品有骨钉、陶器、铜鱼、砚、蚌贝等。简报推断这座墓的相对年代应属西周末期的宣王之世，属应国墓葬；墓主生前的身份当属士大夫阶级的奴隶主贵族。

570.临汝煤山遗址1987～1988年发掘报告

作　者：河南省文物研究所　袁广阔
出　处：《华夏考古》1991年第3期

煤山遗址位于临汝县城北0.5公里，北刘庄村西的漫坡土岗上，汝河支流洗耳河自北向南从遗址东部流过。遗址南北长约500米，东西宽约400米，总面积约200000平方米。1970年和1975年，考古人员对遗址进行过发掘。1987～1988年，考古人员又两次对遗址进行了发掘，南区和北区的发掘情况简报分为：一、发掘概况，二、地层堆积与分期，三、煤山一期文化，四、煤山二期文化，五、二里头一期文化，六、二里头二期文化，七、结语，共七个部分予以介绍，有手绘图、照片。

据介绍，通过对南北两区的发掘，结合1970年及1975年两次的发掘资料，较准确地找到了煤山遗址的分布范围。煤山一期文化主要分布在遗址的中部，南区仅少数探方中有其文化层，北区则没有该期文化层。煤山二期文化遍及遗址各区。煤山遗址的二里头一期文化包含的龙山文化因素较多，从器物形体上看，它要略早于偃师二里头一期文化。二里头二期文化还是以夹砂灰陶和泥质灰陶为主，但器物造型及纹饰发生了较大的变化。

简报称，从煤山一期文化至二里头二期文化是一脉相承的，是一种文化的发展和演进。
一般认为，二里头文化已进入夏代范畴。

571.平顶山应国墓地九十五号墓的发掘

作　者：河南省文物研究所、平顶山市文物管理委员会　姜　涛、王龙正、王胜利
出　处：《华夏考古》1992年第3期

应国墓地位于河南省平顶山市郊区薛庄乡北滍村西的滍阳岭上。该岭是南北向的土岭，长约2000米，宽100米，高出地面10余米。是西周时期应国贵族墓地所在。1986年初起，考古人员对该墓地进行了较大规模的勘探和发掘，共发掘清理墓

葬130余座，出土各类文物近万件。1988年曾发表了一号墓的发掘资料。简报分为：
一、墓葬形制与葬具，二、随葬器物，三、结语，共三个部分，配以手绘图、照片，
先行介绍九十五号墓（M95）的发掘情况。

据介绍，M95位于滍阳岭中部偏南。该墓为带墓道的长方形竖穴土坑墓，由墓
道和墓室两部分组成。出土随葬品约400件。简报认为，该墓的年代大致可推定为
西周晚期偏早阶段。而公作器组与侯氏作器组的年代稍早一些，当为西周中晚期之际。
铜器上有铭文，作器人应伯或即此墓主人。

572.平顶山应国墓地八十四号墓发掘简报

作　者：河南省文物考古研究所、平顶山市文物管理委员会　王龙正、姜　涛、
　　　　娄金山、夏麦陵、王胜利、冯陆平、王宏伟、牛清彬、张水木等
出　处：《文物》1998年第9期

应国墓地位于河南省平顶山市新华区薛庄乡北滍阳岭上。20世纪70年代以来，
在滍阳岭上先后出土了一批应国铜器和邓国媵器，引起了学术界的广泛关注。后
经专家多方面考察论证，确认滍阳岭为两周时期应国贵族墓地。自1986年开始，
考古人员对该墓地进行了长时期大规模的考古勘探和发掘，迄今共发现并清理西
周至东汉时期墓葬300余座，出土各类文物近10000件。其中属应国的墓葬有40
多座，出土了大批的铜礼器和玉器，及众多的铜车马器、兵器、工具和陶瓷器、
金器等随葬品，许多铜礼器上铸有铭文。过去已对个别墓葬进行过报道。简报分
为：一、墓葬概况，二、随葬器物举例，三、铜器铭文简释，四、墓葬年代，五、
墓主人的身份，共五个部分，配以彩照、拓片、手绘图，先行介绍了84号墓（M84）
的发掘情况。

据介绍，84号墓为一长方形竖穴土坑墓。出土的铜礼器制作精美，且多为实用器，
其中酒器占有一定比例。据铭文等，简报将该墓年代定为西周恭王后期，认为墓主
人应该是应侯。

573.河南平顶山市出土的应国青铜器

作　者：平顶山市文物管理局　娄金山
出　处：《考古》2003年第3期

1988年4月，河南省平顶山市郊区公安分局破获一起重大盗窃、走私文物案，
追缴了一批珍贵的应国青铜器，共有鼎、簋、鬲、盘、匜以及车马器300多件。这

批文物均出自应国墓地的 1 座墓中，已经全部移交平顶山市文物管理局收藏。7 件带铭文的青铜器简报配以拓片予以介绍。

据介绍，7 件带铭文的青铜器有：鼎 1 件、簋 3 件、鬲 2 件、盘 1 件。简报推断该墓的时代为西周晚期偏早阶段。

574.河南平顶山发现夏代古城

作　者：周桥蓉
出　处：中新网 2004 年 10 月 24 日

据报道，考古人员在平顶山市蒲城店遗址，发现了 20 座排房基址和 2 座古城。排房的房间，有单间、双间、三间、四间等多种形式。最大的房子为多达五间的东西向连间房。这些排房的年代，应属新砦文化，从时间上看，约相当于夏代早期。

新发现的两座古城，1 座为龙山文化城址，另 1 座时代尚不能确定。龙山文化古城，东西长 126 米，南北长 128 米，发现有东、南、西 3 面城墙，城外有护城河。专家推断，应是龙山文化中晚期的城址。这一发现，将平顶山的建城史至少前推了 1000 年。

有学者认为，新密新砦遗址，就是史书上所说的"夏启之墟"。此次发现证明，新砦文化在平顶山、驻马店、漯河一带区域广泛分布。

焦作市

575.河南孟县涧溪遗址发掘

作　者：河南省文化局文物工作队　刘笑春
出　处：《考古》1961 年第 1 期

1956 年 5 月中旬，河南孟县吉利乡农业社在涧溪村发现了古代文化遗址。在古代文化遗址的灰土中，发现了许多陶片、石器和烧土块。发掘于 7 月 21 日开始，至 9 月 10 日结束。为了进一步把遗址范围找寻清楚，发掘结束后对遗址的范围又进行了周密的钻探。另发现商墓 2 座、汉墓 1 座和唐墓 1 座。简报分为：一、遗址附近地形及层次关系，二、遗迹，三、遗物，四、结语，共四个部分予以介绍，有手绘图、照片。

据介绍，涧溪村位于孟县城西约 17 公里，村南临黄河。遗址分布在村北约 150

米的涧溪沟两岸的台地上，在探方之外另发掘窖穴 15 个、灶坑 7 个，出土了大批的陶、骨、石和铜器等物。从这处遗址出土的主要遗物推断，涧溪遗址应属于商代晚期文化遗址或晚到西周早期。

简报称，遗址内发现的濠沟很可能是用来引水灌溉的。前述之商墓（2 座），1 座只出贝 2 件，另 1 座出铜爵 2 件、铜觚 1 件，其中 1 件铜爵腹饰饕餮纹一周，把内有"父己"铭文。

576.温县发现商代铜器

作　者：不详

出　处：《文物》1972 年第 1 期

1968 年 8 月，温县城北城关公社在收获白薯时，发现一批商代晚期铜器，有方鼎、铙、簋、三足斝和觚、爵等，还有乐器铜铙 3 件，铜戈、削、镞多件。这里大约是 1 处奴隶主墓葬。其中三足斝高 37.3 厘米，底内壁有 1 字铭文，腹外壁铸出直立展翅的鸮文 3 组，纹饰奇特，颇为罕见。

577.温县出土的商代铜器

作　者：杨宝顺

出　处：《文物》1975 年第 2 期

温县位于河南省西北部，南临黄河，北濒沁水，县境内地势平坦，间有平缓的丘陵，为豫北盛产药材的地区之一。

1968 年 8 月，温县城关公社小南张大队（距城东北 8 里）的百姓于村东北农田挖药材时，在距地表很浅的土坑内（可能是 1 个墓葬），发现了一批商代铜器。这批铜器共 23 件，按其用途可分为工具、食器、酒器、兵器和乐器五类。简报配以照片、手绘图予以介绍。

简报介绍，温县境内集中出土这样多的商代铜器，还是第一次。这批铜器中的斝、爵、觚、戈等造型和 1957 年秋安阳高楼庄殷代墓葬中出土的同类铜器形制基本相同，其他铜器的形制和纹饰也都具备商代晚期的特点，因而这批铜器的时代，简报推断应属于商代晚期。

简报称，这批铜礼器造型壮丽，质地厚重，花纹精美，特别是铜斝腹壁 3 组直立展翅的鸮纹，构图更为奇特，为商代铜器花纹中所罕见，充分显示了我国商代晚期铸铜工艺的高水平和工匠的创造才能。

578.武陟县早商墓葬清理简报

作　者：武陟县文化馆　千平喜
出　处：《河南文博通讯》1980 年第 3 期

武陟县北依太行，南临黄河，处于河内盆地的东南地带。1978 年 11 月，宁郭公社大驾大队农民在进行农田基本建设时发现古代墓葬 1 座，出土了一批青铜器和陶器，其中青铜器保存基本完好，已运回县文化馆保存，此墓清理情况简报配以手绘图予以介绍。

据介绍，该墓位于武陟县西北 20 公里宁郭公社大驾村北地 400 米处，墓呈长方形，未发现棺椁痕迹。墓内出土人骨架 1 具，仰身直肢葬。在死者盆骨左侧发现铜器 6 件及铜箭头多枚，所发现的陶器多已破碎，能认出器形的有陶鬲、陶豆等。简报推断这座墓葬应是 1 座商代早期的奴隶主墓葬。简报称，这种类型的墓葬在豫北地区尚属首次发现，它为我们研究早商时期铜器墓的分布范围提供了一份重要的资料。

579.武陟县龙睡村北出土两件商代铜器

作　者：千平喜
出　处：《中原文物》1984 年第 4 期

1982 年 6 月，武陟县城北 2 公里龙睡村村民在村北岗地耕地时，犁出商代晚期铜爵 1 件。简报配以拓片、照片予以介绍。

据介绍，铜爵通高 21 厘米，口径 8.2 厘米，腹深 10.5 厘米。口沿对称立 2 个菌状柱（1 残），柱上饰以水涡纹。腹底圆鼓下为三棱形足，足尖外撇。腹部饰饕餮纹，腹侧有鋬，鋬作兽首状，鋬内腹壁有阴纹"父辛"2 字。1983 年 5 月，该村儿童在同一地点捡到削形铜刀 1 把。刀通长 19 厘米，背厚 0.4 厘米，刃长 11.4 厘米，宽 2.1 厘米。这两件商代铜器的出土，对研究商人在豫北地区的活动提供了又一实物资料。

580.焦作南朱村发现商代墓

作　者：马　全
出　处：《华夏考古》1988 年第 1 期

南朱村位于焦作市西 14 公里。1984 年 5 月，当地农民在取土烧砖瓦时，发现 1 件铜爵。考古人员赶赴现场调查并进行了清理，确认此爵是这两座墓葬中的 1 座所出。

简报配以手绘图予以介绍。

据介绍，这 2 座墓的形制为土坑竖穴墓。墓室长度不详。M1 的墓室几乎全部破坏，仅保留墓室的一端。墓室南北宽 0.53 ～ 0.60 米，深 2.10 米。未见腰坑。死者头向东。从残存的墓主人的下肢骨看，当为仰身直肢葬。M2 在 M1 西略偏南 20 米处。墓主人头向东，俯身葬。未发现葬具。墓室东西长 2 米，南北宽 0.42 米，深 1.90 米。随葬器物共 5 件，计有铜爵、陶豆、陶簋等。简报推断两墓年代为商代二里岗晚期。

581.武陟县出土三件商代青铜器

作　者：武陟县博物馆　千平喜
出　处：《文物》1989 年第 12 期

1981 年 5 月，河南武陟县宁郭村供销社废品收购部收到 1 件铜罍。经调查，铜罍出土于武陟县城西 20 公里的宁郭村北 500 米处，距地表深 1.5 米左右。与此器同出的还有铜鼎、斝各 1 件。简报配以拓片予以介绍。

简报称，武陟县宁郭村近年来不断发现商代墓葬和灰坑，出土殷墟三、四期的夹砂黑、红陶片，简报推测此处为 1 商代遗址。因此，这 3 件器物形制较大，均有铭文，这在武陟县境内还是首次发现。

582.河南武陟东石寺遗址调查简报

作　者：新乡地区文管会、武陟县博物馆　张新斌、刘习祥
出　处：《考古》1990 年第 3 期

武陟东石寺遗址系第一批河南省文物保护单位，为我区现存规模最大、内涵最丰富的古代文化遗址之一。历年来经过多次调查，特别是在 1978 年、1984 年两次文物普查中，采集了大量标本，这批资料整理简报分为：一、遗址概况，二、遗物，三、结语，共三个部分予以介绍，有手绘图。

据介绍，东石寺遗址是 1 处以仰韶文化为主要内涵的新石器时代文化遗址，由于该遗址位处仰韶文化大司空类型和大河村类型之间，因而与二者关系较密切。简报认为其年代亦应相当于仰韶文化晚期的大河村类型；龙山文化遗存相当于河南龙山文化中期或略早。简报称，东石寺遗址中应有一部分属于早于郑州二里岗期的商文化遗存。

583.河南武陟大司马遗址调查简报

作　者：杨贵金、张立东、岳建庄

出　处：《考古》1994 年第 4 期

　　大司马遗址东北距县城 20 公里，南、北距黄、沁二河均 5 公里。1990 年 7 月，县文物钻探队在配合基建的工作中发现了该遗址。考古人员进行了调查。简报分为：一、河南龙山文化，二、二里头文化，三、商代文化，四、结语，共四个部分，有手绘图、照片、拓片。

　　据介绍，黄河以北、太行山以南地区，过去考古工作较少。大司马遗址所获资料，对认识该地区的古代文化是有所助益的。

　　H1 出土的深腹罐、扁罐、小口瓮、碗等器物，分别与修武李固龙山晚期的同类器相似。刻槽盆均为浅腹，不见李固龙山早期和煤山一期的筒腹喇叭口者。据此，H1 的时代应与李固龙山晚期和煤山二期相当，约当河南龙山文化的晚期。

　　H14:22 大口尊口径与肩径大致相等，正与二里头四期的大口尊相同。H14 还出有簋和突肩盆，这两种器类在二里头遗址都是四期新出现的。因此，简报初步推断 H14 约与二里头四期的时代相当。

　　另外，此次发掘发现的剥头皮现象也值得重视。简报称，剥头皮风俗曾广泛流行于欧亚和美洲大陆。H14 的材料，对研究这一风俗，具有重要意义。

584.焦作市府城古城遗址调查报告

作　者：杨贵金、张立东

出　处：《华夏考古》1994 年第 1 期

　　府城古城遗址是 1986 年 11 月河南省人民政府公布的省级文物保护单位，是沁水下游 1 处重要遗址。它位于焦作市区西南 8 公里的府城村西北 200 米处。古城西北、西南约 0.5 公里处分别是造店村和店后村，北边紧临焦（作）济（源）高速公路。该遗址系 1957 年焦作市文化馆王雁秋先生发现，1958 年第 4 期《文物参考资料》曾有简短的文字报道。近年来，在文物普查中采集过许多遗物，可惜散落不少。1991 年 7 月 7 日和 10 月 3 日又作了两次调查，采集了一些陶器和石器。简报分为：一、古城遗址的现状，二、古城内的文化遗物，三、结语，共三个部分予以介绍，过去采集的几件遗物也一并发表，有手绘图。

　　据介绍，府城古城基本呈方形，坐北朝南，全城总面积 8 万余平方米。北城墙长 295.5 米，绝大部分保留，中部偏东有 1 段 31 米宽的缺口，似与城门有关。缺口西端有东汉小砖墓 1 座。城墙坐在古河道上，前几年因百姓掏沙，北城墙东段夯土又塌陷约 20 米长，几乎又形成另 1 个缺口。城墙以外未发现任何文化遗物，城内文化遗物丰富，俯拾皆是，在西南部破坏区可拣到龙山、商代等较早时期的陶片。在东北部地面上散存着大量的战国至汉代的砖瓦和陶片，还有一些宋代的白瓷片和三彩片。有石器、铜器和陶器，其年代有龙山、先商、早商、晚商、西周和东周，以先商、早商和西周遗物最为丰富。简报推断该城始建年代不会晚于早商，到了西汉晚期至迟到东汉初期，该城已被废弃。

585.河南焦作市府城遗址发掘简报

作　者：河南省文物考古研究所　袁广阔、秦小丽、杨贵金
出　处：《华夏考古》2000 年第 2 期

府城遗址位于焦作市西南府城村西北部的台地之上，距市中心约 10 公里，北距太行山约 15 公里，南距沁河约 20 公里。遗址平面呈方形，南北长约 300 米，东西宽约 310 米，是河南省重点文物保单位。1992 年，考古人员对该遗址进行了初步钻探和调查，并初步认为这是 1 处早商文化遗址。1998 年 9 月至 1999 年 6 月对该遗址进行了发掘，发掘面积约 1700 平方米。这次发掘情况简报分为：一、地层堆积，二、二里头文化遗存，三、二里岗时期文化遗存，四、白家庄文化遗存，五、结语，共五个部分，有手绘图。

据介绍，根据地层关系可知，直接打破一号宫殿基址的灰坑是商代白家庄期的IH102、IIH72，打破二号宫殿基址的灰坑是商代白家庄期的 IH100。这些灰坑内出土陶片的年代都比较早，均为二里头文化时期的陶片。一号宫殿基址的年代，简报推断应晚于二里头文化时期。

简报指出，在已发掘的 4 座宫殿基址中，一号宫殿基址的面积最大，约 3500 平方米。一号宫殿基址的地层关系与城墙很相似，也发现有一些白家庄期灰坑叠压其上。另外城址的方向与一号宫殿基址的方向一致。因此简报认为，就目前发掘资来分析，府城城址最迟是与一号宫殿基址同时修建的，其废弃年代还有待考古发掘证实。

该发掘报告又见《考古学报》2000 年第 4 期，称最有价值的发现是发现了商代宫殿与城址。

586.河南温县陈家沟遗址发现的西周墓

作　者：河南省文物考古研究所　杨树刚、郭　亮
出　处：《华夏考古》2007年第2期

2005年4月至2006年9月，考古人员对河南温县陈家沟遗址进行了大规模抢救性发掘，清理了一批不同时期的文化遗存。简报分为：一、墓葬形制，二、典型墓例，三、随葬器物，四、结语，共四个部分先行介绍西周墓中的12座，有手绘图、照片。

据介绍，陈家沟遗址位于河南省焦作市温县赵堡镇陈家沟村西部，西接刘圪垱村，南边1000米处老溚河缓缓流过。2000年南水北调工程中发现。简报介绍的12座西周墓葬，均为小型土坑墓。葬具多为1棺，只有1座（M82）为1棺1椁。葬式全为仰身。随葬品虽有但规格不高，有的墓主人口含有玉。共出土陶器47件、玉玦、铜片等。时代简报推断为西周晚期。

鹤壁市

587.河南淇县鲍屯发现一件晚商青铜觯

作　者：淇县文物保管所　耿青岩
出　处：《考古》1984年第9期

1977年夏，淇县庙口公社鲍屯四队农民在村西北古河滩挖砂时，在距地表2.5米深处发现1件商代青铜觯。简报配以照片予以介绍。

据介绍，此河滩原为思德河故道，面积宽广，鲍屯村就建在其上。据地层分析，这里不会有商代遗址，也不会有商代墓地。而其西1.5公里许古河道南岸有1处河南龙山至商代的古文化遗址。从地面上散布的遗物看，有属于新石器时代龙山文化的陶片和属于商代的陶片。值得注意的是，此地发现有和安阳小屯殷墟常见的矮裆鬲相似的鬲足、鬲口沿和残乱的人体遗骨。再西为黄褐土丘陵和高山，均无商代遗存。以此简报推断这件铜觯可能是古河淮上游南岸遗址内墓葬被洪水冲坏顺流而来的随葬品。

简报称，铜觯刚出土时绿锈满体，经省博物馆协助去锈后，焕然一新。此铜觯造型别致，文饰细腻，简报推断当为晚商之佳品。

588.鹤壁市辛村出土四件西周青铜器

作　者：王文强

出　处：《中原文物》1986 年第 1 期

1984 年 10 月，鹤壁市鹿楼乡辛村农民在耕地时，发现 4 件青铜器。这 4 件青铜器分别为尊、觯、削、凿。简报配以拓片、照片予以介绍。

据介绍，出土铜器的地点，在辛村村东南 400 米处淇河北岸的台地上。辛村是西周卫国墓区，1933 年至 1934 年曾在此出土了大量珍贵的西周遗物。1949 年后这里也曾陆续发现过西周遗物。该墓区已于 1984 年 10 月被鹤壁市人民政府公布为市级文物保护单位。这次出土的铜器，尊和觯上都有铭文，且铭文相同，应为同一墓内的殉葬品。铜器质地厚重，制作精良，应为西周早期遗物。

589.河南淇县摘心台发现商代铜镢

作　者：耿青岩

出　处：《考古与文物》1987 年第 5 期

1982 年 6 月，淇县城关镇西街农民在城西北隅摘心台平整土地时，于距地表 0.3 米深处发现 1 件商代铜镢，即交县文物保管所收藏。简报配以照片予以介绍。

据介绍，在同一地层中发现有商代细绳纹陶片。铜镢系青铜铸造，窄长体，呈梯形，刃部使用痕迹明显，通体素面，重 175 克。从铜镢形制和同一地层出土遗物看，应为晚商之物。

590.1998 年鹤壁市、淇县晚商遗址考古调查报告

作　者：夏商周断代工程朝歌遗址调查组　王　迅

出　处：《华夏考古》2006 年第 1 期

1998 年 7 月，中国社会科学院考古研究所等对淇县境内和鹤壁市直接管辖区域内的一批晚商遗址进行了调查，以期从考古材料出发，寻找殷都朝歌遗存的线索，为今后围绕朝歌这一期望的目标所进行的考古工作提供科学依据。调查发现有新石器时代、商周遗址，但没有找到商代朝歌遗址及其切实存在的证据。简报分为：一、调查目的，二、调查经过，三、遗址的分布与年代，四、文化遗址，五、结语，共五个部分，有照片、手绘图。

据介绍，《史记》《汉书》等史籍均记载今淇县境内或附近曾存在着最后 1 个

殷都朝歌。调查显示：淇县与淇河北岸的相邻地带是商文化分布的重要地区，晚商时期应该是一个相当繁华的区域。然而，大型遗址并不等于就是都邑。此次调查没有发现商代城墙和大型夯土台基、大型墓葬，以及其他与晚商都邑相称的遗迹遗物。晚商遗存多数年代属殷墟二、三期，相当于商代末年的殷墟四期遗存并不是很丰富。简报只能推测，朝歌如果确实存在，应在淇县东北淇河沿岸。

591.河南鹤壁市刘庄遗址下七垣文化墓地发掘简报

作　者：河南省文物考古研究所　赵新平、韩朝会、靳松安、王　青
出　处：《华夏考古》2007 年第 3 期

刘庄遗址位于河南省鹤壁市淇滨区大赉店镇刘庄村南地。2005 年 7 月至 12 月，为配合南水北调中线工程的建设，考古人员对遗址进行了考古发掘，揭露面积 7700 平方米。遗址上层为较大规模的下七垣墓地，发现墓葬 338 座，墓地布局清楚、保存完整，随葬品较为丰富，填补了下七垣文化发掘研究工作的一项空白，对下七垣文化墓葬制度、社会结构、商人渊源、夷夏商关系等重要学术问题的研究将会起到一定的推进作用。简报分为：一、墓地概况，二、墓葬介绍，三、随葬器物，四、结语，共四个部分，有照片、手绘图。

据介绍，2005 年度刘庄遗址的发掘取得了丰硕的成果，除了 20 世纪 30 年代即已调查所知的新石器文化遗存，更是出人意外地发现了下七垣文化墓地。墓地规模较大，空间分布具有一定规律，排列有序。墓葬均为单人竖穴土坑墓，有石棺、木棺等葬具发现，多数墓葬有随葬品，随葬品组合具有一定差异。简报称，夏时期中原地区，如此规模公共墓地的发现目前尚属首次。

新乡市

592.河南新乡潞王坟商代遗址发掘报告

作　者：河南省文化局文物工作队　王明瑞、靳世信等
出　处：《考古学报》1960 年第 1 期

潞王坟遗址位于新乡县京广铁路潞王坟车站东北 1.5 公里处。1958 年 12 月进行了发掘，发现有商代和汉代遗存。简报分为：一、文化层堆积情况，二、遗迹，三、墓葬，四、遗物，五、结语，共五个部分先行介绍商代遗存的全部资料，有照片、

手绘图。

据介绍，共发掘商代窑址一处，墓葬 3 座。出土石器、陶器、骨器、卜骨等遗物。有些器物器形较罕见。陶器色彩以灰色为基调，黑色、米黄色颇少。

593.河南辉县褚丘出土的商代铜器

作　者：齐泰定
出　处：《考古》1965 年第 5 期

1952 年春，在河南县辉县褚丘村村民发现了一批文物，立即送交了前平原省文物管理委员会，现藏新乡市博物馆。简报配以拓片、手绘图予以介绍。

据介绍，这批文物总计 234 件，包括铜觯 1、鼎 1、觚 2、爵 2、簋 1、弓形饰 1 和镞 234 件，还有玉鱼 2 件，大部均较完整，仅簋残碎成 10 多片，现已修复。铜觚上有铭文。另有玉器 2 件。简报认为这批遗物当为商代后期的墓葬随葬品。

594.河南辉县出土的商代祖辛卣

作　者：新乡市博物馆　王守谦
出　处：《文物》1979 年第 7 期

祖辛卣是 1965 年辉县褚丘大队农民耕地时发现的，出土时卣盖碎成数块，现已修复。简报配以照片予以介绍。

简报介绍，卣体椭圆，鼓腹，圈足较高，提梁置于器身正面。盖纽呈半球形。盖顶有四条扉棱，扉棱之间各饰一凤鸟。盖两侧各出一扉首，上饰蝉纹。盖沿饰四鸟纹。提梁剖面呈半圆状，外侧饰四夔纹，内侧饰带状环纹，两端各有一兽首。卣身有四扉棱，与盖上扉棱相对应。颈饰夔纹，腹饰凤鸟纹，圈足饰鸟纹。卣盖内和腹内底有铭文"且辛" 2 字。从祖辛卣的形制和纹饰，简报推断属于商代晚期器物。

595.河南辉县丰城遗址调查简报

作　者：新乡市文管会、辉县百泉文管所　刘习祥
出　处：《考古》1989 年第 3 期

丰城遗址位于辉县城西南 17 公里的丰城村东南约 1.5 公里处，遗址北有太行山，南距卫河约 500 米。该遗址 1959 年曾做过调查，1984 年至 1985 年，考古人员又先后 3 次对遗址进行了调查。经几次调查，发现遗址东部的断面上，有一部分袋形灰

坑和圆底灰坑，在遗址南部有东西排列的 2 座墓葬等。采集的遗物有石器、陶器、玉器、骨蚌器和铜器等。

通过整理，遗物可以分为龙山和商 2 个时期。简报分为：一、龙山文化遗物，二、商文化遗物，三、小结，共三个部分，有手绘图。

据介绍，辉县丰城遗址的龙山文化遗存与该区其他同类遗存有许多相同之处，其年代也应基本相当，同属龙山文化的中晚期。在文化面貌上，与河北龙山文化涧沟型的特点相似，反映了两地古代文化的内在联系。

丰城遗址的商文化遗存，根据这次调查资料，至少可以分为两期。第一期相当于先商文化；第二期相当于郑州二里岗上层文化。

596.河南新乡李大召遗址 2002 年秋发掘简报

作　者：郑州大学考古专业、新乡地区文物管理委员会、新乡县文物保护管理所 韩国河、任　伟、赵海州

出　处：《考古与文物》2004 年第 5 期

李大召遗址位于新乡县大召营镇李大召村北。1956 年文物普查时发现，2002 年发掘。发现墓葬 21 座、房址 10 座、灰坑 213 座、井 3 眼等。包含有中原龙山文化、二里头文化、二里岗文化、晚商文化等。其中商文化简报推断上限可早到武丁，下限可能到祖甲。

597.河南长垣宜丘遗址发掘简报

作　者：郑州大学历史与考古系、新乡市文化局、长垣县文物管理所 李　锋、陈　旭、李友谋、贺惠陆、许俊平

出　处：《中原文物》2005 年第 2 期

1998 年春，考古人员对长垣宜丘遗址进行了考古发掘，出土了一批先商和晚商等时期的文化遗存，初步建立起当地考古学文化发展序列。尤其先商文化遗存的发现，为研究漳河型先商文化和鹿台岗遗址先商文化之间的关系提供了重要资料。简报分为"遗址位置与地层堆积""初步认识"等六个部分，有手绘图。

据介绍，宜丘遗址位于长垣县满城乡宜丘村，西南距县城约 9 公里。可分三期，第一期应属龙山文化，第二期属先商文化，第三期属晚商文化。其中先商文化学术价值尤其高。

598.辉县市张雷遗址发掘简报

作　者：新乡市文物考古研究所、辉县市文物局、河南省文物管理局南水北调
　　　　办公室　李慧萍、张有新等

出　处：《中原文物》2014 年第 5 期

张雷遗址位于河南省辉县市西北约 5 公里的百泉镇张雷村北部，遗址分布于张雷、庞村和赵雷 3 个自然村之间。2009 年 9 月底，南水北调中线工程在施工中发现该遗址，考古人员对该遗址进行了抢救性发掘。简报分为：一、前言，二、文化堆积，三、文化遗迹，四、文化遗物，五、结语，共五个部分予以介绍，有彩照、手绘图。

据介绍，张雷遗址发现商代早期房基 1 处，灰坑 18 个，出土陶、石、骨、蚌等各类器物 240 余件。简报认为，灰坑中发现了卜骨、陶环、骨簪等珍品，表现出张雷遗址的重要性。

简报通过对比推断，该遗址的年代应为商代早期，包含有郑州地区商代早期文化的因素，是新乡地区商代早期 1 处重要的聚落遗址。

安阳市

599.一九五五年秋安阳小屯殷墟的发掘

作　者：河南省文化局文物工作队第一队　刘笑春

出　处：《考古学报》1958 年第 3 期

1955 年，为配合高压线路架设，考古人员于 1955 年 8 月至 10 月，在线路经过的小屯村南进行了发掘，发现商代灰坑、房基各 1 处。简报分为：一、发掘坑位和地形，二、地层关系，三、殷代灰坑，四、殷商时期房基遗迹，五、结语，共五个部分，有照片。

据介绍，此次发掘发现遗存，应属商代晚期。房基为长方形，是从地平面上挖入地下的。房基北墙上有偏门。后墙处地坪上，有火烧痕迹一片。房内并有凹入地下的方形池 3 个，柱洞穴 1 个以及挖入墙上的小龛 2 个。

今有中国社会科学院考古研究所编著的《安阳殷墟小屯建筑遗存》（文物出版社 2010 年版）一书，可参阅。

600.安阳出土的人头范

作　者：魏树勋

出　处：《考古》1959 年第 5 期

1958 年夏，安阳西郊重修安林公路（自安阳至林县）施工过程中，在王裕口村东南约 0.25 公里地方，出土 1 个人头陶范。简报配以照片予以介绍。

据介绍，范半圆形，外表均用刀削过，目、口、鼻、颧面刻的都非常清楚。上额还有稀疏的头发，印出的人面长 11.8 厘米，宽 8 厘米，鼓鼻梁、高颧骨、小口、下颌尖、吊眼，似蒙古人种。陶范出土于距地表约 50 厘米的灰层中，伴随出土物有簋、鬲、豆等残片，与小屯所出相同。简报认为当属殷代物无疑。该地北距小屯约 0.5 公里。此物若与过去侯家西北岗 1400 号大墓出土的铜人面具比较，或许对殷人的研究有些益处。

601.1958 ～ 1959 年殷墟发掘简报

作　者：中国科学院考古研究所安阳发掘队　安志敏、江秉信、陈志达

出　处：《考古》1961 年第 2 期

1958 ～ 1959 年的殷墟发掘工作，虽然规模不大，但涉及的地点比较广泛。两年以来，计发掘了小屯西地、苗圃北地、张家坟、白家坟、梅园庄、孝民屯、北辛庄、范家庄、后冈、大司空村和武官北地 11 个地点，面积达 4000 余平方米。简报分为四个部分，有手绘图、照片、拓片。

据介绍，发现有仰韶文化遗迹如房子、墓葬 8 座及陶器、石器、骨器等遗物。发现有龙山文化遗迹如灰坑、陶窑、墓葬 5 座及石器、陶器、骨蚌器等遗物。还发现有商代铸铜遗址、制骨遗址、墓葬 260 多座。墓葬分为带墓道长方形竖穴墓、无墓道长方形竖穴墓、无圹穴的人骨架及瓮棺葬四类，其中殉人墓 4 座。还发掘了 10 座 1 排的排葬坑、1 座杀殉坑、2 座车马坑。文化遗物计陶器 300 余件、铜器 150 多件、石器 230 余件、骨器 670 多件等，还有卜用甲骨 648 片。此次发掘，为殷墟的性质、分期等提供了新的材料。

602.1957 年秋安阳高楼庄殷代遗址发掘

作　者：周　到、刘东亚

出　处：《考古》1963 年第 4 期

1957 年 8 月，考古人员为配合安阳市西郊的基本建设工程中，在殷墟范围内进

行月余的发掘工作。发掘地点在高楼庄西约 500 米，薛家庄南约 100 米的地方。遗迹、遗物相当丰富。这批材料在《文物参考资料》1958 年第 12 期已有报导，但由于绝大部分资料未能收入，因此仍有必要再作一次较详细的介绍。简报分为：一、遗址，二、墓葬，共两个部分，有照片、拓片。

据介绍，该遗址发现有冶铜遗迹、陶窑，清理商代墓葬 9 座，均为长方竖穴墓，葬具未见，尸骨已朽，出土有铜器、玉器等。

603.1962 年安阳大司空村发掘简报

作　者：中国科学院考古研究所安阳发掘队　郑振香
出　处：《考古》1964 年第 8 期

1962 年秋季，考古人员又在安阳大司空村遗址进行了 1 次发掘。这次发掘的主要内容是殷代的居住遗址和墓葬。居住遗存仅发现灰坑 1 种，墓葬都是小型的。简报分为：一、殷代文化层的分期和年代，二、遗迹与遗物，三、小结，共三个部分，有拓片等。

简报称，通过这次发掘，对殷代文化层的分期有了进一步的认识。在过去大司空村一期、二期的基础上进行了更细的分期。本文将遗址内的文化遗存分成为四期：过去的大司空村一期仍列为第一期；这次所划分出的介于大司空村一期与二期之间的阶段列为第二期；原来的大司空村二期分成为早晚两期，分别列为第三期和第四期。此次发掘的墓葬，能够根据随葬品判明时代的，都是相当于居住遗址中第三期和第四期的。

简报指出，过去在该遗址内发现的殷代居住遗存，绝大多数是属于第三期和第四期的，属于第一、第二期的很少。1953 年发掘的殷代墓葬，绝大多数也是相当于这两期的，仅有少数约相当于第二期。大概该遗址在殷代早期范围不很大，比较兴盛的时代是在殷代中晚期。

604.安阳出土的几件商代青铜器

作　者：齐泰定
出　处：《考古》1964 年第 11 期

简报配以拓片，介绍了安阳出土的 4 件商代青铜器。1950 年安阳近郊出土 3 器，均有铭文。1949 年前在安阳出土 1 件人面毁，也有铭文。

605.安阳洹河流域几个遗址的试掘

作　　者：中国科学院考古研究所安阳发掘队　杨锡璋

出　　处：《考古》1965 年第 7 期

1962 年至 1963 年，考古人员在安阳洹水流域进行了两次考古调查；同时，对部分遗址作了试掘。1962 年试掘了大寒南冈、鲍家堂和郭村西南台，1963 年试掘了大正集老磨冈遗址。关于这两次调查的收获，另作报导。简报只介绍在 1962 年、1963 年试掘的情况。分为：一、大正集老磨冈，二、鲍家堂，三、郭村西南台，四、大寒南冈，五、小结，共五个部分，有照片、手绘图。

据介绍，大正集老磨冈、鲍家堂和大寒南冈的仰韶文化，都属于同一类型，即大司空村类型。通过这 3 个地区的试掘，对安阳地区这一类型的仰韶文化的面貌有了较清楚的认识。在这一类型遗存中，灰陶占了较多的比例，红陶较少，并有少量的黑陶及蛋壳陶。以素面居多，其次是饰篮纹的，彩陶较少。生产工具大多为磨制石，还有蚌器。龙山文化遗物发现很少。郭村西南台的商文化遗存应属商代较早时期。大寒南冈的西周遗存应属西周晚期，即穆王以后的时期。

606.安阳新发现的殷代车马坑

作　　者：中国科学院考古研究所安阳工作队

出　　处：《考古》1972 年第 4 期

1972 年 3 月至 4 月初，考古队为配合基本建设工程，在孝民屯南地发掘清理了当时 1 座殷代的车马坑。这是目前发现的保存最好的殷代车马坑。简报配以照片予以介绍。

据介绍，这座车马坑的形制，与过去发现的殷代车马坑大体相同。坑作东西略长、南北略窄的长方形，坑内埋葬有 1 辆车、2 匹马，在车的后面还埋有 1 个人。车子的木质结构已全部腐朽，仅能根据残存的痕迹剥剔出车子的形状，测量其各部分的尺寸。这座车马坑的马具，大概在埋马的时代是脱下来另行置放的，因而排列无序，不能根据出土情况加以复原。这次出土的马饰，除 81 件大铜泡外，属于马络头的铜具共计 16 件。安阳新发现的殷代车马坑，车子的形制与过去的发现基本相同，没有什么显著的差别。但是，这座车马坑没有发现"弓形器"和其他兵器，而这些却是过去发现的殷代车马坑中常有的东西。由于这座车马坑的车子遗迹保存得比较完整，它的发现对于殷代马车的复原是有重要帮助的。

简报称，安阳新发现的这座殷代车马坑，是当时奴隶主墓葬的 1 个陪葬坑。

车马坑中，有被当作牲畜同马一起被用来殉葬的奴隶，这一发现的历史价值是很明显的。

607.1972 年春安阳后冈发掘简报

作　者：中国科学院考古研究所安阳工作队

出　处：《考古》1972 年第 5 期

1972 年春，考古人员在全国重点文物保护单位的殷墟后冈地区，又作了考古发掘，地点就在 1959 年发现的殷代圆坑墓（杀殉坑）的东南、高楼庄村内。发掘工作自 1 月 28 日开始，至 3 月 30 日结束。共开探方 9 个，揭露面积达 186 平方米；另外还清理了一批古墓葬。简报分为：一、地层堆积，二、仰韶文化，三、龙山文化，四、殷代，五、小结，共五个部分予以介绍，有手绘图、照片。

据介绍，后冈仰韶陶器的器形，有钵、碗、盆、鼎、罐、瓶、器盖等，突出的特点是，鼎形器和“红顶碗”式的钵、碗比较常见。“红顶碗”是在烧制过程中，使口缘部分氧化成一条红带，而腹部则还原成灰色。它虽然在不少地区的仰韶文化里都有发现，但不像豫北这样普遍，因此可以作为这个地区的特征之一。彩陶的数量较少，花纹简单，都饰在口缘部分，多为竖的平行线纹或以平行斜线组成正倒相间的三角形，也有菱形网纹或黑彩的宽带纹，前二者也是其他地区所罕见的。值得注意的是，后冈仰韶有不少器形与半坡相类似。年代经测定为距今 5500±105 年。后冈的龙山文化遗存，虽只发现一个灰坑，但能复原的陶器较多。年代经测定为距今 3965±95 年，即公元前 2000 年 ±95 年。殷代遗存可分两期，早期近似大司空村一期，晚期与大司空村二期近似。墓葬均为小型墓，应属殷商晚期。

608.1973 年安阳小屯南地发掘简报

作　者：中国科学院考古研究所安阳工作队

出　处：《考古》1975 年第 1 期

安阳市西北 5 里的小屯村，是商代后期都城遗址的所在。1949 年以前，曾在此进行过多次的发掘，发现了宫殿建筑基址和大量甲骨文字。1949 年以后，对该遗址进行了重点保护。考古人员 1955 年秋在村东进行过发掘；1958 年至 1959 年、1971 年冬至 1973 年 5 月，在村西进行过发掘。1972 年 12 月下旬，小屯村村民在村南公路旁取土时，发现了 6 片带字甲骨。1973 年 3 月下旬，考古人员开始在村南进行钻探。

1973 年 3 月下旬至 8 月 10 日、10 月 4 日至 12 月 4 日，先后进行了两次发掘。简报分为三个部分介绍了这两次发掘的情况，有手绘图。

据介绍，小屯村南地的发掘是中华人民共和国建立以后殷墟范围内最重要的发掘工作之一，它是继 1971 年冬季在小屯村西地发现 21 片甲骨之后，又发现了 7000 多片卜骨、卜甲，其中有文字的多达 4800 余片，刻辞内容相当丰富。为进一步研究殷代奴隶社会历史提供了重要的资料。这次发掘除发现丰富的殷代文化遗存外，还发现了仰韶文化、龙山文化（后岗二期文化）和类似梅园庄 I 期商代文化的遗存。过去在小屯村东北地曾发现过龙山文化遗物，并在殷代窖穴中发现了 1 片仰韶文化彩陶片，而商代文化遗存在小屯村发现还是第一次，这充分说明远在盘庚迁殷以前，人们已在这里繁衍生息。这次发现的卜甲、卜骨大多数都有可靠的地层关系，而且常常和陶器共存，这就为殷墟文化的分期提供了可靠的依据。

简报指出，小屯南地的殷代文化遗存，主要是中晚期的窖穴和房子基址建筑遗迹，而早期的文化遗存却比较少，不甚丰富。在中晚期的许多窖穴中出土大量的卜骨、卜甲，这说明小屯南地在殷代中期以后已是当时王都的重要组成部分，而且和占卜有着密切的关系。

609.殷墟出土的陶水管和石磬

作　　者：中国科学院考古研究所安阳发掘队

出　　处：《考古》1976 年第 1 期

1972 年秋，白家坟村村民在村西约 115 米处挖土时发现了殷代陶水管道，考古人员立即进行了清理。该水管道遗迹距现地表深约 1.1 米，南北、东西呈 T 形排列。南北向 1 段陶水管道残存长 7.9 米，有 11 个陶水管；东西向陶水管道残存长 4.62 米，有 11 个陶水管。南北向的与东西向的由 1 个三通水管交接。陶水管排列整齐，应为房屋的排水设施。

1973 年 9 月下旬，小屯村村民在村北约 700 米的洹水南岸，发现了 1 个殷代石磬。10 月，考古人员在发现石磬的附近进行了试掘，发现隋墓两座和殷代灰坑 12 个，此外再没有发现其他遗迹。此石磬用灰色岩石制成，为不等边三角形，两面均刻虎形纹，应为 1 件使用过的乐器。出土范围在殷商王宫建筑遗址内。

1960 年春，在发掘苗圃北地殷代铸铜作坊遗址时，发掘清理了 1 个殷代祭祀牛坑（编号 H202）。坑口距地表深 0.70 米，近圆形，南北长 1.1 米，东西长 1.1 米，坑深 2.7 米。在距坑口深 1 米处出土牛骨架 1 具，显然是被杀死后埋入的，估计是当时的奴隶主用作祭祀的牺牲。

610.1975 年安阳殷墟的新发现

作　者：中国科学院考古研究所安阳发掘队

出　处：《考古》1976 年第 4 期

1975 年冬，安阳小屯村民在小屯村北约 40 米处，发现不少草拌泥烧土残块。这种古代建筑材料过去仅在小屯附近零星捡到过。考古人员清理了这处已经大部暴露在地面上的建筑遗址。简报配以照片、拓片予以介绍。

据介绍，共清理出半地穴式房屋 1 座 (F10)，地穴式房屋 1 座 (F11，附有祭坑 1 个)，灰坑 1 个 (H1)。另外还伴出陶、瓷、铜、玉、石、蚌、骨器多件。通过这些遗迹遗物，使我们对殷代的建筑技术、手工业生产水平以及当时的阶级关系，都有了进一步的了解。简报认为这种遗址可能是殷代晚期 1 个为王室磨制玉石器的场所。在房屋中 (F11) 出土最多的是长方形前石和石锥形半成品。还有少数经不同程度加工过的石料、玉料。如果不是制造玉石器物的场所，不会集中这些遗物。出土的原始瓷器、精致玉石小件，都十分精致，不是一般自由民拥有的，应与殷商宫室有关。

611.安阳殷墟奴隶祭祀坑的发掘

作　者：安阳亦工亦农文物考古短训班、中国科学院考古研究所安阳发掘队

出　处：《考古》1977 年第 1 期

1969 年春，考古人员在安阳殷墟重点文物保护区——武官村北地，进行了钻探调查工作，共发现 250 座商代祭祀坑和 1 座商代大墓。与此同时，又将 1950 年发掘的武官大墓未发掘完的南墓道部分，清理完毕。1976 年 4 月，对商代祭祀坑进行了发掘。发掘工作自 4 月 16 日开始，6 月 30 日结束，共用两个半月。发掘面积约 4700 平方米，共发掘了商代祭祀坑 191 座（其中有 10 座 1959 年清理过），晚期砖墓 2 座，简报配以照片、手绘图予以介绍。

据介绍，发掘的商代祭祀坑位于武官村北，前小营西的殷王陵墓区内。这里距武官村约 1000 米，出土大量非正常死亡遗骸以及玉器等遗物。这里是殷王陵所在地，简报推测这片地方是当时殷王室的祭祀场所。祭祀坑纵横排列有序，十分有规律地分布，说明当时进行祭祀活动时是有目的安排的，可能有专人管理这一祭祀场所。殷王室从武丁至祖庚、祖甲、廪辛近百年时期，曾在这里进行了长期的祭祀活动。据钻探和发掘的资料得知，在这片祭祀坑的东、西、南面都还有许多同样的祭祀坑，这一祭祀场所的面积约有数万平方米。而这次发掘的祭祀坑仅是这一庞大的祭祀场的一部分。1178 具人骨架经鉴定绝大多数为青壮年男性。有

专门埋首级的祭祀坑。

简报附带介绍了武官大墓南墓道的发掘。此墓是 1950 年春发现并发掘的，当时南墓道未发掘。此次在南墓道发掘中发现了殉马坑 3 个，共殉葬马 12 匹。从痕迹看，应是先处死后埋葬的，有的马上有铜泡等。

612.安阳殷墟孝民屯的两座车马坑

作　者：中国科学院考古研究所安阳发掘队
出　处：《考古》1977 年第 1 期

1959 年 7 月，在孝民屯南约五六百米处清理了殷代车马坑两座，已在《1958 年～1959 年殷墟发掘简报》中简要报导过（《考古》1961 年第 2 期），其车子的结构与 1953 年在大司空村（《1953 年安阳大司空村发掘报告》，《考古学报》第九册）和 1972 年在孝民屯南地（《安阳新发现的殷代车马坑》，《考古》1972 年第 4 期）发现的有些区别。简报配以手绘图、照片予以介绍。

据介绍，一号车马坑内有车 1 辆、马 2 匹、殉葬人 1 个。二号车马坑内未见人架，余与一号坑同。2 个车马坑内出土物有轭、軎、辖、踵饰以及弓形器等，俱系青铜铸成。从这 2 辆车的大小、结构等方面加以考察，无疑都是适于实用的。其次，从第一号车的两件车軎上有磨损痕迹亦可看出，此车似经使用。两车上除伴出 1 件弓形器外，都没有发现兵器，也许都是"乘车"。

613.殷墟考古发掘的又一重要新收获——小屯发现一座保存完整的殷代王室墓葬

作　者：《考古》杂志
出　处：《考古》1977 年第 3 期

1976 年春，安阳殷墟发现一座保存完整的殷代奴隶主贵族墓葬，出土大批珍贵的历史文物。根据地层关系、器物特征，特别是铜器的铭文判断，死者应是殷代王室成员，墓的年代约当公元前 12 世纪前半叶，即殷墟的鼎盛时期。过去在殷墟发掘的大型墓葬都经严重盗掘，残存的文物寥寥无几，这次发现的殷代王室墓葬未经扰动，是现已发掘的殷代奴隶主贵族葬墓中保存最完整的 1 座，因而是难能可贵的。简报配以拓片予以介绍。

据介绍，这座墓在小屯村西北约 100 米，地处过去发掘的殷墟大片宫殿遗址区的西北侧。墓上发现有范围略大于墓口的夯土房基，可能是当时的"享堂"一类建筑遗迹。墓坑是没有墓道的长方形竖穴，南北长 5.6 米，东西宽 4 米，墓底距地表 8 米。椁室深至现在的地下水平面以下，早已大部塌毁，结构不明。椁顶及其周围，发现殉葬奴隶残骨 16 个个体，可以辨认的有男性 4 人，女性 2 人，还有两个小孩。墓中埋葬的王室贵族，尸骨已腐朽不存。随葬品大部分置放在棺椁之间和棺内，也有出土于椁顶或填土中的，以青铜器和玉器为主，另有大量的海贝，以及牙雕和骨器等。这次出土的青铜礼器近 200 件，样式和数量之多，部分器物体型之大，都是考古发掘中十分难得的。2 件有"司母辛"铭文的大方鼎，体积仅次于著名的"司母戊"（注：现更改为"后田戊"）大鼎，通高 80 厘米。青铜礼器中，酒器占 70%，制作十分精美。

614.安阳殷墟五号墓的发掘

作　者：中国社会科学院考古研究所安阳工作队　郑振香　陈志达等
出　处：《考古学报》1977 年第 2 期

在安阳殷墟"宫殿"遗址西南侧，即今小屯村北略偏西约 100 米处，有 1 片高出周围地面约 80 厘米的"岗地"，总面积 10000 多平方米。在岗地南部的断崖上，暴露出连续不断的夯土基址。1975 年冬，当地计划平整这片岗地。考古人员对这一遗址进行了勘查，揭露出殷代房基数座。后因天气严寒，不宜发掘，暂时予以复盖。1976 年，继续在此发掘。共发现殷代房基 10 余座，灰坑 80 个，殷墓十余座，以及唐墓等。5 号墓（编号 76AXTM5）是这次发掘中的主要收获。简报分为：一、前言，二、墓葬概述，三、随葬器物，四、结语，共四个部分，配以彩照，先行介绍 5 号墓的发掘，其余将另行报导，此处从略。

据介绍，5 号墓规模不算太大，但墓室未遭破坏，随葬器物极其丰富精美，是殷王室墓中最完整的一批资料；对于研究殷代的历史、考古，尤其是武丁时期的社会经济、手工业、方国、文化艺术、礼制等均有重要价值。墓主即妇好。有殉人 16 人。

简报指出，妇好死于武丁时期，妇好的一生可以说是在武丁时期度过的，因而，墓中出土的随葬器物对研究这一时期的社会经济有相当重要的意义。墓中所出的大量大型瑰丽的青铜礼器、无与伦比的玉器，以及精细的象牙雕刻品等，说明当时的手工业已达到相当高的水平，手工业内部有了进一步的分工；当时的文化、艺术也取得了高度的成就。手工业的发展，促使了商品经济的繁荣。贝显然已较广泛地应用于人们的经济生活中，成为奴隶主和商人们追求和聚敛的对象之一。墓中所出的大量海贝，就是有力的证明。这一时期的政治疆域比前更为扩大，依附的方国也大有增加，见于这次墓中的方国贡品就有"弜""其"等铜器和"卢方"的玉戈，由此可见当时的盛况。

615.三千多年前的古都——安阳殷墟

作　者：杨育彬

出　处：《河南文博通讯》1977 年第 2 期

殷墟位于安阳市西北小屯村附近，公元前 14 世纪盘庚迁都于此，至纣灭亡，共经历 273 年。简报配以手绘图等予以介绍。

据介绍，在殷墟先后发现了宫殿址和大墓，出土 10 余万片甲骨文和大量青铜器及其他遗物，其中有我国目前所见时代最早的 4 面铜镜，最大的青铜器"司母戊鼎"。1976 年发掘了一大批祭祀坑，杀祭人牲不下 1200 人。这些对研究中国的奴隶社会历史有着极为重要的价值。

616.安阳大司空村殷代杀殉坑

作　者：安阳市博物馆

出　处：《考古》1978 年第 1 期

考古人员于 1971 年秋季在大司空村棉纺织厂内进行了 1 次发掘，清理了殷代墓葬 17 座、殷代杀殉坑 1 座、战国墓 4 座，开探方 2 个。殷代杀殉坑简报配以手绘图予以介绍。

据介绍，这座杀殉坑（编号 71M14）位于大司空村遗址之东南，东北距 1953 年发掘的殷代墓葬区 200 多米，北距 1962 年安阳发掘队发掘地点约 70 ~ 80 米，南距 1959 年发现的后冈杀殉坑有 600 多米。坑内发现头颅 31 个，保存较好的 18 个，躯体 26 具，保存较好的 9 具。没有固定的葬式，以俯身直肢居多，少量的俯身屈肢和仰身直肢。坑内没有随葬品，只在填土中发现鬲足、陶片、残玉琴拨，均属殷代遗物。简报推断，这座杀殉坑的年代晚于大司空村一期，属殷代晚期。

617.安阳武官村北的一座殷墓

作　者：中国社会科学院考古研究所安阳工作队

出　处：《考古》1979 年第 3 期

1959 年春，考古人员在安阳武官村北约 1000 米处发掘了殷墓 1 座和陪葬坑（即祭祀坑）1 排 10 座，同时对挖出司母戊大鼎的墓进行了钻探，并确定了它的大致范围。有关这次发次发掘工作的情况，以往曾作过一些报导。简报分为三个部分，着重介绍了其中的 1 座墓葬，有照片。

据介绍,这座殷墓(编号 59 武官 M1)位于武官大墓南墓道东南 90 余米。墓圹作长方竖井形,口距地表深 0.5 米。墓底已深入潜水面约 0.9 米,发现人架 1 具及随葬品等,但详细情况不明。在人架之下有一腰坑,有殉人 6 人(其中 4 人为首级)、殉狗 1 只。墓中共出随葬品 24 件,其中铜器 16 件,陶器 8 件,大部放在墓底,2 件铜瓿、4 件铜戈和 1 件铜刀放在墓主人的头端;铜鼎、甗、爵、锛和陶鬲、簋、罐各 1 件以及 4 件带盖陶盂放在墓主人的脚端,铜鼎、瓿和斝各 1 件放在北侧二层台上。简报推测,这座墓的年代应早于武丁,其下限最晚到武丁时期。墓主人当为一中小奴隶主。

618.1969 ～ 1977 年殷墟西区墓葬发掘报告

作　者:中国社会科学院考古研究所安阳工作队　杨宝成、杨锡璋等
出　处:《考古学报》1979 年第 1 期

1969 年 5 月至 1977 年 5 月,为配合安阳市的基本建设,考古人员在殷墟西区进行了大规模的钻探和发掘,发现了 1003 座殷代墓葬、5 座殷代车马坑、200 余座战国至宋元时期的墓葬。其中有 64 座殷代墓和少数晚期墓葬,因被盗破坏或墓坑浸在水中未能进行发掘以外,共发掘 939 座殷代墓葬,5 座殷代车马坑,以及近 200 座战国及以后的墓葬。本简报是这次发掘的 939 座殷代墓葬和 5 座车马坑的全部资料。战国至宋元时期的墓葬资料,将另文报告。分为:一、地层堆积和墓葬分布,二、墓葬形制,三、葬具,四、葬式,五、殉人和殉牲,六、随葬器物放置情形,七、五座带墓道的墓,八、车马坑,九、随葬器物,十、墓葬分期,十一、结语,共十一个部分,有照片、手绘图。

据介绍,发掘地点东距著名的小屯村仅 1500 米。简报认为此处在商代应为一较大墓葬区。在殷墟西区约 30 万平方米的钻探发掘面积中,共发现 1003 座殷墓。墓葬分片集中,可分 8 个墓区。墓区之间有明显界限,墓向、葬式和陶器组合,都存在一定差别(这种差别与墓葬年代早晚无关),它反映了各个墓区在生活与埋葬习俗方面的差异。这次所发掘的 939 座墓中,出土青铜(铅)兵器的有 166 座,约占六分之一。人骨鉴定表明,凡出兵器的墓中人架皆为男性。推测他们生前有不少人是充当过战士的。这些出有铜兵器的墓,散见于各墓区中各个小墓群中。这一现象可能说明在一个族中,战士是由各个家族中的男子充当的。这批墓葬,出土生产工具较少。出土农具的有 10 座,出土手工具的 66 座(有的出于填土中)。较少用生产工具随葬是阶级社会中墓葬的特点,这是与体力劳动逐渐被鄙视有联系的。

简报认为,这次发掘的 939 座墓的墓主人,大部分生前有一定的生活资料,有族的联系,有一定的政治地位,能参加一定的政治活动和宗教活动。他们从事生产

劳动，一些男子还是战士，这些战士是由各家族中的成年男性充当的。大部分墓主的身份当属于殷代社会中的平民。少数墓形较大，随葬品丰富，有整套铜礼器随葬，有的还有殉葬人，其墓主人应属于小奴隶主。M93、M698 ～ M7015 座带墓道的墓，随葬有精制的铜器、车马器与玉石器，并有较多的殉葬人，这些墓主人的身份应属于贵族奴隶主。还有一些墓形小，无葬具，没有或极少随葬品（特别是没有礼器）的墓，这些墓的墓主人应属于平民的下层，是较贫苦的族众。在政治上他们可能还有一定的人身自由，但是在经济上已赤贫如洗，他们随时都可能沦入奴隶的队伍中。这些不同阶级或阶层的族的成员，还保留着以血缘关系为纽带的族的组织形式，从而在他们死后，被埋在一个共同的"族墓地"中。正是从这一点上，我们可以看到，殷代的族墓地与原始社会的氏族墓地有着质的区别。

619.林县下陶村发现一件晚商青铜罍

作　者：林县文化馆　张增午、梁生廷
出　处：《河南文博通讯》1980 年第 2 期

1979 年 3 月，林县姚村公社下陶村在起土时，发现青铜罍 1 件。简报配以照片予以介绍。

据介绍，出土铜器的地点，在下陶村东北 300 米处的一个台地上，距地表 2 米以下，据当时发现者介绍，该器出土时曾伴有杂乱的人骨架。这件青铜罍，通高 32.3 厘米，口径 17.1 厘米，腹深 16.8 厘米，重 8.7 公斤。应属殷墟第三期遗物。

又，据《考古》1987 年第 1 期，1975 年 12 月，林县城东南 2.5 公里城关公社下庄大队，在村西南 300 米，桃园河的中段，于河床西北隅距地表 1 米多深的沙土层中发现青铜觥盖 1 件，立即派人携物送到文化馆，并引至现场观察出土情况。经分析现场地形，估计它可能出自墓葬。

据介绍，觥盖通长 28.6 厘米，最宽 13 厘米，有铭文。商代青铜器在林县出土，1949 年后还属第一次。说明林县在殷墟近郊当时已属重要地区，埋藏在地下的文物一定很丰富。

620.安阳小屯村北部的两座殷代墓

作　者：中国社会科学院考古研究所安阳工作队　郑振香等
出　处：《考古学报》1981 年第 4 期

为搞清殷墟五号墓（即妇好墓）周围的情况，1976 年 12 月，考古人员又在妇好墓东和南大约 8000 平方米范围内进行了钻探，发现此范围内分布有殷代房基、窖穴和墓葬等。墓葬共探出 6 座，其中较大的墓 3 座。另据当地百姓反映，1949 年前在妇好墓东约 90 米处村民曾挖掘过 1 座较大的殷墓，因发现有古代盗挖未挖到底，此墓现在百姓院落中，契约墓之前约 30 余米还有 1 座殷墓，现已压在民居房下。在妇好墓之北还有 1 座被李姓盗掘过的墓，据说较妇好墓略小。可知在妇好墓周围分布长 5 米左右的墓至少有 6 座，加上妇好墓有 7 座。可见，这一带可能在殷代早期一度作为贵族葬地。考古人员对在妇好墓东约 22 米的两座墓进行了发掘。当年冬季发掘了北边的 1 座（76TM17）。次年 4 月发掘了南边的 1 座（77AXTM18）。两墓保存都较好。18 号墓随葬品比较丰富，有陶器、铜器、玉器、骨器等，共 90 件。其中铸"子渔"铭文的铜器 2 件和朱书玉戈 1 件。两墓中均有陶器随葬，陶器形制是属于殷墟文化四期中的第二期，与妇好墓年代基本相同。简报分为：一、18 号墓，二、17 号墓，三、结语，共三个部分，有照片、手绘图。

简报认为，17、18 号墓与妇好墓均属武丁时期，17、18 号墓的墓主人也应是殷王室成员。

621.河南林县下陶村发现一件晚商铜罍

作　者：林县文化馆　张增午
出　处：《文物》1982 年第 9 期

1979 年 3 月，林县姚村公社下陶村东北一块台地上，距地表 2 米处发现 1 件青铜罍。简报配以照片予以介绍。

据介绍，地面散布粗、细绳纹的夹砂灰陶片。从采集的陶片简报推测，该处包含汉代及商代的文化遗存。出土时伴有杂乱的人骨架，以此简报推测这件铜罍可能是随葬物。从形制和纹饰看，其时代简报推断相当于殷墟第二期。

简报称，林县 1975 年曾发现商代青铜觚盖，这件铜罍是林县商代铜器的第二次重要发现，它说明林县在商代与殷墟有着密切的联系。

622.安阳殷墟三家庄东的发掘

作　者：中国社会科学院考古研究所安阳工作队　杨锡璋
出　处：《考古》1983 年第 2 期

三家庄位于安阳市北约 3.5 公里，南为小司空村，西为前、后营村，地处殷墟边缘地区。多年来，从未在此处进行过发掘工作。前几年，农民在村东地起土时，曾不止 1 次挖出殷代青铜器，其中有锥形足的弦纹鼎等。1980 年夏，安阳市果品仓库在三家庄东约 200 米处基建，考古人员共清理殷代灰坑小半个，殷代墓葬 8 座（M1 ～ M7、M11），唐代墓葬 3 座（M8 ～ M10）。简报分为：一、地层堆积及遗迹，二、墓葬形制及随葬器物，三、结语，共三个部分，有手绘图。

据介绍，8 座殷墓都是小型的长方形竖穴墓，其中 7 个有腰坑。8 座墓中 3 座曾被盗。这批墓的时间，简报推断应与大司空村第一期大致同时。

623.殷墟西区发现一座车马坑

作　者：中国社会科学院考古研究所安阳工作队　郑若葵、杨宝成
出　处：《考古》1984 年第 6 期

1981 年 4 月，考古人员在殷墟西区发掘了 1 座殷代车马坑（编号 81AGSM1613）。这座车马坑的保存情况良好，为了保存这一珍贵文物，在我所技术室配合下，该车马坑已安全地搬迁至我站内，被妥善地保护下来。该坑的发掘情况简报分为：一、地层关系及车马坑内堆积，二、车马坑的形制及埋葬情形，三、车子的形制及构件，四、御马器及马饰，共四个部分予以介绍。

车马坑位于孝民屯南地，属殷墟西区第八墓区。坑口距地表深 135 厘米，坑口上为殷代文化层所叠压，内含有少量殷代晚期的陶片、红烧土块和兽骨等。殷墟这次新发现的车马坑，经过工作人员的努力，其全貌已得以复原。它的发现，为研究殷代的车制又增添了一份新的实物资料，为进行殷代车子的复原提供了新的科学数据。从地层上看，该坑被殷墟第四期文化层所叠压；从坑内填土中出土陶片来看，遗物具有殷墟第三期的特征。据此，简报推断该车马坑应属殷墟第三期的文化遗迹。此外，还采集了坑中出土的木炭，测定结果已经公布（《考古》1983 年第 7 期）。其所测碳十四数据（半衰期 5730 年）为距今 3055±70 年，树轮校正年代为 3225±145 年。

624.安阳三家庄发现商代窖藏青铜器

作　者：孟宪武
出　处：《考古》1985 年第 12 期

三家庄位于安阳市老城北约 3.5 公里，南为大、小司空村，西为前、后营村，地处殷墟东北边缘地区。1964 年 12 月，三家庄生产队的农民在平整土地时，发现了 1 个内藏 8 件商代青铜器的窖穴。考古人员调查后得知，窖穴位于三家庄村东南约 300 米处，其东面紧邻京广铁路。据当事人说，窖穴口距地面 1 米多深，穴口为圆形，

通体呈袋状，平底，8件青铜器出土时整齐地叠放在一起，但叠放的上下顺序已不清楚。简报配以照片、拓片予以介绍。

据介绍，8件青铜器为锥足鼎3件、柱足鼎、甗、晕、镬、戈各1件，此外还采集到1爵1戣。这组青铜器都具有较早时代特点，简报推断某些器物与1980年三家庄M3所出相近，其时代早于大司空村一期，晚于二里岗期，此批铜器的时代也应与之相近。

625.1980～1982年安阳苗圃北地遗址发掘简报

作　者：中国社会科学院考古研究所安阳工作队　郑若葵、徐广德
出　处：《考古》1986年第2期

河南安阳苗圃北地遗址，位于洹河南岸殷墟的东南边缘，东距高楼庄村约0.7公里，西北距小屯殷代宫殿遗址约1公里。1959～1960年初，考古人员首次发掘了此遗址。此后至20世纪70年代间又作过多次的发掘。1980～1982年间，为配合基建工程，再次对此遗址进行了较大面积的揭露。清理出殷代墓葬84座、灰坑12座、陶窑2座和汉、宋墓3座。简报分为：一、地层堆积，二、居住遗存与文化遗物，三、墓葬，四、结语，共四个部分，配以照片、手绘图，先行介绍了殷代居住遗存和墓葬的发掘情况。

据介绍，此遗址不仅是一规模较大、沿用时间较长的居住址，同时也是一规模很大、沿用时间很长的墓地。发掘情况表明，这次发掘的地点与过去发掘的铸铜作坊地点有密切的关系，个别陶窑残址和大量的兽骨、骨料的发现，也为全面认识此遗址的性质提供了新的线索。此外，早期墓发现较少，晚期墓占绝大多数。这应该暗示了遗址真正较大规模的生活和生产活动是从殷墟晚期开始的。在发掘所获的殷代遗物中，M80出土的刻数磨石，是1件尤值注意的重要遗物。刻有以6个或3个数字符号成组的殷代遗物，在以往资料中虽有多例可援，但刻数磨石遗物的发现，则尚属首次。此外，发掘出土的数件有铭铜器，也是一些不可多得的精品。这些新发现的铜器及其铭文，对殷代铜器的断代和古文字的研究，都具有一定的参考价值。

626.安阳殷墟西区一七一三号墓的发掘

作　者：中国社会科学院考古研究所安阳工作队　杨锡璋、杨宝成
出　处：《考古》1986年第8期

考古人员于1969～1977年在殷墟西区发掘了近1000座殷代墓葬，在发掘报告

中，把这批墓分了八个墓区。1978年以来，又清理了大量中小墓及少数带墓道的大墓，其中1984年6月发掘的M1713，未遭盗扰，材料较重要。简报分为"墓葬概述""随葬器物""结语"，共三个部分，有手绘图等。

据介绍，M1713位于孝民屯南，白家坟西，在第七墓区北区墓葬的西南部，为长方竖穴墓，有腰坑。该墓有棺椁等葬具，墓内有殉人3个，殉狗2只，并随葬牛腿1条、牛骶骨1块、羊腿1条，出土随葬品190余件。在17件青铜礼器中，青铜觚爵两套（还有1件盖爵）、鼎4件、簋2件；青铜武器65件，其中戈、矛各30件，并成捆出土。从墓葬中埋藏情况及铭文中反映的不止一次受到殷王的赏赐看，墓主人应属殷代贵族成员。从随葬大量青铜武器，特别是出土2件象征军事指挥权的青铜钺和极为少见的两件青铜大刀看，墓主人生前曾在殷王朝担任过重要的军事职务。该墓的年代简报据铭文推断为商代帝辛时期。

627.安阳郭家庄的一座殷墓

作　者：安阳市博物馆

出　处：《考古》1986年第8期

1983年11月20日，安阳市供电局小工厂在基建施工中发现1座殷墓。考古人员前往调查清理，于11月27日结束清理工作。简报分为三个部分予以介绍，有手绘图。

据介绍，这座殷墓（编号83郭家庄M1）位于郭家庄南地，西距铁路苗圃约300米，北距郭家庄近200米。墓穴作长方竖井形。墓口距地表深2.3米、长3.3米、宽1.5米。葬具为漆棺，已朽，人骨已朽，有腰坑，中有殉狗。

简报称，这座墓葬的墓室保存完好，随葬品未经扰动，共计21件，其中铜器6件、陶器12件、玉器2件、羊腿骨1支。墓中出土的4件铜礼器，除卣暂未发现铭文外，余3件均有铭文。其中铜觚上的铭文也见于殷墟西区第四墓区M1118的两件铜器（鼎1118:1、爵1118:3）和第七墓区M907的1件铜觚（M907:1）。殷墟郭家庄的这座殷墓和殷墟西区墓地很可能是同一族或同一族中分裂出来的两个支族。

628.安阳薛家庄东南殷墓发掘简报

作　者：中国社会科学院考古研究所安阳工作队　徐广德

出　处：《考古》1986年第12期

1983年春，为配合基本建设，考古人员在安阳市西北的薛家庄东南原安阳地区农机局院内进行了钻探，在300平方米的范围内，发现了6座殷墓，随后进行了发掘。简报分为：一、墓葬层位关系与形制，二、随葬器物，三、结语，共三个部分，有手绘图。

据介绍，6 墓均为长方形竖穴墓。4 座墓有腰坑，2 座墓有殉葬人及狗。墓主人葬式清楚的有 3 座，皆为仰身直肢。有 4 座墓被盗，破坏严重。M3 保存最好。6 墓中 1 座被盗空，1 座的盗坑中残留少量器物，4 座有随葬品，计有青铜器 24 件、陶器 13 件、玉器 3 件以及石器、贝等。M3 出土铜器上有铭文，据介绍是所谓"象文"。墓葬年代则分属殷墟一、二、三、四期。

629.殷墟戚家庄 269 号墓发掘简报

作　者：安阳市博物馆
出　处：《中原文物》1986 年第 3 期

1984 年冬，考古人员在配合安阳钢铁公司第四生活区的基建过程中，发掘了 1 座殷代墓葬（编号 AQSM269）。墓葬位于铁西区戚家庄东南约 300 米处，北距梅园庄约 1 公里，该墓规模较大，保存完好。其位置属于殷墟保护区的外围。简报分为：一、墓葬形制，二、随葬器物，三、结语，共三个部分予以介绍。

据介绍，墓作长方竖井形，墓底大于墓口。墓口出在殷代文化层中，距地表深 3.45 米。墓口南北向，长 3.05 米、宽 1.53 米，墓底长 3.4 米、宽 1.9 米，墓口至墓底深 5.55 米。墓室内葬具已朽，人骨架已朽，随葬品置于椁室的两端。墓底中部有腰坑，坑内葬 1 狗，仅存颌骨。墓中出土随葬品共 73 件。其中青铜器 58 件、陶器 5 件、象牙器 1 件、玉器 8 件、骨器 1 件。这些器物的位置，除陶器放在二层台上及椁顶上外，其余全部放在椁、棺内。简报认为该墓的时代比妇好墓晚。墓主人应有一定地位，从出土铜器上的铭文看，死者入葬时，"子""人""肿木"三个家族送过祭器并一同下葬。

630.安阳铁西刘家庄南殷代墓葬发掘简报

作　者：安阳市博物馆　孟宪武
出　处：《中原文物》1986 年第 3 期

安阳市铁西刘家庄村位于殷墟小屯村正南约 2 公里处。1985 年 5 ～ 6 月间，考古人员在刘家庄村南配合基建进行了大面积的钻探发掘。钻探面积近 20000 平方米，发现殷墓 62 座，汉墓 2 座，另有灰坑、古井等遗迹。简报分为"墓葬简况""结语"等几个部分，有手绘图。

据介绍，62 座殷墓中，长达 3 米以上的较大型墓为 27 座，不到 3 米的小型墓 25 座。

这批墓葬未被盗掘的有 13 座，其余均被盗掘或扰乱过，大型墓全部被盗掘。这批墓葬只有 4 座墓无随葬品，随葬品多者为 M36 和 M37，分别是 44 件和 22 件。最少者为 M8，仅 2 件。一般都在几件到十几件之间。在葬制上，均以棺椁或棺为葬具。有椁有棺的 21 座，仅有棺的 41 座。椁多不施漆，也有个别用漆的（M51）。棺一般施红漆或黑漆。也有在棺盖上施加多色彩绘的，常见形绘的颜色有红、黄、白、黑等色。也有个别的大型椁室墓，在椁盖上加盖帷帐一类的彩绘丝织物（M42），还有个别棺上覆盖着苇席。这 62 座墓没有腰坑的 12 座，有腰坑的 49 座，被扰不明的 4 座。这批墓葬填土中共发现殉狗 18 个，腰坑内殉狗 29 个。填土和腰坑中殉狗的头向，一般都和墓主人头向相反。墓向以东西向为多，占 52 座，南北向仅 10 座。已知头向的 18 座，其中东向的 10 座，西向的 5 座，北向的 3 座。在已知葬式的墓中，仰身直肢者 14 座，俯直肢者 3 座，侧身直肢者 1 座（M13）。在这批墓葬中，13 座墓有殉人，共计 20 个。其中 M42 殉 3 人 1 牛，4 座墓中各殉葬 2 人，9 座墓中各殉葬 1 人。已知葬式的殉人中，仰身直肢者 6 个，俯身直肢者 6 个，侧身直肢者 1 个。其中 M1 殉人为少年，双足交叉一起似被捆缚。M2 殉葬人为成年仰身，两手反手背后交叉，似被捆缚。M15 的殉人为俯身男性，两腿交叉也似捆绑。M13 的殉人与墓主合葬于椁内，二者头向相反，殉人侧身直肢，无随葬品。经鉴定，殉人多为青少年，男女兼有。这批墓葬共出土随葬器物 532 件。随葬品的种类有铜、陶、石、玉、骨、蚌、贝、瓷、绿松石饰、石饰、铅器等。以陶、铜、石、玉、骨器及贝、蚌饰较为常见。陶器最多者共 179 件，铜器 119 件，最少者为原始瓷片，有 3 片。M34 还出土了几片金箔。

简报指出，发掘收获表明，这批墓葬不仅分布密集，而且规模较大。在发掘的 62 座殷墓中，墓穴长 3 米以上的占 45%，葬具棺椁皆备的占 40%，有殉葬人的墓占 27%，共殉葬 20 人。这批较大型的墓虽均被盗掘，但仍有个别墓存留有较丰富的随葬品。简报认为此处应为一处贵族墓地。

631.殷墟梅园庄几座殉人墓葬的发掘

作　者：安阳市博物馆　孟宪武
出　处：《中原文物》1986 年第 3 期

1980 年 10 月至 1981 年 1 月，为配合安阳钢铁厂的基本建设，考古人员在梅园庄南侧进行了钻探和发掘。钻探面积达 4000 平方米，发现殷代墓葬 11 座、灰坑 3 个、井 1 个。因时间关系，灰坑和井未能发掘，仅对 11 座墓进行了清理。简报分为：一、发掘位置及地层堆积，二、墓葬分布及简况，三、结语，共三个部分，有手绘图。

据介绍，发掘点位于殷墟梅园庄村的南侧。11座墓均为长方形土坑竖穴墓。9个墓有腰坑，其中5座墓的腰坑有狗骨架，另外M6、M11在填土内各葬一狗。有4座墓葬式清楚，计仰身直肢者三，俯身直肢者一。11座墓中，4座墓有殉葬人，共殉人10个。依次是M8一人，M6二人，M5三人，M7四人。11座墓的随葬品，3个墓被盗空，6座墓虽被盗但尚有残留，2座墓未经盗掘。出土文物共计38件，其中除M11有1件陶器和1件铜铃出自填土中外，其余均出自二层台上及棺内。随葬器物计铜器8件，陶器23件，玉器5件，贝1件，牛肩胛骨1件。铜器除1件铜铃外，均为兵器。殉人有幼童，有少年，有成年女性。4座殉人墓随葬品均已被盗。M9、M10两墓未被盗，应为异穴并葬夫妻墓。简报称，殷墟墓葬中殉人现象是常见的，带墓道的墓殉人数量较多。不带墓道的墓殉人数量较少，一般不超过2人。而这次发掘的M5殉3人，M7殉4人，是此前所少见的。

632. 1976年安阳小屯西北地发掘简报

作　者：中国社会科学院考古研究所安阳工作队　郑振香
出　处：《考古》1987年第4期

1975年冬季，考古人员在小屯村西北地进行了勘查与试掘。这里是一片高出周围农田约80厘米的三角形冈地，面积10000多平方米。当时仅揭出1座较完整的房基，即建在妇好墓之上的FI，其余均未到边。由于房基面积都比较大，必须大面积揭露才能搞清其全貌，因冬季不宜发掘，遂停止工作，予以覆盖。1976年春季继续1975年的工作，这1年的2个季度共发掘1000多平方米。发掘到殷代墓葬10余座，灰坑80座，另有隋唐墓等。妇好墓的发掘是本年度最重要的收获，此墓的正式报告《殷墟妇好墓》已发表。本简报分为：一、前言，二、遗址，三、墓葬，四、结语，共四个部分介绍了除妇好墓以外的其他收获，有手绘图等。

据介绍，通过发掘得知，这一带分布有殷墟文化第一至第四期的居住遗存，但各不同时期遗址的内涵却有所不同：

属于第一期的基址和灰坑分布在发掘范围东部，妇好墓附近，基址多残破，面积较小，一般长4～6米左右，有的有烧土面或灶，还有少数长方形或椭圆形窖穴。大概当时这一带是殷代小贵族居住的地方。

到第二期这里出现了一些形制较大的墓葬，经钻探得知，这一墓地主要分布在妇好墓之东面和南面。大概是王室成员和贵族的墓地。在作为葬地的同时修建起一些祭祀性建筑。废弃时间大概在第二期偏晚的阶段（约为祖庚、祖甲时代），个别建筑到第二期以后才废弃。

第三、四期这一带也修建了一些夯土基址的建筑，长约 6 ~ 10 米不等，多为南北向，有些有灶，在房基周围分布有为数较多的窖穴。第二期的较少，多数是第四期的。其中有些破坏了第二期的房基和墓葬。这些窖穴有些保存霉烂的谷物痕迹，当是供贮藏用的。不难看出，到第二期，这里已不再作为葬地，除保存少数礼仪性建筑外，已在废弃的基址上修建起居住的房屋。

简报指出，殷墟是商王朝后期的都城，在这里建都的时间长达 270 余年之久，其分布范围是逐步扩大的，在不同发展阶段其布局也有所不同。过去所发掘的大量资料，使我们对殷墟的范围与布局的基本概况有所认识。例如殷王武丁的配偶妇好埋葬在小屯就是一个很值得注意的问题，大体可以看出殷代的王与后是分别埋葬的，这大概与氏族的血缘纽带尚未完全解体有关，推测殷代王后的墓是分别葬在各自不同氏族的墓地中的。

633.安阳武官村北地商代祭祀坑的发掘

作　者：中国社会科学院考古研究所安阳工作队　杨宝成
出　处：《考古》1987 年第 12 期

1976 年春，考古人员曾在殷墟王陵区东区发掘了 191 座殷代祭祀坑。通过对这批祭祀坑以及过去在该处发掘的同类遗迹的研究，推测这里应是 1 处商王室祭祀其祖先的场所。为了对这一遗迹现象作进一步探索，并搞清这一祭祀场的分布范围和遗迹特征，1977 年冬在这里继续进行了钻探。在这次钻探中共发现祭祀坑 120 座。1978 年春，对这批新发现的祭祀坑进行了发掘。发掘工作自 4 月 12 日开始，6 月 11 日结束，在两个月时间内共发掘商代祭祀坑 40 座。简报分为四个部分予以介绍，有照片、手绘图。

据介绍，这次发掘的地点位于武官村正北（约距 800 米），1976 年春发掘区的西南（约距 150 米），其西北距王陵区西区约 80 米。发现了 40 座祭祀坑，编号 M5 ~ M44，其中 M21、M30、M36、M42，4 座坑未发掘。这批祭祀坑纵横排列有序，有规律地分布着。坑的形制呈长方形竖穴，坑壁较规整，内填以黄土，并加以夯打。坑底未发现葬具痕迹。坑中埋有马、象、人及其他动物骨架等。此次发现有人殉 5 人，身份可能是战俘。马 93 匹，也可能是俘获的战马。后有表格，登录了每一祭祀坑的基本信息。

简报称，这些祭祀坑肯定不从属于某一大墓。殷王陵区的多次发掘和钻探结果表明，殷王陵祭祀场分布着数千座祭祀坑。祭祀场的东部，即 1976 年春和 1949 年前所发掘的祭祀坑，所埋的牺牲绝大部分是人，亦有少数坑中埋有马和其他动物，但其数量少，分布也很零散。在祭祀场的西南部，即这次钻探和发掘中所发现的这批祭祀坑，坑中所埋牺牲绝大部分是动物（其中以马为多）。不但动物数量多，而且分布很集中。这一现象说明，殷代王室当日在这里进行祭祀活动时，对人和动物等不同牺牲，大体上是分区掩埋的。

634.殷墟259、260号墓发掘报告

　　作　　者：中国社会科学院考古研究所安阳工作队　杨宝成、杨锡璋等
　　出　　处：《考古学报》1987年第1期

　　1984年9月至12月，考古人员在安阳市武官村北、西北岗王陵区发掘了1座带墓道的"甲"字形大墓，编号84AWB260。同时又发掘了大墓附近的4座祭祀坑，一座中小型墓（编号M259）。简报分为：一、M260的发掘，二、M259的发掘，三、结语，共三个部分，介绍了这两座墓的发掘情况，有照片、手绘图。

　　据介绍，M260于1959春钻探时发现，传说著名的司母戊大方鼎就出土于此墓中。此墓位于王陵区东区，北距1949年前发掘的M1400约40米，东北距武官大墓80余米。墓呈"甲"字形。墓口距地表深1.2米。墓道口上的殷代层内埋1人骨架，俯身直肢，系男性少年，当为一祭祀遗迹。M260曾多次被盗，大部分随葬品被盗走，只剩劫余的铜镞、铜饰、白陶片等。至于M259，中有无头人骨14具、狗6只等，该墓有盗洞。

　　简报称，M260是1座面积达78平方米的大墓，司母戊大方鼎正出于此墓。简报推测该墓主人很可能是武丁或祖甲的法定配偶妣戊。而M259的墓主人，当为掌握了一定军权的殷王室成员。

635.安阳大司空村东南的一座殷墓

　　作　　者：中国社会科学院考古研究所安阳工作队　徐广德
　　出　　处：《考古》1988年第10期

　　1983年6～10月，为配合豫北棉纺织厂翻建厂房，考古人员在该厂东部进行了钻探，共发现了70多座殷代墓葬，随后进行了发掘。该墓区位于安阳市西北郊大司空村东南，东距京广铁路200米左右。

　　这批墓葬都是小型长方竖穴墓。墓口距地表深2米左右，长2～2.5米、宽1米左右。有棺木。大部分有熟土二层台及腰坑。殉人、殉牲的墓较少，共有10余座。墓主人的葬式大多数为仰身直肢。墓葬的时代，属于殷墟四期的最多，属于三期的次之，属于二期的最少，只2座，没有属于一期的墓葬。

在这批墓葬中，M663 的规模较大，随葬品也较丰富。简报分为：一、墓葬形制，二、随葬器物，三、结语，共三个部分予以介绍，有手绘图、拓片。

据介绍，M663（编号83ASM663）位于墓区的东南角。墓主人为仰身直肢，头向东，骨架已朽成粉末状。墓室内共有殉人 4 个，皆为侧身直肢。墓中出有陶器、青铜器、石器等共 64 件。该墓的年代简报推断应为殷墟二期偏晚。简报称，该墓的发掘，为殷墟早期墓葬的研究，提供了新的资料。

又，据《考古》1992 年第 6 期报道，1980 年冬，在大司空村东南豫北棉纺厂内，又清理了一批殷代墓葬。80ASM539 是其中面积较大、保存完整而随葬品又较多的一座。

据介绍，M539 是 1 座长方形土坑竖穴墓，腰坑内有 1 狗，蜷曲状，头向西。椁室西端有 1 殉人，头向南，仰身，上体向东扭曲，为 1 少年。由其在椁室中的位置看，是放在棺外椁内的。墓主的骨架在椁室正中，已朽成粉状，俯身直肢，由骨架所在位置看，棺木是紧贴椁室东壁放置的，致使椁室西端留下大段空间，殉葬的少年就放在这段空间。墓中随葬品有铜、陶、玉、石、骨及蚌器等，以青铜器数量为多。简报推断，M539 的时代为大司空村二期。

M539 随葬的十多件青铜礼器大部分与小屯 M5（妇好墓）和 M18 两墓中的同类器物相似。在殷墟铜器分期上，M539 与小屯 M5 和 M18 是属于同一阶段的。由 M539 的 5 件铜容器（簋、盘、斝和二爵）上的铭文，考古人员推测此墓墓主为"出"族人，担任了"寽"的职务，并有"亚"的爵位。

636.安阳郭家庄西南的殷代车马坑

作　者： 中国社会科学院考古研究所安阳工作队　杨锡璋、刘一曼
出　处：《考古》1988 年第 10 期

郭家庄位于安阳市西北、高楼庄西南约 300 米处。1987 年春，安阳市平原制药厂在该庄西南建家属楼，考古人员前往配合，铲探出殷代及其他时代墓葬 50 余座。在这一墓区西北角，铲探出马坑 87AGNM51 和车马坑 87AGNM52。马坑 M51 在 1987 年 3 月清理完，车马坑 M52 在 9 月底开始清理。M52 南 1 米多处，为一唐墓 M56。为工作方便，在清理车马坑前，在 M52 周围挖 1 条工作沟。挖沟时，在 M52 南侧稍东处挖到 1 个车軎，经仔细勘查，发现 M56 的墓室恰好挖在另 1 个车马坑上。此 1 车軎，即是被其破坏的车马坑的残留物。经清理，知此坑尚余 1 匹马。此坑编号为 87AGNM58。M58 与 M52 两车马坑是并排的。此二坑在 1987 年 11 月清理完，M52 车马坑已搬迁至室内。简报分为：一、M52 车马坑，二、M58 车马坑，三、

M51 车马坑，四、结语，共四个部分予以介绍，有手绘图、彩照。

据介绍，自殷墟发掘以来，已发现了近 20 座车马坑，但完整的较少，郭家庄西南 M52 是继殷墟西区 M7 和 M1613 以来第 3 座仔细剔剥出来的完整的马车遗迹。郭家庄的车马坑殉葬为 2 个，郭家庄的 2 座车马坑和 1 座马坑，由其所处的层位、方向、坑位排列及坑中马的葬式（都是头西、两腹相对），简报推测，是同时埋人作陪葬用的。发掘区东西长约 130 米、南北宽约 60 米，M51、M52 和 M58 在发掘区西北角，在其东及东南都没有发现大墓，简报推测这 3 座车马坑的墓主的墓尚压在其北或东北的居民住宅下。

637.1987 年夏安阳郭家庄东南殷墓的发掘

作　者：中国社会科学院考古研究所安阳工作队　杨锡璋
出　处：《考古》1988 年第 10 期

郭家庄在安阳市西北、高楼庄西南约 300 米。1987 年夏，安阳市平原制药厂在该村东南建三栋家属宿舍楼及 2 座仓库，占地约 3600 平方米。考古人员在配合时，只对建筑占用地进行了铲探，共发现墓葬 10 座，其中 6 座是殷墓，其余 4 座是北朝墓和唐墓。简报配以手绘图、拓片介绍了 6 座殷墓的情况。

据介绍，6 座殷墓可分两组，在东南角的 M1 ～ M3，在西北角的 M7 ～ M9 各为一组。M2、M3 的墓室较大，墓底在地面下 9 米处，已被盗，其余 4 座墓中的随葬器物式样相同的极少。根据墓内出土器物，M7、M8 和 M9 属殷墟文化三期，M1 属殷墟文化四期。随葬品有铜礼器、陶器、玉石器等。

638.安阳殷墟发现"易卦"卜甲

作　者：肖　楠
出　处：《考古》1989 年第 1 期

1980 年 10 月底，考古人员复查 1973 年小屯南地陶片时，在考古队仓库发现 1 包卜甲，当时进行清洗，发现其上有"易卦"和文字。带回北京后，经粘对复原，上面文字和"易卦"排列有序，为以往所罕见，简报配以照片予以介绍。

据介绍，这是 1 片较完整的"易卦"卜甲。它保留了腹甲的大部分，约占原腹甲的四分之三。卜甲按投影测量，横宽 21.6 厘米、残长 22.5 厘米，厚 0.5 ～ 0.8 厘米。甲桥保存完整，仅前后尖突部分被切锯，甲尾仅存一小部，其余大部无存。尽管如此，它仍是目前较完整的"易卦"卜甲，是难得的文物珍品。

639.1984年秋安阳苗圃北地殷墓发掘简报

作　者：中国社会科学院考古研究所安阳工作队　郑若葵
出　处：《考古》1989年第2期

1984年秋，考古人员在以往发掘工作的基础上，在安阳苗圃北地殷商遗址西面、南面，再次进行了发掘。简报分为：一、墓葬概况，二、随葬器物，三、结语，共三个部分，有照片、手绘图。

据介绍，此次共发掘墓葬43座，有的已被盗，但仍出土了700余件随葬品，主要是陶器、铜器。年代从殷商早期到中、晚期都有。其中早期（从盘庚到武丁）墓葬尤其重要。

640.1986年安阳大司空村南地的两座殷墓

作　者：中国社会科学院考古研究所安阳工作队　谷　飞
出　处：《考古》1989年第7期

1986年秋季，为了配合农村基本建设，考古人员在安阳市北郊大司空村南地进行了发掘。共清理了殷代小型墓29座。这里的地层堆积比较简单，现代耕土下即为纯净的黄褐色土层，偶出砖瓦等。黄褐色土层的下面即见殷代墓口。集中在发掘区东北一隅的6座殷代墓没有被盗掘，出土了一批较好的青铜器、玉器、陶器。本文仅将出土遗物比较丰富的M25、M29（编号86ASNM25，86ASNM29）。简报分为：一、86ASNM25，二、86ASNM29，三、结语，共三个部分予以介绍。

墓口距地表1.55米，墓底距地表5.55米，长3.14米，宽1.90米，墓底中部较两端稍宽些。南部被一古井打破。有熟土二层台。据残留的板灰分析，有椁、棺结构。椁室长2.85米，宽1.40米，高1米；棺室长度不详，宽0.95米，现存高度仅为0.05米，显然已不是原有之高度。椁棺上都漆有较厚的红漆。

据介绍，两墓东西平行排列，相距1.5米。把这两座殷代墓的出土器物作一下比较，不难看出它们的共同因素占主要地位。2墓的3件铜觚，形制纹饰都基本相同；两墓所出的四件铜爵，几乎可以说是同范所出，而且四件爵上的铭文字体完全一致。另外两墓所出的实用铜戈也都大同小异。这些共性都说明这两座墓是同一时期的。M25因为受到破坏，没有发现陶器，但M29出了1件陶簋。这件陶簋，全剖视图呈梯形，口沿断面呈"T"字形，口沿内壁没有凹弦纹及其比较矮的圈足，都显示了殷墟文化早期的特征。M25、M29所出铜器与83年安阳薛安庄M3出土铜器十分相像，而此墓所出陶器属于殷墟文化第二期。M25、M29的青铜礼器应归于殷墟青铜器第二期中段。

另外，M25 出土了 1 面铜镜。殷墟发掘 60 年以来，在此之前共发现 5 面铜镜。M25 出土的是第 6 面铜镜，虽然远不如妇好墓的铜镜那般精美，但在殷墟小型墓中发现还是第 1 次。M25 出土遗物比较丰富，显示了墓主人生前较高的社会地位。

641.1987 年安阳小屯村东北地的发掘

作　　者： 中国社会科学院考古研究所安阳工作队　郑振香
出　　处：《考古》1989 年第 10 期

1987 年春季，考古人员在小屯村东北地进行了钻探发掘工作，地点主要在 20 世纪 30 年代所发掘的甲组基址范围内，也钻探了乙组基址中的乙二十基址。在甲四之东发掘了 1 座殷代灰坑，在甲四东北发掘了 2 座西周墓。简报分为：一、前言，二、甲十二基址，三、一号灰坑的发掘，四、2 座西周墓，五、结语，共五个部分。有手绘图、照片。

据介绍，在小屯村东北地重新揭出了甲十二基址，找到了房基东边墙柱的 6 个夯土柱基。在房基西边靠南部，距房基边线约 1 米处，发现了 4 个排列比较整齐的擎檐柱。20 世纪 30 年代在房基东边线外约 1 米处发现的柱基当也是檐柱，这次的发现使这座房基的结构更为清楚。灰坑（87H1）内出土可复原陶器 10 多件，简报称其时代为殷墟文化第一期偏早阶段。

简报指出，西周墓在小屯附近发现还是第 1 次，从陶器观察，属于西周晚期。大概殷商灭亡之后相当长的时期内这一带无人居住，直到西周晚期才在小屯村北沿洹河一带出现零星的遗址和墓葬。

642.安阳大寒村南岗遗址

作　　者： 中国社会科学院考古研究所安阳工作队　魏树勋、傅宪国等
出　　处：《考古学报》1990 年第 1 期

大寒村位于河南省安阳市东南约 15 公里、白璧集南约 2 公里。遗址坐落在村南约 500 米的 1 个高 7～8 米的土岗上，故称"南岗"。岗南有 1 条向东流的小溪，岗的东、北、西 3 面有路沟环绕。遗址面积约 25 万平方米。1961 年夏，考古调查中发现此遗址。1962 年，考古人员曾对此遗址进行试掘。1965 年，在 1962 年试掘地点的西南约 200 米处进行发掘，发掘工作自 9 月 13 日开始，至 11 月 9 日结束。这

次发掘共发现龙山文化房址 6 座、灰坑 20 座、墓葬 2 座，二里头文化灰坑 1 座，西周墓葬 3 座，以及较丰富的陶、石、骨器等文化遗物。

简报分为：一、地层堆积情况，二、龙山文化遗存，三、二里头文化遗存，四、西周文化遗存，五、结语，共五个部分，有照片、手绘图。

据介绍，大寒南岗遗址是一处内涵十分丰富的河南龙山文化遗存，文化层分布于整个遗址，文化堆积较厚。在河南龙山文化层之上，还断续分布有很薄的二里头和西周文化层。为保护和了解房址及其分布情况，龙山文化房址以下大部分文化层未发掘。

简报将此次发掘的主要收获归纳如下：

龙山文化。大寒南岗遗址是豫北地区继安阳后冈之后发现的又 1 处龙山文化遗存。这次发掘的 6 座房址，为了解和研究河南龙山文化房屋的布局、结构以及建筑技术提供了新资料。这 6 座房址，可分成 2 组，每组 3 座，都是 1 个圆形、2 个长方形房址。房址之间有很厚的路土相连，证明它们是同时期的建筑。在安阳后冈、汤阴白营龙山文化遗址中发现的房址多为圆形。这次的发现，说明长方形房屋也应是当时豫北地区一种主要的居住建筑形式。在大寒南岗遗址的房址内，发现大片白灰面遗迹，白灰面抹在居住面上、墙壁以及门道内，证明龙山文化时期已发明人工烧制石灰技术。这 6 座房址，每层居住面都由 2 ～ 3 层组成，有的在草泥土上抹白灰面，有的在草泥土和白灰面之间还有一层礓石粉，这反映当时房屋建筑中防潮设施的进步。数量众多的蚌器，是这个遗址的显著特征之一。磨制石器相对减少。作为农业生产主要工具的蚌刀、镰，共发现 131 件，而石质工具仅有 3 件，这种现象为其他遗址所罕见。大量农业生产工具的发现，表明当时的农业经济已相当发达。出土有大量的家畜骨骼，有猪、狗、牛等，而猪是主要的家畜，说明当时畜牧业也有一定程度的发展。同时，出土的石镞、骨镞、骨鱼镖、网坠等渔猎生产工具以及大量的兽骨、河螺、河蚌等，表明渔猎和采集经济在当时生产活动中仍占有一定的比重。这次发现卜骨 8 块，系牛和猪的肩胛骨，不施钻、凿，骨面上只有灼痕，有的两面施灼。占卜活动盛行于商代，其源流可上溯到龙山文化时期。

二里头文化。二里头类型文化遗存的发现，是这次发掘的重要收获之一。这次找到了二里头文化与龙山文化的地层叠压关系。尽管文化遗物不多，仍可看出两者之间存在着某种联系，为我们进一步探讨二里头类型文化的分布及渊源提供了宝贵的资料。年代相当于二里头类型文化的第二期。

西周文化。西周遗存只发现 3 座墓葬，出土遗物有陶扁、豆、罐几种。简报认为其年代大致属西周晚期。

643.1987 年秋安阳梅园庄南地殷墓的发掘

作　　者：中国社会科学院考古研究所安阳工作队　戴复汉
出　　处：《考古》1991 年第 2 期

　　安钢第五生活区位于安阳梅园庄村南 0.5 公里、梅园庄南路与万金渠接壤处以北地区，面积 70000 余平方米。考古人员共发掘墓葬 121 座，其中殷代墓葬 111 座，唐、宋墓葬 10 座。简报分为：一、墓葬形制和葬式，二、出土遗物，三、结语，共三个部分。配以手绘图等，先行介绍了 111 座殷代墓葬资料，唐、宋墓的资料另文发表。

　　据介绍，安阳钢铁公司土地发现的这 100 多座殷代墓葬，都是殷墟常见的长方形竖穴小墓。墓葬形制和随葬品的种类，都与大司空村和殷墟西区发现的相似。除 28 座被盗掘一空的墓葬外，所剩 83 座墓葬包括被盗墓葬，均或多或少有随葬品出土。这反映了墓主人占有一定数量的生活与生产资料，他们在社会地位上应高于奴隶。出土兵器甚少，墓主应属从事某项生产劳动的自由民。M20、M92 等墓中出有较多的铜礼器。而 M118 除陶容器外，还出铜工具、用具等，并殉人 1 具。简报认为这些墓主人比自由民占有较为丰富的生活与生产资料，其社会地位高于自由民，应属小贵族。另外，M118 中发现墓葬填土不是土，而是砂，且砂分粗细，分别填入。这一现象在殷墟发现的墓葬中是罕见的，但在西周以后的大型墓葬中则颇为流行。

644.河南安阳殷墟大型建筑基址的发掘

作　　者：中国社会科学院考古研究所安阳工作队　郑振香
出　　处：《考古》2001 年第 5 期

　　1981 年春，小屯村大队拟在该村东北地修建办公室。这一带是大面积的平地，占地面积约 5000 平方米。考古人员经钻探发现三排大型夯土基址，西边一排，南、北各一排。西边一排与南、北二排连接，三排基址呈"凹"字形。这是自 1950 年以来发现的规模最大的建筑基址，其北边与过去所发掘的乙二十基址相距约 80 米，扩大了殷墟宫殿宗庙区的范围。考古人员遂决定进行保护，小屯村另选修建地点。1987 年安阳市筹建殷墟博物院时，将这处建筑群划入建院范围内，即今殷墟博物院大门内东侧。钻探工作弄清了基址的基本轮廓，为发掘工作提供了有利条件。简报分为：一、基址概况，二、F1 基址形制，三、F1 房基结构，四、F1 基址前面的祭祀坑，五、结语，共五个部分。有手绘图、拓片。

　　据介绍，小屯村东北地发现的这处大型建筑基址群，是自 1950 年以来在殷墟发现的一处最重要的大型建筑基址。这处建筑群之间的关系比较复杂，经发掘弄清了北排南北宽约 14 米的夯土基址并非一个整体。北边的 F1 是 1 座东西较长的排房建筑，宽约 7.5 米。而 F1 南边则是 5 座面积大小不一的房基，但方向一致，宽度接近，系由东向西修建。这 5 座房基早于 F1。F1 南边的门道、廊庑即建在较早的基址之上，故南边几座较早的房基只能弄清基本形制，柱洞多已被破坏，只有靠西边 F8 南边保存尚好的一排柱洞为依据。从 F1 内无隔墙、无居住痕迹、门外有祭祀坑等现象，简报分析这座基址大概是用于祭祀的宗庙性建筑。房基的修建年代约相当于殷墟第一期晚段，属于武丁早期。

645.安阳郭家庄 160 号墓

作　者：中国社会科学院考古研究所安阳工作队　杨锡璋、刘一曼
出　处：《考古》1991 年第 5 期

郭家庄位于安阳市西北高楼庄西南约 300 米处。这里已发掘了近 200 座殷代墓葬，其中有 4 座为车马坑。1990 年秋，又在该庄西部清理了 12 座殷墓，其中 160 号墓是 1 座未经扰动、保存完整的中型墓葬，墓中出土了许多珍贵的文物。简报配以照片予以介绍。

据介绍，160 号墓的形制是长方竖穴，墓口距地表 2.3 米，墓底中部有一长方形腰坑。葬具有棺有椁，出土时已全部腐朽。棺、椁上涂有数层黑、红、白漆。墓主人位于棺中部，直肢，头向东，出土时人骨已朽成粉末。墓内发现殉葬人 4 个、殉狗 3 只。随葬品放置有一定规律。陶器、石罄、牛羊腿骨和肩胛骨在二层台东部，十几件曲内铜戈置于二层台东南角，漆器在二层台西北部。绝大部分铜器和全部玉器都置于椁室之内。青铜武器放于椁室西部、椁之四边和四角。戈、矛、镞是杂处的，有的矛、镞是成捆成束堆放在一起的。青铜礼器集中于椁室东部。一套编铙放在椁室最东侧，从北至南，大小相次排列。鼎、甗、簋等炊器、食器也置于椁室东侧。在炊器和食器之西，堆放着尊、卣、罍、角、觚、盉、罍、盘等酒器和水器。玉器放于棺内，出土时，有的在腰坑的填土中，大概它们原来的位置在墓主人的胸部、腰部周围。墓中出土的随葬器物共 349 件，包括铜、玉、陶、石、骨、牙、竹、漆等器类。其中青铜器 288 件，占随葬品总数的 80%。青铜器中又以武器为主。

简报称，这个墓所出的铜礼器上的氏族徽号铭文，都以"亚"形为框廓。亚，据甲骨文记载，为武职官名，地位较高。而此墓出土的器物中，武器占了大多数，单是铜钺、玉钺就有 4 件，而且有的铜钺形体较大。钺，是军事统帅权的象征。这

些现象说明，墓主人生前是一位较高级的武将。在 160 号墓西南约 30 米处，于 1989年曾发现车马坑 2 座，应是此墓的陪葬坑。

简报指出，这座殷墟三期墓葬的发掘，是 1976 年妇好墓发掘以来，殷墟考古的又一次较重要的收获。墓中所出的丰富的文物及其周围的车马坑遗迹，对研究殷代的埋葬制度，青铜器的组合、形制、分期等都有重要的意义。

646.河南安阳郭庄村北发现一座殷墓

作　者：安阳市文物工作队　孟宪武、李贵昌
出　处：《考古》1991 年第 10 期

1986 年底，为配合安阳钢厂第五生活区的基建工程，考古人员在位于铁西区郭庄村北的工程范围内对部分地段进行了钻探，并发掘了殷、唐、宋各代墓葬 89 座。简报配以手绘图等先行介绍其中 1 座殷墓的资料。

据介绍，这座殷墓（编号 86AQM6）东南距郭庄村约 200 米，西北距梅园庄村约 700 米，西距戚家庄村约 600 米，其位置在殷墟保护区的外围。墓穴作长方竖井形，有椁有棺，木棺置于椁室中部，严重腐朽，可看出是由红、黑漆经多次髹涂而成。棺盖上放置的青铜觯下面留有竹席痕迹，说明当初棺上覆盖有竹席。墓主人的骨架甚朽，周身涂红漆，葬式仅看出为头北、面西，直肢葬。骨架高大，长约 1.8 米，性别年龄不明。墓底有腰坑，中有殉狗，并葬有牛腿 1 条、羊腿 1 条，随葬品达 185 件。17 件青铜礼器中，铜觚爵 3 套、铜鼎 4 件。其中青铜钺 1 件及 2 套铜马器值得注意。5 件铜器上有一单字"羊"，但写法与传世文字不同。该墓的年代，简报推断为殷墟四期偏晚的帝辛时期，墓主应为一位生前领兵的贵族。

647.安阳三家庄、董王度村发现的商代青铜器及其年代推定

作　者：孟宪武
出　处：《考古》1991 年第 10 期

三家庄、董王度村位于安阳市老城北约 3.5 公里处。两村中隔京广铁路东西相望。其西南为大、小司空村，西为前、后营村，地处殷墟东北边缘地区。1964 年和 1979年，考古人员先后在这两个村发现和征集到一批商代青铜器。这批青铜器除了容器外，还包括几种生产工具和兵器。简报分为：一、出土简况，二、时代，三、几点认识，共三个方面。有照片、手绘图。

1964 年 12 月，三家庄村农民在平整土地时，发现了 1 个内藏 8 件商代青铜器的

窖穴。8 件青铜器出土时整齐地叠放在一起，但叠放的上下顺序已不清楚。所出器物包括鼎 4 件、甗 1 件、斝 1 件、镬 1 件，戈 1 件。1979 年夏季，董王度村民董友民送交安阳市博物馆几件商代文物。其中有 1 件铜鼎、1 件铜镞、1 个骨镞及几片钻孔残蚌器。据董友民讲，这是该村村民董秀玲在本村原北郊生猪收购站东墙外一土坑内起土时发现的，同时还出有人骨、棺漆等物。简报称，三家庄铜器窖藏的年代不会早于殷墟一期的年代，董王度村墓葬的年代也不会早于殷墟第一期的年代。

648.1982 ～ 1984 年安阳苗圃北地殷代遗址的发掘

作　者： 中国社会科学院考古所安阳队　郑若葵等
出　处：《考古学报》1991 年第 1 期

苗圃北地殷代遗址，位于河南省安阳市西郊洹河南岸殷墟保护区东南部，西北距小屯村约 1 公里，东北距后冈遗址 0.8 ～ 0.9 公里，东距今高楼庄村约 0.7 公里。苗圃北地遗址发掘始于 1959 年，嗣后考古人员陆续作过多次发掘。20 世纪 80 年代的发掘工作从 1980 年至 1987 年，实际发掘时间仅 4 个季度，即 1980 年冬、1982 年春、1984 和 1987 年的秋季，其中 1980 年冬和 1987 年秋是发掘墓葬。简报分为：一、地层堆积，二、遗迹，三、文化遗物，四、结语，共四个部分。先行介绍 1982 年春和 1984 年秋殷代居址的发掘资料，配有照片、手绘图。

据介绍，1982 ～ 1984 年苗圃北地殷代遗址的发掘，发现了灰坑、陶窑、水井等遗迹及大量种类繁多、数量可观的遗物。简报认为，该遗址是殷代都城内一处集居址与墓地及铸铜、制骨、制陶作坊于一体的重要遗址。以下几点发现尤为重要：

其一，早、晚期遗迹中出土的大量骨料、兽骨，表明该遗址曾存在着较大规模的骨器制作业，反映了这种手工业从殷墟早期至晚期的发展趋势及其在当时氏族内部经济生活中的重要地位。兽骨、骨料上残存的加工痕迹及共存的磨石损耗情况，为进一步研究殷代制骨工艺的工序（包括选材、用料、工具、加工方法和步骤等）提供了实物依据。

其二，早、晚期遗迹中出土的卜甲、卜骨，在数量上呈现出早期多晚期少的趋势。这种现象，暗示该遗址的占卜风尚早期（尤其是一期阶段）盛于晚期的倾向。另外，一期灰坑 H19 出土了 6 件人髋骨的卜骨。这种现象为以往殷墟发掘所罕见，其在选材上的野蛮性，与郑州二里岗文化期紫荆山骨器制作场以人骨为原料的陋习如出一辙。

其三，一期灰坑 H1 出土的一件玉质刮削器，小巧玲珑、制作精美，其工艺和器形风格与中原地区史前时期细石器文化雷同。这种现象，或许暗示了一个过去鲜为学术界注意的问题，即殷代民族在继承和发展氏族固有的传统文化时，亦多少吸收其他民族的手工业技艺，细石器的加工制作便是其中之一。

其四，遗址出土的石、陶、骨、蚌等遗物的数量均很丰富，表明当时的手工业、农业工具的制作，尚处于综合利用各种质材的发展阶段，金属工具尚未占有重要地位。

649.殷墟戚家庄东 269 号墓

作　者：安阳市文物工作队　孟宪武等
出　处：《考古学报》1991 年第 3 期

安阳钢铁厂新建第四生活区位于殷墟小屯村西南约 3.5 公里处，属于殷墟保护区外围。考古人员于 1981 年 12 月至 1984 年 11 月，在安钢进行基建工程时，作了全面的文物钻探和必要的考古发掘工作。1984 年 9～10 月，在该区西北角进行最后阶段的钻探工作，发现殷代墓葬 6 座及殷代灰坑等遗迹。6 座殷墓（编号为 AGSM265～M270）较为集中。同年 10～11 月，考古人员发掘了这 6 座墓。6 墓中 3 座被盗，3 座保存较好。M269 保存完整，出土遗物极为丰富，有陶器、铜器、玉器、骨器等，共计 73 件。铜器 58 件，其中礼乐器 23 件，铸铭铜器 28 件。随葬陶器的形制属于殷墟文化第三期。其他几座墓也有陶器随葬，形制属于第三期偏早阶段。简报分为：一、墓葬概况，二、随葬器物，三、结语，共三个部分。

据介绍，戚家庄东地是殷墟较大的殷代家族墓地。M269 是该墓地中规模较大、保存完整的一座，它是继殷墟妇好墓等一批完整的殷代大、中型王室贵族墓葬发现以后又一座完好的殷代中型贵族墓葬。该墓保存完整，随葬品丰富，其中青铜礼、乐、兵器占半数以上，有铭文的铜器达 28 件。这组完整的礼器群，对于研究殷代的贵族身份以及殷代的等级制度、殷商时代的青铜器群的组合分期，都有着极为重要的价值。该墓的年代，简报推断为武丁时期。墓主人应是商王朝统治下某氏族集团的一个显赫的军事贵族。

650.河南安阳梅园庄西的一座殷墓

作　者：中国社会科学院考古研究所安阳工作队　郭　鹏
出　处：《考古》1992 年第 2 期

1990 年 5 月，安阳市建设银行在梅园庄附近建造营业楼，地点在安阳钢铁厂西南、安钢大道与钢三路交会处。考古人员在配合基建时，发掘了 1 座殷代墓葬，编号为 90 市建行营业楼 M1。简报分为：一、墓葬概况，二、随葬器物，三、结语，共三个部分。有手绘图、照片。

据介绍，该墓为长方形竖穴土坑墓。此墓被盗 2 次，均未及棺椁。墓坑中部偏东有 1 个盗洞，东南部有 1 个盗坑。葬具有棺、椁，均已朽。棺内葬 1 人，仰身直肢，骨骼已朽成粉末状。随葬器物墓室内共出 12 件，填土内有 4 件。简报推断，此墓时代应属殷墟文化第四期偏早阶段。

651.1986～1987 年安阳花园庄南地发掘报告

作　者：中国社会科学院考古研究所安阳工作队　刘一曼、徐广德等
出　处：《考古学报》1992 年第 1 期

花园庄村位于安阳市西北、小屯村南，与小屯村仅隔 1 条柏油路，是殷墟重点保护区中重要遗址之一。为了解废骨坑及其周围的文化层堆积情况，考古人员进行了 3 次发掘。第 1 次发掘从 1986 年 4 月 22 日至 6 月 2 日；第 2 次发掘从 1986 年 10 月 10 日至 12 月 5 日；第 3 次发掘从 1987 年 4 月 10 日至 6 月 9 日。3 次发掘计发现殷代灰坑（包括大废骨坑）33 个、墓葬 13 座和唐墓 1 座。简报分为：一、地层堆积，二、遗迹，三、遗物，四、分期与年代，五、结语，共五个部分。介绍了除唐墓外的相关资料，有照片、手绘图。

简报称，主要收获有两点：

其一，这次发现的 H27 废骨坑是前所未见的。面积大，有 500 多平方米。此坑与过去发掘的骨料坑不同之处在于数十万块兽骨中，经过锯切的骨块仅 80 多块，不到总数的千分之一；真正称得上骨料的才几件，不到总数的万分之一。毫无疑问，H27 是 1 个堆放废骨的地方。经鉴定，绝大多数为牛骨，这表明殷代的畜牧业特别是养牛业是很发达的。殷人经常用牲畜祭祀祖先，以用牛的数量最大，每次少则几头，多则数百头甚至上千头。这次发现的废骨坑，堆积时间为殷墟文化第三期后段至第四期初。在不太长的数十年内，废弃如此多的骨头，再一次以考古发掘的实物资料证实当时的养牛业确是繁荣兴旺的。

简报指出，这个大废骨坑发现于花园庄南地、大灰沟西南的内侧，并不是偶然的。距该坑约五六百米的小屯南地，1973 年曾发现 5000 多片刻辞甲骨，其中绝大多数是牛骨，还发现了一些未经占卜刻划的完整的牛肩胛骨。这批甲骨的时代从武丁至帝乙，多数属于康丁、武乙、文丁时期。该遗址的时代自殷墟文化第一期至第四期初，其繁荣阶段在第三期至第四期初。有的研究者推测，该处是殷代中期以后（康丁以后）的占卜场所。可以看出，小屯南地遗址的繁荣阶段与花园庄 H27 废骨堆积的时代是大致相同的，说明两者应有一定的联系。简报认为，当时在花园庄附近，可能有屠

宰牲畜或收取骨料的场所。牲畜被宰杀或食用后，将其骨骼分别处理，如肩胛骨作为占卜的材料，肢骨、肋骨可作为制作骨器的原料，没有用的头骨、下颌骨、牙齿、脊椎骨、盆骨等，则作为垃圾成批地扔掉。

其二，发掘中，于H27坑口表层的兽骨上，发现了14条车辙，这是一个新的发现。殷代的车子，在考古发掘中屡见不鲜，但车辙却从未发现过。这是由于古代车轮轧过的痕迹不易保存下来，即使有的遗留至今，发掘时稍不注意，也剔剥不出来。所以，这次车辙的发现，为研究殷代的车制，提供了新的资料。考古发现的殷代车子，均为马车，大多为1车2马。从车厢内所出的器物分析，有的属战车，有的属乘车。这种车，由1辕、1衡、1舆、2轮、1轴等几部分组成，轴长2.9～3.1米，两轮间轨距2.17～2.4米，轮径1.4～1.5米，车厢长度多在1.3～1.5米，宽0.7～1米。这种车，是奴隶主贵族出行、田猎或作战的工具。那么，除了马车外，是否还有民用的较小的车子？这一直是学术界所注意的问题。这次发现的十几条车辙中，比上述殷代马车的轨距要小。显然，这不是殷代马车车轮的印痕，而应是另一种较小的双轮车子。这种车，大概是人力推拉，或用牲口拉的。除两条平行的车辙以外，其余的车辙较杂乱，说明可能还有一种独轮车，应系民间生产、生活所用。实际情况如何，还有待考古发掘来证实。

652.安阳市梯家口村殷墓的发掘

作　者：安阳市文物工作队、安阳市博物馆
出　处：《华夏考古》1992年第1期

安阳市梯家口村位于殷墟小屯村东南约3.5公里、京广铁路西侧。1985～1987年，为配合安阳玻壳厂的基建工程，考古人员先后4次在梯家口村西进行了文物钻探，钻探面积共计30000余平方米。发现殷代墓葬21座，汉、唐、宋、明、清各代古墓30座，共计51座墓葬。发掘古墓45座（余6座因墓上有障碍物未发掘）。简报分为：一、墓葬简况，二、随葬品，三、结语，共三个部分。配有照片、手绘图。

据介绍，21座殷墓均属小型墓，编号为M1～M3、M22～M26、M28～M37、M42、M47、M48、M50。墓葬形制多系长方形土坑竖穴，仅8座墓未被盗过。19座墓出土有随葬品，无随葬品的墓仅2座。随葬品最多者为M34，有21件；最少者为M26，仅1件；多数墓都是5～10件。随葬品在墓中的陈放位置是有一定规律的。铜礼器一般放在棺内墓主人头前或脚部，铜兵器一般放在棺内墓主身上、身侧或脚后。陶容器一般放在头前二层台上，亦有放在棺盖上或两侧及脚后二层台上的；有棺椁的，放在椁内棺外的前端空间内。玉、骨、贝等小件器物均出于墓主身上及身体两侧。这批墓葬共出土随葬品116件,包括陶、硬陶、铜、玉、石、骨、蚌、贝8种。其中M3所出铜鼎上有铭文。这些墓主生前在社会上是有一定政治地位的。多数墓葬仅随葬少量的陶器,出土兵器也很少,推测他们的身份应属自由民阶层。M3、M25出有青铜器,M34随葬品数量较大,其墓主的社会地位应高于自由民,属小贵族身份。至于时代,殷墟文化二、三、四各期都有。

653.1991年安阳花园庄东地、南地发掘简报

作　者：中国社会科学院考古研究所安阳工作队　刘一曼、郭　鹏
出　处：《考古》1993年第6期

1991年秋,安阳市修建殷墟博物苑至安钢大道的公路,发现殷代墓葬62座、房基3座、灰坑2个(其中1个是甲骨坑,位于花园庄东)。在花园庄南地清理殷墓时,在1座墓葬墓口之上的灰层中发现了3片刻辞卜骨。考古人员在花园庄东地、南地出甲骨的地点进行了发掘。简报分为:一、花园庄东地,二、花园庄南地,三、结语,共三个部分。有照片、手绘图。

据介绍,1991年秋花园庄东地、南地的发掘,虽然开方面积不大,但收获甚丰,主要有以下几点:

一是过去殷墟出刻辞甲骨的地点有小屯(村东北、村中、村南、村西)、侯家庄南地、四盘磨、后冈、大司空村、苗圃北地等处。这次在花园庄东、南地发现了刻辞甲骨,为殷墟提供了一个甲骨文出土的新地点。

二是花园庄南地1片字体类似"午组卜辞"的卜骨,所出的层位和共存陶片属殷墟文化第一期,又一次证明此类卜辞的时代较早。

三是花园庄东地H3甲骨坑,出土了1583片甲骨,其中刻辞甲骨579片。特别珍贵的是,此坑甲骨,以大版的卜甲为主,这是继1936年小屯村东北地YH127坑及1973年小屯南地甲骨以后又一次重要的发现。

简报称,这批占卜用过的甲骨是有意识地窖藏于此,字体、句法均与以往甲骨有不同之处。时代属殷墟一期。从内容看,为武丁时期一些贵族占卜的记录。

654.1991年安阳后冈殷墓的发掘

作　者：中国社会科学院考古研究所安阳工作队　徐广德
出　处：《考古》1993年第10期

后冈遗址位于河南省安阳市西北的洹河南岸,距小屯村1.5公里,是举世闻名

的安阳殷墟的重点保护区之一。截至1991年，这里曾先后进行了9次发掘，发现了仰韶、龙山、殷商时期的遗址和墓葬，文化遗物相当丰富。1991年下半年，为配合基本建设，又在该遗址的西部（冈顶西部）靠近1971年发掘地的北部，进行了铲探和发掘，共发掘了41座墓葬，除3座是隋唐墓外，其余都是殷墓。其中有两座带两个墓道的大墓和36座长方形竖穴小墓。简报分为：一、两座大墓，二、36座小墓，三、结语，共三个部分。有手绘图、照片。

据介绍，两座大墓中，M9的时代为殷墟四期偏晚，其内有3个古代盗洞和8个近代盗洞。M12的时代为殷墟二期。两座大墓连同以往发掘的大墓，证实西北冈王陵区以外有一重要贵族墓地。小墓的时代能分期的有21座，其中属二期的6座，属三期的6座，属四期的9座。随葬品方面，在M3中发现了6件有朱书文字的石柄形饰，分别朱书"祖甲""祖丙""祖庚""父辛""父癸""父□"。以前在殷墟曾发现朱书玉戈等。但在石柄形饰上的朱书称谓，还是首次发现。在M33中，首次发现1件不知名的铜器，有专家根据其形状、大小，参考在我国北方发现的马衔，认为此物也可称作"马衔"。

655.河南安阳高楼庄南发现一座殷墓

作　者：中国社会科学院考古研究所安阳工作队　郭　鹏
出　处：《考古》1994年第5期

1991年11月，安阳县物资局在安阳市高楼庄南修建住宅楼时，考古人员在其家属院南楼西北侧发掘殷代墓葬1座，编号为91县物资局M1。简报分为：一、墓葬概况，二、随葬器物，共两个部分。有手绘图、照片。

据介绍，该墓为长方形竖穴土坑墓。葬具为木棺、木椁。棺大小已不清，仅残留少量红色漆皮。棺内葬一人，骨骼全部朽碎，头向、面向、葬式、性别均不详。殉人4具。共出土器物45件。该墓青铜爵近直筒形，觚为高体觚并有扉棱，觯腹截面为椭圆形，它们与殷墟西区以M907随葬品为代表的E式爵、觚和I式觯相类似。其组合又以觚、爵为主，具有青铜礼器第二期晚段特征。陶器中鬲整体低矮，裆部亦矮，组合以觚、爵、鬲、簋为主，并有盘出现，具有第四期的特征。总括各因素，简报推断该墓为殷墟文化第四期偏早阶段，可能为帝乙时期。

简报称，该墓所出玉石器采用了抛光、桯钻工艺，并有阴线勾刻和初步的立体雕刻，在一定程度上反映了殷代制玉工艺的水平。从墓室面积、殉人等现象看，墓主应为小贵族。

656.1984 ～ 1988 年安阳大司空村北地殷代墓葬发掘报告

作　者：中国社会科学院考古研究所安阳工作队　谷　飞等
出　处：《考古学报》1994 年第 4 期

　　大司空村位于河南省安阳市北郊。村东南是豫北纱厂，西南与著名的小屯村隔洹水相望。20 世纪 50 ～ 70 年代，考古发掘工作主要集中在村东南，现豫北纱厂厂区范围内。20 世纪 80 年代以后，考古人员一方面继续在纱厂厂区内配合基建进行发掘，另一方面在大司空村的北地和南地配合各项基建进行发掘工作。1984 ～ 1988 年，考古人员先后在大司空村北地进行数次钻探和发掘，共发现墓葬 88 座，发掘 84 座，其中殷代墓葬 78 座，其他为唐宋等晚期墓。简报分为：一、地理位置及工作简况，二、墓葬形制，三、随葬遗物，四、墓葬分期，五、结语，共五个部分。先行介绍殷代墓葬，有照片、手绘图。

　　据介绍，78 座墓多为小型土坑竖穴墓，90% 以上为仰身直肢葬。用木棺作葬具的 72 座，棺、椁皆有的 3 座，1 墓无棺，2 墓不详。大部分木椁都涂漆料（红漆 51 座，黑漆 8 座）。简报重点介绍了 M21、M54、M66 这 3 座棺椁皆备的墓。

　　简报称，大司空村北地发掘的这批殷代墓葬，被盗严重，仅据现有资料，可得出以下几点结论：

　　其一，小墓可以认为是普通家族成员的墓，较大的可以认为是家族首脑人物的墓。从各墓出土遗物的多少可以看出家族成员之间存在着不平等的现象。

　　其二，11 座墓出有铜戈、镞等兵器，说明这些墓的主人生前曾是战士，参加过军事活动。M30、M64、M52 既出铜戈等兵器，又出铜锛、刀等手工工具或手工半成品，说明墓主生前既是战士又是手工业者，平时生产，战时出征。另外，北地殷墓还出有石镰、陶弹丸等农业或狩猎工具，可见墓主生前有从事农业劳动或狩猎活动。由上述分析不难看出家族成员有着不同的社会分工。

　　其三，北地没有青铜容器出土，这或许与几个较大的墓被盗掘有关。但与北地相距不远的南地出有较多的青铜容器，与南地同等规模的北地殷墓也有未被盗的，却不出青铜容器。出现这种现象的主要原因，应是北地墓主人生前社会地位较低、比较贫困，这反映出殷代社会家族之间也存在着不平等的现象。

657.安阳市殷代墓葬发掘简报

作　者：安阳市文物工作队　贾玉俊、孟宪武、王素梅
出　处：《华夏考古》1995 年第 1 期

　　1986 年至 1992 年间，为配合安阳市的基本建设工程，考古人员在洹北太平庄西、

市汽车站、郭家湾村北、铁西东八里庄村东及和平路中段 5 个地点进行了考古发掘，共发掘殷代墓葬 18 座。其中太平庄村 5 座，汽车站 1 座，郭家湾村 3 座，东八里庄村 5 座，和平路 4 座。简报分为：一、墓葬分布及形制，二、随葬品，三、结语，共三个部分。有照片、手绘图。

据介绍，18 座墓均为长方形土坑竖穴小型墓，其中 5 座有壁龛。这批墓葬共出土随葬品 125 件，包括陶、铜、玉、石、骨器、卜骨、蚌饰、贝 8 种。有的铜器上有该族图腾符号。

简报称，这批墓的时代，殷墟文化二、三、四期都有。

658.1983 ～ 1986 年安阳刘家庄殷代墓葬发掘报告

作　者：安阳市文物工作队
出　处：《华夏考古》1997 年第 2 期

刘家庄位于安阳市西部、京广铁路西侧，北距小屯村约 2 公里，东北距铁路苗圃约 1 公里。1983 ～ 1986 年，为配合刘家庄村北的基建工程，考古人员先后 7 次在这一带进行了文物钻探，发现殷代墓葬 170 余座。其中在安阳大学教学楼、家属楼发现的 100 多座殷墓由中国社会科学院考古研究所安阳工作队发掘，安阳市文物工作队发掘了市农行干校、市工农教委、电业局等处的 34 座殷墓（编号 ALM1 ～ M34）。这 34 座殷墓多数被盗掘，仅有部分墓葬保存完整，且规模较大，随葬品也较丰富，其中部分材料以前曾作过报道。

简报分为：一、墓葬概况，二、随葬遗物，三、结语，共三个部分。有手绘图、照片。

据介绍，这批墓葬葬具为棺，葬式为仰身直肢。这批墓葬大多被盗过，但仍出土随葬品 211 件，包括陶、瓷、铜、铅、玉、石、骨、蚌、贝 9 类。在可分期的 20 座墓中，属殷墟二、三期的墓各 6 座，属殷墟四期的墓 8 座。

简报介绍说，有几座墓值得特别注意，如 M9 是这批墓葬中最大的一座墓葬，并且是 1 座 1 椁 2 棺的合葬墓，有 2 个墓主。在殷墟，合葬墓极为少见。根据现有材料分析，合葬墓中的 2 个墓主一般非夫妻关系，其中 1 个是为另 1 个真正墓主殉葬或陪葬的。这是因为合葬墓中的 2 个人往往都是一次葬，他们同时死亡（这是指自然死亡）的可能性极小，并且他们在墓椁中的差别是极大的。M9 的情况与此有别，应是真正的夫妻合葬墓。而 M1、M2 出土青铜器上有"宁"字，应为"宁"族成员。

659.1995 ～ 1996 年安阳刘家庄殷代遗址发掘报告

作　者：安阳市文物工作队　孟宪武、李贵昌、桑学士
出　处：《华夏考古》1977 年第 2 期

　　刘家庄村北殷代遗址，位于殷墟保护区南部边沿，北距小屯村约 2 公里，东北和苗圃北地殷代遗址相邻。1995 年冬和 1996 年春，为配合安阳电业局新建办公大楼和住宅楼基建工程，考古人员对这一带的遗址和墓葬进行了发掘。简报分为：一、遗址，二、墓葬，三、结语，共三个部分。配以手绘图，先行介绍了殷代遗址和墓葬的发掘情况。

　　据介绍，遗址共发现灰坑 2 座，房基 2 座，墓葬 1 座，道路 1 段，车马葬 1 处，羊坑 1 座，水井 2 眼。另在刘家村北遗址的周围，又发掘了 34 座殷墓，均为竖穴土坑葬。葬具为棺，有葬具的 32 座，其他 2 座不明。葬式可辨的为仰身直肢葬。有随葬品的 30 座，随葬品从 1 件至 13 件不等。该遗址的年代，简报认为从殷墟二期或更早一直至殷墟四期，有可能是"宁""举"等族的墓地。

660.安阳徐家桥村殷代遗址发掘报告

作　者：安阳市文物工作队　孟宪武、李贵昌、李守庆
出　处：《华夏考古》1997 年第 2 期

　　徐家桥村位于安阳殷墟南部边沿，北距殷墟小屯村约 2 公里。这一带是一片平坦的农田。1996 年 4 ～ 5 月，为配合安阳电业局的基建工程，考古人员在该村北进行了文物钻探。钻探发现殷代夯土房基 2 处（编号 AXT2F2、AXT2F2）灰坑 5 座、墓葬 22 座（编号 AXM1 ～ M22）。发掘工作从 4 月 20 日开始，至 5 月 18 日结束。简报分为：一、遗址，二、墓葬，三、小结，共三个部分。有手绘图。

　　殷墓 22 座，均为土坑竖穴墓。多数以棺为葬具，有葬具的墓 20 座，不明的 2 座。葬式以仰身直肢葬为主的有 7 座，俯身直肢葬 2 座，屈肢葬 1 座，余者葬式不明。22 座墓葬经盗扰的就有 17 座，仅 5 座保存完好。有腰坑的墓葬共 14 座，其中腰坑中殉狗的墓有 5 座。墓穴填土中殉狗的墓有 2 座。有随葬品的墓 17 座，共计出土铜、陶、骨、石、玉、贝器 58 件。可分期的墓 16 座，其中殷墟二期 7 座，殷墟三期的 4 座，殷墟四期的 5 座。

　　简报称，此处发现的房址有较厚的夯土基础，房基面又有密集有序的柱洞，可以想象，这种宽敞高大的大屋顶房子，并非一般人所居，推测应为当地部族的首脑居室或宗庙建筑。

661.安阳梅园庄殷代车马坑发掘简报

作　者：安阳市文物工作队

出　处：《华夏考古》1997 年第 2 期

1993 年 4 月，为配合安阳市铁西区政法委基建工程，考古人员进行了文物勘探，发现殷代车马坑 1 座（编号 93AMM1）。该地点位于安阳梅园庄村东南约 500 米处。这座车马坑保存完好，车马装饰附件齐备，是目前殷墟发现的保存最好的车马坑之一。为了有效地保存这一珍贵文物，河南省文物局决定将该车马坑整体搬迁至河南省博物馆。搬迁工作已于 1993 年 12 月圆满完成。简报分为：一、发掘经过及地层堆积，二、车马坑的形制及埋葬情况，三、车子的形制及构制，四、车马饰、御马器及其他遗物，五、结语，共五个部分。有手绘图。

1993 年 4 月 28 日钻探发现该车马坑后，遂于 5 月 3 日开始发掘。共发现 1 车、2 马、1 人。埋葬顺序为先人后车。该车马坑的时代，简报推断为殷墟文化三期。梅园庄村东一带，应该是殷代王室成员或嫡亲贵族们的 1 处重要墓地。在其附近应该存在殷代大、中型贵族墓葬。这座车马坑的发现，为研究殷代车马坑的分布又增添了一新地点。而且该车马坑发现的刹车装置，车舆内的木质扶手及车马前弓形木杠等遗存，为商代车制的研究提供了新的资料。

662.河南安阳市洹北花园庄遗址 1997 年发掘简报

作　者：中国社会科学院考古研究所安阳工作队　唐际根、徐广德、岳占伟、刘忠伏

出　处：《考古》1998 年第 10 期

洹北花园庄村位于安阳市北约 3.5 公里处的京广铁路西侧。20 世纪 60 年代初，该村东北地曾发现过商代陶片。1980 年，考古队为配合安阳市果品仓库基建，又在村北作过小规模钻探和发掘，清理了 8 座年代早于殷墟大司空村一期的商代墓葬。1997 年 9 ～ 10 月，再次对洹北花园庄遗址进行了发掘，发掘面积 136 平方米。简报分为：一、地层关系，二、遗迹，三、遗物，四、结语，共四个部分。有手绘图。

据介绍，本次发掘共发现商代灰坑 15 个（编号为 H1 ～ H15），灰沟 4 条（编号为 G1 ～ G4），大都分布在 T1 第 3 层和 T2 第 2 层下。出土的遗物包括陶器、骨器、石器、铜器及动物骨骼。洹北花园庄遗址的年代，整体上早于殷墟大司空村一期，上限接近二里岗商文化白家庄阶段。

简报称，洹北花园庄遗址的发现，再次提出了郑州二里岗期商文化与殷墟时期

商文化之间的缺环和过渡问题，并补充了上述两阶段间的考古资料。这对于夏商周断代工程中商史纪年的推算以及其他相关子课题的研究具有重要意义。

663.洹河流域区域考古研究初步报告

作　　者：中国社会科学院考古研究所、美国明尼苏达大学科技考古实验室中美洹河流域考古队　唐际根、荆志淳、徐广德、瑞普·拉普（George Rip Rapp, Jr.）

出　　处：《考古》1998 年第 10 期

洹河，发源于太行山东麓，入安阳境后向北蜿蜒，在水冶镇附近折而东流，穿越安阳市区北部，续行约 20 公里后转向东南，最终注入卫水。早在 20 世纪 30 年代初，学术界即对洹河两岸特别是洹河上游（本文以京广铁路以西洹河段为上游，以东洹河段为下游）作过考古调查，1937 年又调查了洹河下游，但未发表详细调查结果。20 世纪 60 年代初，又沿洹河进行了为期两年多的系统勘查，并试掘了部分遗址。20 世纪 80 年代初，安阳市博物馆也沿河作过小范围调查。中美洹河流域考古队，实欲借鉴当代美英区域研究的方法与技术，完成过去的工作。近 70 年来围绕洹河流域特别是殷墟遗址展开的所有工作，都是此次研究的基础。简报分为：一、研究目标与第一阶段野外工作，二、考古学文化序列与史前及早期历史时期的聚落分布，三、洹河流域的古地貌及其与人类活动的关系，四、聚落变迁与人文历史，共四个部分。有手绘图。

据介绍，从调查所揭示的遗址规模来看，仰韶时期，洹河流域各居民点大小相若，看不出存在中心邑聚。多年的发掘证实，殷墟中心区目前所见西周遗存，仅限于小屯和今安阳市两处。简报推测周初迁移殷遗民，当以都邑范围内的族邑为重点。调查所获资料，在一定程度上反映了西周灭商后殷人文化的延续方式与特点。简报称，迄今为止，洹河流域所见西周遗存都是西周中晚期的。

664.河南安阳市梅园庄东南的殷代车马坑

作　　者：中国社会科学院考古研究所安阳工作队　杨锡璋、刘一曼

出　　处：《考古》1998 年第 10 期

梅园庄在安阳市西约 4.5 公里。1995 年安阳市铁西区城建局准备在该村东南盖楼房，考古人员前往配合，铲探出 2 座东西并列的车马坑。10 月 31 日至 11 月 21 日进行了发掘。车马坑的编号为 95 铁西城建 M40（东）和 M41（西）。简报分为：一、

95 铁西城建 M40，二、95 铁西城建 M41，三、结语，共三个部分。有手绘图。

据介绍，1992 年以前，殷墟发现车马坑的地点有小屯、西北冈、大司空村、西区、郭家庄、刘家庄北地 6 处。1993 年 6 月，安阳市文物工作队在梅园庄东南发掘了 1 座车马坑。这次考古队又在这座车马坑西北约 200 米处清理了 M40、M41 两座车马坑。这是殷墟第 7 个出车马坑的地点，表明车马坑的遗迹在殷墟地区是较为普遍的。过去殷墟地区发现的车马坑，绝大多数都是埋放 1 车 2 马，只小屯北 M20 为 2 车 4 马，这次 M40 内放了 2 车 2 马，这是前所未见的。从殷周马车的基本结构及其细部形态（辕、轼、衡、轴饰等），可以看出西周马车与殷代马车是一脉相传的。

665.河南安阳市郭家庄东南 26 号墓

作　者：中国社会科学院考古研究所安阳工作队　徐广德
出　处：《考古》1998 年第 10 期

郭家庄位于安阳市西北、高楼庄西南约 300 米处。为配合安阳市平原制药厂在该村东南部修建宿舍楼和仓库，考古人员于 1987 年、1990 年、1991 年和 1995 年在该处进行了 4 次考古勘探和发掘工作，共清理出 36 座墓葬，其中殷墓 17 座、北朝至宋代墓 19 座。1987 年发掘的 4 座殷墓资料已发表。1991 年与 1995 年发掘的 13 座殷墓，都是长方形竖穴墓。有棺木。大多数墓有熟土二层台及腰坑。殉犬的墓较多，殉人的仅 1 座。墓主人的葬式多数为仰身直肢。墓葬的年代，属于殷墟四期的 1 座，属于殷墟三期的 5 座，属于殷墟二期的 2 座，其余 5 座殷墓的具体年代不清楚。在这批墓葬中，郭家庄东南 M26 的规模较大，随葬品较丰富。简报分为：一、墓葬形制，二、随葬器物，三、结语，共三个部分。有手绘图、照片、拓片。

据介绍，M26 属中型长方形竖穴墓，棺外椁内有 2 个殉人，所出的铜礼器共 12 件，刻有铭文的铜器共 7 件，其中 5 件刻有相同的某字，可能是墓主的族徽。简报推断 M26 的时代为殷墟二期偏晚阶段，M26 墓主可能是某族的军事首长。

666.河南安阳市洹北商城的勘察与试掘

作　者：中国社会科学院考古研究所安阳工作队　唐际根、荆志淳、刘忠伏、岳占伟
出　处：《考古》2003 年第 5 期

洹北商城发现于 1999 年。该城位于河南省安阳市北郊，南邻洹河，往西约 19 公里即进入太行山东麓，北面为低丘，东面和南面则是开阔的冲积平原。为了便于

对洹北商城系统地展开工作，考古人员以洹北商城四周城墙的基槽为边界，将城址分为 9 个大区，每个大区内又分 4 个小区，大区以罗马字母表示，小区则在罗马字母后添加阿拉伯数字，编号顺序为从左到右、从上到下。按照这一编号系统，1960 年的调查属 N−1 区，1964 年的发现属 N−3 区，1979 年的发现属 I−4 区，1980 年的发掘属 I−3 区和 N−1 区，1997 ～ 1999 年的发掘属 N−I 区和 VI−2 区，2001 ～ 2002 年的发掘属Ⅷ−2 区。简报分为：一、城址的发现经过，二、城墙与城墙基槽，三、宫殿区及宫殿区内的遗迹，四、结语，共四个部分。有手绘图。

据介绍，目前资料许可范围内可讨论的年代仅限于 1 号基址的年代、宫殿区年代以及城墙基槽的开凿与夯填年代。简报推断：1 号基址的废弃年代有可能是中商三期（洹北花园庄晚期）；但始建年代目前还难以确定，不排除该基址建于中商二期（洹北花园庄早期）；尽管 1 号基址的年代下限可能晚到中商三期，但多数基址的年代可能早到中商二期；中商三期以后，宫殿普遍被废弃，夯筑城墙的工作也停顿下来。

667.河南安阳市花园庄 54 号商代墓葬

作　者：中国社会科学院考古研究所安阳工作队　徐广德、何毓灵等
出　处：《考古》2004 年第 1 期

花园庄位于安阳市西北、小屯村南，是殷墟重点保护区内的重要遗址之一。考古人员于 2000 年 12 月初在花园庄村东进行了钻探，发现商代夯土基址和灰坑多处以及 10 余座商代墓葬。原计划 2001 年春季进行考古发掘，因发现其中 1 座编号为 54 号的墓葬有被盗掘的迹象，随即决定对该墓进行抢救性发掘。从 2000 年 12 月 17 日至 2001 年 2 月 16 日，除春节期间休息外，发掘历时 50 余天。该墓规模较大，保存完好，随葬品丰富，但大部分青铜器破碎严重，尚需一段时间才能修复完毕。简报分为：一、墓葬位置与地层关系，二、墓葬形制，三、随葬器物，四、结语，共四个部分。有彩照、手绘图。

据介绍，54 号墓位于花园庄村东约 100 米处，东距洹河约 100 米，南距殷墟宫殿宗庙区防御沟约 50 米，东南 50 米处是 1991 年发掘的甲骨坑（H3），向北约 390 米是大型"凹"字形建筑，西北约 500 米是著名的妇好墓。殷墟宫殿宗庙区内的 54 号墓为规模较大的长方形竖穴土坑墓，葬具为 1 棺 1 椁。墓内殉人 15 个、殉犬 15 具。墓室规模与妇好墓相近，随葬品极为丰富，出土了青铜器、玉器、陶器等各类遗物共 570 余件。54 号墓的年代属于殷墟二期晚段。

54 号墓中出土了 7 件铜钺，这在殷墟是罕见的。其中 1 件大铜钺仅次于妇好墓所出的大铜钺。同时，墓中还出有大型卷头刀以及大量青铜戈、矛等兵器，这反映

出墓主可能是当时的一位高级军事首领。铜器铭文也反映出这一点。54 号墓所出青铜礼器上，大多有铭文"亚长"二字。一般来说，"亚"是商代武职官名，而"长"字在甲骨文中亦有记载。墓主当为"长"族的首领。河南鹿邑县太清宫长子口墓是 1 座商末周初的大墓，所出铜器铭文多为"长子口"。其中"长"字与 54 号墓的铭文"长"字书写方法基本一致。简报推测，54 号墓墓主与"长子口"可能系同一大族。"长"姓大族从殷墟早期一直延续到商末周初，在商王朝鼎盛时期，"长"姓氏族深得商王器重。54 号墓墓主是一位兵权在握的显赫贵族。

668.河南安阳市王裕口南地殷代遗址的发掘

作　者：中国社会科学院考古研究所安阳工作队　黄卫东等

出　处：《考古》2004 年第 5 期

王裕口南地东临安阳体育中心，北靠安钢大道。近年来，为配合公交公司调车场基建工程，考古人员在这一带进行过较多次的发掘，发现了殷代遗址和墓地。公交公司调车场占地 20000 多平方米，经钻探得知，院内密布着数百座殷代和宋代墓葬，并有不少殷代灰坑和房址。1997 年 8 月 10 日至 31 日，考古人员在调车场的西北部进行了一次规模较大的试掘，共清理出殷代灰坑 3 个、房基 2 座、墓葬 21 座，汉代沟 1 条，北齐墓 1 座及宋代墓葬 27 座。简报分为：一、地层堆积，二、遗迹，三、墓葬，四、结语，共四个部分。先行介绍其中有关殷代的材料，有手绘图等。

简报称，王裕口南地发掘揭露的殷代聚落遗址和墓地，灰坑、窖穴和房址的分布比较密集，说明这一带先是殷人的居住区，后来成为殷人的埋藏区。简报推测聚落遗址和墓地的年代约当殷墟三、四期。

简报指出，从 F2 地基夯土中埋葬婴儿瓮棺以及曾是祭祀坑的 H3 和 H1 出土的卜骨来看，殷人是很重视祭祀的。发掘的 21 座墓葬的规模都很小，随葬品中不见青铜礼器，说明墓主人生前的地位较低。而 M41、M75、M80 和 M01 中出土铜戈、矛等兵器，说明墓主人生前可能是武士。这 4 座墓皆有觚、爵，觚、爵、豆或觚、爵、豆、簋等成套的陶礼器，随葬品的数量也较多，反映了武士在氏族中享有较高的地位。

669.河南安阳殷墟花园庄东地 60 号墓

作　者：中国社会科学院考古研究所安阳工作队　何毓灵等

出　处：《考古》2006 年第 1 期

60 号墓位于殷墟花园庄东地北部，东、西距洹河与花园庄村各约 50 米，北距殷墟宫殿宗庙区"凹"字形宫殿基址约200米。2001年1月27日，花园庄村民向考古人员报告村东的1座墓葬被盗。考古人员于当日对之进行了清理。此墓虽然被盗，但只盗扰了填土与人骨，由于其葬式特殊，墓内的随葬品基本保存原状。年代为商代早期。简报分为：一、墓葬形制，二、随葬器物，三、结语，共三个部分予以介绍，有彩照、手绘图。

据介绍，该墓为长方形土坑竖穴墓。墓内填五花夯土，没有二层台和腰坑。从残存的板灰痕迹判断，有1具木棺，上髹有红漆。木棺下是一层厚10厘米的黄花填土，填土下铺有一层打碎的器物，其中东部130厘米左右铺的是铜器残片、陶纺轮、石纺轮、蚌纺轮、玉环、磨石、贝等，西部60厘米左右铺有打碎的陶器残片。此墓为合葬墓，棺内有两具人骨。规模较小，面积不足1.4平方米，深度仅有0.9米。

简报称，如此小的墓内却合葬2人，而且其中1人俯身直肢，1人仰身直肢，这种葬式在殷墟尚属首次发现。另外，M60随葬器物种类较为齐全，有陶器、铜器、骨器、蚌器、玉器、石器、卜骨、贝等，几乎包含了当时随葬器物的全部种类。更独特的是，除少量器物随葬在填土和内棺内外，绝大多数器物均打碎放置在棺下墓室底部。其中陶器放于西部，铜器及其他质地器物放于东部。在殷墟以前的发掘中，见到过少量陶器、铜器被打破随葬的现象，但把随葬品几乎全部打碎铺于棺底，还是第一次发现。简报猜测这与当时人的避邪观念有关。

670.2000～2001年安阳孝民屯东南地殷代铸铜遗址发掘报告

作　　者：中国社会科学院考古研究所安阳工作队　岳占伟等
出　　处：《考古学报》2006年第3期

孝民屯位于安阳市西北约5公里，东距小屯村约2.5公里。村东濒临洹河，其余三面均已被安阳市钢铁公司包围。该村土地现被安阳钢铁公司征用。1960年秋，考古人员曾在孝民屯村西发掘出土少量殷代陶范，当时认为孝民屯西地可能是1处以生产工具和兵器为主的殷代民间手工业铸铜作坊。2000年春和2001年春，为配合安阳钢铁公司的基本建设，考古人员在孝民屯村东南地进行了两次发掘，发现该遗址文化内涵丰富，龙山、先商、殷代、东周、汉代、魏晋、唐宋和明清等不同时期的文化遗存均有发现。清理龙山灰坑1座，先商灰坑1座，殷代灰坑55座、墓葬241座（其中1座为1个墓道的"甲"字形大墓）、房基13座、车马坑2座和祭祀坑1座，还有东周以后的遗存。另有少许时代不时的墓葬。两次发掘最重要的收获是发现了大面积的殷代铸铜作坊遗存。简报分为：一、地层关系，二、与铸铜有关的遗迹，三、与铸铜有关的遗物，四、结语，共四个部分。有彩照、手绘图。

据介绍，该铸铜作坊遗址已遭破坏，但仍可看出使用时间较长。此作坊出现于殷墟二期，发展于殷墟三期，繁荣于殷墟四期，消亡于商周更替之际。出土大量陶礼器范、熔炉残块、制范工具等，还发现有烘范窑及绿锈面。简报判断孝民屯东南地铸铜作坊遗址主要为制范、烘范、熔铜、浇铸及修整青铜礼器的场所。所浇铸的青铜礼器种类齐全，不少陶范反映了高规格的青铜礼器，如大方鼎、大圆鼎、大圆罍、多齿冠凤鸟卣等。说明孝民屯东南地是1处规模大、规格高，以生产礼器为主的殷代铸铜作坊遗址。此次发掘说明商代青铜文化也是逐步发展的，从器形到铸造，都在进步。

671.河南安阳市孝民屯商代房址2003～2004年发掘简报

作　　者：殷墟孝民屯考古队　唐锦琼、王学荣、何毓灵、谷　飞、岳占伟、
　　　　　印　群等
出　　处：《考古》2007年第1期

2003年4月，为配合河南安阳钢铁集团120吨转炉建设工程，考古人员在安阳市孝民屯村进行大规模抢救性考古发掘。孝民屯村位于殷墟文物保护区西部边沿，东北距殷墟王陵区约2公里，东距小屯宫殿区约2.5公里，属于殷墟一般保护区，其西、南、东3面已被安钢集团厂房包围。区域内的古代遗存自宋代以来就被孝民屯村占压，千百年来村民生产、生活对遗址本身已造成严重破坏。20世纪50～60年代，考古人员在此区域进行过零星发掘，发现有铸铜遗迹及小型殷代墓葬。2001年安钢集团搬迁孝民屯村，拟进行安钢二期扩建项目。为配合扩建而进行的考古发掘以东西向安钢自备铁路为界，将考古发掘区划分为南、北两个区域，发现仰韶、龙山、先商、晚商、两周、汉唐至明清等多个时期的遗存，其中以商代晚期遗存为主。此次发掘较为完整地揭露了一批商代晚期的半地穴式房址。这批房址分布较集中，大致分布在3个区域，分别命名为A区、B区和C区。各区域间有明显的空白地带。另外，北区北部也零星发现形制相同的房址。在南区共发现此类半地穴式房址逾90座。A区的房址群保存相对完整，计有房址27座，B区和C区的房址由于遭到商代铸铜遗址的破坏，房址群保存状况相对较差。简报分为：一、房址，二、出土遗物，三、结语，共三个部分。有彩照等。

据介绍，这批房址均由规整的长方形半地穴式房间组成。房间数目不一，有单间、两间、三间、四间等多种形式。房间内有土台、壁龛、坑和灶等多种生活设施。房址年代在殷墟文化一期晚段至二期之间。这批房址分布较为集中，可构成数个聚落。房址内出土的遗物相对较少，以日用陶器为主，器类有鬲、簋、豆、盂、

甂、罐、盆、钵、甑、罍、陶饼等。由于出土器物尚在整理中，简报仅选取一些具有代表性的器物加以介绍。

简报指出，房址的发现对于商代历史研究很有价值：

首先，在室内发现土台、灶、壁龛和坑等多种生活设施，如灶就有多种形式，有的灶火道、火塘和烟道等齐全，有的灶以小灶坑为用火处，有的位于壁龛中，有的直接在居住面上生火。不同形式的灶，在使用中应有不同的功用。土台应是供人们休息时使用的床台。如此多的、成批的与人们日常生活息息相关的生活设施的集中发现是以往考古发掘所不多见的。这些为深入了解当时人们的日常生活提供了新资料。此外在房址的填土中和居住面土中还发现有居室葬现象，在一些房址中出土有卜甲等占卜遗存，这些发现为了解当时一般民众的生活习俗和宗教仪礼情况提供了新资料。

其次，这些房址的面积狭小，设施相对比较简单，较之以往发现的其他居址，显得较局促，可能为较低社会等级或特殊身份人群的居所。尽管整个群体的地位比较低，但其中仍然表现出一定的等级差别。另外，此类建筑与其他形式的建筑形成了鲜明的对比，反映了社会的分化，从而为探究当时社会的等级结构提供了新的线索。

再次，许多房址的居室内灶、土台等生活设施一应俱全，表明在单个居室内生活的应是一个基本的生活单位。门厅或大或小，小的只能作为通道使用，较大的门厅则有一定的聚会场所的功能。因此，对这批房址的深入研究，将为了解商代的基本组织架构和家庭结构提供新的路径。

简报最后指出，这批房址分布集中，排列有序，应在一定时间内并存。但在房址周围并没有发现同时期的灰坑、墓葬等相关遗存，这是一个值得深入研究的问题，或许这为更具体地判断此类建筑的性质和功用提供了线索。

672.河南安阳市孝民屯商代铸铜遗址 2003 ～ 2004 年的发掘

作　者：殷墟孝民屯考古队　岳占伟、王学荣、何毓灵、唐锦琼、牛世山、
　　　　谷　飞等

出　处：《考古》2007 年第 1 期

2003 年 4 月至 2004 年 5 月，为配合安阳钢铁集团 120 吨转炉建筑工程，考古人员在安阳市孝民屯村进行了大规模的抢救性考古发掘工作，发现了新石器至明清多个时期的文化遗存。其中以商代晚期遗存为主，而商代晚期铸铜遗址是此次发掘的重要收获。简报分为：一、地层关系，二、铸铜遗址，三、铸铜遗物，四、结语，共

四个部分。有彩照、手绘图。

据介绍，该遗址东西长约380米，南北宽约100米。遗存主要有范土备料坑、范块阴干坑、青铜器铸造场所、与铸铜活动有关的祭祀坑等。简报推断此处遗址很可能是1处在商王室控制下的铸铜作坊。该铸铜遗址的发现，丰富了殷墟西区的文化内涵，揭示了该区在商代晚期社会、政治和经济等生活中所处的重要地位。

673.河南安阳市孝民屯商代墓葬2003～2004年发掘简报

作　者：殷墟孝民屯考古队　印　群、何毓灵、王学荣、岳占伟、唐锦琼、
　　　　谷　飞等

出　处：《考古》2007年第1期

孝民屯遗址共清理出不同时期的墓葬1200余座。其中，殷墟时期墓葬1000余座，相对集中分布于近7个区域。此次发掘的殷墟时期墓葬绝大多数为长方形土坑竖穴墓，未见带墓道者。除其中1座较大、且可能陪葬有车马坑外，其他墓葬规模均较小，一般面积2～4平方米。多数墓葬以单木棺为葬具，而有一部分形制较大的墓葬有1椁和1棺。也有仅用草席或直接埋葬于墓坑内者，当然，这部分墓葬一般很少有随葬品。还有一些是直接利用灰坑、水井等作为坑穴进行填埋，这部分死者的身份可能相当低下，也不排除有些属于非正常死亡的可能性。墓葬一般为单人葬，墓主多为仰身直肢，部分为俯身直肢。由于多是等级较低的墓葬，因而很少有殉人。一些墓葬在填土、二层台或腰坑内殉狗，或在二层台上放置牛腿、羊腿。有些墓内还放置一些整条的鱼。单个墓葬内的随葬品较少，多是陶器，以觚、爵为主。但从发掘区墓葬整体来看，随葬品的种类较多，有陶器、铜器、铅器、漆器、木器、玉石器、骨蚌器、贝等，反映出墓主的身份等级。

简报称，此次清理的墓葬从单个墓葬来看，虽然有一些新的发现，但尚未超出以前殷墟发掘的同类墓葬资料。简报分为：一、M17，二、M207，三、结语，共三个部分。选择其中两座进行介绍，其中，M17是一座保存完整的墓葬，出土遗物很丰富。M207内虽未见木椁，但在墓底发现桩孔，这种形制比较罕见。有彩照等。

M17共出土7件青铜礼器，其中4件有铭文，但似不配套。简报指出，具有不同铭文的单件铜爵的来源与性质值得探讨，有可能是通过赏赐、赠与或婚姻等途径为该墓墓主所有的。另外，M17中出土数件改制玉器及残玉块。这种现象在其他墓葬中也有出现，为研究殷墟时期的用玉制度及制玉工艺提供了确切的资料。

M207墓底桩孔的发现是此次孝民屯殷商墓地的新发现，据介绍，桩孔有2、4、

6、8、10、12个不等，位于墓底四周，多与墓壁有一定距离且对称分布。2个桩孔者，或位于墓主头前和脚后居中位置，或位于墓底居中位置；4个桩孔者，或在墓底四周居中分布，或在墓主身体两侧对称分布；4个桩孔以上者，多在墓主头前和脚后居中位置各有1个，其余皆均匀分布于墓主身体两侧。有桩孔的墓葬多有椁室，故判断桩孔应与椁室关系最密切。孝民屯殷商墓葬的椁室多用圆木或被劈成两半的圆木营建，个别墓葬椁室仅在侧壁的顶部才使用方木，而圆木和半圆木如无支撑，就很难垒砌。简报认为，墓底的桩孔应是与椁室相关的遗存，嵌入桩孔内的木桩可能是椁室四壁木料在垒砌加高过程中所依托的龙骨。

674.河南安阳市孝民屯商代环状沟

作　　者：殷墟孝民屯考古队　李素婷、马俊才、杨树刚、丁新功等
出　　处：《考古》2007年第1期

2003年4月至2004年5月，为配合河南安阳钢铁集团120吨转炉建设工程，考古人员对安阳市孝民屯遗址进行大规模抢救性考古发掘。以位于发掘区中部的东西向安钢自备铁路为界，考古发掘区划分为南、北两个区域，发掘面积近6万平方米，发现仰韶、龙山、先商、晚商、两周、汉唐至明清等多个时期的遗存，其中以商代晚期遗存为主，而属于晚商时期的环状沟即是此次发掘的收获之一。简报分为：一、地层堆积，二、环状沟的形制及出土遗物，三、打破环状沟的遗迹单位，四、环状沟范围内的遗迹单位，五、结语，共五个部分。有彩照、手绘图。

据介绍，环状沟编号为03AXSG1，位于南区西北部，由北、东、南、西四条沟组成，平面形状为方形环状，沟内有非正常死亡的人骨15具。根据沟的位置、占地面积、形状、结构及沟内遗存推测，沟的中部可能为1处祭祀场所。经初步鉴定，沟内人骨多为青年男性，尸骨多不全，其中1具人骨内有1件铜镞，故简报断定所用牺牲为异族战俘。根据沟内出土遗物及打破沟的堆积单位的年代推断，环状沟的年代应不晚于殷墟文化三期。

675.河南安阳市殷墟郭家庄东南五号商代墓葬

作　　者：安阳市文物考古研究所　孔德铭、王兴周等
出　　处：《考古》2008年第8期

文源绿岛住宅小区位于安阳市郭家庄东南，在安阳市文源街与铁西路交叉口西北角，北距原殷墟保护区东南边线约200米，距安钢大道（2004年河南省人民政

府新公布的殷墟保护区南部边线）约1.5公里。20世纪80年代，安阳市博物馆在铁西路东侧发掘了一批商代及隋唐时期墓葬。20世纪八九十年代，中国社会科学院考古研究所安阳工作队在殷墟保护区内的郭家庄北地、南地及东南地进行了多次考古勘探和发掘，发掘了一批商代墓葬和车马坑，其中包括郭家庄M160、郭家庄东南M26及郭家庄商代车马坑等重要发现。2005年8～10月，在文源绿岛住宅小区建设中，又抢救性发掘了几座被盗掘的商代墓葬，出土少量铜器、玉器等。2006年5～6月，对小区内发现的商代墓葬及祭祀遗址进行了抢救性发掘，清理商代墓葬2座，有人、牛、狗的商代祭祀坑1座（上层为狗，中间为人，下层为牛）。2006年11月中旬，对在小区6号楼发现的一座保存完整的商代墓葬（编号M5）进行了发掘。简报分为：一、墓葬形制，二、随葬遗物，三、结语，共三个部分。有彩照、手绘图。

据介绍，该墓为土坑竖穴墓，1椁1棺。墓内随葬品共计63件，有陶器、青铜器、玉石器、骨器、蚌器和贝币。该墓的时代为殷墟文化第二期，简报认为墓主人应是当年曾跟随武丁出征的一名武官，深得武丁信任。

简报指出，M5与不远的M26应属一个家族，两墓距殷商时期手工业作坊和手工业者的墓葬区不远，或许两墓墓主人均为手工业者头目。

676.殷墟大司空 M303 发掘报告

作　　者：中国社会科学院考古研究所安阳工作队　岳洪彬、岳占伟、何毓灵等
出　　处：《考古学报》2008年第3期

大司空遗址是殷墟的重要组成部分。早在20世纪30年代，就曾在大司空村进行过发掘。20世纪五六十年代，考古人员又曾在大司空村进行了多次发掘。2004年春夏，豫北纱厂早年所建厂房已成危房，考古人员又进行了补充发掘，共清理房基70余座，灰坑、窖穴和水井近500座，墓葬480余座，车马坑4座。其中M303是这次清理的保存完整、出土遗物最为丰富的1座墓葬。简报分为：一、发现情况，二、层次关系，三、墓葬结构，四、随葬品，五、结语，共五个部分。有彩照、手绘图。

据介绍，M30墓室达9平方米左右，应属规格较高的中型贵族墓，出土的青铜礼乐器42件，加上青铜兵器以及玉器、陶器、车马器等，随葬品近200件。

简报推测，墓主人应是"马危"族的首领或高级贵族，墓葬年代相当于殷墟四期晚段，即商代末期，是商代末期少有的高规格墓葬，具有重大的学术价值。

677.河南安阳市榕树湾一号商墓

作　　者：安阳市文物考古研究所　孔德铭、申明清、李贵昌等
出　　处：《考古》2009 年第 5 期

榕树湾住宅小区位于安阳市彰德路西、机床厂北街南侧、北厂街东侧、原安阳市机床电器厂区北部，属殷墟保护区东部边沿外侧，距殷墟宫殿宗庙遗址约 2.5 公里。2007 年 8 月，考古人员为配合安阳机床电器厂搬迁和榕树湾住宅小区建设在此区域内共抢救清理古墓 6 座，其中商代墓葬 2 座，编号简称 M1、M6。其中 M1 保存完整，出土一大批青铜礼器、兵器、工具及陶器、玉石器等遗物。

据介绍，此墓为竖穴土坑墓，葬具为 1 椁 1 棺，人骨已朽。在墓主棺外有 1 殉人，墓底腰坑内殉有 1 狗。出土遗物共 53 件，以铜器为主，其中有 1 铜扣木器为首次发现。还有少量陶器和玉石器等。简报推测，墓主应为商代贵族，且生前应在商王朝任过重要军事职务。

简报认为，该墓年代应在帝辛时期，也即商代末代君主纣时。该墓是殷墟外围地区发现的较大型的商代晚期墓，为殷墟墓葬的研究提供了新资料。

678.河南安阳市殷墟刘家庄北地 2008 年发掘简报

作　　者：中国社会科学院考古研究所安阳工作队　岳洪彬、岳占伟等
出　　处：《考古》2009 年第 7 期

2003 年，安阳贞元集团拟征用安阳殷墟刘家庄北地约 3 万平方米的土地用于建房。2006 年 5 ~ 8 月，考古人员对所征地的西南隅进行了科学发掘，2008 年 2 ~ 10 月，进行了第二期发掘。简报分为：一、地层堆积状况，二、道路，三、房址，四、水井、窖穴、灰坑和灰沟，五、祭祀遗存，六、墓葬，七、学术意义，共七个部分。有彩照、手绘图。

据介绍，2008 年的发掘共清理出带车辙的道路、房基、灰坑、灰沟、窖穴、水井、铜器窖藏坑、祭祀遗存、墓葬等大量商代遗迹，出土各类遗物数千件。发现的 30 余眼水井对了解该地区的水位线、古代气候均有意义。大量坑状祭祀遗存的每一坑内所埋牲畜应为一次祭祀活动所留，这对了解晚商时期祭祀礼仪很有用处。

简报指出，此次发掘，为深入研究殷墟的都邑布局、族邑分布、商代洹水流域的地下水文和古气候、晚商时期的祭礼等提供了非常重要的资料。

679.河南安阳市殷墟孝民屯东南地商代墓葬1989～1990年的发掘

作　者：中国社会科学院考古研究所安阳工作队　唐际根、郭　鹏等
出　处：《考古》2009年第9期

孝民屯原是安阳市西郊殷都区北蒙办事处下属的自然村，位于殷墟遗址建设控制地带的西部，东距小屯村约2.5公里。考古人员曾分三个阶段围绕该村进行过发掘。1958～1961年，分别对该村西南、正南、西部和北部进行了发掘，清理出商代车马坑、灰坑、墓葬等。1989～1990年，在村东南清理了一批墓葬和灰坑。2003～2004年，围绕该村展开了规模最大的1次发掘，发现了居址、作坊和墓葬等遗存。这次大规模发掘以后，整个孝民屯村被安阳钢铁集团有限公司占用，成为其厂区的一部分。1989～1990年的发掘围绕配合安阳钢铁公司安装设备展开，清理出商代墓葬132座，商代灰坑9个，汉唐墓8座，近代墓3座。简报分为：一、墓葬概况，二、随葬器物，三、结语，共三个部分。先行介绍此次发掘的商代墓葬，有彩照、手绘图。附有"安阳殷墟孝民屯东南殷代墓葬登记表（1989～1990年）"。

据介绍，1989～1990年发掘的这批墓葬以小型墓为主，具有"成片分布"的特点。大部分墓葬出土有随葬品，墓葬时代为殷墟文化第二、三、四期。这批墓葬的发掘，为全面了解孝民屯村及其附近商代遗存提供了不可缺少的资料。

简报进一步指出，孝民屯附近的商遗存表明殷墟既有先是墓地而后演变为居址者，也有住址变成墓地者。本次发掘区内有零星文化层分布，层位关系中有墓葬打破文化层者，就表明墓地形成前曾有居民生存于此。发掘的9个灰坑，填土较纯净，基本上不出土遗物，填充时经夯打，这无疑是值得注意的现象，不排除它们是墓祭遗存。有的灰坑更像是人类生活遗迹。这些灰坑填疏松的灰土，多出土陶片、骨骼等，甚至可以分层。如这些灰坑确与日常生活有关，则表明此地商墓与居址的关系并非"先居址，后墓地"这么简单。

680.河南安阳市殷墟范家庄东北地的两座商墓

作　者：中国社会科学院考古研究所安阳工作队　何毓灵等
出　处：《考古》2009年第9期

2005年7月，为配合安阳市水利局自岳城水库地下引水供应安阳钢铁公司工业用水的基本建设，考古人员在安阳钢铁公司废钢综利分公司北围墙以北进行考古发掘工作。在沿管道线进行钻探调查时发现了2座殷墟时期的墓葬（编号M3、M4），并对其进行了发掘。2座墓葬位于范家庄东北部，而农田则属洹河东岸的侯

家庄村，属殷墟一般保护区西部边缘区。简报分为：一、M3，二、M4，三、结语，共三个部分。有彩照、手绘图、拓片。

据介绍，2 墓均为商代长方形竖穴土坑墓，出土遗物有铜器、玉器、陶器、骨器、蚌器和贝等。其中 M3 的年代属殷墟文化第三期，M4 为第二期偏晚阶段。M4 内随葬品的摆放及两套陶觚、爵的出现，显示墓主身份不一般。M4 出土的 5 件青铜礼器，上有铭文，尚无确切解读。

681.河南安阳市殷墟小屯西地商代大墓发掘简报

作　者：中国社会科学院考古研究所安阳工作队　岳洪彬、岳占伟等

出　处：《考古》2009 年第 9 期

2003 年冬至 2004 年春，考古人员于小屯西地为配合安阳工作站内北楼改造进行发掘。安阳工作站北楼初建于 1960 年，当年建楼之前已进行过发掘，资料发表于《殷墟发掘报告》。本次发掘，实际上是对当年未清理到底的遗存进行补充发掘。本次发掘共清理商代墓葬 31 座，灰坑和窖穴 10 余座，祭祀坑 1 座，水井 2 眼。此外，还发现夯土建筑基址 10 余座，多数仅暴露于晚期遗迹的剖面上，并未大面积揭露。简报分为：一、地层关系和保存状况，二、墓葬形制，三、殉人和殉牲，四、随葬品，五、结语，共五个部分。先行重点介绍其中一座带两条墓道的大墓，编号 M1。

据介绍，此墓墓室为长方形竖穴土坑，随葬品有陶器、铜器、漆器、玉器、石器、骨器、牙器和蚌器等。有殉人、殉牲。

这座商代晚期大墓的发掘，为进一步探讨小屯宫殿宗庙区及其附近区域的布局提供了更为详尽的资料。

简报认为此墓的形制非常特殊，主要表现在以下几方面：

其一，到目前为止，殷墟发掘的带墓道的大墓已有数十座，绝大部分墓室为南北向，而 M1 的墓室则为东西向，这在殷墟极为罕见。

其二，南墓道为先向东，再折而向南。此类形制墓道的修建方式，仅见于 2005 年在小司空村南发掘的 M93。

其三，西、北墓壁规矩整齐，东墓壁建成后塌陷，却未作进一步修整，南墓壁的西半部也曾塌陷，东半部呈缓坡状，尚未建成，墓壁上密布工具印痕。从墓室四壁的特殊形制判断，此墓为仓促修建并且尚未建成即被仓促使用。

由于该墓被盗严重，没有留下任何可确定墓主人身份的资料。但从该墓规模较大、位于小屯宫殿宗庙区附近、有两条墓道的高配置来看，规格居然还高于妇好墓和据传出土司母戊大方鼎的侯家庄商代大墓，其墓主人也应是商代的高级贵族或王室成

员。简报指出，带两条墓道的商代大墓已报道的有 15 座，但从位置看，只有此墓系位于小屯宫殿宗庙区附近，若再结合此墓为仓促修建、墓室尚未完全竣工即仓促下葬等特征，此墓的性质就更加耐人寻味了。

简报最后指出，大量考古资料表明，殷商时期是以族墓地的形式埋葬亡者。而在小屯宫殿宗庙区有这么多商人墓葬，而且这些墓葬又非排列有序的集中的族墓地。尤其是像此次发掘的这样带墓道的大型墓葬也在宫殿宗庙区附近，难道是小屯宫殿宗庙区的局部格局曾有大的变动？或一度为宫殿宗庙区，一度为墓地？或者是与晚商时期的埋葬习俗有关？从小屯宫殿宗庙区所发掘的商代墓葬的年代来看，除殷墟第三期的墓葬发现较少外，其他时期的墓葬均有不少，由此可排除格局变动的可能。简报认为，郑振香先生在总结妇好墓附近发现的商代墓群时提出的"这大概是氏族血缘纽带尚未完全解体的反映，在埋葬制度上尚保存氏族内相关家族成员埋于一处的传统"观点值得重视。其真正原因尚有待进一步研究。

682.2004 ～ 2005 年殷墟小屯宫殿宗庙区的勘探和发掘

作　者：中国社会科学院考古研究所安阳工作队　岳洪彬、岳占伟、何毓灵等
出　处：《考古学报》2009 年第 2 期

早在 20 世纪二三十年代，"中央研究院"历史语言研究所（简称"史语所"）在小屯东北地发现了甲、乙、丙三组基址和 YH127 甲骨坑，确认了晚商宫殿宗庙区的位置。20 世纪五六十年代，中国科学院考古研究所安阳工作队勘探并试掘了大灰沟，划出了晚商宫殿宗庙区的大致范围。70 年代，在小屯南地清理了数座甲骨坑，于小屯西北地发掘了妇好墓和数座夯土基址。1987 年为复原甲十二基址，考古所安阳队重新勘探了甲组基址群，重新发掘了甲十一基址。1989、1991、2000 年，均有新的考古发现。2002 ～ 2004 年，发现了近 300 片刻辞甲骨和数座夯土基址，2003 年配合安阳工作站内标本楼改建，发掘一座两条墓道的大墓和数座夯土基址。2004 年秋至 2005 年秋，考古人员对小屯宫殿宗庙区进行了重点勘探和发掘。简报分为：一、勘探，二、发掘，三、结语，共三个部分。有彩照、手绘图。

简报称，在小屯宫殿宗庙区甲、乙、丙三组基址西侧，勘探发现一规模宏大的黄土坑，深约 12 米。此坑应不晚于战国。该黄土坑很可能为晚商时期遗存，是殷墟宫殿宗庙区的重要组成部分——池苑遗址。若此判断不错的话，则可解释宫殿宗庙区大规模建筑的取土来源问题，同时也解决了殷墟宫殿宗庙区的排水问题。此次发掘还发现在殷墟宫殿宗庙区北部靠近洹河附近，可能有王室直接控制的作坊区。此次勘探和发掘，为日后进一步的考古发掘，提供了更多的资料。

683.河南安阳市洹北商城遗址 2005～2007 年勘察简报

作　者：中国社会科学院考古研究所安阳工作队、中加洹河流域区域考古调查课题组　唐际根、荆志淳、刘忠伏等

出　处：《考古》2010 年第 1 期

在洹北商城范围内过去开展过多次考古工作，其中最重要的是 1999 年城垣的发现、2000 年对城垣的解剖、2000 年宫殿宗庙区的发现以及 2001～2002 年宫殿宗庙区一号夯土基址的清理发掘。2005 年，考古人员再次对洹北商城遗址进行了大规模的考古钻探。此次钻探除在洹北商城东部发现大范围的夯土基址外，在洹北商城的西南隅发现 1 座方形小城。2006 年因殷墟申报世界文化遗产，针对洹北商城的田野工作暂停了 1 年。2007 年，考古人员再次钻探洹北商城，在洹北商城范围内的中南部宫殿宗庙建筑基址区外围发现了夯土城垣。随后对夯土城墙进行了反复勘探和局部试掘，认为应系洹北商城的宫城遗迹。2007 年调查宫城过程中，还在宫城中西部进行了 1 次小规模试掘，清理了 1 处商代小型夯土基址。简报分为：一、洹北商城宫城的发现与勘探，二、宫城中西部遗迹，三、洹北商城西南隅小城的发现，四、洹北商城中东部探明的其他建筑遗迹，五、相关讨论。共五个部分。主要报道了 2005～2007 年的田野工作，有彩照、手绘图。

据介绍，宫城位于洹北商城外城南部略偏东，平面呈长方形，长 795 米，宽度超过 515 米，面积约 41 万平方米。宫城四周城墙基槽宽 6～7 米，墙体宽 5～6 米。

简报推断，洹北商城的宫殿宗庙区建成于中商二期，并持续使用；宫城则建于中商二期晚段以后。

简报对洹北商城的布局作了以下几点简单的概括：

其一，洹北商城有宫城，也有外郭城。

其二，宫城位于外郭城南北中轴线南部。居民点多集中于宫城之外的西北和东北部。

其三，整个洹北商城的建造过程应是先建邑，后营宫城，再造大城。在相当于中商二期早段时，商人移居此地并在宫殿宗庙基址范围内修建了一批建筑，同时有一批居民在宫殿宗庙区的东北和西北部居住。不早于中商二期晚段（有可能是中商三期早段）的某个时期，在宫殿宗庙区的外围开始修筑起宫城。但北商城的外郭城大致在相当于中商三期晚段才开始修建，由于某种原因突然放弃，停止修建。

其四，洹北商城外郭城西南隅由于未经发掘，与上述遗迹的关系尚不明确。但选择外城西南角一隅筑建小城，这与偃师商城情形相似，说明二者在布局方面是有关联的。

684.河南安阳市洹北商城宫殿区二号基址发掘简报

作　者：中国社会科学院考古研究所安阳工作队　何毓灵、唐际根等
出　处：《考古》2010 年第 1 期

洹北商城宫殿区二号基址是 2001 年在洹北商城内进行钻探调查时发现的。同时发现的还有宫殿区内其他 30 余处夯土基址，其中一号基址于 2001～2002 年度进行了大规模的揭露发掘。2008 年 10 月 9 日至 12 月 31 日，安阳工作队发掘了二号基址。

简报分为：一、二号基址的位置与地层关系，二、基址与附属建筑，三、结语，共三个部分。有彩照等。

据介绍，洹北商城宫殿区二号基址是 1 座四合院式建筑。主殿面阔 4 间，前后为廊，门前有台阶。主殿两侧有耳庑，西耳庑中部有门道。东、西、南庑，均为回廊结构的单面坡式建筑，双柱木骨泥墙，内侧为廊。南庑中部有门道。东庑与其东南角 1 处附属建筑中发现 1 水井。时代简报推断为中商三期偏早，其废弃年代可能也在中商三期。一、二号基址的功用或性质，待考。可参见同期发表的《洹北商城宫殿区一、二号夯土基址建筑复原研究》一文。

洹北商城的总面积达 400 万平方米，是迄今发现的有城墙的最大商代城址。

685.河南安阳县西蒋村遗址的调查与试掘

作　者：中国社会科学院考古研究所安阳工作队、安阳市文物考古研究所　侯卫东、孔德铭、唐际根等
出　处：《考古》2011 年第 11 期

西蒋村遗址位于河南省安阳县西蒋村西地珠泉河北岸的台地上，东距安阳市西北郊的洹北商城、殷墟遗址约 16 公里。2006 年 7 月初，中国社会科学院考古研究所与加拿大不列颠哥伦比亚大学联合考古调查队在进行洹河流域区域考古调查（第二期）的过程中发现了该遗址。因西蒋村村民建房取土致使遗址遭到严重破坏，8 月 14～26 日，中国社会科学院考古研究所安阳工作队与安阳市文物考古研究所联合对西蒋村遗址进行了抢救性试掘。简报分为：一、地层堆积与分期，二、下七垣文化遗存，三、洹北商城时期遗存，四、结语，共四个部分。有手绘图。据介绍，此处遗址年代大致相当于夏商时期。

686.河南安阳市殷墟刘家庄北地制陶作坊遗址的发掘

作　者：中国社会科学院考古研究所安阳工作队　岳占伟、岳洪彬、何毓灵
出　处：《考古》2012 年第 12 期

2008 年和 2010 年安阳工作队在刘家庄北地制陶作坊遗址清理了 20 多座商代陶窑。简报分为：一、制陶作坊遗址内地层关系，二、陶窑的形状与结构，三、制陶工具及陶器产品，四、制陶作坊遗址的范围、年代、性质及定义。

据介绍，陶窑由上、下两部分组成。上部分包括窑室、窑顶和烟道等，下部分包括火门、火膛、火道、窑柱、窑箅、火眼等。遗址所出陶器以豆、簋、盂、瓿、钵、盆、器盖等盛食器为主。简报推断该遗址始于殷墟文化第一期，至少延续至殷墟文化第三期。

687.河南安阳市殷墟刘家庄北地 2010 ～ 2011 年发掘简报

作　者：中国社会科学院考古研究所安阳工作队　何毓灵、唐际根、岳占伟、
　　　　牛世山
出　处：《考古》2012 年第 12 期

2010 年 3 月至 2011 年 12 月，经国家文物局批准，中国社会科学院考古研究所安阳工作队在安阳殷墟刘家庄北地进行第 3 次考古发掘。简报分为：一、地层关系，二、道路，三、沟渠，四、制陶作坊区，五、建筑基址，六、窖穴、水井，七、祭祀坑，八、墓葬，九、结语，共九个部分。有彩照、拓片、手绘图。

据介绍，第 3 次发掘清理出殷墟时期道路及道路两侧分布的陶窑、房基、水井、灰坑、祭祀坑、墓葬等。这些遗迹可能与制陶手工业作坊区相关。另外，F79 东院窖藏坑所出有铭青铜尊，简报认为为殷墟首次发现。H77 祭祀坑和以 M70 为代表的家族墓地可能与"𠂤"族有关。

688.河南安阳市殷越王裕口村南地 2009 年发掘简报

作　者：中国社会科学院考古研究所安阳工作队　何毓灵、唐际根
出　处：《考古》2012 年第 12 期

2009 年 3 ～ 12 月，经国家文物局批准，中国社会科学院考古研究所安阳工作队为了配合当地的基本建设，对位于王裕口村南地的商代遗址进行了发掘。简报分为：一、地层关系，二、道路，三、房址，四、祭祀坑，五、灰坑、窖穴、水井，六、墓葬，

七、结语，共七个部分。有彩照、拓片、手绘图。

据介绍，安阳工作队在王裕口村南地的商代遗址清理出道路、房基、水井、祭祀、墓葬等遗迹。其中以 M103、M94 为代表的墓地，因 2 墓所出铜器上有与甲骨刻辞中所见贞人"昌"相同的铭文，可能是贞人"昌"的家族墓地。简报推断 2 座墓葬分属殷墟文化第二、三期，这为研究贞人集团的地位及"昌"的地位变迁提供了难得的资料。

689.河南安阳市孝民屯遗址西周墓

作　　者：殷墟孝民屯考古队　何毓灵、唐锦琼、印　群等
出　　处：《考古》2014 年第 5 期

2003 ~ 2004 年，殷墟孝民屯考古队在安阳市殷墟西部的原孝民屯村进行了大规模抢救性考古发掘。除殷墟时期的各类遗迹、遗物，孝民屯遗址还发掘了 9 座西周时期的墓葬。殷墟遗址范围内，相当于西周时期的墓葬尚不多见，西周前期的墓葬更少。简报分为：一、墓葬形制，二、随葬器物，三、结语，共三个部分。有彩照、手绘图。

简报把 9 座墓分为三组。鉴于目前资料尚不丰富，特别是缺乏明确地层关系，简报把第一、二组墓葬认定为西周早期，第三组即 M844 为西周晚期。

值得一提的是，刘家庄北地西周墓地也紧临殷墟时期的另一个铸铜作坊——苗圃北地。这种现象并非偶然。

濮阳市

许昌市

690.河南鄢陵扶沟商水几处古文化遗址的调查

作　　者：刘东亚
出　　处：《考古》1965 年第 2 期

1961 年下半年，考古人员曾在鄢陵、扶沟、商水三县调查了 9 处古文化遗址，其中属于鄢陵县的 6 处、扶沟县的 2 处、商水县的 1 处。简报配以照片、手绘图予以介绍。

据介绍，鄢陵县的 6 处遗址，皆分布在县北的双泊河（洧水）以南和县东南部 4

条小河之间。

（一）三里侯冢遗址，位于县北约 1.5 公里的双洎河南岸的土岗上，岗高 4 米左右，面积约 4900 平方米。为商代遗址。

（二）蝎子岗遗址，位于县东南约 4 公里的吴家村西北台地上，台高约 5 米，东西长 250 米，南北宽 150 米，文化层堆积厚 2.5～3 米。为商代遗址。

（三）唐庄遗址，位于县南约 2 公里唐庄东南的高地上，面积约 22500 平方米，遗址南部断崖上还暴露着袋形灰坑。有商、周遗物。

（四）冢刘遗址，位于县城西南 15 公里家刘村东南的岗地上，岗高约 10 米，遗址面积约 40000 平方米。从沟崖上可见文化层堆积厚 2.5 米左右，最厚处达 4 米以上。采集的遗物有龙山文化的夹砂灰陶碗 1 件，有商、周遗物。

（五）边王遗址，位于边王村南台地上，高约 3 米，遗址面积约 90000 平方米。采集的遗物有龙山文化的夹砂灰陶乳状鼎足，足高 1.5 厘米，有商、周遗物。

（六）十室遗址，位于县东南 30 公里的十室村内，附近地势较一般地面高约 4 米，遗址面积约 50000 平方米。从路沟断壁上看，灰层厚 1.5 米左右。采集的有商、周遗物。

扶沟县在鄢陵县之东。贾鲁河从该县境中部穿过。古文化遗址分布在贾鲁河沿岸的台地上。

（一）罗家砦遗址，位于县西南 9 公里罗家若东南约 500 米的台地上，遗址面积约 13000 平方米，文化层厚 2 米左右，并有灰坑残迹。采集的有商、周遗物。

（二）高集遗址，位于县西北 18 公里高集村西北角一个台地上，台高 3 米左右，西邻贾鲁河，遗址面积约 7000 平方米，灰层厚 2 米左右。采集有龙山文化、商、周遗物。

商水县在扶沟东南，沙河在该县北部由西向东流去。水观台遗址位于商水县（今周口镇）东南 2 公里的张庄东侧约 1 里的岗地上，采集有龙山文化、商、周遗物。

简报指出，几乎每处遗址都具有龙山、商和周代等不同时代的文化遗物，并且在三里侯冢、蝎子岗、冢刘、十室、罗家砦 5 处遗址内均发现了与郑州商代早期洛达庙期类型相仿的遗物，为研究河南中部地区的商代早期文化提供了一些线索。

691.河南省襄县西周墓发掘简报

作　者：河南省博物馆　郑杰祥
出　处：《文物》1977 年第 8 期

1975 年 12 月，河南襄县丁营公社霍庄村村民霍祥雨发现古墓 1 座，并及时向县文化主管部门报告。1976 年 1 月，河南省博物馆进行了发掘。简报配以照片、手绘图予以介绍。

据介绍，霍庄村位于襄县东南约 30 公里。北汝河、沙河及湛河汇流于村南约 2 公里处，从这里跨过沙河北舞渡口，南达舞阳县境。该墓位于霍庄西百宁岗岗坡下面，为长方形土坑墓，棺椁已腐朽，底部仅存零星漆片。死者葬式不明，骨骼已腐朽，仅在墓底南部发现牙齿数枚。腰坑内有狗骨架一具，头向北，侧身，颈部有铜铃 1 个。出土铜、玉、瓷、陶及蛤蜊壳数十件，蛤面涂朱红，尾部磨平，并钻 1 孔。简报推断这是西周初期的墓葬，铭文中有的字过去未曾著录。

692.禹县吴湾西周晚期墓葬清理简报

作　者：河南省文物研究所、禹县文管会　姜　涛、方燕明
出　处：《中原文物》1988 年第 3 期

1979 年，考古人员在发掘禹县吴湾龙山文化遗址时，在 T2 内清理了 3 座西周晚期墓葬（编号为 M1、M2、M3）。简报分为：一、墓葬概况，二、出土文物，共两个部分。有手绘图、拓片、照片。

据介绍，3 座墓葬的形制均为长方形竖穴土坑墓，且东西并列，错落有序，间距为 3～5 米。3 座墓葬中，M1 保存较好。墓内尚存有棺木及枕木的痕迹。墓底中部有一椭圆形腰坑，坑内散置完整和残碎的玉片 26 片。墓内随葬铜鼎 1 件、铜簋 2 件、陶罐 8 件、蚌泡 3 件，皆放置在墓主人的头前。死者骨架已朽，从残存的人牙看，头向为西南。M2 和 M3 在农民取土时损毁，但其出土器物大部分被保存下来，共计有铜器 8 件、陶器 7 件、玉片 26 片、蚌泡 3 件等。简报认为这 3 座墓的年代应属西周晚期，其下限不会晚于春秋早期。这 3 座墓东西排列有序，从铜簋和铜盨上的铭文看，这里可能是西周晚期谏氏家族的墓地。

693.许昌县大路陈村发现商代墓

作　者：河南省文物研究所　胡永庆、张玉石
出　处：《华夏考古》1988 年第 1 期

1986 年 3 月，许昌县长村张乡大路陈村村民在村东北劳动时，发现了 1 座古墓，挖出 30 多件青铜器、玉器和石器。考古人员前往调查。简报配以照片、手绘图予以介绍。

据介绍，因破坏严重，墓圹大小及随葬品的具体位置已不清楚。据村民讲，墓中有两具人骨架。还发现了一个埋有狗的腰坑。共出土器物 34 件，其中以铜钺、铜戈、铜刀、铜镞等兵器较多。简报认为，此墓墓主，应为商代一位武官。

694.河南禹县颍河两岸考古调查与试掘

作　　者：河南省文物研究所、禹县文管会　姜　涛、方燕明
出　　处：《考古》1991 年第 2 期

禹县位于河南省中南部，西与登封县相毗邻，据文献记载，乃是夏族活动的中心区域之一。为了探索夏文化，进一步了解颍河下游河南龙山文化及二里头文化的分布情况，考古人员于1979 年春开始在禹县境内沿颍河两岸进行全面的考古调查，并在调查的基础上，对其中面积较大、堆积较厚和内涵较丰富的部分遗址进行了试掘。这次调查的路线是，从禹县西部的白沙镇开始，沿颍河两岸东下至许昌、禹县交界处为止，全程约60公里。调查和试掘工作从1979 年春季开始至同年 12 月结束。这次调查除了对阎砦、谷水河、崔庄3 处遗址进行了复查以外，新发现的遗址有：龙池、下册、连楼、冀寨、瓦店、沙陀、董庄、枣王、吴湾、余王、王山、谭陈、胡楼共13 处。试掘的遗址有：吴湾、崔庄、董庄3 处。简报分为四个部分予以介绍，有照片。

简报称，禹县颍河两岸发现的 10 多处遗址中，包含有河南龙山文化晚期和二里头文化早期遗存的遗址有 10 处之多，并且这些遗址分布也很密集，如新发现的龙池、下册、连楼、冀寨、瓦店、董庄、吴湾、王山以及重新复查的崔庄、阎砦等。这说明河南龙山文化晚期与二里头文化早期之间的关系是十分密切的。有的学者认为河南龙山文化晚期与二里头文化早期遗存同在夏文化的范畴内，或可以说这两种文化便是夏文化。简报认为此说是有道理的。

据《文物》1983 年第 3 期《禹县瓦店遗址发掘简报》报道，该遗址也是此次调查时发现的，1981 年、1982 年进行了 2 次发掘，出土有石器、骨器、蚌器、牙器、角器等，为探索当地夏商文化，提供了实物资料。

漯河市

695.北舞渡商代铜鬲

作　　者：朱　帜
出　　处：《考古》1983 年第 9 期

1981 年 10 月，河南省舞阳县北舞渡出土了 2 件铜鬲。考古人员前往征集、鉴定，并收回县文化保管所。简报配以照片予以介绍。

据介绍，铜鬲出土时距地面 2.35 米，附近未见其他遗物。一大一小，大鬲重 11 公斤，小鬲重 5 公斤，均无铭文。出土地点靠近商人活动中心，应为商代遗物。

又，据《考古》1984 年第 5 期，1983 年 4 月舞阳县吴城北高农民在村外遗址上发现一件铜爵。铜爵通高20厘米，腹径6.1厘米，前流，后尾，二菌状柱，柱顶施涡纹。柱至口缘高3厘米（外侧），柱与流折距离较近，为1.6厘米。深腹，腹壁较直。圜底下有3个三角形尖刀状足。一侧有兽面墨。通过錾有弦纹二道。一柱外侧有铭文。柱与口缘下有1字铭文。根据其铭文与形制作风，应为商代晚期之物。

696.河南舞阳县陆续发现商代文物

作　者：朱　帜

出　处：《考古》1987 年第 3 期

舞阳县博物馆十分注意商代文物的调查与征集工作，除发现一批商代遗址外，还发现了一些珍贵的商代铜器、陶器。简报配以照片予以介绍。

1983 年，百姓在城东北 36 公里玉皇庙村东南寨壕商代遗址内挖土时，发现了铜戈、铜刀各 1 件，铜镞数件（收回 1 件）。据反映尚有 1 件铜鼎，已卖给收购站。应属商代早期遗物。

另外，在城西 13 公里之卸店镇西门外，发现新石器时代至商代遗址 1 处，在遗址的东南部发现铜戈、铜镞、陶簋各 1 件。铜兵器是农民在菜园挖菜窖时发现的。

三门峡市

697.河南陕县七里铺商代遗址的发掘

作　者：黄河水库考古工作队河南分队　阳吉昌等

出　处：《考古学报》1960 年第 1 期

七里铺遗址位于陕县县城西南约 3.5 公里处，1958 年复查与试掘。简报分为：一、引言，二、文化堆积，三、遗迹，四、遗物，五、结语，共五个部分。有照片、手绘图。

据介绍，遗址发掘出灰坑45个、灰沟3个、烧坑3处、墓葬9座，出土石器、骨器、蚌器、陶器等，应是商代早期遗址。没有铜器出土，简报认为也许是因为当时青铜器尚贵重，再加上青铜可重复冶炼使用，故不会作为随葬品下葬。

698.河南渑池鹿寺商代遗址试掘简报

作　者：河南省文化局文物工作队　陈焕玉
出　处：《考古》1964 年第 9 期

鹿寺村位于渑池县南约 13 公里的山区河谷中，茅山靠东，南坡在南，西凡河从村西向北流去。遗址位于西凡河西岸的台地上，面积约 26000 平方米。1959 年 11 月曾进行了试掘，发掘出窖穴 19 个、墓葬 5 座。其中商代墓 1 座（M5），战国墓 3 座，近代墓 1 座。发掘证明，这处遗址基本包含着上下两层不同时期的堆积。简报有照片、手绘图。

据介绍，鹿寺遗址发现有陶器、石器、骨器、蚌器、卜骨等。年代简报推断为商代早期。

699.河南灵宝出土一批商代青铜器

作　者：河南省博物馆、灵宝县文化馆
出　处：《考古》1979 年第 1 期

简报配以手绘图、照片，介绍了在河南省西部灵宝县零散出土的一批商代青铜器。除了一些容器之外，还有几件青铜工具和兵器。如 1974 年 2 月，在文底公社东桥发现了一批青铜器，计有鬲、斝、爵、钺、戈、斤各 1 件。1974 年 4 月，在川口公社赵家沟出土了 7 件青铜器，计有鼎 3、斝 2、爵 1、觯 1。大部分已经破烂不堪，完整的只有 1 件。

700.灵宝考古的新发现

作　者：杨育彬
出　处：《河南文博通讯》1979 年第 1 期

近年来，在豫西灵宝县的一些地方，初次出土了一批商代青铜器，这是灵宝考古的新发现。这些商代青铜器的出土，不仅填补了地域上的空白，而且在学术研究上也具有重要的价值。其中一些青铜器的年代比属于商代中期的郑州二里岗期青铜器稍晚，但又比属于商代晚期的安阳殷墟的青铜器稍早，这是研究商代青铜铸造工艺的演变、发展和分期不可多得的实物资料。

1974 年 2 月，在文底公社东桥，发现了一批商代青铜器，其中有鬲 1 件、爵 1 件、瓿 1 件、尊 1 件。这些青铜器的年代，要稍晚于郑州商代二里岗期，而又略早于安

阳殷墟出土的同类器物。

1974年4月，在川口公社赵家沟出土了7件商代青铜器，其中有鼎3件、罍2件、爵1件，均残。完整的只有觯1件。从形制和纹饰推断，年代为安阳殷墟早期。

1973年1月，在涧口公社王家湾出土了4件铜器。其中有爵1件、瓿1件、锛1件。这几件铜器的年代约相当于武丁时期或稍晚一些。

701.渑池县郑窑遗址发掘报告

作　者：河南省文物研究所、渑池县文化馆　张居中、王良启
出　处：《华夏考古》1987年第2期

郑窑遗址位于河南省渑池县城西约1公里处，1974年修路时发现，考古人员进行了发掘，发现二里头文化灰坑54个、灰沟6条、水井5眼、墓葬4座，出土陶、石、骨、蚌等重要遗物300余件。简报分为：一、地层堆积，二、第一期文化遗存，三、第二期文化遗存，四、第三期文化遗存，五、结语，共五个部分。有照片、拓片、手绘图。

据介绍，一期文化遗存相当于二里头一期。二期文化相当于二里头二期。三期文化相当于二里头三期。一、二期之间可能有缺环。

简报称，二里头文化是探讨夏文化和早商文化的重要对象。目前，对二里头文化的认识，学术界虽有不同看法，但二里头一期属于夏文化范畴已为学术界所公认。今渑池以西的崤山一带曾为夏人活动的重要地区，亦即郑窑遗址属夏王朝的势力范围当是可能的。所以，这个遗址的发掘为夏商文化的研究，提供了一批新的实物资料。

702.三门峡上村岭虢国墓地M2001发掘简报

作　者：河南省文物研究所、三门峡市文物工作队　姜　涛、王龙正、宁景通、
　　　　王胜利
出　处：《华夏考古》1992年第3期

上村岭虢国墓地位于河南省三门峡市北郊。20世纪50年代末原黄河水库考古队曾出土了大批珍贵文物，并编写出版了《上村岭虢国墓地》一书。20世纪80年代末，这里发生了盗墓案件。1990年2月，考古人员对被盗残墓进行了抢救性的清理工作。迄今已清理墓葬7座，车马坑及马坑4座。简报分为：一、墓葬形制及葬具，二、随葬器物，三、结语，共三个部分。

据介绍，M2001位于整个墓地的北部偏西处，为1座长方形竖穴土坑墓，出土有铜器、玉器等。墓内随葬的铜礼器可分为实用器与明器两种。实用器上大都铸有

铭文，且作器者均为"虢季"。其国名、氏名一目了然，墓主人当为虢季氏无疑。就该墓所随葬的铜礼器、乐器、兵器、车马器、玉器来说，其数量之多、规格之高，只能是某一代虢国国君。而此墓下葬时代，简报认为是西周晚期。

简报称，该墓随葬玉器达数百件之多。尤应引起注意的是棺内墓主人周身上下及面部均放置玉器。而其中玉幎目及玉组佩饰显得更为重要。这大概是汉代高级贵族墓葬所常出土的殓服"玉衣"的雏形，对研究"玉衣"的发展演变规律，提供了一条重要线索。该墓出土的一组金腰带饰也是以往所发掘的同时期的墓葬所少见的，总重量达 400 多克。这种稀有装饰品在当时绝非一般人所能占有，因而对判定墓主人的身份有着一定的价值。所出玉茎铜芯铁剑，经北京科技大学冶金史教研室初步鉴定，认为是人工冶铁制品。这是我国目前经科学鉴定的最早的人工冶铁实物，其价值自是不言而喻。

703.上村岭虢国墓地 M2006 的清理

作　者：河南省文物考古研究所、三门峡市文物工作队　姜　涛、王龙正、贾连敏、宁景通等

出　处：《文物》1995 年第 1 期

1990 年以来，考古人员在三门峡上村岭虢国墓地新发现的国君葬区进行了 1 次较大规模的考古发掘，发现了举世瞩目的 M2001、M2009 两座虢国国君墓葬，出土了大批青铜礼器和十分精美的玉器。M2006 也是这次发掘中比较重要的 1 座墓葬。简报分为：一、墓葬形制与葬具，二、随葬器物的位置，三、随葬器物，四、结语，共四个部分。配以照片、拓片，先行介绍 M2006 的发掘情况。

据介绍，M2006 为一座长方形竖穴土圹墓。此墓葬具均已腐朽，由灰黑色朽痕可知为单棺单椁。随葬器物多达 747 件。该墓年代简报推断为西周末年。由铜器铭文知墓主叫孟姞，为女性。

704.三门峡市花园北街发现一座西周墓葬

作　者：三门峡市文物工作队　史智民、宁会振等

出　处：《文物》1999 年第 11 期

1998 年 3 月，三门峡市工程处在修建花园北街延伸路段时，发现 1 座长方形竖穴土坑墓（编号 M1）。考古人员对墓葬进行了抢救性发掘清理。简报分为：一、墓葬形制，二、随葬器物，三、结语，共三个部分。有照片、手绘图。

据介绍，M1 位于上村岭虢国贵族墓地遗址博物馆北部边缘。墓口距地面 1.3 米。葬具均已腐朽，从残留木灰痕迹可以看出为 1 椁 2 棺。椁用方木堆垒而成，棺内人骨腐朽严重。随葬品主要放置在椁与棺之间的南部和东部，其中铜礼器鼎、盘、盉放置于东南角，铜兵器矛、戈分置于东北角和西南角，车马器中的马衔、骨镳置于西南角，軎、辖成对分置于外棺东、南中部的外侧，玛瑙珠、陶珠成串状堆放在南部中间，石坠形饰、圆蚌饰散乱于南部、东部，玉龙、玉玦、石圭置于棺内人头附近，共计 165 件。墓主估计属士一级。年代简报推断为西周晚期。当地经多年发掘，从没有发现一鼎墓。故该墓的发现，为研究上村岭虢国墓地又增添了新的实物资料，也弥补了多年来一鼎墓都无铜簋、无铜兵器出土的空缺。同时此墓葬位于虢国墓地的最北边缘，也为了解虢国墓地的分布范围提供了资料。

705.三门峡虢国墓地 M2010 的发掘清理

作　者：河南省文物考古研究所、三门峡市文物工作队　姜　涛、杨海青、
　　　　　　刘宇翔、王胜利等

出　处：《文物》2000 年第 12 期

1992 年 10 ~ 12 月，河南省文物考古研究所与三门峡市文物工作队联合在三门峡上村岭虢国墓地北区西南部发掘清理了 1 座西周晚期墓葬（编号 M20103）。简报分为：一、墓葬的形制与葬具，二、随葬器物，三、结语，共三个部分。有彩照、拓片。

据介绍，M2010 是 1 座长方形竖穴土坑墓，底部有生土二层台，葬具为重棺单椁加 1 棺罩。此墓未经盗扰，共出土随葬器物 1693 件，其中青铜器有礼器、兵器、工具、车马器和棺饰等；玉器有礼器、佩件、殓玉等；另有骨器、蚌器以及木、苇、麻与丝帛等遗物。根据墓葬形制及出土器物，M2010 的年代为西周末年，墓主人应是虢国大夫一级的贵族。

706.三门峡虢国墓地 M2013 的发掘清理

作　者：河南省文物考古研究所、三门峡市文物工作队　贾连敏、杨海清、
　　　　　　胡小龙、刘宇翔、江　涛等

出　处：《文物》2000 年第 12 期

1992 年 10 ~ 12 月，考古人员在三门峡上村岭虢国墓地北区西南部，发掘清理了 1 座西周晚期墓葬（编号 M2013）。简报分为：一、墓葬的形制与葬具，二、随葬器物，三、结语，共三个部分予以介绍，有彩照、手绘图。

据介绍，该墓为长方形竖穴土坑墓，葬具应为单棺单椁。共出土随葬器物898件，计有铜、玉、石、陶、骨和蚌器六大类。其中铜器198件，铜簋、铜匜上有铭文。由铭文可知墓主人为女性，其夫应是虢国元士一级的贵族。该墓的年代，简报推断为西周晚期。

707.三门峡市李家窑四十四号墓的发掘

作　者：三门峡市文物工作队　宁会振、史智民

出　处：《华夏考古》2000年第3期

1995年5月，为配合三门峡市交警支队的工程建设，考古人员对位于李家窑村北的李家窑遗址进行了考古发掘，发掘面积775平方米，清理西周时期墓葬14座。李家窑遗址位于三门峡市区南部，南临青龙涧河，北依绵延的上村岭，地势平坦开阔。这次发掘的西周墓位于崤山路南、茅津路与经一路之间。其中M44是目前为止在李家窑遗址发掘的最大的西周墓。简报分为：一、墓葬形制及葬具，二、随葬器物，三、结语，共三个部分。有手绘图、照片、拓片。

据介绍，M44位于李家窑遗址区域内，被春秋文化层叠压，为单棺单椁墓。墓内出土了一鼎二簋的铜礼器。仿铜陶礼器以鬲、豆、盂、罐为组合，共出土了4套。兵器有铜戈1件。从此规格推断，该墓墓主非一般庶人，但也非级别较高的贵族，应属士大夫一级。该墓的年代简报推断为西周晚期。

708.河南三门峡市李家窑遗址西周墓的清理

作　者：河南省文物考古研究所、三门峡市文物考古研究所　杨海青、姜　涛、常　军

出　处：《华夏考古》2008年第4期

2001年7月至2002年5月，为配合三门峡市交通局住宅小区的工程建设，考古人员对位于市区南部李家窑村西的李家窑遗址进行了考古发掘，清理了一批周代墓葬，其中M24和M26较为重要。简报分为：一、二十四号墓（M24），二、二十六号墓（M26），三、结语，共三个部分。有手绘图、照片。

据介绍，此次发掘的M24和M26位于李家窑遗址区域内南部。这2座墓的形制均为口小底大的长方形土坑竖穴墓，葬具为单棺单椁。无论从墓葬形制，还是从器物特征、纹饰等方面看，这2座墓的时代均应属西周晚期稍偏早。简报推测，这两座墓的墓主生前应为最低的元士级没落贵族。

简报称，李家窑遗址已被确认为虢国上阳城的所在地。M24 和 M26 位于虢国上阳城宫殿区附近，且墓葬开口层位在虢国文化层之下，表明这两座墓葬年代较早，有可能是早于虢国的焦人墓葬。

709.三门峡虢国墓地出土的青铜器

作　　者：三门峡市文物考古研究所、三门峡虢国博物馆　胡小龙、杨海青、
　　　　　常　军、许海星等

出　　处：《文物》2009 年第 1 期

2001 年，河南三门峡虢国墓地发生重大盗墓案件。同年 4 月 30 日，公安部门侦破此案，追缴了部分被盗遗物，并且将这批器物移交给三门峡虢国博物馆。根据犯罪分子的交代和现场勘察，确定这批遗物出自墓地北区的虢仲墓西南部。简报配以照片，予以说明。

据介绍，被盗遗物共有 89 件，以铜器为主，也有少量的石贝、蚌饰。青铜器 79 件，可分为礼器、兵器、车器、马器、棺饰与其他 6 类。这批追缴文物的年代多为西周晚期，部分可能晚到两周之际。由于器物的特征和时代均与虢国墓地出土的同类器相似，所以，这批追缴文物应属于同一墓地——虢国墓地。

710.河南三门峡虢国墓地 M2008 发掘简报

作　　者：河南省文物考古研究所、三门峡市文物考古研究所　杨海青、姜　涛、
　　　　　辛军民、胡小龙等

出　　处：《文物》2009 年第 2 期

1990 年 3 月，考古人员在三门峡上村岭虢国墓地北区发掘清理了 1 座周代墓葬（编号M2008）。该墓北与M2010 相距34 米，东北与M2009 相距41 米，西南与M2006 相距34 米，西与M2007 相距4.8 米。该墓于1989 年底和1990 年初两度被盗掘，墓内随葬器物大部分被盗。所幸有少部分被公安部门收缴追回，其中包括虢宫父盘等。简报分为：一、墓葬形制，二、随葬器物，三、结语，共三个部分。有照片、拓片、手绘图。

据介绍，M2008 是 1 座长方形土坑竖穴墓，坑内有 1 具残狗骨架。墓内填土略经夯打，夯层与夯窝均不明显。葬具为木质单椁单棺，均已腐朽，只有灰黑色或灰白色痕迹，而且遭到了盗掘者不同程度的破坏。墓内清理出随葬器物 900 余件，可分为铜、玉、石、陶、骨、蚌器等。其中铜器有 300 余件，包括礼器、兵器、车马器、棺饰等。从铸有铭文的铜礼器看，墓主为虢宫父，为虢国大夫。年代简报推断为西周晚期。

711.河南三门峡李家窑西周墓发掘简报

作　者：河南省文物考古研究所、三门峡市文物考古研究所　杨海青、李清丽、
　　　　成　楠、马伟峰

出　处：《文物》2014 年第 3 期

2002 年 8 月至 2004 年 1 月，考古人员对位于李家窑村西的李家窑遗址进行了考古发掘。发掘总面积 5000 余平方米，清理了一批周代墓葬，其中 M34 和 M37 较为重要。简报分为：一、M34，二、M37，三、结语，共三个部分。

据介绍，M34、M37 两墓均为长方形竖穴土坑墓，墓底四周有熟土二层台，中部有长方形腰坑，葬具为单棺单椁，随葬器物有陶器、铜器、玉器、石器等。根据墓葬形制及随葬器物推断，两墓应为西周晚期元士一级的贵族墓葬，墓主可能是早于虢国的焦人。

南阳市

712.河南南阳市十里庙发现商代遗址

作　者：游清汉

出　处：《考古》1959 年第 7 期

考古人员于 1959 年 2 月在南阳市十里庙村以东的土丘上，发现有商代、周代等时代的遗存。简报配以照片，先行介绍了商、周遗存。

据介绍，遗址共发现商代墓葬 7 座、灰坑 10 个、灶 1 个、方形穴居式房基 1 处，周代灰坑 2 个、井 1 个。商代、周代灰土层均很厚，表明人类曾长期于此地活动。商代遗存应属商代晚期。

713.河南桐柏发现周代铜器

作　者：王儒林

出　处：《考古》1965 年第 7 期

1964 年 11 月上旬，桐柏县月河公社左庄生产队在村后 500 米许的丘陵黄土斜坡上发现铜器，计有鼎 1、罍 1、盘 1、匜 1、戈 1 和镞 2 枚。铜器是在距地面约 20 厘米深处发现的，并且排列有序。简报配以拓片予以介绍。

简报推断，这些铜器可能是周代墓葬中殉葬的器皿。

714.河南方城县八里桥遗址 1994 年春发掘简报

作　　者：北京大学考古学系、南阳市文物研究所、方城县博物馆　李维明、
　　　　　柴中庆、乔保同

出　　处：《考古》1999 年第 12 期

方城县位于南阳盆地的东北部，北依伏牛山，东南连桐柏山，东北扼守南阳
至中原的通道。县境内文物古迹较多，遗址多分布在河流两岸的阶地上。八里桥
遗址位于方城县城西南近 4 公里的潘河西岸，地势平坦，略高出周围平地。1983 年，
当地建砖窑厂，使该遗址遭到了严重的破坏。1993 年秋，考古人员在田野调查时
发现了这一情况，当即在窑场取土现场清理了 1 座残灰坑，编号为 H1。1994 年 4
月，在窑场将要取土的地段进行了抢救性发掘。此次发掘从 4 月 13 日开始至 4 月
29 日结束，同时清理了一些残存在断崖上的灰坑，实际揭露面积近 70 平方米。简
报分为：一、地层堆积，二、遗迹，三、遗物，四、结语，共四个部分。有手绘图、
拓片。

从本次发掘来看，遗物以陶器为大宗，纹饰以绳纹居多，器形以鼎、夹砂中口
深腹罐、小圆腹罐、大口尊、盆、瓮、缸等构成器物群。这些文化特征与以二里头
遗址为代表的二里头文化二里头类型相符合，简报判定其文化性质属于二里头文化。
将本遗址出土二里头文化的代表性器类与二里头遗址出土同类陶器相比，发现其与
二里头文化三期同类遗存相近。据此，简报推断本次发掘所获二里头文化遗存时代
约相当于二里头文化三期。

715.河南邓州市穰东遗址的发掘

作　　者：河南省文物考古研究所　樊温泉、靳松安、秦文生、胡生勇

出　　处：《华夏考古》1999 年第 2 期

穰东遗址位于河南省邓州市穰东镇东北约 1 公里处，北距穰东火车站约 300
米，西南距邓州市约 26 公里。遗址现存面积约 15000 平方米。1989 年 8 月，为
配合焦枝铁路复线建设工程，考古人员对该遗址进行了抢救性发掘，揭露面积
325 平方米，共清理二里头文化墓葬 1 座、灰坑 15 个以及汉代墓葬 1 座。简报分
为：一、地理环境与地层堆积，二、遗迹，三、遗物，四、结语，共四个部分。
有手绘图。

据介绍，穰东遗址位于赵河与虹石河之间的平原地带，西距赵河 3.5 公里，东
距虹石河 6 公里。赵河与虹石河两岸有较多的古文化遗址，穰东遗址即是其中之一。

根据地层堆积情况及出土器物的特征、组合与变化规律，可将穰东二里头文化遗存分为三期。穰东遗址的一至三期是连续发展的，属于二里头文化的不同发展阶段。从出土陶器的形制、组合以及纹饰等方面的特征来看，穰东二里头文化一、二、三期应分别相当于伊洛地区二里头文化的二、三、四期。与伊洛地区的二里头文化相比，这里的二里头文化遗存也有一定的地域性特征，主要表现在陶系方面，也就是说穰东二里头文化遗存仍然属于二里头文化的二里头类型。

值得一提的是穰东二里头文化一期出土的一件石雕刻器（H9：10），这件器物的发现，为研究雕刻器的发展提供了十分珍贵的材料。目前，南阳盆地发现的二里头文化材料较少，穰东遗址的发掘为研究南阳地区二里头文化的面貌以及二里头文化分布的南界等学术问题提供了极有价值的资料。

716.河南南阳市万家园 M202 发掘简报

作　者：南阳市文物考古研究所

出　处：《中原文物》2007 年第 5 期

万家园位于南阳市独山大道与光武路交叉口东北部。2005 年为配合城市基本建设，考古人员对该处进行了文物钻探和考古发掘，清理出西周至明清墓葬 247 座，出土了大量随葬器物。简报分为：一、墓葬形制，二、随葬器物，三、结语，共三个部分。配以照片、拓片、手绘图，先行介绍其中 M202 发掘情况。

据介绍，该墓为长方形土坑竖穴墓，葬具、人骨已朽。从痕迹看原应有木棺，人骨应为仰面直肢。随葬品有 185 件，其中铜器 129 件、玉器 56 件。随葬品中 1 件带铭文的铜戈及玉面罩等十分珍贵。简报认为，此墓应为西周晚期某位与吕国有关的、男性高级贵族的墓。

717.河南浙川县下王岗遗址西周遗存发掘简报

作　者：中国社会科学院考古研究所山西队、河南省文物局南水北调办公室
　　　　高江涛、何　努等

出　处：《考古》2010 年第 7 期

下王岗遗址位于河南省南阳市浙川县盛湾镇河扒村东北，东北距浙川县城 35 公里。该遗址现处于丹江水库库区内，东、北、西 3 面为丹江环绕。1971 ～ 1974 年，考古人员对下王岗遗址进行了大规模的发掘，发现了仰韶文化、屈家岭文化、龙山文化、二里头文化等不同时期丰富的考古学文化遗存。2008 年 8 月，又进行了钻探

与发掘。简报分为：一、地层堆积，二、遗存的分期与年代，三、典型遗迹与出土遗物，四、结语，共四个部分。有手绘图、"11 个灰坑的层次关系表"等。

据介绍，此次发掘共清理西周时期灰坑 48 个，出土陶鬲、罐、盆、瓮、壶、甗、豆等。其具体时代推测为西周中期偏早至西周晚期偏早。此次发掘为认识该地区西周时期文化面貌提供了丰富的实物资料，为探讨早期楚文化的特征、来源及分布等提供了重要线索。

简报指出，江汉平原基本不见西周早期楚文化的踪影。西周中期出现楚文化遗存。楚国最早的都城丹阳在丹淅之会，恐非空穴来风。大约是在西周末期，楚武王称霸江汉地区，楚文化才从丹淅一带扩张到江汉平原。

商丘市

718.1977 年河南永城王油坊遗址发掘概况

作　者：商丘地区文物管理委员会、中国社会科学院考古研究所洛阳工作队
出　处：《考古》1978 年第 1 期

为了解豫东原始社会末期及夏商时期文化的有关情况，1976 年冬，考古人员在河南省商丘地区各县进行了调查。在调查的基础上，1977 年春季选择了几个遗址进行发掘和试掘。永城县王油坊遗址就是这次所发掘的古文化遗址中的 1 个。发掘于 3 月 30 日开始，4 月底结束。

简报分为：一、遗址及地层堆积，二、遗迹与遗物，三、小结，共三个部分。有手绘图。

王油坊遗址位于永城县西约 30 公里的王油坊村的东北，它东距淮水支流浍河不远。遗址周围地势平坦，为旧黄泛区淤没之地。遗址为高出地表的土丘，面积约 10000 平方米，这次发掘约 600 平方米。

从遗址的遗迹、遗物看，简报认为其年代属原始社会末期或阶级社会初期，绝对年代尚需对遗址中的木炭标本进行年代测定。统观整个文化面貌，可以说豫东商丘地区仍然是河南龙山文化的分布区域。

简报称，本遗址的发掘，是在豫东对河南龙山文化遗址的第一次较大规模的发掘，对于豫东的河南龙山文化有了基本的认识，从而填补了本地区这段时间里考古上的空白，对于研究夏文化及其有关问题具有一定的意义。

719.河南拓城孟庄商代遗址

作　者：中国社会科学院考古研究所河南一队、商丘地区文物管理委员会
　　　　胡谦盈等

出　处：《考古学报》1982 年第 1 期

1976 年冬，考古人员在商丘地区重点调查了一些古遗址，并于 1977 年春再一次复查、发掘了 4 个遗址。孟庄商代遗址是其中的 1 个。孟庄遗址是拓城县文化馆 1961 年发现的，文化遗存比较丰富。1977 年 5 月，考古人员对遗址进行了发掘。简报分为：一、遗址概况，二、商文化遗存，三、结束语，共三个部分。有照片、手绘图。

据介绍，孟庄位于拓城西约 7 公里。东西向的拓城、太康公路通过村北，将遗址分割为南、北两部分。经钻探查明，遗址平面近长方形，南北长 280 米，东西宽 110 米，面积约 30000 平方米。遗址北缘有古河道，可能是蒋河或其支流故道。遗址南端约 120 米以内也有游沙，其下才见文化堆积，可见这里在商代以后曾因洪水泛滥被淹没过。发掘发现泥墙排房 3 间相连，东西横列。1 座建筑夯土台下发现 1 具 17 ~ 18 岁女性骨架，是被捆绑着手脚活埋的，应为建房时用活人奠基。遗物方面，比较重要的是陶文和鞋底。后者证实先民至少在商代前期已有穿鞋习惯。孟庄商代遗址的年代，大约在公元前 1700 年至公元前 1400 年。

720.河南拓城心闷寺遗址发现商代铜器

作　者：拓城县文化馆　张河山

出　处：《考古》1983 年第 6 期

心闷寺遗址位于拓城县西八里岗王公社孟庄村北，距县城约 3 公里。遗址南临洪河，北依沙河。南北长约 250 米，东西宽约 120 米。1981 年 3 月，在商代冶铸基址东面不远的地方，农民耕地时出土商代铜鼎、铜斝和铜瓿各 1 件。附近没有发现人骨，推测不是墓葬的随葬品。简报配以照片、手绘图予以介绍。

简报推断其时代应早于商代小屯期，与商代二里岗期上层相近。

721.河南商丘地区殷商文明调查发掘初步报告

作　者：中国社会科学院考古研究所、美国哈佛大学　张长寿、张光直

出　处：《考古》1997 年第 4 期

中国现代古史学者对于殷商文明史的了解，经过了四个阶段。第一个阶段始于

19 世纪末叶殷代甲骨文的问世，终于抗战开始，"史语所"停止发掘殷墟；第二个阶段是从 1950 年发现比殷墟早一期的郑州二里岗殷商遗址开始的，在这个阶段将殷商文化主要当作文明来看，相信同享这个文明的有一个以上的国家朝代；第三个阶段是从 1959 年偃师二里头遗址的发现引起来的，这个阶段也可以说是中国古史学界与考古学界对二里头遗址是夏还是商这个问题争执不休的 20 多年；20 世纪 80 年代以来，可以说是研究殷商文明的第四个阶段。先商文化来源的研究，是当前中国古代史的当务之急。简报分为：一、商丘与商城在殷商研究史上的地位，二、研究先商文明来源的几条线索，三、中美联合考古队组织和工作主要收获，共三个部分。有手绘图。

据介绍，此次工作除了掌握了先商和早商文化的一些线索之外，迄今为止还有一个比较重要的成绩是，商丘县老南关村以西到距阏伯台不远的郑庄一带所发现的 1 个东周时代的城址。这个城址是中美考古队经过 6 年的时间（1991～1996 年）才发现的。简报初步断定是春秋时代一个很大的城市。

简报称，东周时代这个地方唯一的城市就是宋的都城。一般认为宋城建筑在商城之上。宋城的发现使商城的寻找工作在地理范围上缩小了很多。

信阳市

722.河南罗山县蟒张商代墓地第一次发掘简报

作　者：信阳地区文管会、罗山县文化馆　欧潭生
出　处：《考古》1981 年第 2 期

1979 年 4 月中旬，河南罗山县蟒张公社天湖大队后李生产队在水利施工中，发现商代晚期青铜器 5 件。经调查，这是 1 处商代晚期墓地。墓地位于竹竿河西岸的山坡上。考古人员于 1979 年 8 月 27 日至 9 月 23 日，清理和发掘了渠首南边的 6 座墓。其中一号墓和六号墓保存完整，进行了重点发掘。其余 4 座墓已遭严重破坏，只收集和清理了部分铜器。简报分为：一、一号墓，二、六号墓，三、二、三、四、五号墓，四、结语，共四个部分。有照片、手绘图。

据介绍，一号墓出土遗物 77 件，时代约相当于武乙、文丁时期。六号墓应属晚商的帝乙、帝辛时期。简报称，这处墓地虽遭破坏，但一、六号墓保存完整，为我们提供了一批晚商中型井椁墓较标准的器物，填补了黄河以南晚商信阳地区商代考古的空白。

723.罗山蟒张后李商周墓地第二次发掘简报

作　　者：信阳地区文管会、罗山县文化馆　欧潭生
出　　处：《中原文物》1981 年第 4 期

1980 年 7 月 29 日至 11 月 28 日，为了配合水利灌渠的扩建工程，考古人员继在蟒张墓地进行第 1 次发掘之后，又在该墓地进行了第 2 次考古发掘。除第 1 次发掘的 M1 ～ M6 六座商代墓外，第 2 次又发掘商代墓 11 座，它们分别是 M8、M9、M11、M12、M15、M18、M23、M27、M28、M40、M41。同时还发掘了 24 座周代墓。两次发掘共出土商代青铜器 215 件、玉器 68 件、陶器 42 件、石器 2 件、木漆器 9 件，同时还出土周代青铜器 38 件、陶器 183 件、木漆器 3 件、石器 1 件。简报分为：一、墓地概况，二、商代墓出土文物，三、周代墓出土文物，四、结语，共四个部分。配以照片、手绘图，仅就该墓地的情况和主要出土文物作一介绍。

据介绍，17 座商代墓均系长方形竖穴土坑墓，大多为中型木椁墓，方向基本朝北，大部分有腰坑，有殉人、殉狗及马腿、牛腿迹象。随葬品有铜器、玉器等。24 座周代墓，近似方形土坑竖穴墓，大部分没有椁木痕迹，方向基本上都是朝东。陪葬物主要是陶器，只有少量铜兵器，而且都放置在墓坑的一侧。墓底没有朱砂和腰坑，也没有玉器，更没有殉人、殉狗的现象。简报称，商代墓应为晚商时期，从武丁至纣，延续了 200 多年，应属家族墓地；周代墓应为春秋战国时墓。

724.罗山蟒张后李商周墓地第三次发掘简报

作　　者：信阳地区文管会、罗山县文管会　朱耀和、刘开国
出　　处：《中原文物》1988 年第 1 期

1985 年 6 月，为了配合水利工程，考古人员对河南省罗山蟒张后李商周墓地进行了第 3 次抢救性发掘，共发掘了 3 座商代晚期墓葬，编号为 M43、M44、M45。3 座墓葬中共出土器物 46 件，其中青铜器 22 件、玉器 9 件、陶器 13 件、石器 3 件。简报分为：一、概况，二、出土器物，三、结语，共三个部分。有手绘图。

据介绍，墓葬位于罗山县城东南竹竿河两岸的山坡上。墓地长约 100 米，宽约 30 米，距竹竿河主航道中心线约 160 米。水利灌渠从东向西横穿墓地。该墓地灌渠以南现已发掘的墓葬均为商代晚期墓葬，3 次共发掘了 12 座。这次发掘的 3 座商代晚期墓葬都在灌渠以南，均系长方形土坑竖穴中型木椁墓。除了随葬品，M44 发现有 3 个未成年殉人牙齿。简报推断此处应为殷墟文化第四期（帝乙、帝辛早期）1 处家族墓地。

725.河南信阳县狮河港出土西周早期铜器群

作　者：信阳地区文管会、信阳县文管会　欧潭生
出　处：《考古》1989 年第 1 期

1986 年 8 月，河南信阳县狮河港乡农民在狮河滩修筑水坝时发现一批西周青铜器。地、县文化和公安部门闻讯后立即前往现场调查，共收集西周早期青铜器 13 件。简报分为：一、出土概况，二、"父乙"群铜器，三、"父丁"群铜器，四、结语，共四个部分。有拓片、照片。

据介绍，出土地点位于狮河港乡政府前的狮河滩主航道上，所有 13 件西周青铜器均不规则地沉积于黑淤泥层中，而且铜角、铜卣、铜觚、铜觥盖、铜尊等残缺部分均不见下落，断痕均是旧痕。因此，简报推断这批铜器是早年洪水冲垮墓葬后顺流沉积于此的。这些铜器显系西周早期铜器群。"晨肇贮用作父乙"带盖铜角两件，是西周早期罕见的礼器。简报把这批铜器与全国各地出土的 168 件西周早期铜器进行了比较，发现除陕西王畿之墓内出土的铜器可以媲美外，其他地区所出均相形见绌，从而说明这批铜器的墓主人与周王室关系密切。

简报称，狮河港这批西周早期重礼器的发现，不仅填补了信阳地区这方面的空白，而且在国内西周前期标准器群中增添了一批极为珍贵的实物资料，令人瞩目。

726.信阳孙砦遗址发掘报告

作　者：河南省文物研究所　黄士斌
出　处：《华夏考古》1989 年第 1 期

信阳位于豫南大别山的北麓，北依确山，东邻罗山，西接桐柏，境内物产丰富，素有"豫南鱼米之乡"之称。20 世纪 50 年代，考古人员在豫南进行考古调查时，发现从新石器时代起就有人类在此定居，遗留下丰富的新石器时代文化遗存。到了西周时期，信阳境内的遗址分布的更为广泛。这里还遗留有春秋战国时代的古城遗址。

在这些古文化遗址中，孙砦遗址就是比较重要的 1 处。1959 年冬考古人员对孙砦遗址进行了发掘。简报分为：一、前言，二、发掘经过，三、地层关系，四、新石器时代龙山文化遗存，五、西周遗迹，六、文化遗物，七、结语，共七个部分。有手绘图、照片。

据介绍，通过孙砦遗址的发掘，对西周时期淮河上游渔业生产情况，有了初步了解。这个自古以来盛产水稻的地区的人们，到西周时期大体已由渔捞生产转向有目的的鱼类养殖的历史阶段。从发掘这处遗址的遗迹和遗物，大体可窥见当时淡水养殖业的面貌。这些考古发现证明，豫南地区在西周时期已成为了鱼米之乡。

727.固始县葛藤山六号商代墓发掘简报

作　者：信阳地区文管会、固始县文管会　刘开国、丁永祥、詹汉青
出　处：《中原文物》1991 年第 1 期

1990 年 5 月，固始县城关镇手工业砖瓦窑厂在葛藤山墓地取土时，发现 1 处青膏泥。考古人员确定是 1 座古代墓葬，进行了抢救性清理发掘。这是该墓地近年来所发现的第 6 座商代墓，编号为 GCGM6。简报分为：一、墓地概况，二、墓葬形制，三、出土器物，四、结语，共四个部分。有照片、手绘图。

据介绍，该墓地位于固始县城东南 2 公里许的城关镇手工业砖瓦窑厂的西部高岗上，海拔 53 米，高出周围地面约 15 米，当地人称其为"葛藤山"。6 号商代墓位于该山中部偏北，是已发掘的商代墓中最大的 1 座，为长方形竖穴土坑木椁墓，内置棺、椁各 1，椁室为麻栗树料。出土器物有青铜兵器、玉器等共 8 件。简报认为此处为商代晚期祖庚、祖甲时某一家族的商代平民墓地（当地的小奴隶主）。6 号墓主人也许是这个家族中最尊贵的长者之一。

728.河南固始商代墓内发现花椒

作　者：河南省信阳地区文化局　丁永祥
出　处：《农业考古》1991 年第 1 期

1991 年 5 月下旬，考古人员在固始县城关镇葛藤山墓地发掘的 1 座商代墓中，出土了几十粒花椒，这在商代墓中还属首次发现，也是目前国内最早的花椒物证，从而把花椒的历史由战国向前推进了 700 年。

据介绍，该墓口小底大，剖面呈梯形。内置 1 椁 1 棺，椁室长 3 米，宽 1.5～1.7 米，深近 0.9 米，出土了包括青铜器、玉器等在内的 17 件文物。花椒是在棺内靠南厢的底板上发现的，与墓主人头部相距甚近。

周口市

729.河南淮阳出土的西周铜器和陶器

作　者：刘东亚
出　处：《考古》1964 年第 3 期

淮阳县东南 9 公里泥河村的农民彭作梅于 1961 年 12 月在该村西北角的 1 个池

塘内发现铜爵 1 件。后来他的儿子彭西明又于 1962 年 4 月在同一地点发现了铜器 5 件（爵、觚、提梁卣、簋、戈）和陶器 4 件（簋、尊、鬲、罐）。这批文物后由县文化馆搜集保管。简报配以照片、拓片予以介绍。

据考古人员调查，上述遗物当出自一处墓葬。铜器均未见铭文。该墓的年代，简报推断为西周早期。

730.项城县毛冢出土商代早期青铜器

作　者：项城县图书馆　张金云
出　处：《河南文博通讯》1980 年第 1 期

项城县孙店公社有一处较高的地方叫做"毛冢"，这里是 1 处古文化遗址。从出土的陶片看，有仰韶、龙山、二里头、商周各个时期的遗物，文化层较厚，遗物丰富。1977 年 3 月，曾出土 3 件商代青铜器，即铜戈 1 件、铜爵 1 件和铜斝 1 件。3 器与郑州、辉县出土的商代早期等铜器相比，无论胎质、器形和纹饰均非常相似。这样，我国出土商代早期青铜器的地点又多了 1 处。简报推断出土青铜器的毛冢遗址西南部，可能是 1 个商代墓葬群。

731.河南项城出土商代前期青铜器和刻文陶拍

作　者：财口地区文化局、项城县人民文化馆　邓同德
出　处：《文物》1982 年第 9 期

项城县位于豫东平原周口地区，境内的泥河、汾河、沙河两岸，近年来暴露出仰韶、龙山、商、周类型的文化遗址十几处。其中孙店公社石营大队毛冢遗址是较为重要的 1 处。1976 年 4 月，农民在这里烧砖取土时发现大量的陶片和一些青铜器碎片。1977 年 3 月，出土了较为完整的铜斝、铜爵、铜戈各 1 件。1977 年 5 月，又出土了带有刻划文字的陶拍 1 枚。省、地、县文物主管部门多次派考古人员到现场调查、清理，建立了业余文物保护小组，划定了重点保护区。这里出土的 3 件青铜器和带刻文的陶拍，简报配以拓片和照片予以介绍。

据介绍，3 件青铜器，简报推断属于商前期。陶拍是黑色夹砂陶质，略呈平底扁圆体，一面光滑，有明显的使用痕迹。这一陶拍也应属于商代。

这出土的青铜器、陶器等几种典型的商代遗物，在豫东南地区是首次发现。因此，这几件器物，以及象毛冢的遗址，值得引起考古界的重视。

732.淮阳县发现两件西周铜器

作　者：淮阳县太昊陵文物保管所
出　处：《中原文物》1982 年第 2 期

1973 年 11 月，淮阳县大连公社农民挖塘时出土铜盘 1 件、铜簋 1 件。简报配以照片予以介绍。

据介绍，铜盘为圆形，高 8 厘米、直径 38.5 厘米。盘内有铭文 22 字，简报录有全文。铜簋为长方形，盖遗失，高 8.5 厘米、长 27.5 厘米、宽 21.5 厘米，附兽首形两耳。器内有铭文 22 字，与铜盘铭文大致相同。

733.河南淮阳县出土一批晚商文物

作　者：淮阳县博物馆
出　处：《文物》1989 年第 3 期

1981 年，淮阳县城南 20 公里的冯塘村村民取土时发现一批商代晚期文物。考古人员前往调查，认为这批文物是从墓葬中出土的。简报配以照片予以介绍。

据介绍，这批文物有铜戈 8 件，铜爵 3 件，铜瓿 2 件，铜罍、玉钺、玉戈、玉璜、玉璇玑、玉鱼等各 1 件，玉柄形器 2 件，还有松绿饰件 1 件。简报推断这批器物的时代为商代晚期。

734.河南商水县出土周代青铜器

作　者：秦永军、韩维龙、杨凤翔
出　处：《考古》1989 年第 4 期

1975 年秋，商水县朱集村农民在建房时，发现一批古代青铜器。这批器物大部分散佚，少部分现藏于商水县文管会和周口市博物馆。1984 年文物普查时，考古人员到朱集进行了调查。简报配以手绘图、照片、拓片予以介绍。

据介绍，朱集位于商水县城东 8 公里，出土铜器地点是 1 处以商周文化为主的古代文化遗址。遗址位于朱集、杨庄之间，东南距西周顿国故城 5 公里。遗址俗呼"杨冢"，原面积较大，1949 年后数经毁挖，现仅存 120 平方米。铜器出土于遗址的南部，出土时有鼎、簋、簠、车马器等。鼎已全部散佚，现仅存簋 4 件，簠 3 件，车軎、车辖各 2，马衔、马镳各 1 件。据发现者介绍，同时见到的还有人骨。简报初步断定，这应是 1 处周代墓葬。

据介绍，青铜器上有铭文，知为陈国器。铭文中提到的人名如"原仲"，为春秋初期陈国大夫，《左传》中提到过。陈为西周封国，帝舜之后，妫姓，都今淮阳。春秋初期尚为中原二等大国，公元前478年为楚所灭。陈国器物，发现不多。商水朱集发现的这批陈国器物，出土地点确切，且与史书记载相印证，是断代的标准器。值得注意的是，朱集距西周顿国故城仅5公里，铭文中提到陈国贵族之女所嫁的"沦"姓男子极可能是顿国贵族。朱集一带应是顿国贵族墓葬区。

735.河南鹿邑县太清宫西周墓的发掘

作　者：河南省文物考古研究所、周口地区文化局　韩维龙、张志清
出　处：《考古》2000年第9期

1997年，考古人员对河南省鹿邑县太清宫遗址进行了考古调查和发掘。除发掘了大面积的唐宋建筑基址外，还发现了春秋时期的马坑及西周初年的大型墓葬——长子口墓(LTM1)。简报分为：一、地理位置，二、墓葬结构及随葬品分布，三、随葬器物，四、结语，共四个部分。有手绘图、拓片。

据介绍，长子口墓位于河南省鹿邑县太清宫镇，墓为大型竖穴土坑墓，由南墓道、北墓道和墓室三部分组成，墓内随葬器物计有陶、原始瓷、青铜、玉、石、骨、蚌等各种质料的器物400多件，加上骨镞、蚌泡和贝币共计近2000件。简报推断：长子口墓的年代应为周初，墓主经鉴定为男性，死时约60岁；应为与商王朝关系密切的长国诸侯，周灭商后又臣服于周，死后按商代葬俗埋葬。

简报称，长子口墓保存完好，人殉人祭资料完整。14个人祭人殉与墓主一样，人骨保存完好，这些在商末和周初的墓葬中都极为少见，为研究商周埋葬制度以及社会生活制度提供了新的实物资料。8件玉戈堪称商周玉器中的精品。各种质地的乐器，数量多，种类全，为研究商周乐器和上古音乐史提供了重要的实物资料。

本刊同期有韩维龙、张志清先生撰《长子口墓的时代特征及墓主》一文，可参阅。

736.鹿邑太清宫长子口墓出土青铜器

作　者：河南省周口地区文化局、河南省文物考古研究所　韩维龙、张志清
出　处：《中原文物》2000年第1期

长子口墓位于河南省鹿邑县太清宫西约500米的太清宫遗址上，1997年4月～1998年1月发掘。简报配以照片予以介绍。

据介绍，此墓是 1 个有南北两个墓道的"中"字形大墓，南北总长 47.5 米。墓室长 9 米，宽 7.5 米，深 8 米。墓室呈"亚"字形，2 椁 1 棺，墓主头北足南，为年龄 60 岁左右的男性。在南墓道口、东西二层台、棺椁之间和腰坑内共殉葬奴隶 13 人、狗 1 只。经初步鉴定，这些殉人多为青少年男女，最小的年龄在 10 岁左右。

简报称，墓内随葬大批精美遗物，其中青铜器 100 多件、玉器近 100 件、陶瓷器近 200 件，另外还有大量骨镞、贝币以及骨器、石器、蚌器等，总数计 1800 件。在出土的玉器中，有属于仪仗用的戈、刀、镞，有礼器琮、圭、璋、壁、玦、环、簋，有工具类的抄、铲、刻刀、匕，有装饰用的虎、龙、鸟、兽面等饰件和为数不少的柄形器，质地细腻，造型生动，雕刻精美。长子口墓是继殷墟妇好墓之后发现商周玉器最为丰富的 1 座墓葬，随葬陶瓷器数量之多，亦为商周墓葬所罕见。陶器有罐、罍、尊、大口尊、盆、簋、豆、觚、爵、瓮、壶等，其中带盖器 80 余件。原始瓷器有尊、罐、豆，釉色晶莹，胎质纯正，造型美观，堪称商周原始瓷器中的精品。墓中随葬的各种不同质地的乐器，有骨质排箫 5 组、编铙 6 件、石磬 1 件、铜铃数件。青铜器大体可分礼器、乐器、兵器、生产工具和生活用具、车马器和杂器等。礼器 79 件，随葬于北椁室和西椁室北部。礼器中饮食器 29 件，计鼎 22 件、鬲 2 件、簋 3 件、甗 2 件；酒器 48 件，计觚 8 件、爵 8 件、角 2 件、斝 3 件、尊 5 件、卣 6 件、觥 3 件、觯 5 件、壶 2 件、罍 2 件、斗 4 件；水器 2 件，盘、盉各 1 件。乐器有编铙 2 套 6 件（有说是 1 套 6 件，因未经科学测音，暂定为 2 套）。礼、乐器共计 85 件。此外还存兵器 22 件（另有铜镞多件），工具、用具 14 件，车马器（饰）78 件，杂器 14 件。

简报认为，长子口墓主人应是商代方国的诸侯，周灭商后，臣服于周，死后按殷礼埋葬，其具体年代应为西周初期周成王时期。

737.周口出土的商周玉器

作　者：河南省周口市文物考古管理所、河南省西华县文物管理所　李全立、张晓红

出　处：《中原文物》2006 年第 2 期

简报分为：一、淮阳冯塘晚商玉器，二、西周"长子口"墓玉器，三、其他发现，共三个部分。介绍了周口地区出土的商、周玉器，有照片。

1981 年，淮阳县冯塘乡冯塘村村民取土时偶然发现有文物。考古人员前往调查，认为这批文物是从墓葬中出土的，并将这批文物收回。主要有铜戈 8 件，铜爵 3 件，铜觚 2 件，铜罍 1 件，玉器 14 件。大部分保存完好，十分精美。其中玉器有玉铲、玉钺、玉戈、玉璜、玉璇玑、玉鱼、玉柄形器、圆雕鹦鹉玉、玉管等。1997 年在发

掘商末周初大墓长子口墓时，出土各类器物近 2000 件，其中玉器 104 件，大部分完整，少部残破。种类较全，主要分为礼器、仪仗、工具、生活用具、装饰品、杂器 5 类。礼器主要有琮、圭、璋、璧、环、璜、玦、簋 8 种，仪仗主要有戈、钺、刀、镞 4 种；工具和生活用具主要有锛、刀、刻刀、抄 4 种；装饰品种类较多，主要有佩、饰 2 种。佩类较多，其中又以动物造型居多。

此外还有一些零散发现，主要以淮阳出土的战国玉器居多。有碧玉透雕龙形佩、青玉龙形饰、玛瑙环、龙形玉佩、青玉璧、青玉玐、龙形青玉璜、镂雕龙形青玉佩等。

简报称，周口出土的商周玉器，以颜色来分主要有黄、青、碧、墨、白等色。半透明者为多，玉料来源以新疆和田玉和南阳玉为主。虽然说数量不是很多，但十分精美，在全国也应占有一席之地。这批玉器主要出自墓葬中，几乎没有传世品，大部分都有明确的出土地点，这就为玉器的断代及研究商周时期豫东地区的经济文化发展提供了可靠的实物资料。周口出土商周玉器的种类繁多，几乎包括了这一时期玉器的所有种类，雕琢也比较精致，器形规整，大部分保存完好，小巧玲珑，大型器少见，玉质较好，纹饰生动形象。均为不可多得的精品。

驻马店市

738.河南正阳县出土商代铜器

作　　者：王文男、孙亚轩

出　　处：《考古》1992 年第 12 期

1981 年，河南正阳县傅寨乡伍庄村刘楼农民在村外汝水古河道南翻地时，犁出铜鼎 1 件。在发现器物出自一土坑后，便又掘出了铜觚、爵和戈 3 件器物。铜器显然出自窖藏中。因爵无法修复，简报配以拓片仅介绍鼎、觚 2 器。

据介绍，已残的铜爵尾部也有与鼎相同的铭文，可见此系同一器主的一组铜器。鼎与传世青铜器记载的戈鼎形制、纹饰非常相似。戈鼎被陈梦家先生断为殷器，故此器年代简报推断为商代。鼎铭的第 2 字《金文编》附录中未收入，其他金文图录中亦不见，当是器主族氏名。觚与传世青铜器记载的车涉觚形制、纹饰也很接近。车涉觚被陈梦家先生断为殷器，故此觚简报推断为晚商时器。

739.河南确山出土西周晚期铜器

作　　者：确山县文物管理所　潘胜华、石玉杰
出　　处：《考古》1993 年第 1 期

1983 年，确山县竹沟镇西侧修筑确山至泌阳的公路时，在镇西 1500 米处的 1 处窑穴中，出土了鼎、匜、鬲、盘四件青铜器和一些玉器及铜贝。民工陈保振将其交给县交通局竹沟修路指挥部。待县文物管理所闻讯赶到后，仅存盘、匜、鬲 3 器，其他遗物无从查寻。简报配以拓片予以介绍。

据介绍，盘已残，内底有铭文，因磨损过甚，仅可见"嚣伯"二字。嚣伯匜，腹内底部有铭文 4 行 21 字，重文二（详见同刊同期《器伯匜断代与隙之地望》一文）。鬲，也有一周铭文，磨损过甚，无法拓印。3 器年代，简报推断为西周晚期。

740.河南驻马店市杨庄遗址发掘简报

作　　者：北京大学考古系、驻马店市文物保护管理所　宋豫秦、李亚东、韩建业
出　　处：《考古》1995 年第 10 期

驻马店市杨庄遗址是 1985 年文物普查时发现的。遗址位于驻马店市区西南约 6 公里的杨庄西地，高于周围地表 1～2 米，总面积约 40000 平方米。1991 年 5 月，考古人员对其作了重点调查。次年秋，对该遗址进行了正式发掘。简报分为五个部分予以介绍，有手绘图。

据介绍，杨庄遗址的文化堆积以二里头文化最为丰厚，其次为河南龙山文化，个别探方下层属石家河文化。杨庄遗址典型石家河文化遗存的发现，是目前所知石家河文化分布最靠北的一个地点。这纠正了以往认为该文化向北不逾大别山的观点，证明其北向分布已达淮河北岸，与中原地区的河南龙山文化分布区域直接相连。

简报称，尽管杨庄遗址仅发现了遗物，未见遗迹，但仍有重大价值。一般认为，石家河文化的族属当属古文献记载的苗蛮集团，河南龙山文化则属华夏集团。这样，杨庄遗址的发现便提供了划分原始社会晚期华夏与苗蛮两大集团交汇地域的科学依据。再联系这两大文化和山东龙山文化的分布区域，则可进一步考察华夏、苗蛮和东夷三大集团的交会地域及其相互之间的政治文化关系。至于杨庄遗址发现的二里头文化遗存，对于探讨夏王朝的政治疆域以及二里头文化的分布等问题，也有较重要的意义。

741.河南西平县上坡遗址发掘简报

作　者：河北省文物考古研究所、驻马店市文物工作队、西平县文物管理所
　　　　余新宏等
出　处：《考古》2004年第4期

上坡遗址位于河南省西平县城东北17公里，在上坡村西150米处。遗址平面呈椭圆形，南北长200米，东西宽150米，面积约30000平方米。由于京珠高速公路的漯河至驻马店段从遗址西部穿过，为配合建设工程，1998年12月至1999年5月，考古人员对该遗址进行了发掘。这次发掘共清理龙山文化及二里头文化的房基4座、灰坑73个、墓葬8座（包括瓮棺葬3座）、灰沟1条、壕沟1段，以及商代灰坑2个、汉代灰坑9个和井1座，出土一大批陶、石器及骨器。

简报分为：一、地层堆积，二、早期遗存，三、中期遗存，四、晚期遗存，五、结语，共五个部分。有彩照、手绘图。

该遗址中早期遗存的时代大体相当于河南龙山文化晚期，中期遗存属二里头文化一、二期，晚期遗存应属商代中、晚期。

简报指出，上坡遗址出土的大型排房基址和郝家台所见排房有诸多相同之处，均为草拌泥的板筑墙，也都发现墙基、门道、屋内地面、柱洞和灶等。这样的龙山文化建筑基址在驻马店地区尚属首次发现，与干栏式建筑为主的杨庄等遗址有所不同。杨庄遗址早期受南方文化的影响较深，而上坡遗址的早期不见这种情形。

简报认为，上坡遗址的发掘，不仅为研究豫南地区古人类的居住方式以及建筑技术等提供了重要证据，也让我们看到了周边地区文化与中原文化相互影响、传播的范围和途径。

济源市

湖北省

武汉市

742.湖北黄陂盘龙城商代遗址和墓葬

作　者：郭德维、陈贤一
出　处：《考古》1964 年第 8 期

黄陂盘龙城商代遗址，1949 年后曾作过数次调查，1963 年 6 月又在盘龙城发现了铜器，考古人员前往勘察，在铜器出土地点附近开掘了 6 条探沟，发现了 5 座墓葬和两个灰坑。简报配以照片、拓片，介绍了这次发掘。

据介绍，这次出土铜器的地点，在楼子湾背后山岗的南坡，西距城址约 300 米，发现的墓葬均系小型的长方形竖穴墓。墓内有二层台和腰坑，腰坑内埋有狗。葬具为木棺，上下及四周有清楚的朱砂痕迹。人骨架已朽成粉末，葬式为仰身直肢。随葬品以铜器为主，还有玉器和陶器，有的置于足下，有的在头部上端，兵器一般放在骨架两侧，陶器放在二层台上。出土的铜器有鼎、鬲、斝、觚、戈、矛、刀、镢、钺、镞等。铜器极薄，表面呈青绿色，有使用过的痕迹，未见铭文。年代简报推断为商代中期。

743.一九六三年湖北黄陂盘龙城商代遗址的发掘

作　者：湖北省博物馆
出　处：《文物》1976 年第 1 期

盘龙城遗址位于武汉市北约 5 公里的黄陂县境。整个遗址为 1 个三面环水的半岛似的岗地。遗址主要分布在江家湾到孙家坟、李家咀一带；南到王家咀、艾家咀，西北到邓家大湾也有遗址发现；中心区约 75 万平方米。遗址东南部有 250 米见方的土城 1 座。1949 年以来，这里不断出土青铜器。1963 年 6 月在楼子湾挖渠道时，考古人员进行了发掘，发现墓葬 5 座、灰坑 1 个、坑形遗迹 1 处。简报分为：一、遗址，

二、遗物，三、结语，共三个部分。有照片、手绘图。

据介绍，遗址发现有陶器、陶片、铜器等。所出的青铜器，虽铸造于长江流域，但与郑州等地商代青铜工艺风格完全一样，使我们看到了我国早在商代二里岗时期南北文化已趋统一的实物证据。

744.盘龙城一九七四年度田野考古纪要

作　　者：湖北省博物馆、北京大学考古专业、盘龙城发掘队
出　　处：《文物》1976 年第 2 期

盘龙城在今湖北省武汉市北 5 公里许的黄陂县滠口公社叶店大队境内，南边紧靠流注长江的府河，北面是一带小土岗，东北面今为盘龙湖。从古城周围到城北土岗，都有商代文化堆积。该遗址 1954 年发现，考古人员作过多次调查和试掘，1974 年配合水利工程进行了发掘。简报分为四个部分予以介绍，有照片、手绘图。

据介绍，盘龙城的商文化特征，在城墙、宫殿、埋葬习俗、制玉工艺、制陶工艺等各个方面，都与中原地区基本一致。商王朝的南部边界究竟达到何处，以往一直没有真正的答案。此次发掘证实长江流域，甚至赣江流域，都已受到商文化的强烈影响。

745.武昌县发现西周甬钟

作　　者：武昌县文化馆　杨锦新
出　　处：《江汉考古》1982 年第 2 期

1981 年 6 月下旬，武昌县湖泗公社木头岭砖瓦厂做砖坯时，发现大中小甬钟 3 件。因被推土机推土时破坏，现场仅见到地表以下 4 米深处有少量木炭、陶片。此 3 件甬钟中最大的 1 件通高 46 厘米，口部宽 22.5 厘米，重 13 公斤。钟枚较长，隧、钲、篆、舞、甬部铸有变形夔纹、云雷纹、窃曲纹等纹饰，简报初步推断其为西周中晚期文物。

746.黄陂出土的商代晚期青铜器

作　　者：熊卜发、鲍方铎
出　　处：《江汉考古》1986 年第 4 期

1979 年春，黄陂县抱桐公社红进大队第四生产队，在官家寨湾前的 1 个水塘内，

挖掘出 4 件青铜器。同年春,黄陂县罗汉公社夏店大队钟家岗湾村民在整打谷场时,在坡地上挖掘出两件铜爵。另外,在黄陂县文化馆馆藏文物中有一件青铜斝,原系袁李湾出土。简报配以手绘图一并介绍。

据介绍,这些青铜器计有铜爵 2 件、铜觚 3 件、铜斝 1 件,均未见铭文。简报推断为商代晚期器物。

747.汉阳县陈岭台遗址调查简报

作　者:汉阳县博物馆　李忠善
出　处:《江汉考古》1989 年第 2 期

陈岭台遗址,位于汉阳县西北索河镇嵩阳村罗塘前冲,遗址表面兽骨、牙齿、蚌螺壳、石器、陶片俯拾皆是,尤其是骨骸数量巨大,故而当地人又称陈岭台为"尸骨台"。因为尚未正式发掘,仅从遗物观察,龙山文化、西周文化遗物较多,战国时期遗物极少。从发现的大量鹿角、牛、猪、狗、羊、鱼、鳖、螺、蚌骨及鱼钩、石镞等分析,先民似仍以渔猎经济为主。

748.湖北新洲香炉山遗址(南区)发掘

作　者:武汉大学历史系考古教研室、武汉市博物馆、新州县文化馆　李克能、
　　　　黄　锂、李永康
出　处:《江汉考古》1993 年第 1 期

香炉山遗址位于武汉市新洲县阳逻镇西北约 5 公里处的香炉山,南距长江约 2 公里,遗址总面积约 30000 平方米。1989 年 9 月至 1990 年 9 月,为配合武汉市阳逻电厂重点基建工程,考古人员对该遗址进行了 2 次发掘。发掘工作分南区、中区和北区进行,共发掘总面积 2575 平方米。

简报分为:一、地层堆积,二、屈家岭文化遗存,三、龙山时期文化遗存,四、商代文化遗存,五、结语,共五个部分。

据介绍,香炉山遗址南区发现的 11 座墓葬皆为土坑墓,墓坑较浅,排列有序,是 1 处有一定布局的氏族墓地。墓中随葬的陶器以细泥陶为主,次为细泥黑陶,夹砂陶较少。从纹饰、器物组合及形态特征,简报推断其时代应属龙山文化。北区发现西周时期房址 12 处,有的保存较好,出土有铜器、陶器、骨角器、卜甲等,与中原地区殷商文化比较接近,应属殷墟文化早期阶段。

749.1997 ～ 1998 年盘龙城发掘简报

作　者：武汉市博物馆、湖北省文物考古研究所、黄陂县文物管理所　李桃元、
　　　　许志斌

出　处：《江汉考古》1998 年第 3 期

商代盘龙城遗址，位于武汉市北郊黄陂县境西南的盘龙湖畔，与今汉口城区近
在咫尺，是武汉市辖区内发现最早的古代城址。经多年考古发掘研究，证实这是商
文化在长江流域发展极其重要的证据，考古发现的城址、宫殿、濠沟、手工业作坊
以及出土大量的精美青铜器、玉器、石器等奠定了它在考古学领域以及城市发展史
上的地位。1997 年 11 月至 1998 年 4 月，考古人员对遗址进行了试掘。简报分为：一、
王家嘴遗址，二、杨家湾遗址，三、杨家嘴遗址，四、结语，共四个部分。有手绘图。

据介绍，王家嘴发现有二里头文化时期残窑，应为 1 处手工业作坊遗址。杨家
湾发现有水井，应为二里岗上层时期居住点遗址。杨家嘴发现的小型墓葬区，时代
也当在二里岗上层时期，墓葬形制有其特殊之处。杨家湾井中发现两件陶壶、漆木器、
大型玉璧等，也十分珍贵。

750.新洲县阳逻架子山铜器

作　者：罗宏斌、黄传馨

出　处：《江汉考古》1998 年第 3 期

1986 年，新洲县阳逻镇界埠砖瓦厂在距香炉山古文化遗址北侧约 200 米的架子
山取土时发现一批商周时期的青铜器，考古人员赶赴现场，收回文物并对现场及附
近有可能埋藏文物的区域进行了详细勘查，推测这批青铜器可能为早期的窖藏。简
报配以拓片、手绘图予以介绍。

据介绍，此次出土的青铜器共 5 件，其中青铜鼎 2 件，矛、盉、锛各 1 件，另
有少量铜渣。两鼎为商代晚期遗物，内有铭文。其他均为西周早期遗物。简报认为
鼎上所铭"戈乙"2 字，是生活在这一带的氏族名称。

751.江夏出土的周代青铜甬钟

作　者：江夏区博物馆　祁金刚

出　处：《江汉考古》1998 年第 4 期

1982 年 6 月、1995 年 2 月先后两次在江夏区湖泗镇祝祠村东北约 800 米处的陈

月基商周古文化遗址上出土 5 件青铜甬钟。该遗址位于区境的南部边缘，与大冶仅一边湖汊相隔，距大冶鄂王城遗址仅数公里之遥。该遗址分布于高出周围地面 5 ~ 9 米的 3 个高岗台地上，当地农民称此地为"三二局"，现为湖泗砖瓦厂所在。遗址面积约 1 万平方米，有大量的陶片、红烧土渣，采集的器物有石器、陶器、青铜器等。简报配以手绘图予以介绍。

据介绍，石器有斧、锛，皆为砾石，斧身纵断面呈椭圆形，锛身纵断面近长方形。陶器可见器形有鬲、豆、罐、钵等，多为红陶，还有灰陶、黑褐陶等。纹饰多见绳纹，另有云雷纹、附加堆纹、镂孔等。青铜器主要是青铜甬钟，共有 5 件，分两次发现。第 1 次于 1982 年 6 月下旬，湖泗砖瓦厂取土时，在遗址东南部被推土机推出，共三件。现场相伴出土的有红烧土块、陶器碎片、木炭等。第 2 次于 1995 年 2 月，湖泗镇新安村六组村民陈裕清在其家门前平整禾场时，在距地表仅 30 厘米的土坑中挖出。两钟重叠而置，没有发现其他遗迹。此地也为一台地，距陈月基遗址约 500 米，应为窖藏之物。时代为西周中期、西周晚期，最迟或为春秋早期。简报称，甬钟为祭祀或宴飨的乐器，即为王权的象征。以钟鼎为代表的宗庙常器，也就是青铜礼器。湖泗陈月基遗址上或附近出土 5 件青铜甬钟，说明这处遗址上当时居住的是商周王朝的重要部落。

752.近年黄陂出土的几件商周青铜器

作　　者：黄　锂、况红梅
出　　处：《江汉考古》1998 年第 4 期

黄陂地区是江汉地区出土青铜器最多的地区之一。简报配以手绘图，介绍了近年出土的比较重要的 4 件青铜器。

据介绍，4 件青铜器有计铜爵 1 件、铜罍 1 件，均为商代遗物；铜鼎 1 件、铜盉 1 件，均为西周遗物。简报指出，自盘龙城商代古城被揭露后，学者们相信，这样 1 座高规格古城，不会是孤立地生存和发展的。果然，在这以后的岁月里，这一带与盘龙城同期的商代遗存屡有发现，此次鲁台山二里岗期铜爵的面世，再次证明了上述判断。不仅如此，它还为西周初年周人在此建立军事据点提供了历史背景材料。该地出土的铜罍，铸造精美，堪称商代青铜器中的佼佼者，被国家文物专家组评定为一级文物。这一次昭王时期铜鼎的发现，对理解其中西周阶段的文化是一个丰富和补充。这种丰富和补充不仅反映在资料的简单增加上，还体现在器物所展示的文化属性上，并在时间上也有所填补。

753.商代盘龙城遗址杨家湾十三号墓清理简报

作　者：武汉市黄陂区文管所、武汉市文物考古研究所、武汉市盘龙城遗址博
　　　　物馆（筹）　鄂学玉、韩用祥、余才山
出　处：《江汉考古》2005年第1期

商代盘龙城遗址杨家湾13号墓于2001年下半年进行了抢救性的清理发掘，纵然该墓遭到了严重破坏，仍出土了精美的青铜器、玉器、松绿石饰，发现了头坑和足坑，各坑殉狗1只。它是目前盘龙城遗址发掘清理的大型墓葬之一，对研究盘龙城遗址商代墓葬的分布情况、形制与结构、等级制度等提供了重要佐证，对于研究长江流域的商文化具有重要意义。简报分为：一、地理环境，二、墓葬形制与结构，三、随葬器物，四、结语，共四个部分。有手绘图。

据介绍，发掘地点位于武汉市黄陂区盘龙城遗址北部杨家湾地南坡。墓葬为土坑竖穴墓。该墓出土随葬品有铜鼎2件、瓿1件、爵1件、斝1件、铜锛1件、铜舌1件、铜尊1件、铜泡1件、玉铲1件、陶盆1件以及大量精美的绿松石饰等。葬具从痕迹看至少是1椁1棺，殉葬者有3人。墓主人应为商代前期一位显贵人物。

754.湖北武汉磨元城周代遗址调查简报

作　者：武汉市黄陂区文物管理所、武汉市盘龙城遗址博物馆筹建处　韩用祥
出　处：《文物》2011年第11期

2005年，考古人员对盘龙城遗址周边及黄陂区内的部分区域进行文物调查。盘龙城遗址西北部约1.5公里的磨元城遗址，是这次调查工作的重点。简报分为：一、地理位置，二、城址结构，三、出土遗物，四、结语，共四个部分。有手绘图等。

据介绍，整个城垣形状近似圆角方形，南北方向，南北长约110米，东西宽100米，残高1～3米，西北角最高处为3米，由北、东、南、西四面城垣组成。城垣的4个拐角处均呈弧状。城垣宽6～15米，土筑而成。北、东、西3面城垣现残存1～3米，南垣破坏严重，仍留有1米左右高度。城垣年代简报推断为西周时期。磨元城的发现，对于研究长江流域古代文化以及相距仅1～2公里的商代盘龙城，均有价值。

今有武汉市档案局1997年编印《盘龙城研究——武汉建城年代论著之一》一书，可参阅。

黄石市

755.湖北省阳新县出土两件青铜铙

作　者：咸　博
出　处：《文物》1981 年第 1 期

1974 年 11 月，阳新县白沙公社刘荣山大队学校在整理校园时，发现 2 件并置在一起的青铜铙。学校处在 1 座小山上，背向连绵起伏的峰峦，面临矮丘平畈。铜铙在接近山顶处出土，距地表 1.5 米，周围未见其他遗物。简报配以照片予以介绍。

1953 年河南安阳大司空村出土的铜铙形制较小，最大的通高只 18 厘米。铙边呈向外的弧形，柄端较根部（连接舞部处）略大。1963 年浙江余杭出土的铙通高 29 厘米，柄长 12 厘米，铙间宽 20.2 厘米，铙边较垂直，柄端较根部略细。阳新所出铜铙与余杭所出铜铙形制相差无几，应属大型铜铙类。

这 2 件铜铙的时代，简报推断相当于殷墟文化的后期。

756.大冶古文化遗址考古调查

作　者：黄石市博物馆
出　处：《江汉考古》1984 年第 4 期

大冶地处湖北省东南部长江南岸，矿产丰富。1982 ～ 1983 年，考古人员在此进行文物普查，先后调查了遗址 26 处。简报配以手绘图，重点介绍了其中 4 处。

简报重点介绍了蟹子地、眠羊地、古塘墩、季河 4 处遗址。这批文化遗存有一个显著特点，就是都含有炼渣和冶炼遗物，而且大部分都分布在矿山附近。可以看出，古人曾在这里进行过大规模的采冶生产。从调查的情况分析，其从事采冶的历史可能上溯到商的早期。这一推测如果通过考古发掘得到证实，那么，黄石、大冶地区的采冶历史，就和我国青铜文化的发展相互对应。

简报指出，这些考古发现，对于研究我国青铜文化以及冶金技术的发展史，将是极其重要的。

757.阳新县和尚垴遗址调查简报

作　者：咸宁地区博物馆、阳新县博物馆　彭明麟
出　处：《江汉考古》1984 年第 4 期

和尚垴遗址地处白沙铺（公社）东南约 0.5 公里的一正南北向的长方形坡地上，属湖北省咸宁地区阳新县。此地北距大冶县仅 5 公里之遥，离出土过商代铜镜的白沙公社刘荣山还不足 2 公里之远。遗址东北与群山对峙，西南则田园开阔。两条小河在遗址北部交汇。1981、1983 年，考古人员均前往调查。简报分为：一、遗物，二、遗迹，三、几点认识，共三个部分。有手绘图。

据介绍，遗址共发现灰坑 1 处，采集到不少石器和陶器，并发现有炼渣。石器有斧、锛、凿、刀、镞等，多用泥灰岩、砂岩磨制而成。陶器器物丰富，器类较多，可惜极少能复原。夹砂红陶与红褐色占绝大多数，其色不甚纯净，泥质灰黄陶次之，少量泥质红胎黑衣或黑皮陶，灰陶与黑陶极少。此外还有一定数量的印纹硬陶。纹饰以绳纹（或间断绳纹）为主，压印条纹次之。从采集的遗物考察，遗址时代自新石器时代晚期至东周，而其中主要的文化内涵是商周期的文化遗存。

758.湖北阳新港下古矿井遗址发掘简报

作　者：港下古铜矿遗址发掘小组　李天元
出　处：《考古》1988 年第 1 期

湖北省阳新县富池镇港下铜矿在剥离土石的施工过程中，在距地表 10 多米的深处发现有古代矿井的支护木，同时还发现有铜质生产工具小铜锛。考古人员于 1985 年 12 月至 1986 年 1 月对该遗址进行了正式发掘。简报分为：一、遗址概况，二、井巷结构，三、遗物，四、井巷结构比较，五、结语，共五个部分。有手绘图、照片、拓片。

据介绍，阳新县地处鄂东南，境内低山起伏，港湖交错。丰山洞铜矿在井下开采时也发现有古代矿井的支护木，同时也发现有铸有"2"符号的小铜凿。矿山周围的地表发现有不少古代炼渣，有的地方厚达数米。在丰山与鸡笼山的交会路口还采集到大量的印纹硬陶片。港下铜矿揭露出来的古矿井大部分保存都比较完好。由于文化遗物不够丰富，缺乏有时代特征的器物组合，因此简报认为将港下遗址的时代暂时放到西周晚期或春秋早期较为合适。根据港下遗址及周围发现有较多的越文化成分，简报认为港下古铜矿的采掘者或许就是古代扬越的一支。

简报称，阳新港下古铜矿遗址是继大冶铜绿山古矿冶遗址之后在鄂东南的又一次重要发现。遗址的保存情况比铜绿山古矿井更为理想。井巷的支护结构特征清楚，

别具一格。这种结构形式的井巷支架在它处尚属未见。它很可能代表古代铜矿井巷支护结构的一个中间环节。对港下古铜矿遗址的比较研究不仅对考古工作有意义，对冶金和采矿历史的研究也是有意义的。

襄樊市

759.湖北襄樊拣选的商周青铜器

作　者： 张家芳

出　处：《文物》1982年第9期

湖北省襄樊市文物管理处于1979年4月从废品回收公司拣选到一批青铜器。器物出土情况虽然无法查清，但确属襄樊一带出土应无可疑。经过整理修复的5件有铭文的器物，简报配以拓片予以介绍。

简报推断，5件铜器除爵属商代晚期外，其他几件分别属于西周晚期、春秋早期。5件铜器的铭文简报录有全文。

760.湖北枣阳县又发现曾国铜器

作　者： 田海峰

出　处：《江汉考古》1983年第3期

枣阳县吴店公社赵湖大队第一生产队（曹门湾）农民于1983年元月在村东侧的水塘边挖堤引水灌地，发现了1组青铜器，当即报告给公社文化站，并交文化站收存。考古人员赴枣阳县了解文物工作情况时，获知此事，即到铜器出土现场进行了考察和清理。简报分为：一、墓葬的位置和形制，二、随葬器，共两部分。有手绘图。

据介绍，经现场调查清理，此系一长方土坑竖穴墓。从出土材料的共同特征以及出土地点的共存关系来看，这座墓所出的这批青铜器，应为曾国墓所出的曾国青铜器物。

761.湖北谷城、枣阳出土周代青铜器

作　者： 襄樊市博物馆　王少泉

出　处：《考古》1987年第5期

1977年，湖北省襄阳地区所辖的谷城县和枣阳县，先后出土了一批周代青铜

器，为研究这一地区的文化历史，提供了实物资料。简报配以拓片、手绘图予以介绍。

1977年11月，谷城县石花公社新店民强一队建新村时，挖出了一批青铜器。

出土地点在北河南岸的高地上，此处原叫"火龙岗"，经过多次平整土地，已无岗的痕迹。据当事人介绍，出土的文物离地面约70厘米深，集中在一起，有的器物内还盛有禽兽骨头。现场已被挖乱，但在坑底还可以看到薄薄一层粗沙粒的黑色土，由南向北伸展，似乎为墓坑底部。出土青铜器17件，未见其他遗物。

简报称，谷城县为古谷国地，谷国的创建和灭亡的时期皆不详。这批青铜器出土地点在谷城西12公里处，器物的形制和纹饰，多见于春秋时期。器形大而厚重，鼎底有烟炱，内盛兽骨，制作精良，器形新颖，纹饰多达13种，都是不多见的实用器物。这批青铜器应是谷国兴盛时期谷国贵族的随葬品。尽管没有铭文，仍为研究谷国历史和谷、楚与中原文化的关系，提供了实物资料。

1977年11月，枣阳县资山公社所在地王城附近造田，在地下约30厘米深处，挖出了8件青铜器，有鼎、簋、匜、盘4种。其中6件有铭文。出土地点为王城西南约1公里的杜家庄。这里原是一片坡地，过去叫"乱葬岗"，西边有条小水沟。因土层被取走，在现场没看到埋藏的痕迹。据当事人介绍的情况分析，这批青铜器可能出于墓葬。

简报指出，枣阳县王城位于随枣走廊的南沿，东边随县的均川、安居、涢阳；西边枣阳县的吴店、梁集等地，都出过大量的西周、东周时期的青铜器。王城出土器物的形制、纹饰和铸造技法，都具有西周中晚期的特征。其铭文的字体，亦与附近出土的早期曾国器铭极相似，应属于西周晚期之物。这些青铜器的出土，对研究曾、随、楚等国的关系，是有参考价值的。

762.湖北枣阳发现一件商代铜尊

作　者：枣阳市博物馆　徐正国
出　处：《文物》1990年第6期

1986年7月，枣阳新店村农民修小水坝取土时，在距地表1米左右深处发现铜尊1件。简报配以照片予以介绍。

据介绍，铜尊大喇叭口，平沿，束颈，折肩，斜直腹，近底折收，平底，高圈足。颈下部饰三道细凸弦纹，肩部均匀地饰三牛首，牛首之间各饰一小鸟。腹部饰三组雷纹作地的饕餮纹，间以三个扉棱。圈足上有二道弦纹和三个镂孔，下饰三组雷纹作地的饕餮纹，间以三个扉棱。简报推断此尊应属晚商早期的器物。

简报称，此铜尊用 3 块外范和 1 块范芯合铸而成，3 个牛首和主体花纹向外凸起，而内壁是凹的，浇铸接缝处很难发现痕迹，说明浇铸工艺水平较高。

763.湖北襄阳法龙王树岗遗址二里头文化灰坑清理简报

作　者：襄石复线襄樊考古队　王先福
出　处：《江汉考古》2002 年第 4 期

简报分为：一、灰坑形制，二、出土遗物，共两个部分。配以手绘图，介绍了 1997 年在襄阳法龙王树岗遗址发掘的两座二里头文化灰坑。它的发掘不仅填补了汉水中游河谷地区二里头文化的空白，而且将典型二里头文化的统治区域推进到了汉水以南。

简报指出，王树岗遗址两座灰坑出土的陶器，大部分与典型的二里头文化相同或相近，表明了本地在该时期受中原文化影响之深，甚至可能就是当时夏王朝的南土。但也有一部分器物如深腹盆、高领罐、浅凹平底器等在中原二里头文化中不见，似乎可以从本地新石器时代文化中找到祖形，从而反映出两者之间的文化融合过程。

764.襄樊邓城黄家村遗址 2005 年西区周代灰坑发掘简报

作　者：襄樊市文物考古研究所　王先福、范文强
出　处：《中原文物》2008 年第 3 期

2005 年，在襄樊邓城城址东侧的黄家村遗址清理出灰坑 14 个，出土较多的陶器，其时代为西周晚期至春秋早期，文化面貌具有典型的中原周文化风格，灰坑所在的村落遗址属邓国文化遗存。简报分为：一、灰坑形制，二、出土器物，三、小结，共三个部分。有照片、手绘图。

据介绍，发掘地点在襄樊市高新区团山镇黄家村北。14 个灰坑出土器物类别不多，除少量砺石外全为陶器，器类有鬲、甗、盆、盂、豆、罐、罍、器盖等，其中特征明显的标本有 122 件。简报认为这些灰坑应属邓城城址外围的邓国村落遗存。

765.宜城市周代文化遗址调查简报（之三）

作　者：武汉大学历史地理研究所、宜城市博物馆　徐少华、尹弘兵
出　处：《江汉考古》2008 年第 3 期

2007 年 11 月，考古人员在宜城北境、汉江西岸进行第 3 次田野调查，重点踏勘

了此范围内的周代文化遗址。

简报分为：一、丁家冲遗址，二、朱家湾遗址，三、新营遗址，四、几点认识，共四个部分。有手绘图。

据介绍，丁家冲遗址延续时间较长，上限可到西周晚期，东周和汉代一直作为居民点使用，面积有50000多平方米，其规模和文化内涵均值得关注。朱家湾遗址主要为东周时期遗存，其上限可至春秋早期，下限在战国中期以后，文化属性与本地区其他东周遗存一致。新营遗址距朱家湾遗址较近，地表扰乱严重，虽仅发现一件鬲足，但其通体红陶并满饰绳纹，时代或可至两周之际，值得关注。

766.湖北襄樊市黄家村遗址周代灰坑的清理

作　者：襄樊市文物考古研究所　王先福、范文强等
出　处：《考古》2009年第11期

黄家村遗址位于襄樊市高新区团山镇黄家村北，西靠邓城城址，地处汉水北岸的冲积平原。该遗址是1处分布范围较大的周代遗址，东西长约1500米，南北宽约300米。但因遗址区内分布有战国至宋代墓地，并在宋代后经多次土地平整，遗址大部已遭严重破坏。2005年11月至2007年6月，为配合襄樊高新工业园区的建设，考古人员对其进行了发掘，清理周、汉代灰坑54个、灰沟3条、房址1座、窑址2座、水井1口，还有战国至宋代墓葬420座。

简报分为：一、地层堆积，二、灰坑形制，三、出土陶器，四、结语，共四个部分。先行介绍其中两个周代灰坑（H5、H19）的发掘情况，有彩照、手绘图。

据介绍，这两个周代灰坑保存较好，出土鬲、甗、豆、盂、罐、罍、器盖等陶器共112件。H5的年代为西周晚期，H19的年代为春秋早、中期之际。

简报指出，由于黄家村遗址地处西周至春秋早期曾作为周南土的重要诸侯国邓国故都——邓城城址的东侧，这两个灰坑所在的遗址应是邓城城址外围的邓国村落遗址。西周晚期，邓国相对较为强大，其自身的文化特点突出。直至春秋早期早段，邓国依然较强而保持了原有的主体文化面貌，同时还与周边大国如晋、楚、曾等交往。其后由于周王朝的实力减弱和强邻楚国的不断扩张，邓地受楚文化的影响越来越大，楚文化的许多典型器物也在本遗址中发现，而春秋早期晚段楚、邓的联姻也为这种文化交流提供了平台，直至公元前678年（约当春秋早中期之际），邓为楚所灭，本地区才完全融入了楚文化。此次发掘的成果，正反映了这一历史阶段的特征。

767.襄樊邓城黄家村遗址 2005 年东区周代遗存发掘简报

作　　者：襄樊市文物考古研究所　王先福、范文强
出　　处：《江汉考古》2010 年第 3 期

2005 年 12 月，考古人员在襄樊邓城城址东侧的黄家村遗址东区清理出周代灰坑 10 座、水井 1 口，出土较多的陶器，器类主要有鬲、甗、盆、盂、豆、罐等，其时代为西周晚期至春秋早期，属邓国文化遗存。简报分为：一、地层堆积，二、遗迹，三、遗物，四、小结，共四个部分。有手绘图。

据介绍，黄家村遗址位于襄樊市高新区团山镇黄家村北，其西靠邓城城址。这里是汉水北岸的冲积平原，地势平坦。遗址是 1 处分布范围较大的周代遗址，东西长约 1500 米，南北宽约 300 米。因遗址区于战国至宋代为墓地，宋代以后又经大规模改田，其本体破坏十分严重。从遗存出土器物的风格看，整体呈现出时代越早周文化特征越浓、文化性质越单一的特点，相对应的是，时代越晚周文化特征越淡、文化性质越复杂。

简报称，西周晚期至春秋早期，黄家村遗址所处的地域正是古邓国都城——邓城东侧，它应是邓城外围的村落遗址。结合历年传世及出土邓器特点看，邓的主体文化属性是中原姬周文化。西周时期，由于周王朝对各诸侯国的控制力较强，邓国与周王朝的关系较为密切，邓文化相对发达，邓器的周文化特性也较强。春秋早期平王东迁后，周王室衰微，部分诸侯国的力量逐步壮大，邓的邻国——楚也开始强盛起来，加上政治上国与国的交往关系，使得此时邓的文化出现较为复杂的面貌。邓在保持中原周文化传统的同时，更多地受到来自楚的影响，还有中原地区三晋文化、随枣走廊曾（随）国文化的因素，也有自身的特点。当然，后世的典型楚器也可能是受本时期主要邓器的影响所致。

768.湖北襄阳楚王城西周城址调查简报

作　　者：襄阳市博物馆　王先福、范文强、王洪兴
出　　处：《江汉考古》2012 年第 1 期

楚王城遗址是襄阳市域一处重要的西周遗址，2005 年确认为西周城址。2011 年复查后，对城址布局、城垣结构、城内文化层堆积和整体文化内涵有了较为明确的认识，并发现了附属的许家河遗址。该城或许就是西周晚期楚熊渠征伐和封王之鄂王城。简报分为：一、城址概况，二、楚王城城址采集的西周遗物，三、附属遗址，四、采集遗物的时代，五、城址的性质推测，共五个部分。有手绘图。

据介绍，襄阳楚王城遗址位于湖北省襄阳市襄州区黄龙镇高明村油坊湾自然村东约 200 米处，地处汉水支流之要水上游西岸的台地上。该遗址于 1957 年第一次全国文物普查时被发现，1984 年被公布为襄樊市（今襄阳市）文物保护单位，1986 年第二次文物普查时进行了复查，1992 年被公布为湖北省文物保护单位。因当地一直传说此处为"楚王城"而得名。2005 年 12 月为配合电气工程建设进行了调查，2009 年复查，2011 年又进行了调查。城址建于 1 处新石器时代遗址上，城址现有面积约 34000 万平方米。城址可分为大、小 2 城。大城即外城，大城现地表高出外地面 2.8 米。小城位于城址东南部，其现地面较大城地面高出约 2 米，平面略呈菱形，采集有大量陶片。时代简报推断为西周中晚期。

十堰市

769.丹江口市下绞遗址调查简报

作　　者：十堰市博物馆、丹江口市博物馆　祝恒富、李海勇、杨学安、杨晓瑞
出　　处：《江汉考古》1997 年第 1 期

丹江口市司家店镇下有一管理区叫左绞。下辖有上绞、下绞两个自然村。民间传说这里是古代绞国的国都。据调查，下绞遗址的上限时代是西周中期，下限是战国；是 1 处延续时间很长的周代遗址，很可能就是被楚国所灭的绞国遗址。

770.湖北房县孙家坪遗址发掘简报

作　　者：湖北省文物考古研究所　陶　洋、陈小兵、宋　博、艾志忠
出　　处：《江汉考古》2013 年第 3 期

孙家坪遗址位于湖北房县椰口乡玉堤村四组孙家坪自然湾，遗址分布面积 2500 平方米。2010 年 10 月至 12 月，考古人员对该遗址进行了抢救性发掘，发掘面积 125 平方米，获取了一批西周遗存，另有汉代墓葬 1 座。发掘填补了房县地区周代文化面貌的空白，为研究鄂西北汉水中游地区周文化的源流及发展面貌提供了新材料。简报分为：一、地层堆积，二、遗迹，三、遗物，四、结语，共四个部分。有手绘图。

据介绍，本次发掘共发现墓葬 1 座、灰坑 13 个以及大量柱洞。出土遗物有陶器等，并不太多。

771.湖北郧县李营遗址二里头文化遗存发掘简报

作　者：武汉大学考古系、郧阳博物馆　周　宁
出　处：《江汉考古》2014 年第 6 期

李营遗址位于湖北省郧县安阳镇李营村四组，地处鄂西北秦岭与巴山余脉之间的汉江北岸一级阶地。遗址现为水田，由于 20 世纪 60 年代坡地改为梯田和农民长期耕种，遗址破坏扰乱较为严重。

李营遗址是 1994 年南水北调工程文物普查中发现的。2008 年、2011 年 10 月、2012 年 3 月至 6 月，考古人员分 3 次进行了发掘。2011 年与 2012 年完成发掘面积 2000 平方米，发现了一批较为重要的二里头文化时期遗存。简报分为：一、地层堆积，二、遗迹，三、遗物，四、结语，共四个部分。有彩照、手绘图。

据介绍，郧县李营遗址经过两次发掘，地层堆积共分五层，发现二里头时期灰坑 46 个、灰沟 8 条。出土二里头文化遗物以陶器、石器为主，青铜器极少。出土陶器以生活用具为主，工具少量，夹砂灰陶居多，纹饰以绳纹为主，器形有罐、鼎、盆等共计 13 种。

根据陶器特征，简报推断李营遗址二里头文化遗存年代属于二里头文化中晚期。

荆州市

772.江陵发现西周铜器

作　者：王毓彤
出　处：《文物》1963 年第 2 期

距江陵县城（即荆州城）22.5 公里之万城，位于沮漳河北岸，是江陵四大古城之一。1961 年冬季，该地因修水利灌溉农田，发现了古代铜器。考古队到出土铜器的现场调查。简报配以照片予以介绍。

简报介绍，发现铜器的地点，正在北门外约 250 米的土岗斜坡处。1962 年 12 月 5 日，当地百姓在挖渠道时，下挖深约 2 米处，发现了 18 件铜器。18 件铜器刻镂精美，形制大方，有蒸煮器、酒器，还有勺 1 件、凫首 1 件，7 件有铭文。

这些器物可能多为实用器，从器物形制、铸法、纹饰及字体看，简报认为应是西周早期作品。

773.湖北江陵万城出土西周铜器

作　者：李　健
出　处：《考古》1963年第4期

1961年12月5日，江陵万城1座墓葬中出土一批西周铜器。简报配以照片予以介绍。

据介绍，这批铜器共计17件：尊、卣、觯、勺各1件，鼎、甗、簋、罍、觚各2件，爵3件。

简报称，这批西周铜器的发现，给江陵地区西周时期的考古工作提供了极其重要的线索。将这次发现，结合邻近的荆门县车桥镇西周遗址和江陵县城附近1961年冬季清理的一批战国时期的惇墓来看，两周时期江陵一带是一个有相当数量人口的地区。

774.沙市官堤商代遗址发掘简报

作　者：湖北省博物馆　杨权喜、陈振裕
出　处：《江汉考古》1985年第4期

官堤遗址位于湖北省沙市市东区北部的荆沙棉纺厂内，西距1981年发现的周梁玉桥商代遗址约1110米，西北距楚都纪南城约15公里。1984年初棉纺厂建综合大楼时发现，1984年6～7月发掘。

简报分为：一、地层堆积，二、灰坑，三、文化遗物，四、结语，共四个部分。有手绘图、照片。

据介绍，官堤遗址出土遗物主要为陶器。这些陶器以红褐陶为特色，陶器纹饰有绳纹、弦纹、附加堆纹和少量的刻划纹、乳钉纹，还有较大比例的方格纹。在器类方面，以鼎、釜、罍、瓮、缸、豆、杯等为常见。在器物形制方面，最有特点的是鼎，其鼎身为罐形，鼎足为瘦长体，并呈扁圆锥形，有的是尖足"倒勾"状，足的膝部常有一个三角形的平面，多饰以斜方格纹。官堤遗址所属的文化，有别于同期中原的文化。简报指出，商周时期，中原文化已经传播到江汉地区，汉水以东地区已经普遍地发现了中原系统的文化遗存。但是，中原文化并没有完全统治整个江汉地区，官堤遗址的发掘即说明了这一点。

此遗址的年代，为商代后期。

775.沙市近郊出土的商代大型铜尊

作　　者：彭锦华

出　　处：《江汉考古》1987 年第 4 期

1987 年元月下旬，沙市郊区立新乡农民在东岳村二组兴修鱼塘时发现了 1 件铜尊。东岳村位于沙市市区偏北的近郊。考古人员前往实地调查，惜出土现场已失原貌，铜尊已被取出置于农民家中。据当事人口述，铜尊原埋藏于泥土之中，周围未见其他遗迹、遗物。简报配以手绘图予以介绍。

铜尊高 51.5 厘米，口径 28.41 厘米，重 15.3 公斤，未见铭文。简报推断其为殷墟二期遗物。

776.湖北江陵荆南寺遗址第一、二次发掘简报

作　　者：荆州地区博物馆、北京大学考古系　王　宏

出　　处：《考古》1989 年第 8 期

江陵荆南寺遗址位于荆州城西约 1.5 公里，江陵县砖瓦厂范围内。荆南寺遗址原为一圆角长方形台地。1982 年，江陵县砖瓦厂取土工程破坏了遗址西北部分。同年 10 月，考古人员发现该遗址，并对遗址进行了调查。1984 年 10 月至 1985 年元月，第一次发掘该遗址。1985 年 9 月至 12 月，进行了第二次发掘。简报分为：一、地层堆积，二、大溪文化遗存，三、龙山时期遗存，四、夏早商时期遗存，五、西周遗存，六、东周遗存，七、结语，共七个部分。有手绘图、照片、拓片。

据介绍，荆南寺遗址时间跨度大，文化内涵丰富，对于研究长江中游地区夏商周时期古文化的发展与变化，尤具有重要意义。荆南寺遗址相当于夏至早商的遗存，简报又细分为 7 期，不一一列举了。

777.湖北江陵梅槐桥遗址发掘简报

作　　者：湖北荆州地区博物馆、北京大学考古系　何　驽

出　　处：《考古》1990 年第 9 期

湖北省江陵县梅槐桥遗址位于县城西约 15 公里，地处平原，1984 年湖北省荆州地区博物馆进行文物普查时发现。1987 年春，考古人员对梅槐桥遗址进行了小规模的试掘，连同扩方，面积揭露总计 190 平方米。其中 T1、T2、T3、T6、T7 因地下水位过高而未能清理到生土。简报分为：一、地层堆积，二、遗迹，三、文化遗物，

四、小结，共四个部分。有手绘图。

通过分析，结合地层关系，简报将梅槐桥遗址商时期分为两期。一期约为殷墟一期，二期相当于殷墟三期或略早，延续到殷墟四期。

简报称，梅槐桥遗址的发现，进一步丰富了江陵、沙市一带晚商时期当地青铜文化的资料，使"梅槐桥类型"得以确定，填补了这一地区从殷墟一期到四期的考古学文化空白。

778.记江陵岑河庙兴八姑台出土商代铜尊

作　者：荆州地区博物馆　王从礼
出　处：《文物》1993 年第 8 期

1992 年 11 月下旬，湖北省江陵县岑河镇陈龙村一农民在庙兴村砖瓦厂取土时发现 2 件大型铜尊。考古人员前往实地调查，清理了有关现场。

2 件铜尊形制基本相同，但有大小之别，均为大敞口，口沿上折，尖唇，束颈，略呈喇叭状。两尊的接铸痕迹明显，出土时器物的内壁残留铸范的红色泥芯。器身以扉棱中心线为界，有模铸的接缝。3 条接缝穿过圈足镂孔的中部直达于器底。3 个镂孔应为圈足范的定位销，其作用是控制底部器壁的厚度。兽首保存完整，从外观看，应是与器身分别铸造的，即先铸成兽首，将兽首嵌入模内，然后再用铜汁浇铸器身。另外，在尊圈足的底部可见到凸起的铜瘤，应是浇口的位置，这说明两件铜尊是倒置浇铸而成的。其年代，简报称似与沙市周良玉桥遗址较为接近。

简报称，这两件铜尊有可能是当时祭祀湖泊的遗存。

779.湖北江陵江北农场出土商周青铜器

作　者：何　驽
出　处：《文物》1994 年第 9 期

1993 年 10 月，江陵江北农场公安局和第二砖瓦厂派出所向荆州地区博物馆移交第二砖瓦厂三号取土坑出土的 3 件西周青铜器（虎尊 1 件、钟 2 件），另有鹿角 2 只以及一号取土坑出土的铜镞 1 件。1994 年 4 月，一号取土坑又出土铜矛 1 件。简报分为：一、出土情况，二、器物介绍，三、遗物时代推国，四、补记，共四个部分。有彩照。

据介绍，考古人员赶赴现场时，因出土时间已过多日，现场已被破坏。据了解应无坑埋现象。简报推断钟的时代为西周穆王时期，其余均为商周时期，其中铜矛应属南方青铜器。

780.湖北石首出土商代青铜器

作　者：石首市博物馆　戴修政
出　处：《文物》2000 年第 11 期

湖北省石首市桃花山镇九佛岗村近年来相继出土 3 件商代青铜器。简报配以照片、拓片、手绘图予以介绍。

据介绍，桃花山镇九佛岗村位于石首市东南部桃花山西麓的岗岭上，西距市府 30 公里，西南距湖南省华容县城 23 公里，北距长江 4 公里。瓿 2 件、铙 1 件均为当地农民采沙时挖掘出土。瓿为 1997 年 5 月出土，铙为 1998 年 10 月出土。简报认为铙为商末遗物。

石首市九佛岗地处鄂南，商周时期属越族的活动范围。铙的形制、纹饰有越族青铜文化的特点。瓿则具有中原地区商文化的风格。这些青铜器在这里出土，推测与祭祀山川有关。

简报指出，九佛岗铙是目前湖北省发现时代最早的青铜乐器，在全国也属罕见。这批青铜器均具有较高的研究价值。

781.湖北沙市周梁玉桥遗址 1987 年的发掘

作　者：荆州市周梁玉桥遗址博物馆　彭锦华等
出　处：《考古》2004 年第 9 期

周梁玉桥遗址位于湖北省荆州市沙市区的城区东部偏北，呈东西方向的长带状分布，跨越豉湖路。1981 年秋，考古人员在遗址西部（甲区）进行了试掘。1982 年秋，又在遗址中部（乙区）进行了发掘。1987 年 5 月 30 日至 7 月 2 日，在遗址东部（丙区，即豉湖路东侧）进行了发掘。

简报分为：一、地层堆积，二、遗迹，三、遗物，四、结语，共四个部分。介绍了 1987 年度发掘的基本情况，有手绘图。

1987 年在丙区的发掘面积为 104 平方米，清理灰坑 6 个，出土一批颇具特征的陶器，还发现铜器、石器、骨角器、卜甲等，其中卜甲具有鲜明的时代特征。本次发掘所见的文化遗存以一种土著文化因素占主导，时代属商代，这对探讨江汉地区的文化具有重要意义。甚至有学者认为，周梁玉桥遗址的文化，是江汉地区一种有别于中原地区的文化。

宜昌市

782.湖北宜昌白庙遗址试掘简报

作　者：湖北宜昌地区博物馆、四川大学历史系考古专业　卢德佩、马继贤
出　处：《考古》1983 年第 5 期

白庙遗址在长江西陵峡南岸的二级台地上，隶属宜昌县三斗坪公社杨家湾大队第十生产队，西距三斗坪镇约 2 公里，东距宜昌市约 45 公里。原遗址面积达 10000 多平方米。1979 年 10 月 27 日至 11 月 8 日，为配合葛洲坝水电工程，考古人员进行了一次小规模的试掘。

简报分为：一、地层堆积，二、文化遗物，三、结语，共三个部分。有照片、手绘图。

据介绍，遗物主要是石器和陶器两类，以陶器最多。生产工具中陶质工具仅纺轮 1 件。石器 41 件，以锛、斧最多，占 60%，其中磨制占 80% 以上。简报认为白庙遗址的时代与河南龙山文化的晚期和二里头文化的时代相当。

783.当阳磨盘山西周遗址试掘简报

作　者：宜昌地区博物馆　卢德佩
出　处：《江汉考古》1984 年第 2 期

考古人员于 1980 年底，在发掘赵家湖楚墓的同时，又调查发现了磨盘山遗址，并对这个遗址进行了调查。根据采集到的遗物特征看，磨盘山是 1 处西周时期的文化遗址。它对于探索楚国的早期文化无疑具有十分重要的意义。1982 年 4 月 25 日至 5 月 3 日对遗址进行了试掘。

简报分为：一、磨盘山遗址的位置与范围，二、地层堆积情况，三、出土遗物，四、小结，共四个部分。有手绘图。

据介绍，磨盘山隶属当阳河溶公社前进大队，北距河溶镇约 2.5 公里，南距季家湖楚城遗址约 7 公里。磨盘山遗址遗物以红陶为主，尤其是下层红陶特别多。红褐陶、灰褐陶、橙黄陶等四种陶系由早到晚逐渐增多，红陶则反之。时代简报推断为西周晚期或稍早。遗址中发现有一定数量的筒瓦和板瓦。如果该遗址的时代简报推断不错的话，那么，我国南方开始用瓦的时代，无疑可以提前到西周中期。

784.宜昌县杨家嘴遗址简况

作　者：湖北省博物馆
出　处：《江汉考古》1985年第4期

为配合三峡工程，考古人员于1985年5月对长江南、北两岸进行了调查。简报配以手绘图予以介绍。

简报重点介绍了杨家嘴、杜家嘴、青鱼背等遗址。发现有墓葬、灰坑等遗迹。遗物有石器、骨角器、陶器、铜器。时代简报推断为早商时期。遗物制作不如大溪文化、屈家岭文化精致。

785.鄂西发现的古文化遗存

作　者：卢德佩
出　处：《考古》1986年第1期

1979年下半年，考古人员为配合葛洲坝工程，在长江西陵峡境白庙、中堡岛进行考古发掘，发现了一种前所未见的古文化遗存。1980年至1984年，在文物普查中，又发现了红岩山、林子岗等与白庙晚期、中堡岛六期相似的古文化遗存。简报配以手绘图等予以介绍。

据介绍，最典型的遗址为位于宜昌县三斗坪区杨家湾大队长江南岸的白庙遗址。此处还有张家坪、王家坝、路家河、中堡岛、林子岗、枇杷垴、太宝溪、城背溪、红岩山等遗址。简报认为，鄂西地区这次发现的古文化遗存，可能是在鄂西原始文化的基础上，受中原二里头文化的影响而发展起来的一种新文化。相当于中原地区的二里头文化，这是鄂西地区考古中的又一重要发现。在鄂东北地区也发现有类似的遗存。这种文化遗存最早发现于湖北宜昌县白庙，按考古文化命名惯例，简报将该文化遗存称为"白庙文化"。

786.一九八一年湖北省秭归县柳林溪遗址的发掘

作　者：湖北省博物馆江陵考古工作站　陈振裕、杨权喜
出　处：《考古与文物》1986年第6期

柳林溪位于长江西陵峡北岸，西距秭归城关镇37公里。1958年进行过调查，1960年进行过试掘，1980年复查，1981年发掘。文化遗存可分为新石器时代和商周时期两部分，简报先行介绍商周时期的收获。

据介绍，发现有商周时期的灰坑、水沟，以及陶器、石器、铜器等。简报认为商末到西周的遗存要少一些，春秋早期、中期楚文化遗存多一些。

787.鄂西发现一批周代巴蜀青铜器

作　者：王家德

出　处：《四川文物》1987 年第 1 期

鄂西发现的巴蜀式剑、铜戈、铜矛、錞于、编钟等，多数有明确的出土地点，时代从商周到战国不等。简报称，东周时巴、楚相互攻伐，后巴为楚所逼，巴的一支退居鄂西，因此，要想研究巴楚关系，鄂西是不应遗忘的。

又据《江汉考古》1988 年第 4 期，秭归县周坪乡村民于 1985 年元月 9 日在村西北搬石造田时，发现铜甬钟 3 个，已送交县文化部门。

据介绍，甬钟出土地点为长江南岸乱石地。三个甬钟大小重量均不相同，1 重 5.6 公斤，1 重 6.4 公斤，1 重 2.7 公斤，均未见铭文。周围未见其他遗物，似为窖藏。秭归为古夔子国，鲁僖公二十六年（前 790 年）为楚所灭。此批甬钟首次在这里发现，对研究秭归历史，尤其是巴楚关系无疑有非常重要的价值。

788.峡江北岸一处山丘遗址的调查

作　者：王善才

出　处：《江汉考古》1987 年第 2 期

1984 年 6 月下旬，考古人员在配合长江三峡水电工程发掘西陵峡北岸的覃家沱遗址时，抽时间对附近江边一带的山地进行了 1 次考古调查。在调查中，发现一处山丘遗址，并采集到一批出土文物。

据介绍，遗址位于鄂西陵峡江北岸的宜昌县太平溪区龙潭坪乡覃家沱村第四组的一座山丘中上部的一块洼地里。因它靠近溜石板堰坪，故定名为"溜石板堰坪遗址"。从遗址散布的遗物看，有夹砂红褐陶、泥质灰陶和灰褐陶的器物残件，但以夹砂红褐陶居多。可以看出器形的，有鼎、鬲、甗、豆和碗、罐等几种。除陶器外，还发现一些红烧土块和木炭碎块以及 1 件有磨制痕迹的石器。

该遗址的年代，简报推断为西周晚期或两周之际。

789.白庙子遗址第二次试掘简报

作　者：湖北省宜昌地区博物馆　杜国柱
出　处：《中原文物》1988 年第 2 期

白庙子遗址，隶属于湖北省宜昌县三斗坪区杨家湾大队第十生产队，位于长江中上游南岸，东距黄陵庙 6 公里，西距三斗坪镇 2.5 公里。遗址东西残长 60 米，南北宽 50 米，总面积达 3000 平方米。1958 年考古人员进行过调查，1979 年第 1 次试掘，1981 年 5 月第 2 次试掘。简报分为：一、地层堆积，二、出土遗物，三、小结，共三个部分。有手绘图。

据介绍，由于人为和自然的破坏，白庙子遗址保存情况甚差，大致可分三期：第一期属湖北季家湖类型晚期遗存；第二期遗存则相当于中原地区二里头文化类型的第一期；第三期是东周文化遗存。白庙子遗址的第 2 次试掘进一步加深了我们对长江三峡地区古代文化面貌及发展序列的了解。同时，也增加了对中原地区二里头文化类型分布或影响范围的认识。

790.湖北秭归朝天嘴遗址发掘简报

作　者：国家文物局三峡考古队
出　处：《文物》1989 年第 12 期

朝天嘴遗址位于湖北省秭归县与宜昌县交界处的茅坪区徐家冲乡，南距宜昌中堡岛遗址约 6 公里。1958 年、1960 年，考古人员进行过两次调查。1981 年进行了发掘。简报分为：一、新石器时代文化遗址（A 区），二、夏商时期文化遗址（B 区），三、结语，共三个部分，有照片。

据介绍，此次发掘的夏商时期遗存，应为峡江地区 1 处重要遗址。年代以商代早期为主。

791.枝江赫家洼遗址出土西周卜骨

作　者：黄道华
出　处：《江汉考古》1992 年第 3 期

枝江县百里洲乡赫家洼遗址面积约 1 平方公里，其文化内涵有新石器时代大溪乡文化早期到明代的遗存。清道光十年（1830 年）长江暴发洪水，江沱易道，致使沱水南岸的古遗址遭受毁坏。1991 年考古人员在遗址东部的西周文化层土中拣出一残卜骨，系牛肩胛骨。简报配以照片予以介绍。

据介绍，该骨上无文字，有钻孔及焦灼痕。西周卜骨在楚地不多见。这片西周早期卜骨提示我们，楚地除了流行传统的龟卜之外，早期还使用过骨卜，周人的宗教形式也传播到了楚地。

792.宜昌大坪遗址发掘简报

作　者：三峡考古队　黄文新

出　处：《江汉考古》1994 年第 1 期

大坪遗址隶属湖北省宜昌县三斗坪镇东岳庙村十组，地处长江三峡的西陵峡中段，西与白庙遗址仅一溪相隔，三（斗坪）黄（陵庙）公路从遗址南边穿过。该遗址北部为窝棚墩，1985 年湖北省博物馆江陵工作站在此进行过发掘。为了配合三峡大坝工程，1993 年 3～5 月，考古人员对该遗址进行了发掘。

简报分为：一、地层堆积，二、遗物，三、结语，共三个部分。有手绘图。

据介绍，大坪遗址所出遗物（主要指第三层）中，石器以磨制为主，小型石器均磨制精致，打制石器占有一定数量，多小型。陶器以罐为主，鼎较少。器物特征与白庙遗址早期遗存类似，时代约相当于龙山时代晚期至二里头文化时期。大坪采集的夹砂红陶缸，年代约相当于商代。

同刊同期有杨权喜先生《宜昌窝棚墩遗址的调查与发掘》一文，正可与本简报互相补充。

793.三峡库区长府沱遗址试掘简报

作　者：宜昌市博物馆　卢德佩

出　处：《江汉考古》1995 年第 4 期

长府沱遗址位于湖北省秭归县茅坪镇徐家冲村四组长江岸边，北临长江，南靠小山，1982 年发现，1983 年 9 月试掘。简报分为：一、地层堆积，二、文化遗存，三、结语，共三个部分。有手绘图。

据介绍，遗迹为灰坑 4 个。遗物以陶器为主，另有石器及少数小件铜器。遗物特征与三峡地区原始文化及周代楚文化均不同。该遗址时代，相当于中原地区夏商时期。

794.长江三峡工程坝区白狮湾遗址发掘简报

作　者：湖北省文物考古研究所　杨权喜
出　处：《江汉考古》1999 年第 1 期

白狮湾遗址位于长江三峡工程大坝区东北部原长江北岸的覃家沱村东部，因南部江中有一形如狮的白色岩石，故名。1986 年 11 ~ 12 月进行了发掘。简报分为：一、文化堆积，二、文化遗迹，三、文化遗物，共三个部分。有手绘图。

据介绍，此处应为新石器时代大溪文化墓地，各墓坑边内侧多置自然石块作标记。墓坑虽浅而不规整，但骨架和随葬品被扰乱的情况较少。残存的墓中，有的随葬陶环和纺轮而不见石工具，有的随葬石工具而不见纺轮，这可能与当时社会分工有关。位于墓群东部的狮 II.M4 不但位置重要（为群墓所向），保存情况也较好，而且装饰品和殉葬品种类、数量最多，并有石工具，此墓主身份、地位应较高。遗址出土的东周陶器也颇有特色，反映了楚文化对当地商周早期巴文化的吸收与借鉴。

795.湖北秭归县柳林溪遗址 1998 年发掘简报

作　者：湖北省文物考古研究所　王风竹、黄文新、罗运兵
出　处：《考古》2000 年第 8 期

柳林溪遗址位于湖北省秭归县茅坪镇庙河村一组，地处三峡库区，东距茅坪镇 10 公里，西距归州镇 37 公里。遗址坐落在长江北岸的坡地上，现存面积约 9500 平方米。该遗址是 1960 年考古人员调查发现的，当时即进行了试掘。1981 年对遗址进行了小规模发掘，1994 年再次进行了调查，1995 年进行了试掘，1997 年又对该遗址进行了全面的钻探。1998 年，对该遗址进行了正式发掘，发掘面积达 1325 平方米。简报分为：一、地层堆积与分期，二、第一期遗存，三、第二期遗存，四、结语，共四个部分。有手绘图，拓片。

简报目前尚没有发现明确的城背溪文化和以柳林溪一期为代表的遗存之间的层位关系以证明两者之间的早晚，但从类型学分析大体可以判明城背溪文化与柳林溪一期为代表的遗存之间的早晚关系。简报通过本次对柳林溪遗址这批材料的初步整理和对已掌握的同类性质的材料进行分析，它们与大溪文化之间的差别已不仅仅是年代上的，而可能是两类不同性质的遗存。有关这类遗存的性质很有重新认识的必要。柳林溪遗址第二期遗存与中原地区的二里头文化多有可比之处，说明两者年代大体相当，是三峡地区的夏代文化。

796.秭归县望家湾遗址发掘简报

作　者：湖北省文物考古研究所　杨权喜
出　处：《江汉考古》2002 年第 1 期

秭归望家湾遗址是长江三峡大坝附近 1 处受洪水破坏严重的古代遗址。望家湾遗址位于长江三峡大坝南岸之西约 3 公里处，属秭归县茅坪镇银杏沱村一组。该遗址与黄土嘴遗址相连，均分布在一座山梁向江边突出处，该遗址在南坡，黄土嘴遗址在北坡。为配合三峡工程，1998 年 10～11 月进行了发掘。遗存以商周时期文化遗存为主，还有少量新石器时代陶片及六朝至明清遗物。堆积中第 5、6 层属商周时期的淤积层，不见文化遗迹。在淤积层和河漫滩上出土或暴露许多石器、商周陶片和少量新石器时代陶片。石器种类有斧、锛、凿、铲、小锛、锤、犁形器、刮削器、圆形刃和半圆形刃石器、盘状器、陨石等。商周陶片可辨器形有罐、喇叭形器、瓮、盆、豆、盘、杯、缸、纺轮等。在盆、盘、罐等器皿中出现一些新器形。商周陶器的基本特征属早期巴文化。简报分为：一、遗址概况，二、商周时期的文化遗物，三、结语，共三个部分。配有手绘图。

简报称，三峡大坝所在地三斗坪类型的商周文化遗存，一般认为是早期巴文化遗存。这种遗存在三峡地区和清江流域有较广泛的分布，这类遗址纵然经发掘的数量不少，但对其文化内涵还缺乏全面的了解。三斗坪遗址和大沙坝遗址出土石器的数量较大，陶器中出现一些新的器形，这对于三斗坪类型商周文化的研究无疑具有重要价值。

797.湖北秭归县茅坪镇长府沱商代遗址

作　者：宜昌博物馆　卢德佩等
出　处：《考古》2004 年第 5 期

长府沱遗址位于湖北秭归县茅坪镇徐家冲村四组、长江南岸边，北临长江，南靠小山，东距茅坪镇屈原码头 0.5 公里、三峡水利枢纽工程坝址 2 公里。该遗址于 1982 年调查发现，当时保存较好，断面可见厚 1 米的文化层及古墓葬。后来由于葛洲坝水利枢纽工程大江截流，致使江水上涨逐年冲刷，加上山洪不断冲洗和耕种等原因，该遗址遭到严重破坏，附近河漫滩上散布大量陶片、石器等遗物。考古人员于 1993 年 9 月 10 日至 20 日，对长府沱遗址进行了试掘。1997 年上半年，对该遗址再次进行了发掘。此次发掘分 A、B 两区，两区以一条小溪沟相隔。简报分为：一、地层堆积，二、遗迹，三、出土遗物，四、结语，共四个部分。有手绘图等。

据介绍，1997年对茅坪镇长府沱遗址进行的发掘，揭露出灰坑、灰沟等遗迹。出土遗物以陶器为主。陶器以卷沿罐、侈口缸、假腹豆、尖底杯等为代表，典型纹饰有云雷纹、夔龙纹、圆圈纹、勾连云纹等。此次所获遗存，既有土著文化因素，又受到中原商文化的影响。遗存年代简报推断为商代晚期。这是鄂西三峡地区商代考古的又一重要发现。

798.湖北秭归大沙坝遗址发掘报告

作　者：湖北省文物考古研究所　杨权喜等
出　处：《考古学报》2005年第3期

为配合长江三峡工程的文物考古工作，考古人员于1999年11～12月对库区内的大沙坝遗址进行了抢救性发掘。大沙坝遗址位于长江南岸的秭归县茅坪镇银杏沱村一组，北与望家湾遗址隔沟相连，东南距中堡岛、朝天嘴、银街3个遗址分别约2.5公里、1公里和0.5公里，处于西陵峡中段古遗址密集区的西部。遗址的西北方为大沙坝，此坝是遗址附近江岸不断崩塌后形成的河漫滩，滩上暴露出大量的大石块，并散布着一些古代文化遗物。遗址东边有一现代废窑，南边是该窑的取土场。当年取土将遗址南部山坡的一部分夷为平地，部分文化堆积遭受破坏。

简报分为：一、地层堆积，二、文化遗迹，三、文化遗物，四、结语，共四个部分。有照片、拓片、手绘图。

据介绍，该遗址发现的文化遗存可分两期：

第一期年代为商代前期，此期陶器还保留有新石器时代晚期陶器的一些风格。

第二期年代为商代后期至西周中期，陶器已是典型的巴文化早期陶器。

简报指出，大沙坝遗址发现的第一期遗存，不但填补了西陵峡地区商代前期的缺环，而且为研究该地区新石器时代晚期文化白庙类型与商周时期早期巴文化之间的关系提供了重要资料。大沙坝第二期遗存中的窑址、半地穴式房屋以及A型瓮、A型盘、B型盘等陶器是早期巴文化的新发现，这些资料充实了早期巴文化的内涵，在早期巴文化研究中也具有重要价值。

荆门市

799.湖北京山发现曾国铜器

作　者：不详
出　处：《文物》1972年第1期

1966年7月，在京山郑家河水库中干渠上的1座高10余米的土丘上，发现97件西周晚期的铜器，有鼎、鬲、甗、方甗、豆、方壶、匜、盘、车马器等。其中鼎、豆和方壶有曾侯中子游父自作铭，鬲有黄□□自作铭。京山这次发现为曾国地理和历史的探讨，提供了新的史料和重要情况。

800.湖北京山发现曾国铜器

作　者：湖北省博物馆
出　处：《文物》1972年第2期

1966年7月7日，湖北省修建郑家河水库中干渠时，在京山县宋河区坪坝公社苏家垅工段，发现了一批西周晚期至春秋早期的铜器。发现铜器的地点是在苏家垅后面的小土坡（相对高度20余米）下的地方。简报配以拓片、手绘图予以介绍。

据介绍，这次发现的铜器有鼎、鬲、甗、簋、豆、方壶、盉、盘、匜、车马器和圜底器等，共计97件，其中10件有铭文。其中有曾国器物6件、黄国器物2件。

简报称，曾国应在湖北京山、安陆一带，为姬姓。黄国在今河南省潢川县。两国应有联姻关系。

801.京山县发现一批西周青铜器

作　者：京山县文化馆　熊学兵
出　处：《江汉考古》1983年第1期

1980年5月，京山县三机械厂扩建厂房时发现一批青铜器，计有提梁方卣、鼎、盘等，考古人员迅速赶到现场作了调查。简报配以手绘图、照片予以介绍。

这批器物在造型和纹饰上，均具有中原地区西周末期青铜器的某些特征。如鼎、盘都接近随县均川熊家老湾和京山坪坝所出西周晚期至春秋早期铜鼎、盘的形制。因此铜器的时代，简报推断为两周之际。

这批青铜器的出土，为研究江汉地区的青铜文化，又增添了新的实物资料。

802.钟祥六合遗址

作　者：荆州地区博物馆、钟祥县博物馆　张绪球、何德珍、王运新等

出　处：《江汉考古》1987 年第 2 期

六合遗址位于钟祥县皇庄区长城乡高庙一组，西距县城郢中镇约 2 公里，南临汉钟公路及南湖。遗址是在 1 处高出周围 10 多米的岗地上，南北长 300 米，东西宽 200 米，原有面积约 60000 平方米。1981 年和 1983 年，考古人员配合工程在这里进行了 2 次发掘，发掘面积 875 平方米，发现了一批新石器时代和西周的遗存，其中新石器时代遗存又可分为四个文化期。简报分为：一、地层堆积，二、新石器时代遗存，三、西周遗存，四、结语，共四个部分有手绘图。

据介绍，六合新石器时代遗存包括四个文化时期，第一时期是以红陶系为主的较早遗存，第二时期为屈家岭文化早期，第三时期为屈家岭文化晚期，第四时期为石家河文化，其中屈家岭文化早期和石家河文化又可以进一步分段或分期。西周遗存的时代为西周中期。汉水流域是"汉阳诸姬"的属地，周王室为了加强对江汉地区的控制，从周初就十分注重对该地区的经营，通过几次大分封，把一批"周王子孙"分封到这里。六合遗址当是"汉阳诸姬"的活动地点之一。

803.钟祥乱葬岗夏文化遗存清理简报

作　者：荆州市博物馆、钟祥市博物馆　郑中华

出　处：《江汉考古》2001 年第 3 期

钟祥乱葬岗遗址位于钟祥市区西北约 26.5 公里的双合镇第一砖瓦厂取土场内，系汉水之西、北山地丘陵的两条支流罗铁沟水与袁家河交汇于此冲积形成的一块平畈，土层深厚，地理位置优越。1991 年元月，砖瓦厂在生产取土过程中暴露出一批砖室墓，考古人员对这批墓葬进行抢救性发掘的同时，发现 2 个灰坑暴露于地表，遂逐一清理。简报分为：一、遗迹，二、遗物，三、小结，共三个部分。配以手绘图，先行介绍这两个灰坑的清理结果。

据介绍，遗迹主要为 2 个灰坑。出土遗物有石斧，石片，陶纺轮、尊、盆、敛口瓮、盘、

豆、鼎足、鬲足、罐等。陶器多为碎片，极少有完整器。作为存贮器的陶尊较多地出现，而中原同期所见的作为礼器的斝、爵、盉等酒器不见，可能隐含着遗址的功能或等级上的区别。时代简报推断为二里头文化三期前后，属夏文化范畴。

804.湖北京山苏家垄墓地 M2 发掘简报

作　者：湖北省文物考古研究所　田桂萍、段　炼、熊学斌
出　处：《江汉考古》2011 年第 2 期

2008 年 5 月 10 日至 5 月 19 日，考古人员对京山县坪坝镇苏家垄墓地进行了实地踏勘和抢救性发掘，清理残墓 1 座，出土西周末至春秋初年的曾国青铜器和陶器 9 件。此墓的发掘进一步证明了 1966 年 7 月出土 97 件曾国青铜器的地点为墓葬。

简报分为：一、墓葬形制，二、出土器物，三、小结，共三个部分。

据介绍，苏家垄墓地隶属坪坝镇罗兴村五组，位于苏家垄湾湾北的一南北向马鞍形的岗地上。从 M2 墓口所发掘的 40 平方米范围看，M2 未发现车马坑。从铲刮岗地现存断面看，未发现其他墓葬。M2 为长方形竖穴土坑墓，随葬品包括陶器和青铜器。

鄂州市

805.湖北鄂城县沙窝公社出土青铜爵

作　者：鄂城县博物馆　丁堂华
出　处：《考古》1982 年第 2 期

1975 年 10 月 27 日，鄂城县沙窝公社牌楼大队第十三生产队（王家湾）在平整土地中，发现铜爵 1 件。简报配以照片、拓片予以介绍。

据介绍，铜爵的出土地点在王家湾背后的陈林寨南坡、龚家湾北坡梯地的麦地旁边，挖土不到 30 厘米便发现铜爵横卧在土坑中，与其共存物有两块铜覆盖在铜爵的腹部，未发现其他遗物。铜爵的纹饰及形制：爵通高 21 厘米，腹径 6 厘米，足高 8 厘米，腹饰饕餮纹，足呈三棱形，口沿上两柱作蘑菇状，上饰云纹；爵鋬呈半圆形，上饰兽头纹、后鋬内腹部有铭文共 3 字。简报推断该爵为商代遗物。

孝感市

806.大悟发现编钟等铜器

作　者：熊卜发、刘志升

出　处：《江汉考古》1980 年第 2 期

1979 年 12 月 10 日，大悟县丰店公社龙潭大队农民挖渠道时在雷家山南半坡一巨石下发现了一批窖藏青铜器，计有甬钟 7 件，盉 2 件，鼎、戈、矛、斧、锛各 1 件，共 14 件。据当事者说，这批青铜器出土时，较大的 4 个钟口口相对成"十"字形平置于土内，3 件较小的钟分别装于较大的三钟内，戈、盉等几件小器装于另一件较大的钟内，鼎扣于四钟置成的"十"字中心之上。这批青铜器简报配以手绘图、照片予以介绍。

据介绍，7 件甬钟，形制基本相同，应属西周晚期春秋早期之器。其他几件器物的年代，简报推断：鼎的年代相当于商中期，铜斧、锛、铜盉也可能是商中期之物。戈的年代约当于甬钟的年代。

简报称，这批青铜器并非是兵荒马乱时窖藏，窖藏地点选择在山阳，其四钟口口相对，置成"十"字，然后又将鼎扣于其上，这种放置形式或许是一种宗教信仰的象征。

807.应城发现殷代斝、爵

作　者：尚松泉

出　处：《江汉考古》1980 年第 2 期

1973 年 3 月 19 日，应城县巡检公社孙堰大队吴祠生产队出土了青铜斝和爵各 1 件。县文化馆经实地调查，了解其出土地点距应城城关镇约 5 公里，是农民在住宅附近挖菜地时发现的，未发现墓葬痕迹，附近也未见古墓和其他文化层。简报配以照片予以介绍。

从两件铜器的形制、纹饰来看，具有殷墟文化早期青铜器的风格，所以应城近郊所出土的青铜器时代，简报推断为殷墟文化前期。

808.安陆县晒书台商周遗址试掘

作　　者：安陆县图书馆　余从新

出　　处：《江汉考古》1981 年第 1 期

考古人员于 1976 年 12 月上旬对安陆"晒书台"遗址进行了重点调查，通过探沟试掘，获得了一批重要的文物。

据介绍，位于该县巡店公社肖堰大队的"晒书台"遗址，是一个高出周围地面约 400 米，较规整的方形土台，面积 5000 余平方米。经初步试掘考察，该遗址除出土大量陶片外，还有许多兽骨以及各种不同质量的器物，主要有卜甲 2 件、陶器碎片、石器 3 件、铜器 2 件、骨器 1 件。简报初步推断"晒书台"约为商代晚期至西周早期遗址。

809.汉川南河发现西周大米

作　　者：湖北汉川县文化馆　张远栋

出　　处：《农业考古》1984 年第 2 期

1974 年秋，湖北省汉川县南河公社天鹅冲大队在该公社境内的乌龟山开山采石，发现 1 处西周时期的遗址。遗址除出土一些陶器和铜器外，并出土大米 856 克。简报配以照片予以介绍。

据推测，这些大米原来可能装在盛器内密封，后因盛器破碎而散，出土时虽已全呈黑色，但有些米粒还颗粒完全，清晰可辨，没有霉烂变腐。通过化验及有关专家们鉴定，这些大米为小黏稻辗成，说明这里种植水稻不仅由来已久，而且远在二三千年前，小黏稻就已在此繁殖生长了。

810.应城县出土商代鸮卣

作　　者：余家海

出　　处：《江汉考古》1986 年第 1 期

1976 年 2 月，应城县巡检公社群力大队八生产队农民在村旁挖水塘时，出土了 1 件罕见的珍贵文物——青铜鸮卣。简报配以照片予以介绍。

据介绍，此器呈椭圆形，带盖有提梁，底部有四矮蹄足。通高（带提梁）25.9 厘米，短径 12.3 厘米，长径 15.2 厘米，腹深 14.0 厘米，重 3.3 公斤。器形为二鸮鸮合体背立式，方向相反。时代简报推断为商代晚期。

简报称，应城县、黄陂县近几年不断出土商代青铜器，应予重视。

811.湖北孝感地区商周古文化调查

作　　者：熊卜发

出　　处：《考古》1988 年第 4 期

20 世纪 70 年代以来，随着各项基本建设的发展，孝感地区发现了许多商周时期的古遗址和墓葬，出土一批青铜器、玉器和陶器。自 1976 年至 1982 年，考古人员先后对部分遗址、墓葬作了探掘和清理工作，又获得了一批较重要的实物资料。简报分为：一、商周古文化分布与主要遗存，二、文化遗物，三、时代推断，四、结语，共四个部分。有手绘图、照片。

据介绍，这里发现的相当于商周时期的遗址和墓葬，主要分布在滠水流域的黄陂县、大悟县，澴水流域的孝感市、应山县，其次为涢水流域的安陆县、云梦县。其他地方亦有发现，但集中分布在滠水、澴水流域的中下游地区。主要遗址和遗存有安陆县的晒书台，孝感市的涨水庙（商周文化层）、殷家墩、聂家寨、白莲寺（西周文化层），大悟县的四姑墩，黄陂县的钟分卫湾、钟家岗、官家寨等墓地，大悟县的雷家山，应城县的吴祠、群力村，应山县的乌龟山等窖藏。出土遗物较多的有青铜器、陶器，另有少量玉器及骨器。根据各遗存出土器物特征观察，简报推断遗址可分为商代和西周两个时期的文化。

简报称，西周初年，周王朝的势力越过武关，顺着伏牛山的河谷地带进入南阳盆地，然后继续南下进入随枣走廊，沿着涢水到达这里。周人来到这里以后，继承了这地区的商文化并发展了周文化。所以简报认为孝感地区在商周时期的文化，其主要因素实渊源于中原地区。

812.湖北云梦商、周遗址调查简报

作　　者：云梦县博物馆　张泽栋

出　　处：《江汉考古》1990 年第 2 期

云梦地处江汉平原，向北可通随枣走廊，西南境有涢水流过，自古以来这里就是南北交通要道和政治、军事重地。近年来，经考古勘查，新发现商周遗址 4 处。简报分为：一、好石桥西城遗址，二、龚家寨遗址，三、王家山遗址，四、凤凰台遗址，五、结语，共五个部分。有手绘图。

据介绍，这几处遗址以西周遗址为主，但均有商代遗存。西周遗存与鄂东、鄂西地区的西周文化有较多差异。

813.湖北安陆市商周遗址调查

作　者：孝感地区博物馆　熊卜发

出　处：《考古》1993 年第 6 期

20 世纪 70 年代以来，考古人员对分布在安陆境内的古文化遗址，作了大量的调查和试掘工作，共发现 20 余处商周时期遗址，获得一批较重要的实物资料。这些遗址均分布在涢水、漳水两岸的台地上，尤以涢水流域为最多，多数保存较好，均具有文化层堆积厚、延续时间长、内涵丰富的特点。简报分为：一、下坝电站遗址（编号 1），二、花园遗址（编号 2），三、高家坡遗址（编号 3），四、花台遗址（编号 4），五、晒书台遗址（编号 5），六、女儿台遗址（编号 6），七、肖家湾遗址（编号 7），八、孪家湾遗址（编号 8），九、古城遗址（编号 9），十、江家竹林遗址（编号 10），十一、小结，共十一个部分。有手绘图。

据介绍，从以上 10 处遗址采集的陶片看，这些遗址大约包括了以下几个时代：

商代晚期。典型器物有下坝电站遗址的鬲口沿、盆和锥状鬲足，女儿台遗址的鬲口沿和鬲足，高家畈遗址采集的鬲口沿和鬲足，花园遗址采集的大口尊、鬲口沿。

西周，可分为早、中、晚三期。

早期，典型器物有花台遗址采集的鬲口沿和鬲足，晒书台遗址采集的鬲口沿和甗腰。

中期，典型器物有高家坡遗址采集的盆和鬲足，下坝电站遗址采集的鬲口沿，女儿台遗址采集的盆和罐。

晚期，典型器物有花台遗址采集的罐口沿和柱状鬲足，晒书台遗址采集的敛口钵、豆等，下坝电站采集的柱状鬲足。

春秋，典型器物有肖家湾遗址、孪家湾遗址和江家竹林遗址采集的陶器。

战国，典型器物有古城遗址采集的陶器、铜器和铁器，还有孪家湾遗址的细把豆等。

814.湖北安陆发现商代青铜器

作　者：余从新

出　处：《考古》1994 年第 1 期

1987 年 10 月，湖南安陆市雷公镇姚河村村民在解放山取土时，发现铜器 4 件，当即送交市博物馆。该馆即派人到现场调查，知铜器出于一距地表深约 100 厘米、口径 80 厘米、底径 74 厘米的土坑内，坑上由不规则的两块红石条掩盖，无他物，应为窖藏。简报配以手绘图、拓片予以介绍。

据介绍，四件铜器为铜瓿 1 件、铜觚 3 件。根据器形和纹饰，简报推断其应属商代遗物。这一发现，为研究安陆地区青铜文化面貌及商文化在江汉平原的分布提供了重要资料。

815.湖北孝感聂家寨遗址发掘简报

作　者：孝感地区博物馆、孝感市博物馆
出　处：《江汉考古》1994 年第 2 期

聂家寨遗址位于孝感市花园镇区内，西距澴水约 2 公里，于京广铁路之东 0.5 公里。遗址原为 1 个较大的土墩，高出四周的田地 2 ～ 3 米，越近土墩中心越高。1981 年 9 月，考古人员对该遗址进行了试掘。1987 年 9 月中旬至 10 月底，为配合遗址所在地农庄村小学校舍的修建工作，对遗址进行了 1 个多月的发掘，发掘面积约 100 平方米。简报分为：一、地层堆积，二、商代文化遗存，三、西周文化遗存，四、结语，共四个部分。有手绘图。

据介绍，聂家寨遗址是孝感地区境内 1 处较为典型的商周时期文化遗存。

商代文化遗存依据其文化层堆积及出土器物的变化特征分为四期。第一期年代应相当于二里岗下层，早的甚至可至二里岗下层早段及二里头四期同时；第二期最迟不会晚于二里岗上层和殷墟一期之间；第三期的年代应在殷墟二期前后，最晚可能要到殷墟三期偏晚；第四期年代应相当于殷墟第四期左右，晚的可能要到西周早期。

聂家寨遗址西周时期的文化遗存分为两期。第一期在西周文化的早期；第二期的年代在西周时期文化的早期之际，最晚也不会超过西周中期。

816.应城市孙堰村发现一座两周之际墓葬

作　者：李怡南、汪艳明
出　处：《江汉考古》1996 年第 4 期

1991 年 8 月，应城市北 8 公里的孙堰村砖瓦厂取土时挖出青铜器。考古人员进行了勘探调查，并在民工手中收回全部文物共计 8 件。据现场分析，这是 1 座长方形土坑竖穴墓，到现场查看时已全部被毁，墓葬形制详情不清。简报配以手绘图予以介绍。

据介绍，遗物中青铜器有青铜鼎 2 件、青铜壶 1 件、青铜鬲 1 件、青铜豆 2 件，还有铜戈、铜剑残片。该墓的年代，简报推断为西周晚期至春秋早期。

817.汉川乌龟山西周遗址试掘简报

作　者：湖北省文物考古研究所　张昌平
出　处：《江汉考古》1997 年第 2 期

乌龟山遗址隶属于汉川县南河乡南河村，东距南河乡约 2 公里，北距汉水约 15 公里，南河经遗址西侧向北注入汉水。乌龟山为 1 座东西走向的小丘，其形如名，东西长约 200 ～ 300 米，南北宽约 100 米，高出地面约 50 米，山体由石灰岩构成，其上为古文化遗存。遗址发现于 1958 年文物普查中，1973 年当地农民采石造成遗址的严重破坏，当时前往调查的考古人员曾采集到有人工截取痕迹的诺氏古象臼齿、水鹿角及鬲、豆等陶片。1973 年 9 月对遗址仅存的北缘部分进行了试掘，共计发掘面积 36 平方米。简报分为：一、文化堆积，二、随葬器物，三、结语，共三个部分。有手绘图。

据介绍，遗址共出土陶器、瓷器、铁器、钱币、砖刻等器物 104 件。另有地契 1 通，部分字迹不详。简报录有券文全文。墓志铭共 4 方。遗物有西周早期和明代两个时期。明代墓志中有万历、嘉靖、崇祯等年号。

818.大悟县城关镇双河村李家湾遗址发掘简报

作　者：湖北省文物考古研究所　付守平、韩用祥
出　处：《江汉考古》2000 年第 3 期

李家湾遗址位于大悟县境内西部大悟县城关镇双河村所辖的李家湾。遗址北部为山丘，南部为一片平地，整个遗址就分布在山丘和平地间的坡地上。据当地村民反映，大悟县砖瓦厂在取土时发现大量陶片。由于砖瓦厂取土，遗址大部分遭到破坏。为配合京珠国道建设，考古人员于 1998 年夏对该遗址进行发掘。简报分为：一、地层堆积，二、文化遗存，三、结语，共三个部分。有照片、手绘图。

根据调查情况获知，李家湾古文化遗址分布面积较大，虽然被县砖瓦厂取土时严重破坏，但对剩下的土墩进行发掘，遗物仍相当丰富。陶色以灰陶为主，陶质夹砂陶比例大于泥质陶。纹饰以绳纹为主，其次为弦纹，少量附加堆纹。另外在出土口沿残片中，唇沿加厚现象较为普遍，花边口沿也占一定比例。简报推断其时代为二里头时期，依照通常的理解，应已进入夏代。

819.湖北大悟夏家河遗址发掘简报

作　者：湖北省文物考古研究所　张　君、李想生、刘　辉、查逢志
出　处：《江汉考古》2011 年第 2 期

2008 年 11～12 月，为配合郑（州）武（汉）高速铁路建设，考古人员对夏家河遗址进行了抢救性发掘，发掘面积 225 平方米。遗址包含新石器时代和西周两个时期的文化遗存。新石器时代遗存发现有石家河文化晚期的瓮棺和房址，出土器物有鼎、钵、高领罐、缸、擂钵等。西周时期遗迹多为灰坑、烧土堆积和房址，从鬲、罐、盂、豆等器物组合和形态来看，其年代应相当于西周晚期。简报分为五个部分予以介绍，有手绘图。

黄冈市

820.湖北蕲春易家山新石器时代遗址

作　者：湖北省文物管理委员会　夏　盾
出　处：《考古》1960 年第 5 期

蕲春易家山遗址是 1955 年 3～4 月发现的。1956 年考古人员配合水利工程先后进行了 2 次小型清理工作，获得石器 231 件、陶片大小 39 箱，发现柱穴 13 个以及约 36 平方米面积的红烧土，了解到遗址的总面积约为 6500 平方米。另外，发现了潘家畈、洪家岗、广铺山和破屋塆四处与易家山相类似的文化遗址。

据介绍，遗址分布在蕲春县城西部约 2.5 公里（调查简报中误为 8 华里）的易家山和李家山 2 个相邻的土丘范围内。从出土物来看，在制陶方面广泛采用了轮制技术，形制工整，纹饰多样，尤其是在圈足或豆柄上的竹节纹以及镂孔，具有良渚陶器的风格。陶器中以鼎的数量最多，鬲、鬶形器少见，而甗、甑却未发现，特别值得注意的是这次清理中唯一的黑光薄胎的细泥黑陶的出现。石器中大量的斧、锛、刀和铲等，都是生产工具，说明了农业是当时人们主要的经济生活来源。在陶器中有纺轮、网坠，石器、骨器中有箭镞，这些也都证明了纺织业、捕鱼业、狩猎业是一种辅助的生产。

此遗址年代简报认为应属新石器时代末期，当时华北地区已应进入了铜器时代。

821.湖北浠水发现两件铜器

作　者：刘长蒜、陈恒树

出　处：《考古》1965 年第 7 期

1961 年 4 月 12 日，湖北省浠水县十月区白石人民公社星光大队第十二生产队的农民，在策山西南麓的 1 个高约 2 米的梯形坡地上取土时，在距地表约 1 米深处发现铜甗和铜斝各 1 件。出土时，铜甗直立，铜斝置于铜甗腹中，此外未发现其他共存物。同年 8 月底，考古人员前往出土地点作了 1 次调查。简报配以手绘图予以介绍。

据介绍，浠水在湖北东部，西距武汉市 160 余公里，南去 23 公里抵长江江滨，隔江与大冶县境相望，县东北为山区，西南多为丘陵。铜器出土地点在县城东北约 7.5 公里处的 1 个山冲里，东北约 200 米处的 1 个高坡上有个李家村，北距 30 米左右的高台子上是李家祠堂废址，地面暴露有近代的残破瓦片。在出土地点四周进行了钻探，未发现有古遗址和古墓葬的任何迹象，土质为沙泥土，含沙较多，呈青黄色。出土的两件铜器为甗和斝（现已修复）。简报推断两件铜器的铸造时间应在西周早期或更早。很可能是窖藏下来的。

822.浠水县出土西周有铭铜盘

作　者：浠水县博物馆　叶向荣

出　处：《江汉文物》1985 年第 1 期

湖北省浠水县朱店公社东方红大队 4 小队农民王普荣于 1975 年整治农田时，在 1 条放水沟处同时挖出 2 件古代铜盘。考古人员前往调查，未发现其他遗物。简报配以照片、拓片予以介绍。

据介绍，2 盘形状相似，盘内均有铭文。简报录有铭文全文，推断其时代为西周中期。

823.湖北省黄州市下窑嘴商墓发掘简报

作　者：黄冈地区博物馆、黄州市博物馆　吴晓松、董子儒等

出　处：《文物》1993 年第 6 期

1992 年 5 月，黄州市王家坊乡文物管理站在蓼叶嘴村下窑嘴发现 1 座古代墓葬。考古人员赶赴现场进行了发掘清理。简报分为：一、墓葬位置及形制，二、出土器物，三、结语，共三个部分。有照片、拓片、手绘图。

据介绍，下窑嘴位于北距黄州市 33 公里的举水河东岸。墓葬地处丘陵岗地。岗地除这次发现的 1 座墓葬外，在 1976 年还破坏了 1 座商代墓葬，并发现有新石器至西周时期的文化遗迹。此墓为长方形竖穴土坑，未发现棺椁及尸骨痕迹。随葬品中，青铜器置于北端，陶瓷器和铜镞置于南端，共计 22 件。其中青铜器 16 件、陶器 4 件、原始瓷器 1 件、石器 1 件。另外，在铜罍内壁发现丝织品痕迹及朱色块状物（疑为漆器）。该墓的年代简报推断为商代前期。

简报指出，此墓面积较小，无腰坑，应属小型墓。但随葬有成套的铜礼器，还有兵器和生产工具等，说明墓主人具有一定的身份。

824.京九铁路（麻城段）考古调查

作　者：京九铁路考古队　宋有志、江益林
出　处：《江汉考古》1993 年第 3 期

1992 年底，为配合京九铁路建设工程，从 11 月 4 日起到 11 月 15 日止，考古人员对麻城市境内京九铁路正线沿线的文物情况进行了初步调查，共发现古文化遗址 4 处、古墓葬群 17 处。对其中 3 处古文化遗址，通过地面调查获得了一批较为丰富的资料。简报分为：一、项家垱遗址，二、刘家墩遗址，三、应墩遗址，四、结语，共四个部分。有手绘图。

据介绍，上述 3 处古文化遗址文化堆积较为丰富，遗物的特征也比较明显。项家垱遗址的采集标本均为西周时期遗物，应是 1 处西周时期的古文化遗址。刘家墩遗址的采集标本亦均为西周时期的遗物，也是 1 处西周时期的古文化遗址。应墩遗址的采集标本中，有新石器时代的遗物和西周时期的遗物，故该遗址是 1 处新石器时代和西周时期的古文化遗址。这些遗物特征和特点，说明这一地区很早就是我国东西南北的交通要道。进一步弄清这一地区古代文化面貌，对研究本地区的古文化内涵和源流以及与周邻地区的文化交往及联系，都有着重要的意义。

825.京九铁路（浠水—黄梅段）文物调查

作　者：京九铁路考古队　冯小波
出　处：《江汉考古》1993 年第 3 期

1992 年 11 月，为配合京九铁路工程建设，考古人员对浠水、蕲春、武穴、黄梅四个县市铁路线所经沿线作了 1 次全面的考古调查。京九铁路正线西起浠水、黄州交界的巴河大桥，东至黄梅的孔垄镇，在孔垄镇钱家树与合（肥）九（江）线连轨，全长 126 公里。文物点基本上都分布在丘陵岗地上，共发现文物点 10 处。简报配以手绘图予以介绍。

据介绍，浠水、蕲春、武穴、黄梅四县市地处湖北省的东部，与安徽省、江西省接壤，整个地势为古代居民栖息繁衍提供了极有利的环境。新石器时代的蕲春的易家山遗址，大冶的上罗村遗址，武穴的挂玉山遗址、方家墩遗址，黄梅的龙感湖三墩遗址，充分说明这一地区的古文化遗址的丰富。往东至黄梅的龙感湖塞墩、陆墩、窑墩 3 处新石器时代遗址，所显示出来的是江浙地区的薛家岗、良渚文化的特征，因此这一地区为两大不同性质的文化的交汇地区。商周时期，这一地区文化面貌上表现出来的特征更趋明显。简报认为，摸清这一地区的古文化面貌，对于解决中原商文化与江汉平原商周文化之间的过渡时期的特点将有很大帮助。

826.湖北蕲春达城新屋塆西周铜器窖藏

作　　者：湖北黄冈市博物馆、湖北蕲春县博物馆　吴晓松、洪　刚等
出　　处：《文物》1997 年第 12 期

新屋塆位于蕲春县城西北 28 公里处，东距毛家咀西周木构建筑遗址约 600 米。属蕲春县达城乡柏条铺村所辖。1996 年 4 月，这里的村民在疏理稻田排水沟时，发现了青铜器。考古人员确定此为一西周窖藏遗迹，随后进行了清理发掘。青铜器出土地点在新屋塆（自然村）所在岗地的西北部边缘。这里原为一较高的土丘，20 世纪 70 年代初被改造成稻田。文物出土时，部分暴露距地表约 0.6 米的排水沟断面上，埋藏最深的 1 件铜器距地表 1.1 米。现存出土铜器的土坑为不规则圆形。简报分为"出土器物""结语"两个部分。有照片、拓片、手绘图。

据介绍，出土器物共 7 件，均为青铜器，有方鼎 5 件，圆鼎、铜斗各 1 件。5 件铜方鼎均有铭文或徽记。简报推断这批青铜器的时代为西周早期，不会晚于康王时期。它是 1949 年以来湖北地区商周考古中的一次重要发现，在鄂东地区更是首次，为研究鄂东地区西周时期的历史文化面貌提供了难得的实物资料。

827.湖北省麻城余家寨遗址调查简报

作　　者：湖北省文物考古研究所、黄冈市博物馆、麻城市博物馆　吴晓松、洪　刚
出　　处：《江汉考古》2006 年第 3 期

余家寨遗址位于湖北麻城市，面积 8300 平方米。1991 年，麻城市修建 106 国道时将余家寨遗址西部边缘破坏，考古人员对该遗址进行了全面调查勘探。遗址包含

有新石器时代和西周两个时代的文化堆积。新石器时代标本中的主体是石家河文化，还兼有屈家岭文化、薛家岗文化及樊城堆文化等多种文化因素。在新石器时代遗址之上筑有 1 座面积约 15000 平方米的西周城堡，夯土城墙及护城河大部分保存完整。余家寨遗址为研究长江中下游原始文化之间的关系及南方商周文化与中原商周文化的关系提供了重要资料。简报分为：一、新石器时代遗存，二、西周城堡遗存，三、结语，共三个部分。有手绘图。

简报称，余家寨西周城堡面积约 15000 平方米，在商周城址中显然属比较小的，发现的遗物与中原周文化有着较强的一致性。这证实西周王朝的政治势力确凿无疑地到达了今鄂东地区。余家寨遗址所在的地理位置，是从中原越过大别山到达鄂东的必经要道，自古以来就是兵家必经之地。余家寨西周城堡应是西周王朝且有可能是"汉阳诸姬"的一支在这里建立的一个军事要塞。控制了这一要塞，周人就打开了进入南方的通道。

828.湖北麻城吊尖遗址发掘简报

作　者：湖北省文物考古研究所、麻城市博物馆　刘　辉
出　处：《江汉考古》2008 年第 1 期

吊尖遗址包含新石器时代和西周两个时期的文化遗存，新石器时代发现了一批屈家岭文化和石家河文化的墓葬和瓮棺葬。这批墓葬出土器物如盆形鼎、大口罐、豆、杯等具有鲜明的地方文化特色。西周时期遗迹多为灰坑、灰沟，从鬲、罐等器物组合分析，其时代大致相当于西周中晚期。简报分为五个部分予以介绍，有手绘图。

吊尖遗址位于湖北省麻城市南湖办事处凡固坨村一组，大别山南部丘陵倒水河的支流孙家河东岸。遗址为 1 个独立的椭圆形台地，台地高出周围地面 5 米，现地表由北向南倾斜。遗址面积不大，东西长 80 米，南北宽 55 米左右，总面积 4500 平方米。2005 年 11 月 25 日至 2006 年 1 月 17 日，为配合武合高速铁路建设，考古人员对该遗址进行了抢救性发掘。该遗址发现的鱼钩石范为研究西周的青铜冶铸工艺提供了重要信息。

829.浠水县发现周代青铜甬钟

作　者：岑东明、陈小兵
出　处：《江汉考古》2008 年第 4 期

2008 年 9 月 16 日，浠水县博物馆征集到 1 组青铜甬钟。甬钟为该县团陂镇凤形

地村村民王小元从上巴河河沙中挖出，共4件。简报配以照片予以介绍。

据介绍，这组甬钟中单体虽大小有别，但形制、纹饰基本相同，均为合瓦状。根据铜甬钟形制与纹饰，初步断定为周代遗物，是成套编钟中仅存的4件。它对研究周代礼乐制度有一定的史料价值。

咸宁市

830.湖北崇阳出土一件铜鼓

作　者：鄂　博、崇　文
出　处：《文物》1978年第4期

1977年6月，崇阳县白霓公社新堰四队农民在汪家咀发现1件铜鼓，当即妥善保护，并向文化主管部门作了报告。考古人员进行了调查。调查情况简报配以照片予以介绍。

据介绍，崇阳县位于长江以南、幕阜山以北，是一片广阔的丘陵盆地。汪家咀西距县城15公里，周围有一些小土丘和山冈，北面紧靠大市河。铜鼓暴露于被河水冲刷后的岸边。附近河滩上有宋以前的陶片。简报认为，铜鼓有可能是被水从其他地方冲来的。铜鼓鼓身如切去两头的橄榄，两侧饰云雷纹和乳钉纹。鼓面为椭圆形，素面，边缘饰三周乳钉纹。鼓身上部正中立有一类似器物盖纽之物，鼓身下部正中有座相托，纹饰风格均与鼓身同。此鼓的时代，简报暂定为商代晚期至西周早期。

简报称，这是国内保存的唯一的1件商至西周早期的铜鼓，是研究我国古代青铜艺术和奴隶社会礼乐制度珍贵的实物资料。

831.湖北崇阳县出土一件西周铜甬钟

作　者：湖北省崇阳县博物馆　刘三保
出　处：《江汉考古》1997年第1期

1996年7月27日，崇阳医疗卫生用品材料厂在大桥乡白泉村二组王家咀山丘上平地基时，推土机推出1件青铜甬钟。当地一农民在填土中发现此钟后，即找人将钟取出抬回家，并装入麻袋打算外运出售。考古人员制止了这一行为，将钟运回县博物馆。简报配以照片、拓片予以介绍。

据介绍，此钟通高 73 厘米，重 37.5 公斤，略有残，未见铭文。简报推断为西周中晚期遗物。此钟不带铭文，钟体正面有花纹反面无花纹，在中原地区不见，只有湖北、湖南、江西、广东、广西、福建等地才有。

832.崇阳县大连山出土两件西周铜甬钟

作　者：刘三宝

出　处：《江汉考古》1998 年第 1 期

1997 年 8 月 20 日，崇阳县肖岭乡大连村大连山采石场民工胡武高，在取土施工中于地下约 1 米深处发现了 2 件铜甬钟。当时 2 钟均保存完好。他随即取出拿回家，后来在清洗时，不慎将其中 1 件钟前把折断。另 1 件则于 9 月 2 日送到了县博物馆，经初步鉴定为西周时期青铜甬钟。考古人员对甬钟予以征收，同时又于当天赴大连山采石场进行实地调查，并到胡武高家征收了另 1 件甬钟。简报配以拓片等予以介绍。

据介绍，出土地点北距县城 30 公里。现场未发现任何遗迹遗物，由此可见，该甬钟不似出土于墓葬，也不似出土于窖藏，而可能是与山川祭祀有关。大连山出土的 2 件甬钟均以青铜铸造，形制完全相同，但大小稍有区别，年代简报推断为西周中期。崇阳地区出土的先秦时代青铜乐器不仅年代早，而且种类多，实可称为古青铜乐器之乡。此次西周青铜甬钟的再次出土更能证明这一点。

随州市

833.湖北随县发现曾国铜器

作　者：鄂　兵

出　处：《文物》1973 年第 5 期

1970 年和 1972 年，湖北省随县均川区熊家老湾，因修建房屋，先后出土了两批青铜器。1972 年 6 月，湖北省博物馆派人前往进行了实地调查。简报配以拓片、手绘图予以介绍。

据介绍，熊家老湾位于随县县城西南约 20 公里，为 1 处高出地面约 10 米的山岗坡地，北面倚山，南面为一片肥沃的平原。铜器发现在山坡上，距地表深约 1 米。两次出土地点彼此相距约 60 米。第 1 次出土的铜器现存 6 件，出土时叠压在一起，计有簋 4、甗 1、方彝 1。第 2 次出土铜器 9 件，出土时为顺序放置，有鼎 3、甗 1、簋 2、壶 1、盘 1、匜 1。有的有铭文。从铭文看，有曾国、黄国铜器。这批铜器的年代，至迟不会超过春秋初年。此次发现，为研究西周晚期江汉平原诸小国的关系提供了资料。

834.应山县发现商代铜鼎

作　者：应山县文化馆　张学武
出　处：《江汉考古》1980 年第 1 期

1978 年 5 月，湖北省应山县长岭公社红旗大队八小队的农民，在乌龟山坡下抗旱造地筑堤的工程中，发现一件商代铜鼎。简报配以照片予以介绍。

据介绍，红旗大队八小队东距应山县城 32 公里，西距随县浙河 1 公里。铜鼎出土地点，原是一片平地，周围为小山岗环抱。这次在这里取土筑堤，发现 1 件倒置的铜鼎，未见其他遗物和遗迹。简报推断，这鼎可能是当时窖藏，年代约为商代晚期或商周之际。

835.湖北随县发现商代青铜器

作　者：随州市博物馆　王世振
出　处：《文物》1981 年第 8 期

1977 年 3 月间，在距随县县城南 10 公里的浙河公社三大队，农民在平整耕地时发现古代青铜器。公社文化站干部赶到现场察看，因地层扰乱严重，已难以辨认是否属于墓葬。考古人员前往协助，将文物收集入藏。简报配以照片予以介绍。

简报介绍，这次出土的青铜器，有酒器、生产工具和兵器共计 13 件。这批青铜器已经开始脱离早期那种原始的形态，显示了一些变化，看来比盘龙城二里岗期器物要晚些。简报推断其时代应当在二里岗和殷墟之间。对于研究商文化的发展以及各地区文化的统一性，这批器物是有重要价值的。

836.湖北随县安居出土青铜器

作　者：随州市博物馆　黄敬刚等
出　处：《文物》1982 年第 12 期

随县安居公社有青铜器出土。随州市博物馆派人对出土地点作了调查，共清理墓葬3座。简报分为三个部分予以介绍，有照片、拓片、手绘图。

1980年春，安居公社车岗九大队四生产队农民在羊子山植树时，发现1件青铜簋。同年10月上旬，考古人员前往调查，在出土位置进行了清理发掘，证明该处是1座古墓葬。墓为土坑竖穴，封土已无存。器物放置在墓主人头部和左侧。棺椁已腐朽，但痕迹仍然明显。墓内出土青铜器18件。

1979年11月，安居公社农民在桃花坡改修公路时，发现一批青铜器。经清理，发现是2座古墓葬。2墓南北并列，均为土坑竖穴，东西向。南墓编为一号，北墓为二号。封土和墓口已残缺。填土加白膏泥夯实。棺椁已腐烂，从痕迹观察，两墓棺椁结构相似。一号墓随葬品以青铜器为主，有的上有铭文。二号墓出土青铜器7件。

简报推断，羊子山墓应为西周早期或中期偏早，桃花坡墓应属春秋早期。

据文献记载，春秋时期，随县境内曾为随国、厉国和唐国属地。从1949年以来随县境内出土的铜器看，既有西周至战国器物，又有早到商代的器物。近年在这里又发现了战国时期的曾侯乙墓。相信随着古代文物的不断出现，随县古代的国属和历史情况将越来越清楚。

837.湖北随县发现商周青铜器

作　者：随州市博物馆　王世振
出　处：《考古》1984年第6期

1975年至1976年间，湖北随县万店、均川、安居三个公社相继出土了几批青铜器。简报分为：一、万店公社塔儿湾周家岗，二、均川公社、熊家老湾，三、安居公社羊子山，共三个部分。有手绘图、照片。

周家岗位于㵲水西岸，南距随州市15公里。1976年3月，万店公社塔儿湾管理区农民在周家岗上进行农田基本建设时发现一批古代青铜器。考古人员立即前往，发现青铜器已被取出，但在出土青铜器的坑内发现有白膏泥和棺椁腐烂后遗留下来的漆皮以及朱砂。从这些迹象可以确定这批青铜器是出于1座古墓葬。这批器物现藏随州市博物馆，计有鼎2、簋2、鬲2、壶2、盘1、匜1、戈2、车軎4，其中几件有铭文。简报推断这批铜器的时代应属西周中期或晚期。

1976年，均川公社国际大队熊家老湾农民在挖土时，发现1件圆涡纹青铜罍，小口，束颈，口沿外折，圆肩，腹壁斜收，矮圈足。此器形制较大。这件罍与辽宁喀左县北洞村殷墓出土的铜罍形制极其相似。简报推断其时代应属商代晚期。

安居公社羊子山位于涢水北岸，东距随州市 20 公里。1975 年，农民在农田建设中，发现青铜器 4 件。其中单銎尊，有铭文，与簋同时出土，从簋的纹饰和形制，简报推断其时代应属西周早期。鄂侯尊应是周初鄂国遗物。

838.湖北随州出土西周青铜镈

作　　者：随州博物馆　黄建勋、熊　燕等
出　　处：《文物》1998 年第 10 期

1995 年 10 月，湖北省随州市三里岗镇毛家冲村农民犁田时发现文物。考古人员前往调查。简报配以照片予以介绍。

据介绍，毛家冲位于大洪山北麓，属涢水流域，东北距随州城区 36.8 公里。文物出土在一呈南北走向的山坡上。经现场勘察，此处是 1 座古墓葬，已被人为扰乱，但能分清残存的墓壁和墓底，为长方形土坑竖穴墓。此墓残存随葬品 2 件。铜镈 1 件，基本完整，其中一面有裂缝，部分脊饰及纽端略残，通体绿锈，石罄 1 件，石灰岩质，已断成面，素面，系天然石片修整而成，周沿粗糙，通体经琢磨，具有一定的原始性。简报推断为西周中期遗物。

简报称，随州出土的这件西周时期铜镈并不是偶然的现象。如此精美的铜镈，在随州乃至湖北还属首次发现，为研究随州地区的音乐史、青铜艺术等方面提供了珍贵的实物资料。

839.湖北随州叶家山西周墓地发掘简报

作　　者：湖北省文物考古研究所、随州市博物馆　黄凤春、陈树祥等
出　　处：《文物》2011 年第 11 期

叶家山西周墓地位于湖北省随州市东北，墓地处在一南北走向的岗地上。2010 年 12 月底，当地村民在平整土地时发现一批铜器。2011 年 1 月，考古人员到现场调查，并对两座残墓（M1、M2）进行了抢救性发掘，确认此地应是 1 处西周家族墓地。2 月 18 日，考古人员对叶家山墓地进行全面揭露和科学发掘工作，历时 4 个月。

简报分为：一、墓葬形制，二、随葬器物，三、结语，共三个部分。有彩照、手绘图。

据介绍，目前已发掘墓葬 63 座、马坑 1 座，出土铜器、陶器、原始瓷器、漆器、玉石器等共 739 件（套）。其中铜器 325 件（套），部分铜器铸有铭文，有的铜器上铭"曾侯"或"曾侯谏"。M1、M2、M27 是墓地中的较大型墓，出土了大

量的随葬器物，且 3 座墓均出土了成组的铜礼器。根据随葬器物和铜器铭文判断，此墓地为西周早期曾侯家族墓地。M1 的年代大体在西周成王或康王时期，墓主可能是"师"；M2 的年代大体在康昭之世，墓主可能是曾侯谏的媿姓妻子；M27 的年代似应在昭王晚期或昭穆之际，墓主可能是白生或其夫人。此墓地的发现为研究西周及曾国历史提供了重要的实物资料。

同期载有黄凤春等先生的《湖北随州叶家山新出西周曾国铜器及相关问题》一文，认为西周早期曾国的政治中心应在今溠水下游南岸的庙台子遗址。西周早期曾国、鄂国一度在汉东地区并存。曾国主要控制溠水下游以东地区，鄂国主要在曾国西边 25 公里的溠水流域。同期还载有李学勤、李伯谦等诸位先生关于叶家山西周墓的笔谈，足见学界对这次发掘的重视。

840.湖北随州叶家山 M65 发掘简报

作　　者：湖北省文物考古研究所、随州市博物馆　黄凤春、陈树祥、黄玉洪、陈晓坤

出　　处：《考古》2011 年第 3 期

随州叶家山西周墓地位于湖北省随州市经济开发区淅河镇蒋寨村八组，南距已发掘的西花园及庙台子遗址约 1 公里。2010 年 12 月底，当地村民用机械平整土地时发现一批铜器。考古人员于 2011 年 1 月 1 日至 1 月 17 日到现场调查，并对暴露的 2 座残墓进行了抢救性发掘（M1、M2）。根据调查勘探和抢救性发掘，确认岗地应是 1 处新发现的西周家族墓地。2 月 18 日对叶家山墓地进行了全面揭露和科学发掘，揭露面积 3700 平方米。简报分为：一、墓葬形制，二、随葬器物，三、结语，共三个部分。有手绘图、照片。

据介绍，通过探方发掘，共揭露出墓葬 65 座和 1 座马坑，实际发掘了 63 座墓葬和 1 座马坑。出土陶、铜、瓷、漆、木、玉、石等各类质的文物共达 739 件（套）。其中，青铜器多达 325 件（套），据器物形制和纹饰等特点，简报认为这批遗物的年代约为西周早期。已发现 74 件青铜器有铭文，其中，在多座墓葬的青铜器上见有"曾侯"和"曾侯谏"的铭文，说明此处墓地应是与早期曾国和曾侯相关的 1 处墓地。M65 为长方形土坑竖穴墓，160 件（组）随葬品保存完好，其年代简报推断为西周的康昭之际，墓主应当就是曾侯谏。

841.湖北随州市叶家山西周墓地

作　　者：湖北省文物考古研究所、随州市博物馆　黄凤春、郭长江、左德田
出　　处：《考古》2012 年第 7 期

2010 年 12 月底，随州市叶家山村民在平整土地时发现一批铜器。2011 年 1 月 1 日至 17 日，考古人员到现场调查，并对 2 座残墓进行了抢救性发掘。根据调查和抢救性发掘，确认此地应是 1 处新发现的西周家族墓地。2011 年 2 月 18 日至 6 月 14 日，对叶家山墓地进行了正式发掘。简报分为：一、墓葬形制，二、马坑，三、随葬器物，四、结语，共四个部分。有彩照、拓片、手绘图。

据介绍，在叶家山西周墓地共发现墓葬 65 座和马坑 1 座，出土铜器、陶器、原始瓷器和玉器等遗物 700 余件（套），其中部分铜器上有"曾""侯""曾侯"和"曾侯谏"等铭文。据器物形制和铜器铭文，简报推断该墓地是西周早期曾侯的家族墓地。这对研究汉东西周早期曾国与鄂国、曾国与楚国关系具有重要的学术价值。

842.随州叶家山西周墓地第二次考古发掘的主要收获

作　　者：湖北省文物考古研究所、随州市博物馆　黄凤春、郭长江
出　　处：《江汉考古》2013 年第 3 期

随州叶家山西周墓地于 2010 年底发现，2011 年进行了第 1 次发掘，发掘了 63 座墓及 1 座马坑，出土大量西周早期文物，被评为 2011 年中国十大考古新发现之一。2013 年 3 月至 7 月，又进行了第 2 次发掘。发掘 77 座墓葬和 6 座马坑，出土铜、陶、原始瓷、玉、骨等质地的文物 1300 余件（套）。简报分为：一、墓葬形制，二、马坑，三、随葬器物，四、主要收获，共四个部分。有照片、手绘图。

据介绍，此次发掘的 77 座墓葬，除 2 座大墓（M28、M111）带有墓道外，余皆为长方形土坑竖穴墓，所有墓葬皆为东西向。M28 和 M111，是这一墓地中最大的 2 座墓葬，都带有墓道。其中 M111 墓室的开口东西长 13 米，南北宽 10 米，墓底东西长 8.08 米～8.22 米，南北宽 5.58～5.96 米，是我国目前所见西周墓葬中墓室规模最大的墓葬。墓葬未被盗掘，其葬制与葬俗基本上保持了原貌，通过完整的揭露和发掘，出土了大量的青铜礼乐器、酒器、兵器和车马器，为研究西周时期南方方国高等级贵族墓葬的葬制和葬俗提供了可靠的参证范例。已发掘的中、小型墓葬皆为长方形，无墓道，大多环绕在大型墓葬的周围。其间还分布有少量的未成年人小墓。小型墓葬一般都较浅。这些中、小型墓葬墓坑规整，坑壁都有加工痕迹，包括一些未成年人小墓在内的绝大多数墓葬都有为数不等的随

葬品，其葬俗与大型墓相同。马坑 6 座分方形和长方形 2 种，其中方形 2 座，长方形 4 座，大多集中分布于大墓的周围。方形马坑一般较浅，保存较差，随葬马匹数只有 2 ~ 4 匹。长方形马坑一般较深，保存相对完好，随葬的马匹数为 8 ~ 10 匹。绝大多数墓葬都有随葬品。铜器数量最多，且大多保存完好，其中 1 套 5 件编钟是我国西周时期所见最早编钟。铜器上的铭文，再次证实叶家山为西周早期曾侯墓地。

恩施州

843.土寨子遗址发掘简报

作　者：湖北省文物考古研究所　胡雅丽
出　处：《江汉考古》2005 年第 3 期

土寨子遗址位于巴东县北部西南角的长江北岸，尽管因人为的原因，遗址的相当部分已被扰动，但仍可据出土遗物判知，其主要堆积为夏代遗存。简报分为：一、探方分布与地层堆积，二、遗迹，三、遗物，四、结语，共四个部分。有照片、手绘图。

据介绍，土寨子遗址隶属湖北省恩施自治州巴东县官渡口镇万流管理区马家村一组，因坐落于青龙山西南坡被称为"土寨子"的洞前坡地而得名。1998 年 12 月为配合三峡工程而进行了发掘。遗址的上下两部分，被当地人分别称作"上土寨子"与"下土寨子"。从遗址的自然环境与地形地势推测，遗址的居址当设在洞穴之内，但现在洞内仅余石壁、石地。据当地山民介绍，抗战时期洞内曾驻扎过国民党军队，20 世纪六七十年代洞内亦有人家居住（至今仍留有石砌的墙壁）。估计遗址留存在洞内的原生堆积，至迟已在现代人的这两次造访中被破坏殆尽。20 世纪 70 年代初期，当地林场开展学大寨运动，在劈山造梯田的过程中，山民们由下而上对遗址进行了一次全面的翻动。但仍可依据陶片等遗物判定这一遗址属于夏代。

844.湖北省巴东县龙王庙遗址发掘简报

作　者：黄石市博物馆　龚长根、曲　毅
出　处：《江汉考古》2005 年第 3 期

巴东县龙王庙是巫峡口的 1 处临江台地遗址，发掘共分 3 个点。其中 2 个点发现遗迹遗物：1个点在江边沙地，出土400余件商周时期石器；另1点在台地上，有少量春秋遗物，可辨器形有盆、罐、釜、豆、鼎、鬲、甗等，还有清代中后期龙王庙址的多种遗迹现象，有房基、暗沟、柱洞、石板路等。简报分为：一、地理概况，二、探方分布与地层关系，三、石器遗存，四、东周文化遗存，五、清代遗存，六、结语，共六个部分。有拓片、手绘图。

据介绍，龙王庙遗址隶属巴东县官渡口镇东坡村九组，地处长江北岸巫峡上水入口处的临江台地，1984年发现，1994年进行了试掘。此地是长江出巫峡江面突然变宽的第一个洄水湾。这里有上溪沟、下溪沟、瓦场沟三条溪水流入长江，冬天仍不断水流，是古代人们理想的生息之地。从龙王庙顺江东下2.5公里就是巴东著名的神农溪口，沿线分布着官渡口、黎家沱、西壤口、地主坪等遗址。龙王庙距官渡口仅400米，距黎家沱1公里。官渡口遗址发现大量石器，考古人员称为"石器作坊"。黎家沱和西壤口遗址都有石器出土，特别是黎家沱，发掘出土和采集的石器共126件，与龙王庙石器都是以打制为主或稍加磨制的加工风格相同。在龙王庙附近3条溪水口并不出产砾石，以上遗址所产石器的砾石均来自神农溪。所以，简报认为龙王庙、官渡田、黎家沱三遗址原本是商周时代1处大遗址，春秋及清代遗物很少且破碎。

845.湖北巴东县红庙岭遗址出土一批重要青铜兵器

作　者：湖北省文物考古研究所　林邦存
出　处：《四川文物》2007年第4期

为配合三峡大坝工程建设，考古人员从1998年至2005年对巴东红庙岭遗址作了5次考古发掘，清理了89座有随葬品的土坑墓，其中26座随葬有青铜兵器。这批巴式、楚式和秦式青铜兵器为确认巴蜀文化的分布范畴提供了重要依据。简报分为：一、出土概况，二、各类兵器的类型划分和年代推断，三、两点简要认识，共三个部分。有手绘图。

据介绍，26座墓中计出土戈1件、矛5件、剑23件。在公元前634年的春秋中期，夔子国的国君已被楚国俘虏，夔子国被楚国所兼并。红庙岭随葬青铜兵器的这批墓主，实际上都是楚国统治下的巴人后裔。红庙岭遗址的巴人后裔在自己的诸侯国被楚国兼并后，才开始在自己的墓葬中随葬青铜兵器。此前所随葬的青铜兵器中，虽然也有楚式剑和秦式矛，但更普遍的还是巴式矛和巴式剑。巴人后裔的这种葬俗所反映的心理特点，有可能与《中国青铜器》一书的作者在分析古代巴人喜欢收藏和仿造殷周型兵器的心理特点是一致的，这就是"和巴人参与武王伐商而获得殷周型兵器而长期流传有关，是小邦国为增大其荣誉，从而对周文化仰慕的一种表现"。

仙桃市

潜江市

天门市

神农架林区